U0253323

黄河小浪底水利枢纽规划设计丛书

# 机电与金属结构设计

林秀山　总主编

王庆明　主　编

中国水利水电出版社
黄 河 水 利 出 版 社

## 内 容 提 要

本书为黄河小浪底水利枢纽规划设计丛书的机电与金属结构设计卷，由直接参加工程设计的人员编写。包括水力机械、电气一次、电气二次、金属结构、启闭机械等内容，在全面综述小浪底工程机电与金属结构设计的基础上，对设计中的一些专门技术问题作了较为详细的介绍，并对工程设计优化与创新以及设计中的经验与体会作了介绍。

本书内容丰富，实用性强，可供从事水利水电工程设计、建设管理的有关人员参考，也可作为大专院校相关专业师生的参考书。

**图书在版编目(CIP)数据**

机电与金属结构设计/王庆明主编 .—郑州：黄河水利出版社，2005.10

（黄河小浪底水利枢纽规划设计丛书/林秀山总主编）

ISBN 7－80621－952－8

Ⅰ.机…　Ⅱ.王…　Ⅲ.①黄河－水利枢纽－机电设备②黄河－水利枢纽－金属结构－结构设计
Ⅳ.TV632.613

中国版本图书馆 CIP 数据核字(2005)第 095610 号

---

出 版 社：中国水利水电出版社

地址：北京市西城区三里河路 6 号　　邮政编码：100044

黄河水利出版社

地址：河南省郑州市金水路 11 号　　邮政编码：450003

发行单位：黄河水利出版社

发行部电话：0371－66026940　　传真：0371－66022620

E-mail：yrcp@public.zz.ha.cn

承印单位：河南省瑞光印务股份有限公司

开本：787mm×1 092mm　1/16

印张：24.75

字数：570 千字　　印数：1—2 000

版次：2005 年 10 月第 1 版　　印次：2005 年 10 月第 1 次印刷

---

书号：ISBN 7－80621－952－8/TV·414　　定价：98.00 元

# 总 序 一

黄河小浪底水利枢纽是“以防洪（包括防凌）、减淤为主，兼顾供水、灌溉、发电，蓄清排浑，除害兴利，综合利用”为开发目标的大型水利工程，是国家“八五”重点建设项目，也是当时我国利用世界银行贷款最大的工程项目。小浪底主体工程于1994年9月开工，2001年底按期完工。工程采用国际招标方式选择了世界上一流的承包商，从施工管理、工程设计、移民搬迁到环境影响评价全面和国际接轨，为我国水利水电建设积累了宝贵经验。工程建成运行5年来，在黄河下游防洪、防凌、减淤冲沙、城市供水、发电、灌溉方面发挥了不可替代的作用。截至2004年底，累计发电约150亿kW·h。在黄河连续枯水的情况下为确保黄河不断流提供了物质基础。显著的社会效益和经济效益使小浪底水利枢纽成为治黄的里程碑工程。

本着建设我国一流工程的目标，我有幸参与了小浪底工程的建设管理。一流的工程首先要以一流的设计为龙头。小浪底工程由于其独特的水文泥沙条件、复杂的工程地质条件和严格的水库运用要求，给工程设计提出了一系列挑战性的课题，被国内外专家公认为是世界上最具挑战性的工程之一。黄河勘测规划设计有限公司[1]的工程技术人员，经过近30年的规划论证和10多年的方案比选，以敢于创新和科学求实的精神，在国内科研院所和高等院校的配合下，较满意地解决了一个个技术难题，诸如深式进水口防泥沙淤堵、施工导流洞改建为孔板消能泄洪洞的重复利用、排沙洞后张预应力混凝土衬砌、洞室群围岩稳定、大坝深覆盖层基础处理、进出口高边坡加固、20万移民的生产性安置等，提出了以集中布置为鲜明特点的枢纽建筑物总体布置方案，同时也创造了许多国内国际领先水平的设计。小浪底工程于1999年10月蓄水运行以来，已安全正常地运行了5年，并经历了2003年高水位的运用考验，实践证明，小浪底工程的设计是成功的。

小浪底工程成功的设计，为小浪底工程的建设提供了可靠的技术保障。

---

[1] **编者注：**黄河勘测规划设计有限公司为原水利部黄河水利委员会勘测规划设计研究院。

黄河勘测规划设计有限公司的同志们认真总结小浪底工程的设计经验，编写出版了这套技术丛书。这套丛书的出版，无疑将丰富和促进我国水利水电建设事业的发展，也希望通过这套丛书使小浪底水利枢纽的成功经验得到更好的推广和应用。

张基尧

二〇〇三年三月一日

# 总序二

小浪底水利枢纽是黄河治理开发的关键工程。如今这座举世瞩目的工程已全面竣工，几代黄河人的小浪底之梦终成现实。宏伟的小浪底工程犹如一座巍峨的丰碑，记载着人民治黄的丰功伟绩，同时又是一座黄河治理开发的里程碑工程。它的建成运用，使治黄工作进入了一个能够对黄河下游水沙进行调控的新阶段。

黄河是世界上最复杂、最难治的河流。大量的泥沙淤积在下游河道内，使下游河道滩面高于大堤背河地面，成为举世闻名的地上悬河。如何把黄河的事情办好，一代又一代黄河人进行着孜孜不倦的探索和实践。

位于黄河中游最后一个峡谷出口处的小浪底，是三门峡水利枢纽以下惟一能够取得较大库容的坝址，处于承上启下控制黄河水沙的关键部位。修建小浪底水库对于黄河下游防洪、防凌、减淤等具有非常重要的作用，其战略地位是其他治黄工程无法替代的。

小浪底工程规模宏大，地质条件复杂，水沙条件特殊，运用要求严格，被公认为世界坝工史上最具挑战性的工程之一。面对这些难题，设计人员总结国内外的工程实践经验，克服重重困难，以勇于开拓创新又实事求是的科学精神，攻克了一个个技术难关，创造了多项国内外领先的设计成果。目前，工程已经开始发挥巨大的综合效益，特别是在调水调沙及塑造黄河下游协调水沙关系方面更是发挥了突出作用。

小浪底工程的勘测、规划和设计实践体现了“团结、务实、开拓、拼搏、奉献”的黄河精神，凝聚了广大治黄人员的智慧，同时也为今后的工作积累了丰富的经验。现在黄河勘测规划设计有限公司的同志总结小浪底工程的设计经验，编撰了这套规划设计丛书，非常必要、及时。丛书注重工程特点，论述设计思路和方法，突出创新成果，体现时代特征，系统全面反映了工程设计情况，对于今后的治黄工作乃至我国水利水电工程建设都将具有很好的借鉴作用。

小浪底工程建成后，黄河治理开发的任务依然非常繁重。小浪底水库本身的运用方式仍然需要深入研究，以保证其最大限度地发挥综合效益。同时，必须抓住小浪底水库投入运用的大好机会，抓紧开展黄河下游治理工作，并加快黄河干流骨干工程和南水北调西线工程建设、中游水土保持以及小北干流放淤等工作，构建完善的黄河水沙调控体系，使治黄工作朝着“维持黄河健康生命”的终极目标迈进。

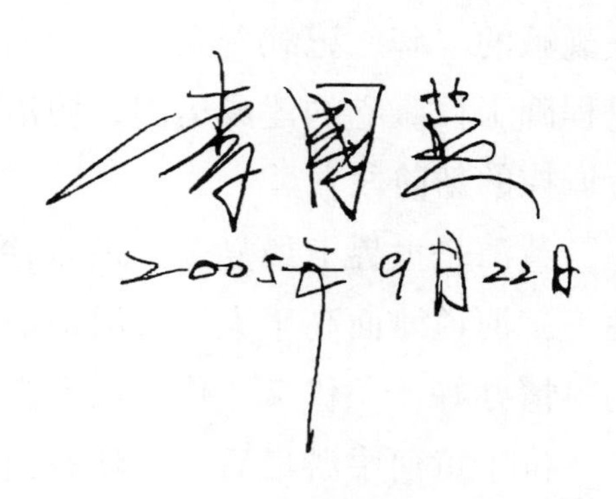

# 总 前 言

小浪底水利枢纽位于黄河中游三门峡以下约130km黄河最后一个峡谷的出口处。从三门峡到小浪底，河床比降0.1%，南岸是秦岭山系邙山，北岸是中条山、王屋山，河谷宽500～1 000m，洪水水面宽200～300m，每遇洪水，黄河波浪滔天、咆哮而下。黄河出小浪底峡谷之后，河道突然展宽，大浪没有了，小浪也到底了，进入了由黄河泥沙堆积而成的黄淮海平原。郑州花园口以下约800km的下游河道高悬于两岸地面，在约1 400km堤防的约束下流入渤海。居住在峡谷出口右岸黄河岸边一个小山村的先人们，观黄河流态的变化，以“小浪底”命名了自己的小山村。年年岁岁，世世代代，先人们并不知道今天小浪底竟成了家喻户晓的一个巨大的水利枢纽的名字。这个名字牵系着国内外许多专家、学者，牵系着曾为之奋斗的上万名中外建设者，牵系着上至中央领导、下至黎民百姓。

小浪底水利枢纽控制黄河流域面积69.4万$km^2$，占黄河流域总面积（不包括内陆区）的92.3%，控制黄河天然年径流总量的87%及近100%的黄河泥沙。小浪底工程处在承上启下控制黄河水沙的关键部位，与龙羊峡、刘家峡、大柳树、碛口、古贤、三门峡一起成为开发治理黄河的七大骨干工程，在治黄中具有十分重要的战略地位。

小浪底工程建在因含沙量高而闻名于世的黄河上。黄河不仅水少沙多，而且水沙在时间上分布不均，黄河下游为地上悬河，河道上宽下窄，比降上陡下缓，排洪能力上大下小，凌汛也威胁着黄河两岸人民的安全。我国近代治河的先驱者，总结我国的治河经验，引进西方科技，提出了“全面开发，综合利用”的水利规划思想。新中国成立以后，开始了人民治黄的历程。历经50多年，治黄取得了举世瞩目的成就。在黄河流域整体规划的基础上，小浪底工程的开发论证经过了近半个世纪漫长的历程。根据黄河的特点及小浪底工程在黄河流域规划中所处的位置，对小浪底工程的开发目标进行了多次分析论证，一致认为小浪底水库处在控制黄河下游水沙的关键部位，是黄河干流三门峡以下惟一能取得最大库容的重大控制工程，在治黄中具有重要的战略地位。国家计委于1986年5月明确小浪底水利枢纽的开发目标为“以防洪（包括防凌）、减淤为主，兼顾供水、灌溉和发电，蓄清排浑，除害兴利，综合利用”。要求达到的目标是：提高下游防洪标准；基本消除下游凌汛威胁，在一定时段内遏制黄河下游河床淤积的趋势；调节径流提高下游灌溉供水保证率；水电站在系统中担任调峰。

小浪底水利枢纽由于其独特的水文泥沙条件，复杂的工程地质条件，适应多目标开发的严格的运用要求，以及巨大的工程规模和在治理黄河中重要的战略地位，被国内外专家公认为是世界坝工史上最具挑战性的工程之一。多年来，参与工程规划设计和研究的人员如履薄冰，认真总结借鉴前人的经验，以求实创新的精神开展工作，攻克了工程规划设计中的许多技术难关，保证了工程的规划设计达到先进水平。设计人员既尊重科学，又敢于突破常规，开拓创新，先后进行了400余项科学试验和专题论证分析，融汇了国内外许多专家的心血和智慧，解决了一个又一个难题。在建造深82m的混凝土防渗墙、将3条直径14.5m的导流洞改建为永久的多级孔板消能泄洪洞、在地质条件极为复杂的左岸单薄山体内建造了规模宏大和数量众多的地下洞室群、在高水头大直径排沙洞设计中采用了双圈缠绕的后张无粘结预应力混凝土衬砌结构、在国内大规模采用了双层保护的预应力锚索和钢纤维喷混凝土技术等多方面取得突破，在国内外处于领先地位。如今，小浪底水利枢纽以其独具鲜明特色的总体布置和建筑物设计展现在世人面前。小浪底工程为黄河治理开创了崭新的局面。

小浪底工程的规划设计、研究和论证，以及工程建设一直得到中央领导、水利部和国家有关部委的关注，并得到国内外许多专家的支持和帮助，融汇了他们的心血和智慧。

小浪底工程的成功设计，为小浪底工程的建设做出了巨大的贡献。为总结小浪底工程规划设计方面的经验和教训，我们组织了直接参与小浪底工程规划设计的人员从工程规划、设计的各个方面，认真总结小浪底工程的设计经验，并出版黄河小浪底水利枢纽规划设计丛书，以期和同行进行技术交流，丰富和促进我国水利水电建设事业，使小浪底工程的成功经验得到更好的推广和应用。黄河勘测规划设计有限公司对丛书的出版给予了大力支持，国务院南水北调建设委员会办公室主任张基尧和水利部黄河水利委员会主任李国英亲自为丛书作序，在此表示衷心的感谢。

由于水平所限，谬误之处在所难免，敬请指正。

黄河小浪底水利枢纽设计总工程师

林秀山

2005年9月

# 黄河小浪底水利枢纽规划设计丛书
# 编辑委员会

# 序

黄河小浪底水利枢纽工程于1999年10月25日下闸蓄水，2000年1月9日第一台水轮发电机组并网发电。到现在已经运行了5年，经过了5个汛期，水电站经受了水头从68m到130m各种不同工况的运行考验。水利枢纽已发挥了防洪(包括防凌)、减淤、供水、灌溉、发电等巨大的综合效益。2003年华西秋雨期间，由于小浪底水库的调蓄，将5 000～6 000$m^3/s$的洪水控制到花园口最大流量2 500～2 700$m^3/s$，减少洪灾损失达110亿元。2004年1、2月份，小浪底水利枢纽持续下泄大流量，使黄河下游在凌汛期间没有出现封河现象，大大缓解了下游的防凌压力。小浪底水库建成后，已参加了3次黄河调水调沙试验。据报道，2004年第三次调水调沙试验中，小浪底水库下泄水量达42亿$m^3$，建筑物过流1 223.53h，闸门操作333次，成功率为100%，使调水调沙试验获得圆满成功。小浪底水库蓄水后已3次向天津紧急供水，解除了天津缺水之危。水轮发电机组经历了长时间大负荷的运行。据报道，截至2004年6月30日，小浪底水电站已连续安全稳定运行1 100天。水电站设计年发电量为51亿kW·h，而2004年上半年就已发电33.69亿kW·h。5年多来，小浪底水利枢纽已逐步发挥出巨大的社会效益和经济效益，为国家作出了重大贡献。

小浪底水利枢纽的安全稳定运行与设计工作者的辛勤努力是分不开的。黄河是著名的多泥沙河流，小浪底水利枢纽控制着黄河近100%的泥沙，其机电设计也就不得不面对着比任何大型水电工程都更严重的泥沙问题的挑战。除此之外，小浪底水电站的水头范围为68～141m，其变幅之大超过三峡工程。泥沙的淤积、对过流部件的严重磨损以及巨大的水头变化给水轮发电机组及金属结构的安全稳定运行造成极大的威胁。为了拿出一个适应这一恶劣条件的良好的机电设计方案，黄河勘测规划设计有限公司进行了大量的调查研究和试验工作，认真吸取了黄河上三门峡、刘家峡、天桥等水电站以及水头变幅大的水电站的运行经验和教训，在设计中提出了一系列的新措施。水利枢纽投入运行后，事实证明，这些措施是成功的。5年多来，水轮发电机组在很大的出力范围内运行稳定；水轮机过流部件磨损很小，碳化钨抗磨涂层有良好的防护效果，碳化钨抗磨防护措施已取得初步成功；金属结构设计满足了在高水头、高含沙高速水流条件下泄洪、排沙、频繁开启、调节下泄流量等复杂运行工况的需要。在小浪底工程机电设计方面取得的众多成就，将为多泥沙河流上的水利水电建设提供宝贵经验。

黄河勘测规划设计有限公司组织了小浪底水利枢纽机电设计的两代参加者编写了《机电与金属结构设计》这本内容丰富的著作。我有幸参加了小浪底水利枢纽从立项和申请国外贷款到正常运行的建设全过程，因此怀着激动的心情读了本书的大样。我认为这本书全面、翔实地反映了小浪底工程机电设计的丰硕成果，总结了解决泥沙问题和大水头变幅问题的可贵经验，是一本很有价值的书。本书论述的不少问题是目前水利水电机电方面大家关心的热门话题，如采用合理低参数的必要性以及它对水轮机稳定性和耐磨性能的影响；如何从结构上采取措施减少过流部件的磨损；采用什么样的抗磨涂层；大直径转轮在现场组焊的合理性及可行性；如何在高水头、高含沙高速水流条件下保证闸门的安全可靠运行等。这些问题，本书都作出了详尽的论述并给出了结论。我相信，水利水电建设者将能在本书中吸取有价值的东西，本书的出版必将对我国正以前所未有的速度发展的水利水电建设作出贡献。

杨定原

2004 年 8 月 28 日

# 前　言

小浪底水利枢纽是以防洪(包括防凌)、减淤为主,兼顾供水、灌溉、发电等综合利用为开发目标的枢纽工程。小浪底水电站是枢纽的重要组成部分,总装机容量 6×300MW。从开发目标看,发电处于从属地位,但其规模是迄今河南省境内最大的水电站,在以火电为主的河南电网中发挥着重要作用,电站多年平均年发电量为 51 亿 kW·h,其发电效益也是显著的。

小浪底水利枢纽机电和金属结构设计的任务是:完成大坝、泄洪排沙建筑物、电站等部位的水力机械、电气、金属结构工程设计,将枢纽众多机电、金属结构设备集成起来,实现枢纽自动化管理,确保运行安全可靠,最大限度地发挥枢纽综合利用效益。具体设计内容有:水轮发电机组、水力机械辅助设备、电站厂房布置、电站与电力系统连接及电气主接线、厂房和坝区用电、主要电气设备选择、防雷与接地、计算机监控、闸门控制、工程安全监测数据自动采集、机组及辅助设备控制、继电保护、视频监视、通风、消防、闸门及启闭机型式与布置、闸门及启闭机设计等。机电和金属结构设计必须保证枢纽开发目标的完成。

黄河以多沙著称于世,小浪底水利枢纽控制黄河近 100%的泥沙,工程泥沙问题十分突出,而解决泥沙问题是保证电站汛期发电、安全运行的关键。设计中借鉴了黄河上已建电站的运行经验,本着从严从难考虑、留有必要余地的原则,在大量科学试验的基础上,采取了综合防沙、抗磨蚀措施,以改善小浪底水电站的运行条件。从电站运行 4 年多的实际情况看,取得了满意的效果。

小浪底水电站水轮机从参数选择、水力设计、结构设计、加工工艺、材料选择、防护涂层的运用等方面采取了有针对性的综合治理措施,对机组的安全运行,特别是汛期正常发电发挥了积极的作用。目前,小浪底水电站水轮机已经过 130m 水头的实际运行考验,工况良好。

在电气设计方面,综合考虑了枢纽开发目标、地下厂房、电站在电力系统中承担的任务等因素,在电气主接线、设备布置、计算机监控系统设计中,根据工程特点采取了具体措施,提高了设备运行的安全可靠性,为枢纽的自动化管理和实现“无人值班、少人值守”创造了条件。

小浪底水利枢纽金属结构集中布置在进水塔群、孔板洞中闸室、排沙洞出口闸室、溢洪道、地下厂房尾水闸室和电站尾水出口等部位,有各种闸门 62 扇、卷扬启闭机 20 台、油压启闭机 36 台、拦污栅 26 扇、清污机 4 台、门机 2 台、台车式启闭机 1 台,总重32 000t。设计中有很多技术创新和技术突破,国内运用水头最高的偏心铰弧门,首例长期局部开启运用的偏心铰弧门,国内总水压力最大的泄洪弧门,首次突破4 000kN轮压的定轮闸门,多泥沙河流闸门埋件的抗磨蚀技术,闸门防淤冲沙技术,5 000kN固定卷扬启闭机的卷筒容绳量、卷筒直径、启闭力等指标均属国内首创。这些技术均在工程中发挥了不可替代的作用，取得了明显的综合效益。

小浪底水利枢纽机电和金属结构工程设计历时20年，凝结了两代人的心血和汗水，是集体智慧的结晶。李金铣、刘继澄、龙国瑞、刘善美、赵晓飞、杨昌谦、李希露、田秋芳、李国范、孙翠云、陈宜安、金树训、行少阜、熊民伟、庄寿安、鲍成松、孙汝勋、蔡永久、张雅琴、张明琴等曾经为小浪底工程辛勤工作的老同志，为小浪底水利枢纽机电、金属结构工程前期和施工设计研究奉献了毕生的精力，他们的工作成果为工程设计奠定了基础，在此向他们表示崇高的敬意。

在本书编撰过程中，有关领导和专家给予了热忱指导和大力支持。小浪底工程建设技术委员会副主任、国务院三建委三峡枢纽工程质量检查专家组成员杨定原亲自为本书作序。参加编写的同志在完成本职工作的同时，抽出相当多的时间精心工作，为我们留下了宝贵的财富，对他们的辛勤劳动表示衷心感谢。

对书中可能存在的错误，敬请读者批评指正。

**王庆明**

2004年9月8日

# 《机电与金属结构设计》编写人员名单

**主　编**　王庆明

| 章　名 | 编写人员 |
| --- | --- |
| 第一章　概述 | 王庆明　朱兴旺　郭　志　李纪新　孙鲁安 |
| 第二章　水轮机及其附属设备 | 朱兴旺　李光勉 |
| 第三章　水力机械辅助设备 | 朱兴旺 |
| 第四章　主厂房布置 | 朱兴旺　郭　志 |
| 第五章　接入系统设计 | 郭　志 |
| 第六章　厂用电 | 郭　志 |
| 第七章　坝用电 | 郭　志 |
| 第八章　主要设备选择 | 郭　志 |
| 第九章　过电压保护与接地 | 郭　志 |
| 第十章　计算机监控系统 | 王庆明 |
| 第十一章　水库闸门控制系统 | 王庆明 |
| 第十二章　工程安全监测数据采集系统 | 王庆明 |
| 第十三章　继电保护 | 王为福 |
| 第十四章　枢纽视频监视系统 | 王庆明 |
| 第十五章　枢纽消防 | 王庆明 |
| 第十六章　通风 | 朱兴旺 |
| 第十七章　金属结构总体布置 | 乔为民　李纪新 |
| 第十八章　金属结构特殊问题处理措施 | 李纪新　孙鲁安 |
| 第十九章　闸门及拦污栅设计 | 乔为民 |
| 第二十章　启闭机械 | 孙鲁安 |

# 目 录

# 第一章 概 述

## 第一节 水力机械设计特点

### 一、水力机械设计中的主要技术问题

小浪底水电站处于黄河多泥沙河段，径流多年平均含沙量与三门峡水电站相当，达37.1kg/m$^3$，实测最大含沙量941kg/m$^3$。虽然工程建成后，依靠水库的调节作用可有效降低过机水流的泥沙含量，特别是工程运用前期的过机沙量，但进入水库的正常运用期后，水库中的泥沙冲淤达到相对平衡，汛期过机水流泥沙含量依然会很高。

黄河三门峡、刘家峡，四川渔子溪、映秀湾等多泥沙水流电站机组的运行实践证明，泥沙对机组运行造成的破坏是十分严重的，对电站运行的安全性与经济性有着重要影响。特别是小浪底水电站同时存在高水头、多泥沙、大水头变幅等多重技术难题，在世界水电史上也极其罕见，被国内外水力机械同行专家公认为极具挑战性的技术课题。因此，在工程建设的各个阶段，各级领导与技术主管部门均给予了足够的重视，组织了不同形式的专题研究、论证、攻关等工作。在工程设计的不同阶段，工程设计单位针对水力机械专业所面临的技术课题，开展了有针对性的课题研究，取得了丰硕的成果，并最终成功运用于工程实际当中，为实现机组的安全经济运行创造了条件。

水力机械专业的设计特点主要体现在机组参数的合理选取、有利于抗泥沙磨损的水轮机通流部件结构设计、防护措施的研究、技术供水与排水系统的防淤堵措施等几个方面。

### 二、水轮机设计技术特点

#### （一）合理选择机组参数

水轮机的参数水平的高低直接关系到电站的投资及综合效益。国内已运行同水头段相近单机容量的隔河岩、白山、刘家峡、龙羊峡等工程机组所采用的同步转速为125r/min或136.4r/min。因小浪底电站具有过机水流泥沙含量高和水头变化幅度大的双重技术难题，其汛期发电的安全性就显得异常重要。

研究认为，机组的磨损强度与相对流速的三次方成正比。适当降低机组参数，有利于降低流道内的相对流速，降低过流部件的磨损强度，增加汛期发电的安全性，延长机组大修周期。而参数（转速）的降低又受到工艺、价格、效率、运输条件等方面的制约。

经多年的研究论证认为，小浪底电站水轮机组合理的转速范围为107.1～115.4r/min，这样的机组参数水平要较同水头清水条件下低15%～30%，最终采用了107.1r/min（$n_{st}$ = 162.6m·kW，$K_t$ = 1 721）的机组同步转速方案。经过初期几年的运行，证明所

选参数是合理的。

**(二)优化水力设计**

(1)在小浪底电站水轮机过流部件中,转轮叶片出口及下环内表面将出现最高相对流速,该处的磨损也将是最严重的,其破坏的程度将成为控制机组大修周期的关键。经过大量深入的研究分析,对转轮出口最大相对流速作出了不大于 38m/s 的限制。在机组设计时,应用流量分析和磨损分析软件进行迭代计算,得到转轮进口边和下环进口边的最小相对流速。

(2)为准确模拟真机实际流态,优化过流部件设计,采用准三元理论进行计算机模拟。

(3)为保证机组过流部件不产生气蚀破坏,从工程的实际出发,要求水力设计上满足在额定工况下,电站装置气蚀系数 $\sigma_p$ 不小于 1.7 倍的模型临界气蚀系数 $\sigma_0$;在整个水头变化范围和水轮机各水头对应的最大预想出力的 80% ~ 100%范围内,装置气蚀系数 $\sigma_p$ 应大于初生气蚀系数 $\sigma_i$。

(4)选定的水轮机最优水头 $H_0$ 为 110m,此水头接近正常运用期内电站汛期运行加权平均水头,既考虑了汛期高含沙量的恶劣工作条件,又兼顾到了电站大水头变幅的实际情况。

(5)为适应大水头变幅的运行需要,最大限度地减小叶片气蚀、叶片进口边脱流和叶片流道内的二次流,还重点进行了叶形优化设计。叶片头部厚度较常规设计加厚,使得水轮机的无脱流运行范围加大。

**(三)采取有利于抗泥沙破坏与方便检修的结构措施**

(1)为有效降低导水机构区域内的水流速度,减轻导水机构的磨蚀破坏,采取了适当增加导叶高度、加大导叶分布圆直径等措施。将导叶分布圆直径由正常的 7.076m 增加至 7.24m 后,导叶尾部相对流速可减小约 1m/s,相对磨损强度可减小约 9%。将导叶高度由正常的 1.38m 增加到 1.50m,导叶与转轮的磨损强度可减小 3% ~ 5%。

(2)选择较小的转轮出口直径,以减小转轮流道最高相对流速、减轻磨损。最终所选择的转轮出口直径 $D_2$ 为 5.60m(相当于 $0.88D_1$),使得转轮出口最大相对流速控制在 35m/s,这对减轻磨损是非常有效的。

(3)设置筒形阀。国内中、高水头多泥沙河流水电站机组导水机构的磨蚀破坏一般均较严重,且多由停机状态下的间隙磨蚀破坏引起,导水机构往往成为影响机组大修周期的关键。

在水轮机座环与活动导叶之间设置筒形阀的主要目的是为了防止停机状态下导叶上、下端面及立面间隙承受全水头而产生严重的间隙气蚀破坏,同时兼有事故阀的作用。筒形阀采用 5 个直缸接力器进行操作,以液压电动机实现同步。水轮机检修时,可利用筒形阀将顶盖提升到一定高度,以实现在机坑内进行易磨损部件的检修更换。

(4)取消推力释放装置。按常规设计,为减小轴向水推力,混流式水轮机常在转轮上冠设减压孔或另设均压管路系统。取消推力释放装置,是小浪底电站水轮机针对多泥沙的水流条件所采取的一项重要技术措施,为此可免去采用常规设计因气蚀和泥沙磨损所引起的破坏而需对推力释放系统进行的检修维护工作。同时,由于不存在通过上冠的漏水,故减小了容积损失,提高了机组运行效率,也极大地减轻了转轮上止漏环的磨损。另外，由于减少了转轮上冠与顶盖之间空腔内的泥沙循环运动，有效地防止了泥沙对顶盖和上冠外表面的磨损。

取消推力释放系统后，将使水轮机轴向水推力大幅增加，但水推力值几乎与转轮上止漏环间隙的变化无关，即水推力值不会随着运行时间的延长和止漏环间隙的扩大而增加。而有推力释放系统的常规设计，其转轮上止漏环的磨损必然是相当严重的，机组水推力将随止漏环间隙的扩大而增加，水推力将随着运行时间的延长而急剧增加，因此推力轴承的设计必须充分考虑到泥沙对止漏环磨损的影响。

(5)基础环周围设置环形廊道。为了便于易磨损部件的检修更换，在基础环外围设置了环形廊道，在不拆卸机组的情况下，能在此廊道内进行导水叶下轴套的检修更换。

**(四)工艺措施**

(1)水轮机主要过流部件如转轮、导水叶、抗磨板、底环、基础环、尾水锥管进口段等均选用了具有良好抗磨蚀性能的不锈钢材料。转轮叶片采用了材料致密性及抗磨性较好的钢板模压成型工艺进行制作。

(2)转轮的制造采取了散件运输至工地，进行现场组装的方案，承包商在工地将整体转轮交付给业主。这样，既方便了运输，又有利于转轮抗磨蚀性能的提高。

(3)为适应过流部件检修、维护频繁的特点，在不移动发电机转子和推力轴承的情况下，依靠筒形阀可将顶盖、导叶及其操作机构提升一定高度(最大提升高度 874mm)，这样极大地方便了在机坑内进行易磨蚀部件如导水叶、导叶端面密封、导叶轴套、抗磨板、止漏环转轮进口边等的检修和更换。由于不需要进行整台机组的拆卸，可使检修周期大大缩短。

**(五)大面积采用 WC 金属抗磨防护涂层**

过流部件中预期磨蚀较严重的部位，采用了碳化钨/钴高速氧燃料(HVOF)火焰喷射涂层进行防护。防护部位包括：导叶上、下端面，导叶正、背面的进、出口边区域和接近上、下端部的区域；上、下抗磨板表面；转轮叶片进、出水边区域和靠近下环的高速水流区域；下环内表面；上、下止漏环表面等。每台机组总防护面积达 $180m^2$ 以上，其中转轮部分约 $125m^2$。

对流速相对较低的固定导叶表面和尾水管进口段采用涂刷聚氨酯弹性涂层的办法进行防护。

上述防护措施的大面积应用，在世界大型水电机组的制造史上尚无先例。

## 三、技术供水系统设计特点

小浪底水电站的水头范围较适合采用自流减压供水方案。由于工程汛期过机水流泥沙含量高，并可能伴有杂草等污物，根据对类似工程的调研情况，泥沙与杂草的联合作用有可能堵塞机组水冷却器管路，给机组汛期安全运行带来隐患。因此，必须研究采用其他合适的水源及采取必要的安全性措施。

按照工程区域内可能使用的地下水情况，经热循环计算，最终采用了库水、清水供水系统并存互补的供水方式。针对不同供水对象的不同用水要求，不同时期采用不同的供水方式。

库水供水采用自流减压供水系统。由机组压力钢管取水,经减压阀减压后自流供给电站技术用水部位。为防止管路系统的淤堵,每台机组均设置了正、反向运行阀组,通过该阀组切换,可以实现机组各冷却器的正、反向通流,达到防淤、冲淤的目的。

清水供水系统采用地下水。由厂外水源井水泵扬水,经管路送至电站厂房外清水池,再自流供给电站用水部位(冷却器等)。根据需要,机组冷却排水除部分泄弃外,剩余部分排至厂内回水池,再由水泵扬水至厂外清水池,与地下水源井提供的补充水混合后循环使用。该系统主要由厂外地下水水源井群、清水池、回水池、回水泵及管路系统等组成。

由于清水供水系统采用了高扬程深井泵及长距离输水管路,对水泵断电工况采取了必要的安全防护措施。

采用了库水、清水两套供水系统,使得机组供水的可靠性得到了保证。但系统的设计、控制及布置均较常规电站要复杂得多。经过初期几年的运行,证明系统的设计是成功的,达到了预期的目的。

## 四、排水系统设计特点

### (一)机组检修排水系统设计特点

多泥沙河流水电站机组检修排水系统的设计重点在于解决好泥沙的淤堵问题。

已运行的类似电站多采用排水廊道集水,水泵集中抽排的间接排水方案。该方案的优点是水泵台数少,布置集中,运行经验多,尾水管中水位下降迅速,易形成尾水门负压密封、减少漏水量等,而且所需水泵扬程变幅小,利于设备的选型,易保证水泵在相对高效区内稳定运行。但是,该方案存在着集水廊道易受泥沙淤积的问题,由于集水廊道在地下厂房的较低位置,淤沙的清理极其困难,将给电站带来非常大的工作量,且对厂房内的环境影响较大,对现代化大型工程而言,是不合适的。

经研究比选,小浪底电站机组检修排水系统采用了在不集水的排水廊道中设置全封闭管路及离心泵组集中抽排的直接排水方案。该方案的优点在于管路系统全封闭,水流在管路中的流速相对较大,工作状态下水中的泥沙不易沉积;无水泵吸水坑,水泵台数少,布置也较集中,易于维护。但也存在排水时流道内水位下降较慢,不利于尾水门的密封;水泵扬程变幅大,不利于水泵选型;由于管路较长,泵房布置高程较低,管路及泵体内仍有淤沙的可能等缺点。

针对上述可能存在的问题,采取了下列有效的解决措施。

(1)为适应扬程变幅大的需要,排水泵选择了双吸离心泵与渣浆泵两种泵型。开始排水阶段,水质相对较清,使用双吸离心泵排水,后段泥沙含量相对较高,采用渣浆泵排水。

(2)系统设计中采取了如下防淤堵措施:①在尾水管排水口处均设有拦污栅,以防止杂草及较大颗粒的石子进入管道;②排水干管自 1 号机组端坡向检修排水泵房 2‰的坡降采用;③为防止检修排水干管的淤堵,设置了冲淤管网,机组检修完毕,打开控制阀门手动放水,对排水干管进行冲淤;④水泵出水管末端设逆止阀,防止尾水倒灌,在排水管最低处接一放空管,当机组检修完毕,蜗壳及尾水管盘形阀关闭后,可将总排水干管内剩余积水由放空管排至检修排水泵房内的渗漏集水井中,在非检修期间,检修排水总干管保持无水状态。

**(二)厂房渗漏排水系统设计特点**

因工程区域地质条件较差,地下厂房围岩渗水性较强,漏水量较大,厂房渗漏排水系统设计时留出了较大余量。但水库蓄水一年后,库水位尚远未达到正常蓄水位的情况下,厂房围岩渗漏水量已超出设计值1倍以上,即厂房实际渗水较原预计情况要严重得多。

为了减轻排水系统的负担,利于电站的安全运行,在工程施工后期,将进入主厂房之前的30号排水洞渗漏来水(主厂房渗漏水主要来源)的一部分进行了分流。为此,在主厂房外设置了第二套排水设施。

## 第二节　电气设计特点

水电站电气设计包括电气一次设计和电气二次设计两大部分,即通常所说的强电设计和弱电设计。电气一次设计内容包括电站与电力系统的连接、电气主接线、短路电流计算、厂用电和坝用电系统、电气设备选择和布置、过电压保护、接地系统等;电气二次设计内容包括机电设备的运行控制、安全监视、继电保护、通信等内容,具体项目有:电站计算机监控系统、水库闸门控制系统、工程安全监测自动化系统、发电机励磁系统、系统及元件继电保护、直流电源系统、通信系统、火灾报警系统及视频监视系统等。

### 一、电气一次设计特点

电气一次专业设计关系到电厂以至整个枢纽的安全性、可靠性、灵活性和经济性。特别是电气主接线的设计,对水电站运行、机电设备的布置、设备的选择、继电保护和控制方式等都有较大影响。小浪底水电站电气一次专业的设计,从20世纪70年代开始一直到20世纪末,历经了初步设计、优化设计、招标设计和施工设计等各个阶段的反复论证。在此期间,由于装机规模、枢纽布置和接入系统等设计条件的变化,设计方案曾做过多次修改。此外,这一时期也正是国内外强电技术迅猛发展的阶段,高新技术突飞猛进,电气设备不断更新换代,设计手段日新月异,给小浪底水电站的工程设计不断优化提供了契机。

概括起来,小浪底水电站电气一次专业设计主要有如下特点。

**(一)电气主接线设计**

(1)电站在电力系统中地理位置重要,是河南电网中不可多得的调峰、调频电站,机组开停机操作频繁,电气主接线出线电压侧采用双母线4分段带旁路母线接线,具有较高的供电可靠性和调度灵活性。

(2)6台机均装设发电机断路器,提高了电站运行的灵活性和可靠性,也提高了电站的整体经济性。同时,在国内外首次利用发电机断路器兼做电制动开关,提高了设备的利用率。

(3)按进出线回路确定分段断路器位置。分段断路器两侧各接入3台机。6回出线也在两侧各接入3回,正常情况下,电站发、送电量保持均衡。

(4)小浪底水利枢纽的首要任务是防洪,在厂、坝用电关系上,考虑了电站厂用电源兼做坝用电源的一部分,以提高坝用电的可靠性。

(5)电站为地下厂房布置,主接线的设计考虑了与主要电气设备布置的结合。

**(二)厂用电设计**

(1)综合自动化水平高,全站按“无人值班、少人值守”标准设计,厂用电系统的设计具有较高的自动化水平。

(2)厂用电采用10kV和0.4kV两级电压供电,保证了供电电压质量。

(3)由于小浪底枢纽设施庞大,厂用电又兼做坝用电备用电源,厂用电设计考虑了供电范围广、负荷性质特殊的实际情况,在厂用电容量选择上也留有了充分的余地。

(4)为了提高机组供电可靠性与节省电缆,采用专设自用电变压器的供电方式,0.4kV厂用电接线采用机组自用电、全厂公用电和全厂照明用电分开的接线形式,并设置了专用检修用电网络,保证了各类负荷的安全性、可靠性。

**(三)坝用电设计**

(1)专设坝用电系统。坝用电包括大坝和泄洪设施用电。小浪底水利枢纽有着极其复杂而庞大的洞群和水工建筑物,坝用电系统要向10座进水塔、3个排沙洞出口闸室、3个孔板洞中间闸室、正常溢洪道、消力塘等部位供电,负荷多而分散。专设坝用电系统以保证供电的安全性和完整性。

(2)供电可靠性高。鉴于小浪底工程防洪任务的重要性,坝用电设置4组外来电源,以保证在任何情况下,供电电源都十分可靠。

(3)采用集中供电、分设动力中心的接线形式。由于坝用电负荷比较分散,按负荷性质及分布区域分设10个动力中心,由坝顶控制楼高压配电室的10kV母线分别向10个动力中心供电。

(4)按统计最大用电负荷设置坝用电容量。对于小浪底这样复杂的水利枢纽,坝用电的最大负荷计算尚无现行规程参考,也没有相似的工程经验可供借鉴。因此,在设计中采用将闸门按分组运行、负荷按不同性质划分的方法统计最大用电负荷,进而确定坝用电容量。

**(四)短路电流计算**

采用先进的电力系统短路电流计算软件包,可进行三相短路电流计算、单相短路电流计算,并可准确计算出短路电流的幅值、相角等主要参数。

**(五)设备选型**

随着科学技术的发展,电气设备的制造水平不断提高,新产品、新技术层出不穷。为工程设备选型提供了良好的社会条件。小浪底工程电气设备的选型着重于其先进性和可靠性,主要电气设备如水轮发电机、主变压器、发电机断路器、厂用电配电装置等在设备选型、设计方面都有着独到之处和先进特性,为工程的可靠运行提供了技术保证。

**(六)电气设备布置**

(1)小浪底水电站主要电气设备按功能和电压等级分区布置,简明清晰。地下按三洞室(主厂房、主变压器洞、尾水闸室)的布置方案,主变压器平行于主厂房且与机组对应排列,开关站则布置在地面。发电机主引出线正对－Y方向,离相封闭母线顺向布置,出线最短且顺畅。由于主变压器放在地下洞室内,缩短了机压母线的送电距离,减少了电能损耗,解决了长距离离相封闭母线散热问题。同时也减少了开关站内设备,从而减少了开关站占地面积,这对处于深山峡谷地段的水电站而言是十分有益的。

(2)受枢纽泄水设施总体布置及岩体稳定的影响,布置发电机电压设备的母线洞洞高和洞长均受到限制,设备布置密度大。因此,对母线洞的电气设备采取了紧凑式的布置方式,从总体上达到了安全、集中和节省空间的效果。

(3)主变压器高压侧与220kV开关站采用高压电缆连通。为使电缆走径最短,节省电缆投资,分别开挖2条高压电缆洞,每条洞布置3台机组电缆,并选取合适的进出口位置,减少电缆长度。

(4)220kV配电装置采用技术可靠和运行管理方便的敞开式改进中型布置,比普通中型布置减少投资,节省占地,在设备安全运行和维护检修方面都具有技术优势。

(5)在地面和地下设置2个副厂房。中央控制室设在地面副厂房,改善了运行人员工作环境;而厂用电、机组继电保护等设备布置在地下厂房,缩短了动力和控制电缆的长度,有利于节约投资。

(6)厂用电、坝用电配电装置采用分设动力中心的方式,按区域集中布置。干式变压器与配电盘之间采用封闭式插接母线,既提高了安全可靠性,又节省了宝贵的空间。

**(七)接地系统设计**

(1)采用人工接地体和自然接地体相结合的方式,根据工程水工布置特点,合理安排接地网。

(2)在开关站接地设计中采用了先进的不等间距优化布置方式,借助GPC计算机辅助设计程序,使得均压带得到了充分利用,为降低接地装置电位,对开关站接地网采取了分流措施,以减少入地电流。

(3)计算机系统采用与枢纽接地网一点共地的方式。

## 二、电气二次设计特点

由于小浪底工程规模大、技术复杂,在完成初步设计之后,又相继进行了设计优化,以配合土建国际招标设计及机电设备国内外采购询价书的编制。电站主要控制保护设备均采用了招标采购方式选择供货商,其中利用外资采购的设备有电站计算机监控系统、微机调速器、微机励磁装置、机组自动化元件等。

电气二次领域中控制技术发展较快,尤其是计算机技术的广泛应用,加上外资的引入,电气二次专业设计较之初步设计有较大改进,技术水平显著提高,主要表现在下列几个方面:

(1)在电站控制设计中取消了常规控制设备,采用开放式全分布计算机监控系统,中央控制室从地下移至地面副厂房,电站按“无人值班、少人值守”设计。

(2)作为水库调度系统一部分的水库闸门控制采用计算机控制系统,各闸门现地控制采用以可编程序控制器为基础的控制装置。在坝顶控制楼闸门控制室能全面了解各闸门运行情况并进行控制。

(3)工程安全监测自动化系统采用以计算机为基础的现场数据采集单元,坝顶控制楼工程安全监测中心集中监测大坝、泄水建筑物、电站、北岸山体等的各观测项目,并进行汇总、分析和预报。

(4)水轮发电机组采用微机调速器和微机励磁装置,提高了机组运行的可靠性。

(5)系统继电保护和元件继电保护广泛采用微机型保护装置,性能可靠,便于运行维护。

(6)直流系统设计采用全密封免维护蓄电池取代传统的铅酸型蓄电池,运行更加安全可靠,又节省布置面积。

(7)通信系统设计中调度电话总机采用了程控交换机。

(8)火灾自动报警系统设计更完善,并增设了视频监视系统。

## 第三节　金属结构设计特点

小浪底水利枢纽金属结构共有闸门 62 扇、卷扬启闭机 20 台、液压启闭机 27 套(45 台油缸)、拦污栅 25 扇、清污机 4 台、门机 2 台、台车式启闭机 1 台,总重量32 000t左右。

小浪底水利枢纽金属结构数量大、种类多、技术复杂。其中:孔板洞、排沙洞偏心铰弧形闸门及其液压启闭机的设计和研究,经专家评审、鉴定委员会鉴定,确认该项成果达到了国际先进水平,获 2003 年河南省科技进步一等奖;大载荷闸门定轮获 2001 年河南省机械工业科技进步一等奖;5 000kN固定卷扬启闭机获 1999 年河南省机械工业科技进步一等奖;平面钢闸门计算机辅助设计系统软件,于 2000 年获得全国第六届工程设计优秀软件铜奖、水利部优秀软件银奖。

小浪底工程闸门孔口尺寸大,设计水头高,运用要求严,高水头引起高压力、高流速,排沙运用要求闸门频繁地局部开启,这些给闸门设计带来一系列开拓性的研究课题。针对高水头、高含沙高速水流、经常局部开启等设计条件进行设计研究,解决由此产生的一系列难题,实现闸门的安全可靠、经济合理、运行方便,是保证小浪底水利枢纽成功建设和发挥最佳效益的重要环节。

### 一、深孔弧门

小浪底水利枢纽泄洪系统的深孔弧门,按照水头大小分为两类:一类是水头在 120m 以上的排沙洞和孔板洞工作闸门,选择技术上新颖的偏心铰弧门,解决了高水头多泥沙条件下的止水与支承中的技术难题;另一类是水头在 80m 以下的明流洞工作闸门,选择了顶止水为转铰式止水,其上部设有一套压盖式止水的圆柱铰弧门。

小浪底水利枢纽设有 3 条孔板洞和 3 条排沙洞,在孔板洞中部、排沙洞出口共设置 9 扇偏心铰弧形闸门。其中,1 号孔板洞偏心铰弧门的设计水头达 140m,居国内外同类闸门之首。排沙洞偏心铰弧门由于担负调节下泄流量、排沙排污和调控洞内流速的任务,该门必须在 97 ~ 122m 水头条件下,经常局部开启泄流,局部开启时间长,开度变化频繁,加上在多沙的黄河中运行,泄流时的水力学条件,挡水时止水密封条件、支承条件和闸门结构等,其复杂技术问题为国内外所罕见。1 号明流泄洪洞弧形工作闸门,孔口尺寸 8m×10m,工作水头 80m,弧面半径 20m,总水压力75 700kN,是目前国内总水压力最大的常规止水弧门。

在总结国内外高水头深孔弧门的设计运行经验的基础上,结合小浪底工程 140m 高水头、高含沙水流的特点和局部开启开度变化频繁的运行条件,我们进行了大比例尺水力学模型试验、通气试验、止水试验、闸门流激振动试验等科学试验，深入研究了闸门门型、闸室体形、耐磨抗蚀、闸门防振、偏心铰参数、止水材料等多项关键技术。运用了闸门结构有限元分析、动力稳定分析和启闭力编程计算、弧门几何尺寸计算机解析计算等项先进方法进行设计研究。在国内首次采用闸门动力稳定安全设计，提高了高水头下闸门局部开启运用的安全性，成功地将偏心铰弧门运用到高含沙水流的高水头泄水建筑物上。经过4年来的运行考验，9扇偏心铰弧门操作方便、调控准确、自动化监控水平高，满足工程运用要求，为高水头、高含沙水流的泄水建筑物深孔弧门应用提供了成功的经验，具有较高的推广价值和应用前景。

## 二、事故闸门

小浪底枢纽设有事故闸门23扇，均为平面定轮闸门。按照闸门设计水头分为两类：一类是水头为100m的排沙洞和孔板洞事故闸门，采用设有专用供水系统的液控伸缩式止水，减小启闭阻力和止水磨损；另一类是水头在80m以下的明流洞、发电洞、灌溉洞事故闸门，选择了库压伸缩式止水。

小浪底水利枢纽闸门的止水是在多沙的浑水中工作，为了解决泥沙进入止水伸缩间隙导致止水伸缩失灵的问题，设计单位配合中国水利水电科学研究院，为小浪底枢纽事故闸门研制出了一种短压板无间隙的“山”字形止水。孔板洞、排沙洞事故闸门采用液控式止水和特制的适合多沙河流的止水橡皮，配合由塔顶清水箱、调节泵阀和输水软管等组成的供水系统，通过换向充水阀向止水背压腔充水达到封水的目的，解决了事故闸门在100m水头下，止水橡皮既要止水严密又要减少磨损、延长使用寿命的技术难题，也为百米以上高水头事故闸门提供了一种新的止水方式。

小浪底枢纽事故闸门共有滚轮292个。荷载主要为3 300kN、3 670kN、4 130kN三种。根据闸门结构布置，滚轮的支承方式采用了简支式和轴承座式两种。滚轮轮体采用实体锻制合金钢材料。轮缘形式采用单曲率和双曲率两种。滚轮轴承形式比较了青铜滑动轴承、高分子复合材料滑动轴承和滚动轴承3个方案，最终选用了偏心轴、球面调心滚子轴承和特型密封的滚动轴承方案。

2号明流泄洪洞事故闸门，单轮轮压4 130kN，在国内首次突破4 000kN轮压大关，并首次采用调心滚子轴承，使国内滚轮设计跃上了一个新台阶。该轮进行的模型试验和原型试验的研究及设计成果，在全国许多工程推广，受到了好评，并为国内水利水电工程采用5 000kN轮压的滚轮做好了技术准备。

## 三、门槽抗磨蚀措施

黄河洪水峰高沙多、来势迅猛。泄流时，含沙高速水流通过闸门孔口，易引起闸门及导轨磨蚀。三门峡、天桥工程的泄水建筑物经过多年的泄水运用，水流边壁和闸门埋件均遭到不同程度的泥沙磨蚀。结合小浪底水库水沙条件、运用要求和工程布置特点，为解决门槽磨蚀采取了：以“不磨蚀流速”确定进口第一道闸门孔口尺寸，降低检修闸门的过门流速，保证该门槽不发生磨蚀；事故闸门采用抗磨蚀可拆卸式轨道，当轨顶受磨蚀影响使用时可进行拆换；改善门槽体形、利用偏心铰弧门突扩掺气等多项技术措施，基本解决了多沙河流高水头闸门导轨磨蚀的技术难题。

### 四、闸门防淤系统

黄河干流枢纽及两岸灌排工程，由于泥沙淤堵常发生闸门无法开启和机械、拉杆破坏等事故，严重地影响了工程的安全和工程效益的发挥。为了防止此类现象在小浪底水利枢纽发生，我们研究设计了周密的闸门防淤系统，基本上解决了闸门淤堵问题。

首先根据泥沙运行的规律，科学地进行孔口布置，使各个闸门前均能形成一定的冲刷漏斗，防止运行中将闸门淤死。底坎在设计控制淤沙面以下的挡沙闸门均采用上游面止水。防止在闸门关闭期间泥沙回淤进入门槽，使整个闸门埋在淤沙之中，造成启闭机超载。其次设立泥沙监测报警装置，当发现淤积面高度接近设计规定的高度时，发出警报开门冲淤。另外，在闸门附近的闸墩内，设置高压冲沙系统，发现闸门前淤堵使启闭力超过限值时，立刻起动高压喷嘴冲动泥沙，然后再启门排沙。

## 第四节　启闭机械设计特点

由于高水头的作用及黄河泥沙淤积对闸门启闭力的影响，小浪底工程的启闭机全部为大型或特大型的非标准设备。单吊点启闭机最大启闭容量为5 000kN，双吊点启闭机最大启闭容量为8 000kN，卷扬式启闭机最高工作扬程为 120m，液压启闭机最大工作行程为12.5m，缸体内径最大为 720mm。这些设备不仅容量大、扬程高，而且布置条件和运行工况复杂，多数设备还要求进行计算机远程监控，部分设备的安装条件比较差，这些都给设计工作带来不少困难和挑战。遵照启闭机设计应技术先进、操作可靠、经济合理的基本原则，设计人员进行了大量的调研、分析、论证和研究工作，在总结国内外已建电站设计、制造和运行管理经验的基础上，结合小浪底工程的具体布置条件和闸门运行方式，不断对设计进行优化，确定了启闭机设备的总体布置、设备选型、结构型式以及各项技术参数。设计中采用了不少新技术、新材料、新机种和新的布置形式。这些设备的主要技术指标和性能在国内近期建设的同类工程中具有一定的代表性，在一定程度上体现了国内启闭机设计的先进水平。

### 一、设备的液压化程度较高

在全部 64 台启闭机设备中，有 41 台采用了液压传动技术，约占启闭机总数的 65%。采用液压传动的设备主要有：①工作闸门启闭机；②事故快速闸门启闭机；③自动抓梁；④拦污栅清污机。闸门启闭设备的液压化更便于设备的远方集中控制，为提高工程运行管理的自动化、智能化水平奠定良好的基础。

### 二、采用的技术标准和产品标准较新

启闭机设计规范采用 1993 年的行业版本，主要成品和部件采用我国 20 世纪 80 年代中后期至 90 年代及以后的新标准，如电动机、减速机、制动器、联轴器、轴承、连接件以及液压元器件等均为当时的更新换代产品。这些产品或在使用和安全性能上有所提高，或

为节能产品,或满足了环保的要求。

## 三、对启闭机设备明确提出了消防设计要求

20世纪80年代以前,我国已建的水电工程对启闭机设备消防重视不够,很多启闭机的机房无消防设施和措施。小浪底工程的启闭机设备纳入了整个工程的消防体系,根据启闭机的类型和使用工况,确定出防火等级,并据此采取了相应的消防措施,配置了合适的消防设备。

## 四、液压插装阀技术的采用

液压启闭机的液压系统全部采用插装阀技术,使启闭机的技术性能得到很大提高。插装阀通过插装件和盖板的组合,可以得到方向、流量和压力方面的复合功能,并有效消除传统滑阀的内泄和液压卡紧现象。由于没有遮盖量,所以响应时间很快,并允许快速转接。插装件直接组合在块体上的阀孔内,系统避免了与配管有关的泄漏,其动静压精度以及抗震性能均比传统阀件大大提高,从而提高了可靠性。复合功能的插装阀可以很紧凑地构成系统,使管路简化,减少了配管的尺寸和重量,并可以通过小通径的、成本较低的常规型阀作先导阀来控制高压、大流量的系统。由于压力损失小,系统可以得到较优的特性。

## 五、关键部件大量采用了进口元件

启闭机设计中,高度传感器采用了德国FM产品,油缸动密封采用了德国MARKEL公司V型组合密封圈、意大利CARCO公司V型组合密封圈和新型TEX/UG型密封圈。一些启闭机油缸的上、下吊耳均装配了德国产SKF球面自润滑轴承;蓄能器采用美国VICKERS公司的产品;用于液压缸体的钢管全部由德国曼内斯曼公司提供;液压系统的主要阀件、油泵、压力继电器等重要器件均采用了欧美进口元件。这些先进元件的采用,极大地增强了启闭机的灵敏性、稳定性、可靠性和安全性。

## 六、大规模采用了折线卷筒多层缠绕技术

有18台高扬程卷扬式启闭机共计22个卷筒采用了折线卷筒,占启闭机卷筒总数的71%。多层卷绕的层数最多达4层。可以说,小浪底工程是国内第一个大规模采用折线卷筒技术的水电工程,也是目前国内折线卷筒用例中缠绕层数最多的工程。这一新技术的采用,有效地解决了启闭机的高扬程带来的钢丝绳缠绕不均匀、磨损、挤压以及启闭机尺寸庞大等诸多技术问题,为高扬程启闭机的合理设计和安全运行提供了保障,也为其在国内水电行业和其他起重行业的全面推广应用开创了先例。

## 七、新材料在启闭机上的应用

SF系列复合材料由塑料—青铜—钢背三层复合而成,具有较好的干摩擦与水润滑特性。它不仅摩擦系数小,而且具有较高的抗压强度,无需设置润滑系统,日常维护量小,被广泛用于启闭机的滑轮或其他转动部件的轴套上。

MG 系列工程塑料合金材料是以不同单体共聚高分子为基础,采用合成的稀土金属化合物及多种添加剂改性,通过特殊的合成工艺制造而成的各向同性无界面突变的均质聚合物。它具有摩擦系数小、承载力大、自润滑性好、抗磨损、耐腐蚀且不会剥落等优点,在水中工作时摩擦系数只有 0.02~0.05。这种材料被用在门式启闭机的部分滑轮和一些抓梁的导向滚轮的轴套上。

液压启闭机的油箱、管路全部采用了 1Cr18Ni9 不锈钢材料,大大提高了启闭机适应潮湿工作环境和抗腐蚀的能力,延长了启闭机的使用寿命。

## 八、新型清污方法与清污机的设计研究

根据黄河污物和泥沙的特点,小浪底电站进口采取的是以机械清污、水力清污为主,人工清污为辅的清污方法。所谓水力清污,是指将拦污栅前潜入水下的大比重污物通过清污机械将其下压至拦污栅底槛下部的泄洪排沙洞口,再由入洞水流带进洞中排至下游的方法。这是一种全新的清污方法,这种清污方法将机械清污与水力清污有机结合起来,为深层污物的清理提供了简捷、高效、省时、省力的有效途径,与传统的清污方法相比,清污的效率较高。设计研究的全跨液压抓斗式清污机是一种新型清污设备,具有抓污、压污、割污、梳理以及利用水力进行水力清污等多种功能。这种清污方式得到用户好评,为高水头、高含沙水流电站的污物治理开发了一条新途径,在清污系统设计的形式、思想理念以及清污设备的设计开发方面较以往均有新的突破。

## 九、气囊式蓄能器在液压启闭机上的应用

在液压启闭机设计中,推出了带有气囊式液压蓄能装置的系统设计方案,通过蓄能装置对油缸自动进行补泄保压来防止活塞杆下沉,不但有效阻止了闸门滑落现象,并为闸门锁定提供了一种新形式。小浪底工程中共有 33 套油缸配置了气囊式蓄能器装置。

## 十、陶瓷活塞杆和陶瓷集成测量系统(CIMS)技术的应用

陶瓷活塞杆和陶瓷集成测量系统(CIMS)是德国力士乐公司的两项专利技术,在 3 孔溢洪道双吊点液压启闭机上共 6 套油缸采用了这种新技术。这两项技术的有机结合,不仅使启闭机的活塞杆具有了优越的耐磨性和抗弯性,而且由于陶瓷良好的非导磁性,使陶瓷集成测量的精度很高,可精确测量液压活塞杆的位置,这就为双吊点启闭机的双缸同步问题提供了精确控制手段,为大跨度的双吊点弧门安全运行提供了保证。

## 十一、完善的安全保护措施与启闭机的远方计算机监控

除移动式启闭机设计为现地控制外,所有的工作闸门和事故闸门启闭机均可在远方进行计算机监控。

卷扬式启闭机的位置保护采用了机械式和电子式双重保护措施,负荷控制根据不同的启闭对象分别设置了“超载”和“欠载”保护。液压启闭机除设置油泵启动保护、泵组故障备用泵的切换、闸门下沉复位保护以及油缸下腔安全锁定阀外,还设置了闸门开度传感器、溢流阀、背压阀、压力继电器、液位保护、油温保护和滤器堵塞报警等各种功能的自动

化控制元件，利用 PLC 可编程控制对采集的信号进行处理，通过系统软件控制启闭机运行。

特别是对 9 台偏心铰弧门启闭机，设计中对偏心铰弧门运行过程进行了计算机动画模拟，根据运行轨迹和实测数据对闸门开度测量与显示进行可编程控制，以保证闸门位置控制的准确无误。为防止误操作导致弧门对止水的切搓破坏，启闭机的两套油缸操作顺序通过电气进行连锁。

以上各种信号均传至远方集中控制室，为可靠地实现闸门远方计算机监控和提高工程的智能化管理水平，在硬件的技术上提供了有力的支持。

## 十二、水平反滚轮小车在门机上的应用

将水平反滚轮小车安装在门机上是小浪底工程门机设计的一大特点。这种布置形式比较新颖，其优点是省去了门机上、下游的两个回转吊，门架的外形结构比较简单，用材较省。回转吊的结构较为复杂，传动部件较多，对门架结构的刚性要求也较高。另外，回转吊在回转过程中起动、制动时门架易产生振动，采用水平反滚轮小车后，这种现象可得到改善。

## 十三、门机结构应力和变形的计算机有限元分析计算

进水塔门式启闭机装有 3 套起升机构，不仅是小浪底工程中机构和功能最多、技术条件和运行工况最复杂的启闭机械，也是目前国内水电站中体形尺寸最为庞大的启闭机之一。为使计算结果更加准确和符合实际工况，在结构设计中进行了计算机三维有限元分析计算。根据七种不同的荷载组合，建立了结构计算的数学模型，分别将门架结构的各构件离散化为梁单元和板壳单元，共划分了1 405个节点、1 815个单元(其中板单元1 420个、梁单元 395 个)，利用 Super - SAP 大型结构计算机软件完成了应力和变形的计算机有限元分析，并与常规手工计算进行了对比。

## 十四、新型防水耐压密封插头、插座的应用

小浪底工程的抓梁数量较多，最大的工作水深近百米，且门机主钩操作的 6 套抓梁在使用中需经常拔插接头才能互相更换。因此，抓梁的动力电缆、信号电缆在水下的防水密封要求较高，这是抓梁能否可靠工作的关键所在。为此，在小浪底工程的 9 套液压抓梁上全部采用了这种新型防水耐压密封插头和插座。这种产品是一种更新换代产品，工作环境温度 - 40 ~ + 85℃，耐电压2 000V，绝缘电阻不小于 500MΩ，可在 400m 深的水下长期工作。其插针和插孔表面镀金，动力插接的工作电流不小于 20A，信号插接的工作电流可达 10A，插头最多为 16 针，插接寿命不少于 500 次。采用这种产品后，抓梁的工作安全性和可靠性得到了保证。

# 第二章 水轮机及其附属设备

## 第一节 水轮机参数及技术性能研究

### 一、电站水沙条件

小浪底水利枢纽是以“防洪(包括防凌)、减淤为主,兼顾供水、灌溉、发电,蓄清排浑,除害兴利,综合利用”为开发目标的综合水利工程。枢纽位于黄河中游最后一个峡谷出口,电站总装机容量为1 800MW,单机容量 300MW,装机 6 台,年平均发电量约 51 亿 kW·h。

水库总库容 126.5 亿 $m^3$,其中防洪库容 40.5 亿 $m^3$、调水调沙库容 10.5 亿 $m^3$,控制着黄河近 100%的输沙量,设计年平均入库沙量 13.23 亿 $m^3$,实测最大含沙量达 941kg/$m^3$,99%的泥沙集中来自汛期(7~10 月)。

**(一)水库水位**

小浪底水库运行水位见表 2-1-1。

**表 2-1-1** **小浪底水库运行水位**

| 年序 | | 第 1 年 | 第 2 年 | 第 3 年 | 第 4~10 年 | 第 11~14 年 | 第 15~28 年 | 第 28 年以后 |
|---|---|---|---|---|---|---|---|---|
| 汛后水库最高蓄水位(m) | | 265.0 | 265.0 | 265.0 | 275.0 | 275.0 | 275.0 | 275.0 |
| 汛期最低运用水位(m) | | 205.0 | 205.0 | 205.0 | 210.0 | 230.0 | 230.0 | 230.0 |
| 水库平均运用水位(m) | 7~9 月 | 212.0 | 212.0 | 212.0 | 230.0 | 246.0 | 248.0 | 246.0 |
| | 10 月~翌年 6 月 | 232.17 | 232.53 | 233.56 | 247.52 | 259.72 | 260.51 | 262.04 |

**(二)尾水位**

设计洪水尾水位($p=1\%$, $Q=9\ 860m^3/s$) 139.30m

校核洪水尾水位($p=0.1\%$, $Q=13\ 490m^3/s$) 140.60m

最低尾水位($Q=312m^3/s$) 133.64m

**(三)电站水头、出力及发电量**

小浪底电站按 1919~1975 年共 56 年水文系列计算的特征水头、出力、发电量见表 2-1-2。水库的运用方式包括初期拦沙运用和后期调水调沙运用两个时期。初期拦沙运用又分三个时段:①起调水位蓄水拦沙阶段;②逐步抬高汛期水位拦沙阶段;③形成高滩深槽拦沙阶段。

**表 2-1-2　小浪底电站特征水头、出力、发电量**

| 水库运用时期 | | 初期 | | | | | | 正常运用期 |
|---|---|---|---|---|---|---|---|---|
| 水库运用方式 | | 蓄水拦沙 | | | 汛期水位逐步抬高 | | 高滩深槽形成 | 冲淤平衡 |
| 年序 | | 第1年 | 第2年 | 第3年 | 第4~10年 | 第11~14年 | 第15~28年 | 第28年以后 |
| 加权平均水头(m) | 7~9月 | 74.00 | 73.92 | 74.95 | 91.73 | 107.22 | 109.22 | 107.22 |
| | 10月~翌年6月 | 97.95 | 98.35 | 99.48 | 111.47 | 123.38 | 124.06 | 125.84 |
| 保证出力(MW) | | 239.0 | 247.0 | 250.0 | 308.0 | 350.0 | 353.0 | 355.0 |
| 月平均(MW) | 最大出力 | 646.8 | 1 255.4 | 1 564.5 | 1 566.3 | 1 620.0 | 1 620.0 | 1 620.0 |
| | 最小出力 | 35.7 | 35.6 | 36.0 | 44.3 | 51.7 | 52.6 | 51.7 |
| 年发电量(亿 kW·h) | | 28.55 | 38.79 | 42.31 | 51.15 | 58.02 | 58.46 | 58.64 |
| 汛期发电量(亿 kW·h) | | 5.54 | 9.25 | 10.69 | 14.49 | 17.57 | 17.89 | 17.57 |
| 非汛期发电量(亿 kW·h) | | 23.01 | 29.54 | 31.62 | 36.66 | 40.45 | 40.57 | 41.07 |

注:1. 水轮机额定水头 112m,其额定出力为 306MW。
2. 水轮机水头≥117m 时,最大出力为 331MW。
3. 正常运用期间瞬时最大水头 141.67m,最小水头 68.0m。

### (四)泥沙

河流多年平均含沙量　　37.0kg/m$^3$
实测河流瞬时最大含沙量　　941kg/m$^3$
泥沙中值粒径 $d_{50}$　　0.023mm
泥沙矿物质成分:
石英　　约 90%
长石　　约 5%
其他　　约 5%
泥沙颗粒形状为多角形和菱形。

根据水库泥沙特性和枢纽建筑物的布置条件,结合黄河上、中游已建电站的运行经验和三门峡水库调度运用的调水调沙试验资料,经分析计算,提出小浪底电站不同运用时期(7~9月)过机泥沙含量及泥沙中值粒径见表 2-1-3。

**表 2-1-3　小浪底水库不同运用期(7~9月)过机含沙量及泥沙中值粒径**

| 项目 | 时段 | | | | |
|---|---|---|---|---|---|
| | 第1~3年 | 第4~10年 | 第11~14年 | 第15~28年 | 第28年以后 |
| 过机含沙量(kg/m$^3$) | 7.4 | 21.5 | 35.3 | 64.5 | 68.6 |
| 泥沙中值粒径 $d_{50}$(mm) | 0.008 4 | 0.011 | 0.013 | 0.021 | 0.021 |

**(五)电站在电力系统中的作用**

河南电网以燃煤火电为主要电源,小浪底水电站为河南电力系统中迄今容量最大的水电站,在系统中承担调峰及调频任务。电站 6 台机组中有 1 台为检修备用机组。电站在系统中处于腰荷位置。

## 二、多沙河流水轮机运行调研分析

研究资料表明,含沙水流条件下水轮机过流表面的磨蚀破坏程度与水流速度的多次方成正比。设计者从降低水轮机流道内相对流速着手,提出了"低参数"的设计思路。然而,20 世纪 80 年代初期,水力机械领域正以提高参数为主要思路,目的在于降低设备重量及工程造价。为了更深入地了解多沙河流电站水轮机磨蚀破坏情况,分析水轮机破坏的原因,掌握运行电站已取得的抗磨蚀有效成果,设计者对国内运行电站开展了广泛的调研工作。

**(一)多沙河流水轮机破坏情况分析**

1. 多个水电站水轮机磨蚀破坏对比

(1)同型号、同厂家、同材质的水轮机,分别在清水、浑水河流条件下运行,破坏特征差异很大。例如,运行在黄河上的盐锅峡电站与运行在潇水上的双牌电站比较,盐锅峡电站水轮机大修周期为 2 年,每次检修消耗焊条 1.0t,双牌电站水轮机大修周期为 4 ~ 5 年,每次检修消耗焊条 0.2t。运行在黄河上的天桥电站与运行在融江上的麻石电站比较,天桥电站水轮机运行 4 年(运行时数25 446h),4 只叶片减少重量1 100kg,检修消耗焊条 1.71t,麻石电站水轮机运行 10 年,仅在叶片背面发现轻微气蚀痕迹。

(2)同水质、同工况运行的水轮机,因设计参数、加工工艺、采用材质的不同,其设备破坏程度也明显不同。例如,同样安装于天桥电站的两台机组进行比较,由芬兰进口的机组设计参数较低($n_s = 476$m·kW),由罗马尼亚进口机组的设计参数较高($n_s = 555$m·kW)。12 年的运行记录证明:芬兰机组比罗马尼亚机组磨蚀破坏的速度慢,强度低(据实际检查,磨蚀破坏强度相差 4 倍)。

同样安装于八盘峡电站的进口机与国产机比较,瑞典 KMW 厂生产的机组水轮机过流部件采用不锈钢整铸,叶片翼型制造误差很小,表面粗糙度高达 $R_a = 1.6$ 以上,机组运行25 000h,叶片表面光亮如初;而哈尔滨厂生产的水轮机叶片母材采用铸 20 号硅锰钢制造,局部铺焊不锈钢,叶片表面粗糙度仅有 $R_a = 12.5$,机组运行7 709h,破坏已相当严重,转轮效率明显降低,需补焊修复。

(3)水轮机导叶间隙的磨蚀破坏随运行水头增高而加大。例如,刘家峡电站额定水头 $H_r = 100$m,$n_s = 190$m·kW,导叶的磨蚀破坏较为严重。而运行水头较低的八盘峡电站($H_r = 18$m、$n_s = 600$m·kW)、青铜峡电站($H_r = 18$m、$n_s = 557$m·kW)、天桥电站($H_r = 18$m、$n_s = 555$m·kW)等机组的导叶破坏比较轻微。

(4)运行工况的优劣直接影响磨蚀破坏程度。水轮机在非设计工况(如低水头、小负荷)运行时,叶片进口水流冲角加大,必然会产生脱流和改变压力分布情况,加剧局部的空化程度,导致气蚀的产生。而叶片出口处产生的掺气水漩,引起水轮机尾水管内压力脉动的加剧。由于水轮机流道内的水流紊动,亦使水轮机过流部件的气蚀破坏和振动加剧。

在这种紊流状况下,气蚀和磨损联合作用加重了设备的破坏。如三门峡水电站汛期运行水头低,而非汛期又因顶盖漏水,强迫加大叶片转角,加重了水轮机的破坏程度,首台机组投运10 000h后,气蚀破坏十分严重,机组效率下降8%。

(5)水轮机过流部件的破坏部位和特征,因比转速和转轮型式的差异而不同。黄河上已建的龙羊峡、刘家峡、盐锅峡电站安装的是混流式水轮机,比转速 $n_s$ 在 176 ~ 241m·kW 之间,主要磨蚀破坏部位为转轮上冠、下环内表面、顶盖、导叶、迷宫环、尾水锥管里衬等。八盘峡、青铜峡、天桥、三门峡电站安装的是轴流式水轮机,比转速 $n_s$ 在 325 ~ 600m·kW 之间,主要磨蚀发生在转轮叶片、转轮室、轮毂体、导叶、底环等部位。

2. 采用的抗磨蚀措施

在进行多泥沙河流电站工程枢纽布置设计时,大多设置排沙水工建筑物,以减少过机水流含沙量。例如,刘家峡电站,开启泄水道(泄水道进口底坎较机组进水口低 15m)较不开启泄水道泄水时,过机水流含沙量可以减少 50% ~ 80%;三门峡电站打开底孔排沙(底孔进口较机组进水口底坎低 7m)较不开启底孔泄水时,过机含沙量可减少 50%,粒径大于 0.05mm 的粗颗粒泥沙同比减少 4/5;八盘峡电站在发电引水洞前沿的水库内设置有导向泄水道的挡沙底坎,有效地拦截了大量粗颗粒泥沙,减小了过机水流的泥沙含量;盐锅峡电站由于无排沙设施,虽然水轮机参数不高,河流天然泥沙含量与八盘峡电站相当,但过机泥沙含量却较八盘峡电站要大,机组磨蚀破坏也较严重。这些例子揭示出多泥沙河流水电站水工建筑物的合理布置设计,是减少过机含沙量的有效措施。

为最大限度地减轻过流部件的磨蚀破坏程度,各工程进行了多种不同防护材料的研究试验,得到了一批性能相对优良的防护材料。在金属材料方面,常见的有各种性质的抗磨焊条、金属陶瓷、高强度复合钢、高强度不锈钢等,多采用堆焊、铺焊、喷焊工艺;常用的非金属类材料有复合树脂、复合尼龙、聚氨酯弹性体、铸石等;表面强化工艺有渗碳、渗氮、高频淬火等。这些抗磨蚀材料和工艺广泛运用于已运行电站,如刘家峡电站、盐锅峡电站、天桥电站、三门峡电站等,均取得了一定的效果。

**(二)解决小浪底电站水轮机磨蚀破坏的设想**

小浪底电站设计初期,工程设计人员根据刘家峡、盐锅峡、八盘峡、青铜峡、三门峡、六郎洞、渔子溪等多座电站的运行情况,认识到含沙水流对水轮机的磨蚀破坏是十分严重的。水流中含沙量越大、颗粒越粗、沙粒越硬,对水轮机过流部件的磨蚀破坏就越严重。如三门峡水电站,高含沙水流对水轮机过流部件造成的破坏可谓触目惊心,以至于对三门峡水电站水轮机磨蚀破坏情况有所了解的国内外许多专家,对黄河中游水电开发存有较大疑虑,认为小浪底电站建成后可能会像三门峡电站一样汛期机组不能安全发电运行。为此,在工程设计和水力机械制造方面均面临着严峻的挑战。设计者对高含沙水流可能对水轮机造成的破坏问题给予了高度重视,确定采取综合措施,以减轻泥沙对水轮机的磨蚀破坏。在对已运行的多沙河流水轮机进行全面调研的基础上,对枢纽水工设施布置、排沙措施、水轮机设备的制造加工工艺、过流部件材料的采用、机组大修记录、修补部位和特征、机组的过流含沙量、泥沙特性等一切可能影响磨蚀破坏的因素进行综合分析。调研分析结论是:

(1)枢纽水工建筑物的布置应设置拦沙排沙设施,以减小水流过机含沙量。

(2)多沙河流电站的水轮机应采用合理的低参数。

(3)水轮机过流部件宜选用耐磨蚀性能良好的不锈钢材料制造。

(4)水轮机主要过流部件表面宜取用金属或非金属抗磨保护材料进行防护。

(5)良好的水轮机过流部件制造加工工艺,有利于其整体抗磨蚀性能的提高。

(6)水轮机结构设计应采取方便检修维护的技术措施。

(7)优化运行调度管理和运行工况控制。

(8)合理安排设备大修周期,减小设备带“病”运行工作时间。

采取上述综合治理措施,以期达到延长水轮机设备运行寿命和检修周期、提高电站综合效益的目的。

## 三、转轮参数研究

### (一)水轮机磨蚀破坏分析

小浪底电站水流含沙量与三门峡电站相当,但运行水头约为三门峡电站水头的4倍。如果不采取一系列有效措施,机组运行的安全问题将不堪设想。解决高含沙水流对水轮机磨蚀破坏的措施,是业内人士多年研究的课题,欲解此难题,必须认识泥沙水流对水力机械的破坏规律,抓住泥沙水流破坏的主要因素和关键问题。

目前国内外已运行的水轮机均按照理想清水水流理论进行设计,没有考虑水沙合流的特点。

高含沙水流实际属“二相流体”流态,其流道内的速度场和压力场的分布规律与“理想流体”有差异。虽然有专家认为用“二相流体”的设计理论来解决多沙水流的转轮磨蚀破坏是较理想的途径,但在水轮机的设计方面如何使用尚无有效手段。为使清水水力学理论设计的水轮机适应于多沙水流电站,国内外同行主张水轮机应采用降低参数进行设计选型。毋庸置疑,水轮机低参数设计,流道内相对流速降低,会相对改善水轮机流道的气蚀与磨损。分析按清水理论设计的水轮机与在多泥沙水流条件下运行的水轮机流场和压力场分布之间的差异,揭示水轮机在多泥沙水流下过流部件的磨蚀状况和规律,采取有效措施减轻水轮机设备破坏的程度。通过合理降低水轮机的综合参数、优化水轮机流道尺寸和转轮翼形,达到优化叶道流态、降低转轮流道中的流速,从而有效降低水轮机的磨蚀强度。目前常用的水轮机磨蚀强度计算公式为

$$G = AD\xi\rho^{m}W^{n} \tag{2-1-1}$$

式中　$G$——磨蚀强度;

$A$——考虑材质不同的系数;

$D$——与泥沙粒径、级配、形状、硬度等因素有关的系数;

$\xi$——与加工精度有关的系数;

$\rho$——泥沙浓度;

$W$——转轮叶片出口相对流速,m/s;

$m$、$n$——指数,一般 $m = 0.7 \sim 1$,$n = 2.7 \sim 3.2$。

国内外有关水轮机的磨蚀试验证明:

(1)单纯清水气蚀程度与过流速度的6~14次方成正比。

(2)磨蚀破坏强度与过流速度的 2.7～3.2 次方成正比。

(3)清水气蚀破坏随运行时间的变化关系是复杂的,其破坏过程常出现一段潜伏期。

(4)含沙水流的临界气蚀压力比清水水流的临界气蚀压力高(有些试验资料为 3 倍以上),其破坏能量更大。

(5)磨损与气蚀联合作用下,试件失重量比纯气蚀和纯磨损的破坏强度大(有试验资料记载:磨损 + 气蚀联合作用的破坏强度为纯气蚀的 8.5 倍,为纯磨损的 3.2 倍;纯磨损破坏强度是纯气蚀破坏强度的 2.7 倍)。

在水流含沙量一定的条件下,合理设计水轮机参数,能有效地降低转轮出口流速,以减轻转轮磨蚀破坏程度。

水轮机流道内流速计算公式:

$$W = \sqrt{U^2 + V^2} \tag{2-1-2}$$

式中　$W$——转轮流道内水流相对流速,m/s;

$U$——转轮圆周速度,m/s;

$V$——转轮流道内水流绝对速度,m/s。

转轮叶片出口流速:$W_2 = \sqrt{U_2^2 + V_2^2}$。

分析转轮出口流速即可反映转轮的流态变化,因此这里仅解释转轮出口流速状态。

转轮叶片出口流速 $W_2$ 可分解为圆周速度 $U_2$ 和绝对速度 $V_2$。其中:

$$U_2 = \frac{\pi n}{30} \times \frac{D_2}{2} = \frac{\pi}{30} \times \frac{n'_1 \sqrt{H}}{D_1} \times \frac{D_2}{2} = k_1 n'_1 \sqrt{H} \tag{2-1-3}$$

$$V_2 = \frac{Q}{F_2} = \frac{4 \times Q'_1 \times D_1^2 \sqrt{H}}{(kD_1)^2 \times \pi} = k_2 Q'_1 \sqrt{H} \tag{2-1-4}$$

则

$$W_2 = \sqrt{(k_1 n'_1)^2 + (k_2 Q'_1)^2}\sqrt{H} \tag{2-1-5}$$

式中　$F_2$——转轮出口面积,$F_2 = \frac{\pi D^2}{4} = \frac{\pi (kD_1)^2}{4}$;

$D_1$——转轮进口直径,m;

$D_2$——转轮出口直径,m;

$n$——机组同步转速,r/min;

$Q$——过机流量,$m^3/s$;

$H$——运行水头,m;

$Q'_1$——转轮单位流量,$m^3/s$;

$n'_1$——转轮单位转速,r/min;

$k_1, k_2$——与转轮进、出口直径有关的系数;

$k$——转轮进、出口直径的比值,对高比转速水轮机 $k > 1$,中、低比转速水轮机 $k \leqslant 1$。

据上式分析:转轮磨蚀强度与转轮出口水流速度的大小密切相关,而转轮出口流速的大小与水轮机参数 $n'_1$、$Q'_1$ 密切相关。因此,研究如何合理地降低 $n'_1$、$Q'_1$ 值至关重要。

图 2-1-1 速度三角形表示理想的水轮机流道的流态。由图上分析可知:转轮相对速

度 $W$ 由圆周速度 $U$ 和绝对(亦称轴面速度)速度 $V$ 组成。图 2-1-1 表明相对速度 $W$ 受圆周速度 $U$ 的影响最大,而圆周速度 $U$ 由单位转速 $n'_1$ 的大小所决定。

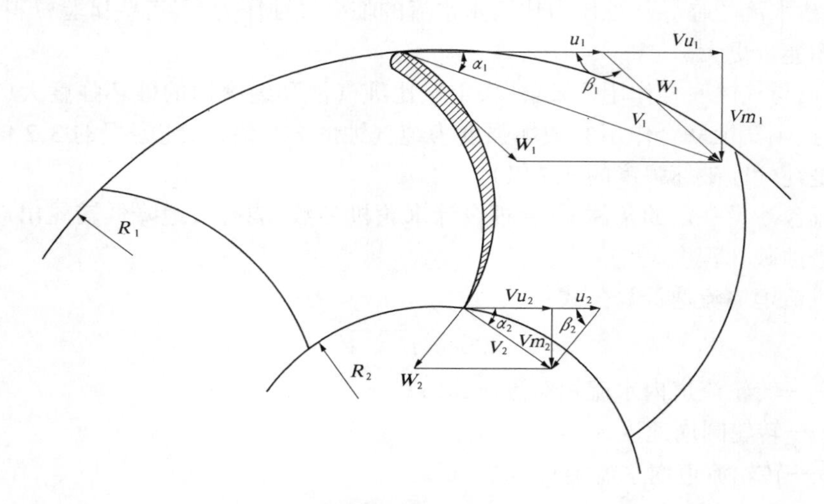


图 2-1-1 水轮机转轮进出口速度三角形

(二)水轮机转轮模型参数

电站运行条件是水轮机参数选择的基本依据。为了达到水轮机安全、经济运行的目的,应有针对性地选择合理的水轮机参数。由水轮机模型转轮综合特性曲线,确定其运行参数区域。

1. 水头条件对额定单位转速 $n'_{1r}$ 的要求

当转轮直径 $D_1$ 及额定转速 $n_r$ 确定之后,则额定水头为 $H_r$ 时,水轮机在模型转轮综合特性曲线上的工作位置可由下式表示:由 $n'_{1r}=\frac{n_r D_1}{\sqrt{H_r}}$ 得 $H_r=\left(\frac{n_r D_1}{n'_{1r}}\right)^2$。

相应的水轮机最优水头为

$$H_0=\left(\frac{n_r D_1}{n'_{10}}\right)^2 \tag{2-1-6}$$

令 $C=\frac{n'_{1r}}{n'_{10}}$,则

$$H_0=C^2 H_r \tag{2-1-7}$$

上式中 $C$ 为接近于 1 的常数。

在水电站水头变幅较大时,通常用 $H/H_0$ 来表示水轮机偏离最优水头的程度,从而判断混流式水轮机转轮进口的流态。因此,在评论某一个水轮机参数方案时,必须对其适应运行水头的范围进行分析,以使电站的最大和最小水头均在水轮机所允许的范围之内。

小浪底水电站在运行初期(水库蓄水后 1~3 年)水库蓄水位较低,过机泥沙含量较少,泥沙颗粒较细,不宜作为水轮机参数确定的依据。自第四年起,水库基本进入正常运行期,水头达设计范围,过机泥沙含量加大,颗粒逐渐趋粗。水轮机的设计参数应适应水

头运行范围,保证良好的运行工况,以减轻水轮机流道部件的磨蚀。

为了表示实际水头偏离最优水头 $H_0$ 的程度与所取 $C$ 值的关系,由上两式得:

$$\frac{n'_1}{n'_{10}} = C\sqrt{\frac{H_r}{H}} \tag{2-1-8}$$

$$\frac{H}{H_0} = \frac{H}{C^2 H_r} \tag{2-1-9}$$

就一个定型的转轮而言,其参数 $n'_{10}$和 $Q'_{10}$为一定值,欲使电站的水头上下限值均能满足 $H/H_0$ 的限值范围,显然额定水头为 $H_r$ 时的 $n'_{1r}$(和相应的 $C$)值是不能任意选取的。

混流式水轮机运行水头的允许变化范围,主要是根据转轮进口水流速度的方向、大小及水头变化对效率和气蚀特性的影响等条件加以限制的。

据小浪底电站水轮机的运行条件,在最大月平均水头 137.5m 时,考虑不发生叶片进口局部气蚀的条件,结合电站的水头及泥沙特性考虑,可取 $C$ 值得:

$$C \approx 1.01 \sim 1.04$$

$$n'_{1r} = (1.01 \sim 1.04)\, n'_{10}$$

这不仅可使水轮机在汛期处于最优工况运行,并保证在非汛期最高水头运行条件下能处于较优工况区运行。

2. 机组容量对 $Q'_{1r}$和 $Q'_{10}$的要求

小浪底电站在电力系统中处于腰荷位置,并分担一定比例的负荷备用容量,按照电力电量平衡计算结果,每台机组的工作容量为:第四至十年,工作容量约 275MW,备用容量 25MW;第十一年以后,工作容量 250 ~ 265MW,备用容量 35 ~ 50MW。表明机组经常的工作容量约为 88% $N_r$,考虑负荷调节的需要,要求最优单位流量约为

$$Q'_{10} \approx 0.88\, Q'_{1r}$$

3. 水轮机吸出高度 $H_s$ 对模型转轮 $\sigma_0$ 的要求

统计哈尔滨大电机研究所和东方电机厂研究所在理想清水理论下,适应小浪底电站水头段的水轮机机型的模型气蚀系数 $\sigma_m$ 和模型临界气蚀系数 $\sigma_{m0}$,如表 2-1-4 所示。

**表 2-1-4　　为小浪底电站曾研制的水轮机机型参数**

| 参　数 | 机　型 | | | | | | |
|---|---|---|---|---|---|---|---|
| | A253 – 46 | A264 – 46 | D06a – 40 | DHL150 | D113 – 35 | D41 – 35 | D89 – 35 |
| $n_s$(m·kW) | 167 | 175 | 185 | 200 | 206 | 239 | 214.1 |
| $H_{max}$(m) | 140 | 140 | 150 | 150 | 137 | 137 | 120 |
| $\sigma_{m0}$ | 0.046 3 | 0.065 | 0.048 | 0.07 | 0.058 | 0.09 | 0.097 |
| $\sigma_m$ | 0.053 | 0.073 | 0.053 | 0.102 | 0.08 | 0.106 | 0.115 |

据图 2-1-2 和图 2-1-3 统计得：$\sigma_m = (1.145 \sim 1.38)\sigma_{m0}$。

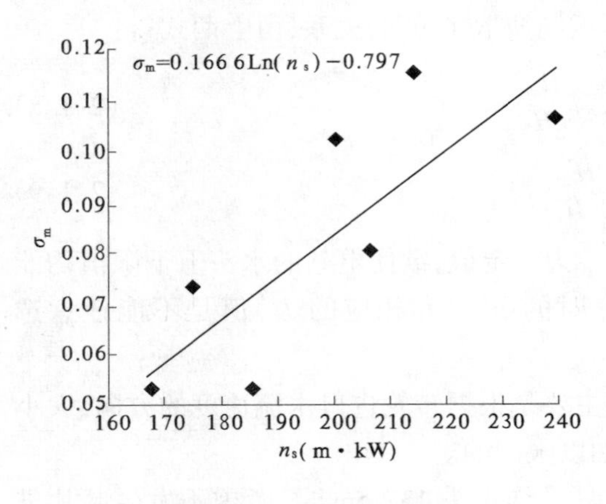


**图 2-1-2　$n_s \sim \sigma_m$ 关系曲线**

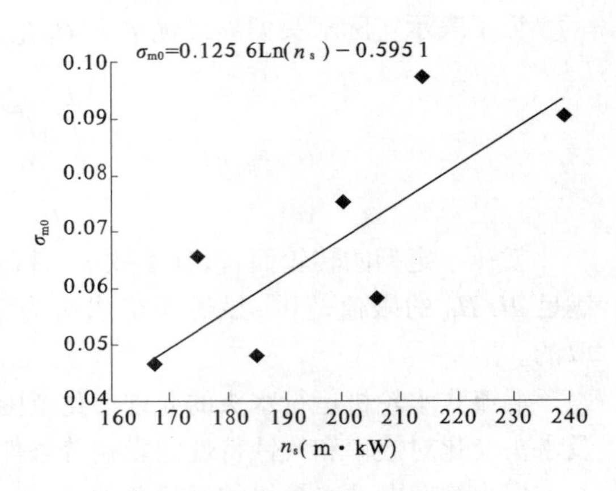


**图 2-1-3　$n_s \sim \sigma_{m0}$ 关系曲线**

多泥沙电站，应考虑泥沙对空化的发生与发展的影响。试验室的研究得出："在一定含沙量条件下，泥沙对空化的发生起促进作用；而当含沙量大于一定量时又对空化起抑制作用"。但对泥沙含量影响初生空化系数的定量值尚无定论。

据日立公司试验结果，浑水临界空化系数的变化，随浑水浓度的增加而直线上升，用下式表示：

$$\sigma_{0m} = (1.0 + 10C_w)\sigma_{0w} \tag{2-1-10}$$

式中　$\sigma_{0m}$——浑水临界空化系数；

$\sigma_{0w}$——清水条件下的临界空化系数；

$C_w$——浑水条件下泥沙量与浑水的重量比。

小浪底电站平均含沙量约 50kg/m³，相当于 $C_w = 4.85\%$，则 $\sigma_{0m} \approx 1.48\sigma_{0w}$。一般情况，初生空化与临界气蚀系数的关系 $\sigma_i = 1.3\sigma_0$，小浪底电站浑水条件工作的水轮机的装置气蚀系数应取 $\sigma_z \geq 1.92\sigma_0$。

小浪底电站水轮机安装高程（即导叶中心高程）定为 129.0m，当清水模型临界气蚀系数 $\sigma_0 < 0.075$（在额定单位流量内）时，使汛期气蚀安全系数 $K_\sigma > 1.85$ 是必要的，相应吸出高度 $H_s$ 可以满足已确定的水轮机安装高程。

**（三）模型转轮参数的选择**

为达到设备安全、经济、稳定地运行的目的，一个良好转轮的设计应满足过流量大、单位转速高、气蚀系数低、效率高、工作稳定等要求。通过大量的调研、试验、分析认为，对于多泥沙河流电站的水轮机参数，应当合理降低单位转速、单位流量，提高水轮机的抗磨蚀性能，以保持空化系数低、效率较高、运行稳定。根据小浪底电站水轮机的设计水头变幅大、水流含沙量高的具体条件，提出了合理参数的新型转轮设计思路，具体分析如下。

1. 额定工况下的比转速 $n_{sr}$

转轮比转速 $n_s$ 值是对转轮性能好坏进行判断的重要参数。哈尔滨大电机研究所统计了 20 世纪 70 年代国内外近代大型混流式水轮机的主要参数，得出了水轮机的比转速 $n_s$ 和设计水头 $H_r$ 的关系曲线(图 2-1-4)。

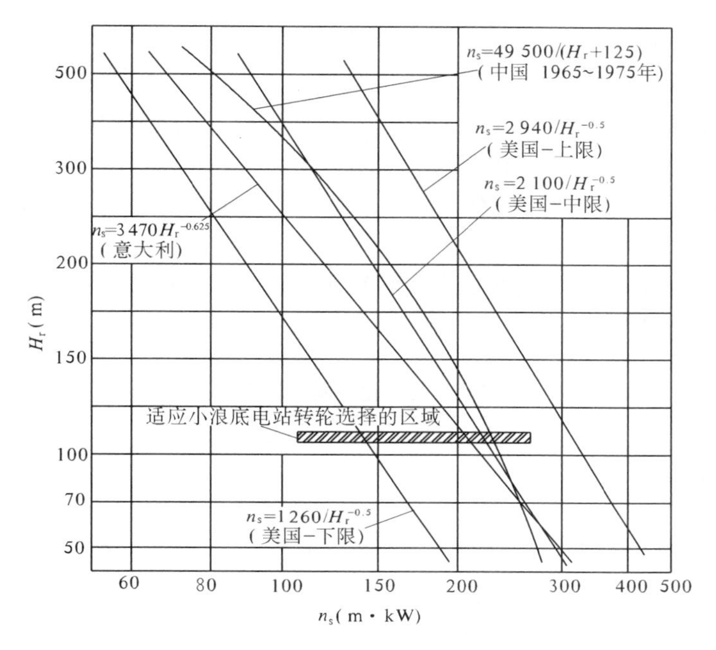


**图 2-1-4 比转速 $n_s$ 和设计水头 $H_r$ 的关系**

根据 20 世纪 70 年代世界各国在水轮机参数选择方面总结的不同统计公式，计算小浪底电站水轮机的比转速值见表 2-1-5。由表得出小浪底电站水轮机比转速取值范围：$n_s = 119 \sim 278$m·kW。

**表 2-1-5　　不同经验公式计算的小浪底电站水轮机比转速值**

| 产　地 | 计算公式 | 额定水头(m) | 比转速(m·kW) |
|---|---|---|---|
| 中国哈电(20 世纪 70 年代产品) | $n_s = \dfrac{49\ 500}{H_r + 125}$ | 112 | 209 |
| 美国垦务局(20 世纪 70 年代标准) | $n_s = (2\ 000 - 1\ 330)H_r^{-0.5}$ | 112 | 189 ~ 126 |
| 美国阿里斯查摩公司(20 世纪 70 年代转轮设计范围) | 上限 $n_s = 2\ 940 H_r^{-0.5}$ | 112 | 278 |
| | 中限 $n_s = 2\ 100 H_r^{-0.5}$ | 112 | 198 |
| | 下限 $n_s = 1\ 260 H_r^{-0.5}$ | 112 | 119 |
| 日本电工(JEC - 151 - 1968 和 1975) | $n_s = \dfrac{20\ 000}{H_r + 20} + 30$ | 112 | 181 |

国外 100m 水头段水轮机系列，在 20 世纪 60 年代取用的 $K_s$ 值较低（$K_s < 1\,800$），至 20 世纪 80 年代已提高很多（$K_s > 2\,140$）。国产机组的参数水平一般较国外同类型机组偏低。20 世纪 50 年代 $K_s \approx 1\,550$，60 年代 $K_s \approx 1\,870$，70 年代以后 $K_s$ 达2 000左右。

随着技术的不断进步，小浪底电站水轮机在设计水平、冶金技术、制造工艺、抗磨防护措施等方面都将有很大提高，但河流泥沙状况难有较大改观。借鉴已建电站机组的参数水平和运行状况，特别是三门峡、刘家峡电站的经验教训，确定小浪底电站水轮机的比速系数 $K_s$ 在1 500～1 800之间，即在三门峡电站水轮机参数水平（$H_r = 30$m，$K_s = 1\,770$）和刘家峡电站水轮机参数水平（$H_r = 100$m，$K_s = 1\,870$）之间选取，设计者更倾向于采用接近三门峡电站转轮的 $K_s$ 值。

根据电站运行水头范围，小浪底电站转轮选择了 4 种不同比转速方案进行比较，见表 2-1-6、图 2-1-5 和图 2-1-6。

表 2-1-6　　小浪底电站转轮不同比转速方案

| 项　目 | 同步转速（r/min） | | | |
|---|---|---|---|---|
| | 100 | 107.1 | 111.1 | 115.4 |
| 比转速（m·kW） | 151.3 | 162.6 | 168.7 | 175.2 |
| 比速系数 $K_s$ | 1 600 | 1 720 | 1 785 | 1 854 |
| 转轮出口相对流速（m/s） | 32.5 | 34.5 | 35.6 | 36.8 |
| 磨蚀强度比 | 0.84 | 1.0 | 1.13 | 1.21 |

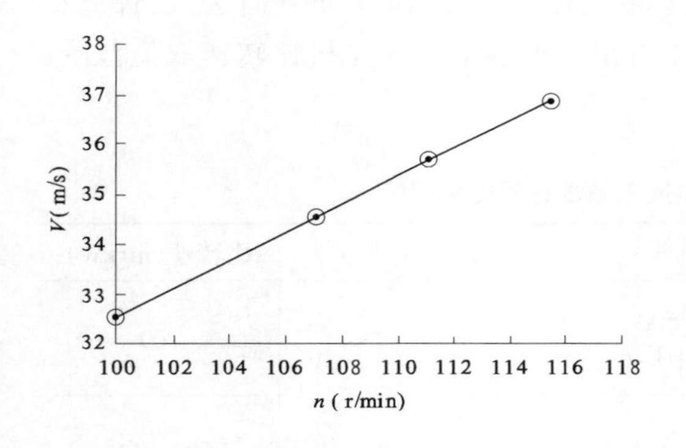


图 2-1-5　$n \sim V$ 关系

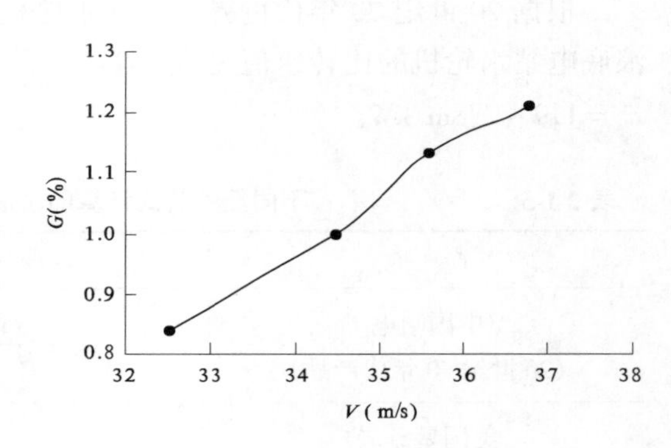


图 2-1-6　$V \sim G$ 关系

据此测算，转轮出口流速 $V$ 随水轮机额定转速 $n_r$ 按 $V = 0.600\,2 n_r^{0.866\,8}$ 规律变化。转轮的磨蚀强度 $G$ 随转轮出口流速 $V$ 按 $G = 2 \times 10^{-5} V^{3.015\,5}$规律而增强。

在上述各方案比较表中，额定转速 $n_r = 111.1$r/min 方案，电机制造困难；额定转速 $n_r = 107.1$r/min 时，比转速 $n_s = 162.6$ m·kW，与运行水头段 $H = 15 \sim 52$m 的三门峡电站转轮相当，较同水头段的刘家峡电站转轮的比转速降低 17%，转轮出口相对流速降低 20%。预测小浪底电站转轮采用该组参数，其磨蚀破坏程度将有所改善。

2. 不同比转速方案转轮参数

1)最优单位转速 $n'_{10}$与额定单位流量 $Q'_{1r}$的组合

按照电站给定的水头条件,考虑 $H/H_0$ 值限制运行范围,额定水头时的额定单位转速 $n'_{1r}$应符合 $n'_{1r}=(1.01\sim1.04)n'_{10}$。从 $n'_{1r}=1.01n'_{10}$到 $n'_{1r}=1.04n'_{10}$,其 $Q'_{1r}$运行范围变化不大,为使转轮设计留有裕量,则转轮的比转速按下式计算:

$$n_s=3.13n'_{10}\sqrt{Q'_{1r}\eta} \tag{2-1-11}$$

对同一比转速 $n_s$ 值,可得出不同的最优单位转速和额定单位流量的组合关系。按常规清水水电站转轮的参数通常是提高 $n'_{10}$值,以减少设备重量,减少设备投资。对于多泥沙河流的水电站转轮,据前文所推导的计算公式,证实水轮机的磨蚀破坏程度与水轮机流道内流速的多次方成正比。因此,为减轻水轮机的磨蚀,不能一味地追求高参数,而是应当合理降低水轮机参数,以降低水轮机流道内流速。

小浪底电站水轮机不同比转速下的单位转速 $n'_{10}$和单位流量 $Q'_{10}$的关系见表2-1-7、图 2-1-7 和图 2-1-8。

**表 2-1-7　　不同比转速下 $n'_{10}\sim Q'_{10}$的关系**

| 额定转速 $n_r$(r/min) | 100 | 107.1 | 111.1 | 115.4 |
|---|---|---|---|---|
| 比转速 $n_s$(m·kW) | 151.8 | 162.6 | 168.7 | 175.2 |
| 额定单位转速 $n'_{1r}$(r/min) | 60 | 61 | 63 | 65 |
| 最优单位转速 $n'_{10}$(r/min) | 58.5 | 59.5 | 61.4 | 63.4 |
| 最优单位流量 $Q'_{10}$($m^3/s$) | 0.654 | 0.72 | 0.723 | 0.732 |

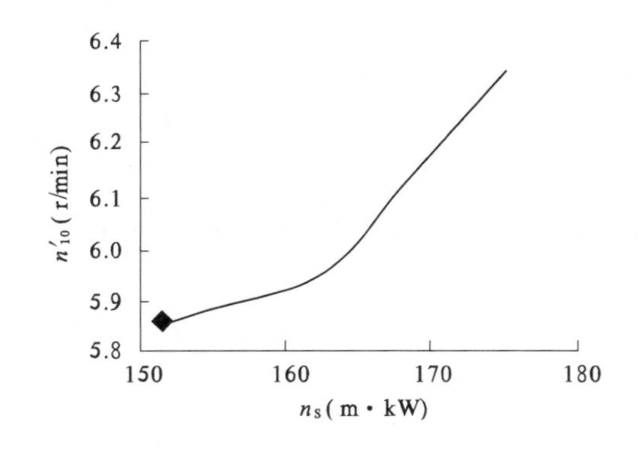


**图 2-1-7　$n_s\sim n'_{10}$关系**

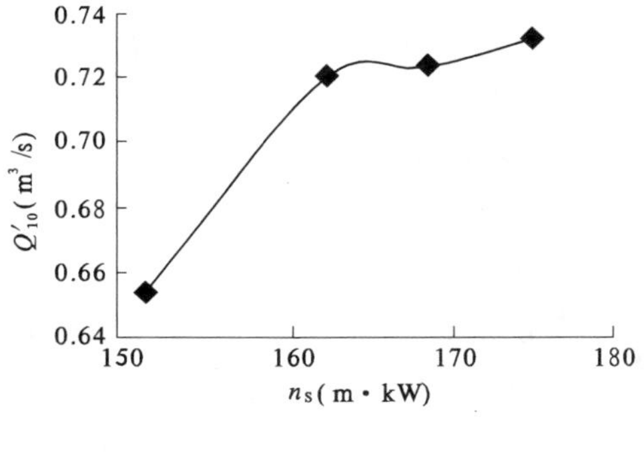

**图 2-1-8　$n_s\sim Q'_{10}$关系**

降低最优单位转速可使转轮流道内的相对流速降低,有利于减轻磨蚀,但却要求转轮具有较大额定单位流量,才能达到相同的水轮机出力的能量指标要求。因此,必须有相应的轴面流道和叶片翼型设计与之相适应,所以转轮的最优单位转速 $n'_{10}$不能随意降低,它与额定单位流量 $Q'_{1r}$应是合理的搭配关系。

2）最优单位转速 $n'_{10}$

单位转速的降低将对水轮机的综合性能、翼型设计产生较大影响。$n'_{10}$值随着叶片进口安放角 $\beta_{1e}$的增大和进水角度 $\alpha_1$ 的减小而降低，以下式表达：

$$n'_{10}=\frac{60\sqrt{\left(\frac{1}{1-K}\right)\eta g}}{\pi\overline{D}_{1P}}\sqrt{1+\tan\alpha_1\tan(90°-\beta_1)} \tag{2-1-12}$$

式中　$K$——转轮出口速度环量与进口速度环量的比值(法向出口时 $K=0$)；

$\overline{D}_{1P}$——转轮进口边平均直径，m；

$\eta$——转轮最优点效率，(%)；

$g$——重力加速度，$kg/s^2$；

$\alpha_1$——转轮进水角度，(°)；

$\beta_1$——叶片相对进水角，(°)，最优工况时 $\beta_1$ 等于叶片进口安放角 $\beta_{1e}$。

当不考虑叶片排挤作用时，导叶出口水流角 $\alpha_0$ 由下式表示：

$$\tan\alpha_0=\frac{n'_1Q'_1(1-K)}{60\eta g\overline{b}_0} \tag{2-1-13}$$

$$V_0=\frac{Q'_1\sqrt{H}}{\pi\sin\alpha_0\overline{b}_0\overline{D}_0} \tag{2-1-14}$$

式中　$V_0$——导叶间流速，m/s；

$\overline{D}_0$——导叶节圆直径相对值；

$\overline{b}_0$——导叶相对高度；

$\alpha_0$——导叶出口安放角；

$Q'_1$——单位流量，$m^3/s$；

$H$——运行水头，m。

分析表明，降低 $n'_1$ 值需要增大$\overline{D}_{1P}$及 $\beta_1$，或由减小绝对进水角 $\alpha_1$ 来实现。

对于清水电站的转轮，其$\overline{D}_{1P}$值的取值范围有统计资料可供参考。统计结果，高水头段的水轮机转轮的极限取值为$\overline{D}_{1P}=1.0$。

根据国内外水轮机研究所的研究成果和小浪底电站水轮机模型试验资料，可取$\overline{D}_{1P}=0.88\sim0.98$。

转轮的 $n'_1$ 和 $Q'_1$ 值一定时，则导叶出水角 $\alpha_0$ 的角度取决于导叶相对高度$\overline{b}_0$。增大$\overline{b}_0$ 将有利于抬高转轮上缘，降低转轮内流速，但也会使转轮体相应增高。因此，$\overline{b}_0$ 值的大小应统一考虑设备运输方式、加工工艺的约束条件，以及对转轮直径$\overline{D}_1$ 的限制因素。

为了定性地探讨不同比转速 $n_s$ 条件下在不同的最优单位转速 $n'_{10}$时对额定单位流量 $Q'_{1r}$、导叶出水角 $\alpha_0$ 及叶片进口安放角 $\beta_{1e}$的要求，以轴断面中平均流面为代表，并按最优工况 $Q'_{10}=0.88Q'_{1r}$及出口环量为 0 的条件，推导得出 $Q'_{1r}\sim n'_{10}$，$D_1\sim n'_{10}$，不同$\overline{b}_0$时的 $\alpha_0\sim n'_{10}$及相应的 $\beta_1\sim n'_{10}$关系曲线分别见图 2-1-9～图 2-1-11。$\beta_{10}$为最优工况下的相对进水角，可认为等于中间流面上叶片安放角 $\beta_{1e}$。

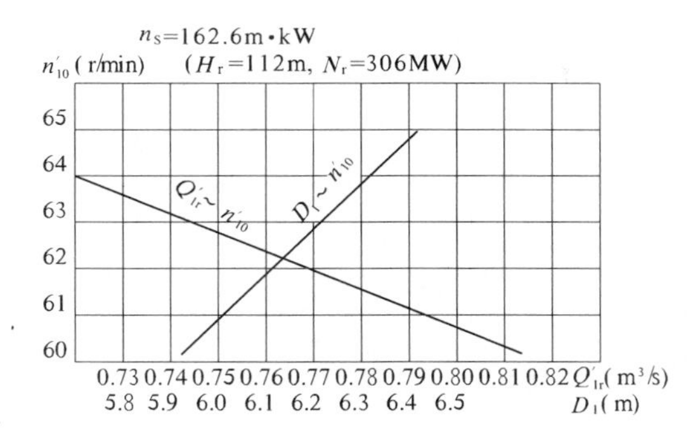
$n_S$=162.6m·kW
$n'_{10}$ (r/min)　($H_r$=112m, $N_r$=306MW)
65
64
63
62
61
60
$Q'_{1r}$~$n'_{10}$
$D_1$~$n'_{10}$
0.73 0.74 0.75 0.76 0.77 0.78 0.79 0.80 0.81 0.82 $Q'_{1r}$(m³/s)
5.8 5.9 6.0 6.1 6.2 6.3 6.4 6.5 $D_1$(m)

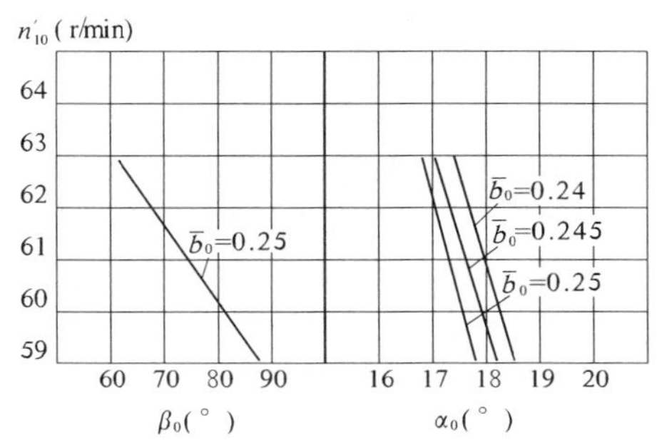
$n'_{10}$ (r/min)
64
63
62
61
60
59
$\bar{b}_0$=0.25
$\bar{b}_0$=0.24
$\bar{b}_0$=0.245
$\bar{b}_0$=0.25
60 70 80 90
16 17 18 19 20
$\beta_0$(°)
$\alpha_0$(°)

图 2-1-9

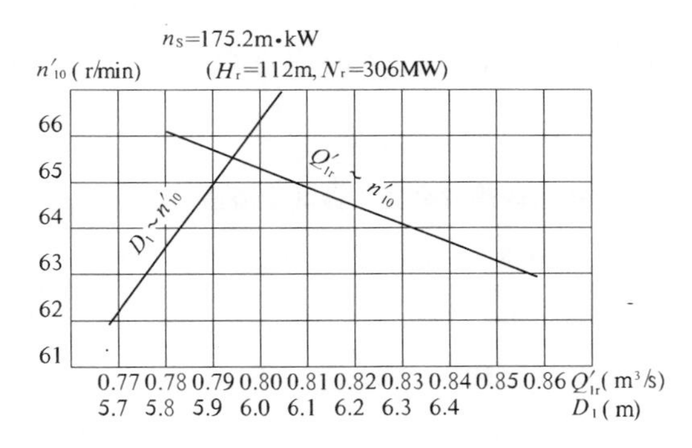
$n_S$=175.2m·kW
$n'_{10}$ (r/min)　($H_r$=112m, $N_r$=306MW)
66
65
64
63
62
61
$Q'_{1r}$~$n'_{10}$
$D_1$~$n'_{10}$
0.77 0.78 0.79 0.80 0.81 0.82 0.83 0.84 0.85 0.86 $Q'_{1r}$(m³/s)
5.7 5.8 5.9 6.0 6.1 6.2 6.3 6.4 $D_1$(m)

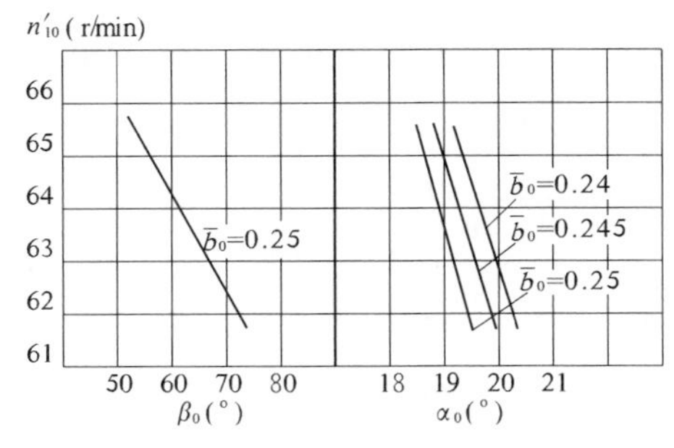
$n'_{10}$ (r/min)
66
65
64
63
62
61
$\bar{b}_0$=0.25
$\bar{b}_0$=0.24
$\bar{b}_0$=0.245
$\bar{b}_0$=0.25
50 60 70 80
18 19 20 21
$\beta_0$(°)
$\alpha_0$(°)

图 2-1-10

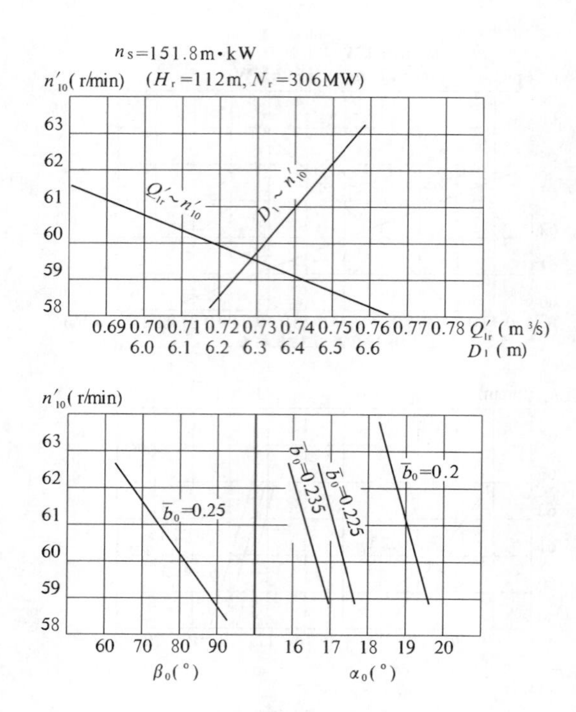


**图 2-1-11**

由图 2-1-9～图 2-1-11 分析得：当比转速 $n_s$ 一定时，假设考虑运输因素对转轮尺寸如 $D_1$ 和 $\bar{b}_0$ 的限制，则不同的比转速 $n_s$ 方案所应选取的最优单位转速 $n'_{10}$ 的范围如表 2-1-8 所示。

**表 2-1-8　　各比转速方案转轮参数及流道尺寸**

| 比转速 $n_s$(m·kW) | 151.8 | | 162.6 | | | 168.7 | | 175.2 | |
|---|---|---|---|---|---|---|---|---|---|
| 额定转速 $n_r$(r/min) | 100 | | 107.1 | | | 111.1 | | 115.4 | |
| 额定单位转速 $n'_{1r}$(r/min) | 59 | 60 | 60 | 61 | 64 | 62 | 63 | 64 | 65 |
| 最优单位转速 $n'_{10}$(r/min) | 57.5 | 58.5 | 58.5 | 59.5 | 62.4 | 60.5 | 61.4 | 62.4 | 63.4 |
| 最优单位流量 $Q'_{10}$($m^3$/s) | 0.654 | 0.63 | 0.72 | 0.70 | 0.63 | 0.723 | 0.70 | 0.732 | 0.71 |
| 转轮直径 $D_1$(m) | 6.24 | 6.35 | 5.93 | 6.02 | 6.32 | 5.90 | 6.0 | 5.87 | 5.96 |
| 导叶相对高度 $\bar{b}_0$ | 0.225 | 0.225 | 0.25 | 0.25 | 0.20 | 0.25 | 0.25 | 0.25 | 0.25 |
| 最优工况导叶进水角 $\alpha_0$(°) | 17.6 | 17.3 | 17.6 | 17.4 | 20.3 | 18.2 | 17.9 | 19.0 | 18.7 |
| 最优工况时 $\beta_1=\beta_{1e}$(°) | 87 | 81 | 82 | 76 | 66 | 71 | 65 | 62 | 56 |
| 水轮机转轮流速 $W$ (m/s) | 34.15 | 34.61 | 35.03 | 35.41 | 36.74 | 36.08 | 36.52 | 37.21 | 37.63 |

表中表明适应小浪底电站的转轮的最优单位转速 $n'_{10}$，在满足假设的最优工况导叶进水角 $\alpha_0$ 和最优工况 $\beta_1$ 时，选择范围值 $n'_{10}=57.5\sim63.4$r/min。同时，需考虑水轮机转

轮相对流速等多种因素，确定合理的 $n'_{10}$值。

哈尔滨大电机研究所为小浪底电站水轮机进行了模型转轮设计试验，转轮的主要参数试验结果见表 2-1-9。

**表 2-1-9　　模型转轮参数及流道尺寸**

| 转轮型号 | | A227 – 46 | A253 – 46 | A503 – 35 | XLD02 – 35 |
|---|---|---|---|---|---|
| 流道相对尺寸 | $\overline{b}_0$ | 0.25 | 0.25 | 0.25 | 0.248 |
| | $\overline{D}_0$ | 1.28 | 1.28 | 1.28 | 1.168 |
| | $\overline{D}_2$ | 1.0 | 0.95 | 0.94 | 0.94 |
| 最优工况参数 | $n'_{10}$(r/min) | 60 | 63 | 65 | 65 |
| | $Q'_{10}$($m^3$/s) | 0.715 | 0.658 | 0.74 | 0.77 |
| | $\eta'_{Mmax}$(%) | 0.912 | 0.921 | 0.911 | 0.927 4 |
| | $\sigma_M$ | 0.053 | 0.045 | 0.06 | $\sigma_i = 0.10$ |
| | $n_{s0}$(m·kW) | 152 | 154 | 167 | 172 |
| 限制工况参数 | $Q'_{1max}$($m^3$/s) | 0.889 | 0.806 | 0.94 | 0.98 |
| | $\eta$ (%) | 0.87 | 0.886 | 0.875 | 0.877 |
| | $\sigma$ | 0.058 | 0.053 | 0.095 | 0.115 |
| | $n_s$(m·kW) | 165 | 167 | 184 | 188 |

表 2-1-9 中的模型转轮的参数结合表 2-1-8 分析如下：

(1)A227 转轮，其参数与前表 $n_s = 151.8$ m·kW 的方案要求的参数相近。该转轮 $Q'_{1max} = 0.889m^3/s$，$\overline{D}_2 = 1.0$。虽转轮相对流速 $W = 34.15m/s$ 最低，但其转轮进水角 $\beta_1$ 冲角较大，将会造成水流振动和加大空化现象的产生。

(2)A253 转轮，$n'_{10} = 63r/min$，$Q'_{1max} = 0.806m^3/s$，$\overline{D}_2 = 0.95$，限制工况 $n_s = 167m·kW$，转轮相对流速 $W = 34.61m/s$。$\overline{D}_2 = 0.95$ 表明转轮出口直径有所减小、转轮出口流速有所降低，会减轻转轮磨蚀程度。但该转轮的实际运行情况，却发生了磨蚀较为严重的现象，原因须进一步查找分析。

(3)A503 转轮，$n'_{10} = 65r/min$，$Q'_{1max} = 0.94m^3/s$，$\overline{D}_2 = 0.94$，限制工况 $n_s = 184m·kW$，转轮相对流速 $W = 34.5m/s$。因转速有明显的增加，转轮相对流速有较大的提高，空化性能是较优的。

(4)XLD02 转轮，由于最优工况的比转速 $n_{s0} = 172m·kW$，若减小额定单位流量 $Q'_{1r}$，增大转轮直径 $D_1$($\approx$5.95m)，则当额定转速 $n_r = 107.1r/min$ 时，其 $H_{max}/H_0 = 1.43$；而当额定转速 $n_r = 115.4r/min$ 时，其 $H_{max}/H_0 = 1.23$。

3)不同比转速方案对水头变化的适应性

水轮机偏离最优工况，流道内的流态和压力发生变化。叶片进口冲角加大，使该区域压力降低。流速增大产生进口边缘气蚀，仅依靠降低吸出高度 $H_s$ 是不能消除空化的。如三门峡电站水轮机叶片进水边背面(包括头部迎水面)的磨蚀面积占叶片损坏面积的 40%左右；刘家峡电站水轮机转轮叶片的背面气蚀区高约1 000mm、宽约 200mm；盐锅峡电站水轮机该区域破坏亦较严重。

运行中,水轮机的出力可以控制在接近较佳的效率区运行。水头变化是无法避免的,就此探讨不同比转速方案在变化水头条件下的冲角大小,将有助于估计各方案对水头变化的适应性。

对于流道尺寸已经确定的混流式水轮机。当工况改变时,其出口环量 $\Gamma_2 = 2\pi v_{u2} r_2$ 随之改变,$\Gamma_2$ 值则取决于 $n'_1/Q'_1$ 比值的大小。在通过连接($n'_1 = 0, Q'_1 = 0$)及($n'_{10}$, $Q'_{10}$)点的直线上的各工况点,其出口环量 $\Gamma_2 = 0$。该直线的左侧,$\Gamma_2/\Gamma_1 = k(k>0)$,为正环量区域,在此区域内,随着 $k$ 值的变大,$\beta_1$ 及冲角 $\Delta\beta_1$ 随之增大。该直线的右侧,$\Gamma_2/\Gamma_1 = k\ (k<0)$,为负环量区域。在此区域内,随着 $k$ 的增加,相对进水角 $\beta_1$ 则随之减小。许多模型试验结果表明,在临近该直线的一定范围内,有一个无涡带区,在此区域内,可以认为环量 $\Gamma_2 \approx 0$。因此,只要 $k$ 的绝对值不大,性质相同(同为正或同为负),那么在进行不同方案的冲角 $\Delta\beta_1$ 的相对比较时,可近似用 $n'_{10} = f\left(\frac{1}{D_{1P}}, \beta_1, \alpha_1\right)$ 式估算平均流面上的叶片相对进水角 $\beta_1$ 和最优工况时的 $\beta_{10}(\beta_{1e})$,以判断进口冲角的性质。

按小浪底电站的各种典型水头,将水轮机满负荷运行时的冲角 $\Delta\beta_1$ 计算列于表2-1-10中。

**表 2-1-10　　各比转速在变水头工况下的冲角比较**

| 比转速(m·kW) | | 151.8 | | 162.6 | | | 175.2 | |
|---|---|---|---|---|---|---|---|---|
| 最优单位转速 $n'_{10}$(r/min) | | 60 | | 61 | | 64 | 64 | |
| 导叶相对高度 $\overline{b}_0$ | | 0.200 | 0.225 | 0.245 | 0.250 | 0.200 | 0.245 | 0.250 |
| 最低水头 $\overline{H} = 91.0$m | 单位转速 $n'_1$(r/min) | 66.6 | 66.6 | 67.6 | 67.6 | 71.0 | 71.0 | 71.0 |
| | 单位流量 $Q'_1$($m^3$/s) | 0.718 | 0.718 | 0.793 | 0.793 | 0.717 | 0.831 | 0.831 |
| | 叶片进水角 $\alpha_0$ | 24 | 21.5 | 22.1 | 21.7 | 25.4 | 24.2 | 23.7 |
| | 进口冲角 $\Delta\beta_1 = \beta_1 - \beta_{10}$ | -25.9 | -28.2 | -26.0 | -26.6 | -20 | -19.1 | -19.0 |
| 汛期平均水头 $\overline{H} \approx 108$m | 单位转速 $n'_1$(r/min) | 61.1 | 61.1 | 62.0 | 62.0 | 65.1 | 65.2 | 65.2 |
| | 单位流量 $Q'_1$($m^3$/s) | 0.718 | 0.718 | 0.793 | 0.793 | 0.717 | 0.831 | 0.831 |
| | 叶片进水角 $\alpha_0$ | 22.1 | 19.9 | 20.3 | 20.0 | 23.3 | 22.2 | 21.8 |
| | 进口冲角 $\Delta\beta_1 = \beta_1 - \beta_{10}$ | -5.5 | -6.1 | -6.0 | -6.1 | -2.5 | -3.1 | -3.1 |
| 非汛期平均水头 $\overline{H} \approx 130.0$m | 单位转速 $n'_1$(r/min) | 55.7 | 55.7 | 56.5 | 56.5 | 59.4 | 59.4 | 59.4 |
| | 单位流量 $Q'_1$($m^3$/s) | 0.62 | 0.62 | 0.686 | 0.686 | 0.62 | 0.717 | 0.717 |
| | 叶片进水角 $\alpha_0$ | 17.8 | 15.9 | 16.4 | 16.1 | 18.8 | 17.9 | 17.6 |
| | 进口冲角 $\Delta\beta_1 = \beta_1 - \beta_{10}$ | 26.5 | 29.6 | 27.9 | 28.4 | 22.7 | 22.8 | 23.2 |
| 最大月平均水头 $\overline{H} \approx 136.0$m | 单位转速 $n'_1$(r/min) | 54.5 | 54.5 | 55.3 | 55.3 | 58.0 | 58.1 | 58.1 |
| | 单位流量 $Q'_1$($m^3$/s) | 0.576 | 0.576 | 0.641 | 0.641 | 0.578 | 0.671 | 0.671 |
| | 叶片进水角 $\alpha_0$ | 16.2 | 14.5 | 15.1 | 14.8 | 17.2 | 16.4 | 16.1 |
| | 进口冲角 $\Delta\beta_1 = \beta_1 - \beta_{10}$ | 32.9 | 35.6 | 35.3 | 35.7 | 30.8 | 31.2 | 31.7 |

表2-1-10表明，不同比转速 $n_s$ 的转轮，因其进口安放角 $\beta_{1e}$ 不同，故在同样水头工作时，其进口水流冲角 $\Delta\beta_1$ 也是不同的，大的 $\beta_{1e}$ 值，在水头变化时对进口水流角 $\beta_1$ 的影响较为敏感。因此，从减轻叶片进口边缘气蚀出发，宜选取较大的最优单位转速 $n'_{10}$，以避免叶片过度弯曲，也进一步说明了提高水轮机在综合特性曲线上的位置（即提高高水头下的单位转速 $n'_1$）对减小进口冲角的重要性。

3. 水轮机流道尺寸

1）转轮出口相对直径 $\overline{D}_2$

转轮出口相对直径与转轮下环锥角角度有关，与小浪底电站水轮机水头范围相近的已运行电站转轮的实际运行情况表明，混流式转轮叶片出口边及下环内表面磨蚀破坏较为严重。水轮机系列型谱中较典型的转轮 $\overline{D}_2$ 尺寸见表2-1-11。

**表2-1-11 适应小浪底电站运行的水轮机 $\overline{D}_2$ 比较**

| 转轮型号 | HL220 | HL200 | HL160 | HL110 |
|---|---|---|---|---|
| 运行水头范围 $H$(m) | 50～85 | 90～125 | 110～150 | 140～200 |
| 转轮出口相对直径 $\overline{D}_2$ | 1.082 | 1.084 | 1.035 | 0.76 |
| $\sigma_M$ | 0.133 | 0.1 | 0.065 | $\sigma_z=0.055$ |

转轮出口相对直径 $\overline{D}_2$ 值的大小，直接影响转轮的过流能力和气蚀性能。合理地减小 $\overline{D}_2$，避免采用正锥角，可以改善转轮沿下环表面的绕流条件，并可降低叶片出水边与下环交点的相对流速 $W_2$，以减轻转轮磨损。但由于小浪底电站的装机高程已经确定，因此其取值必须考虑转轮气蚀性能的限制。

哈尔滨大电机研究所和中国水利水电科学研究院为小浪底电站提供的转轮 $\overline{D}_2$ 尺寸见表2-1-12。

**表2-1-12 针对小浪底电站研制的水轮机 $\overline{D}_2$ 比较**

| 转轮型号 | A253 | A502 | A503 | XLD02 |
|---|---|---|---|---|
| 转轮出口相对直径 $\overline{D}_2$ | 0.95 | 0.944 | 0.939 | 0.94 |
| $\sigma_M$ | 0.052 5 | 0.07 | 0.072 | $\sigma_i=0.104$ |

这批转轮采用缩小转轮出口直径 $\overline{D}_2$ 的设计方案，主要是为了减小转轮出口流速，提高水轮机气蚀特性。

参考混流式转轮轴面流道几何参数与比转速的关系。通过模型转轮资料，提出不同方案的转轮出口相对直径，并估算其相应气蚀系数，见表2-1-13。

表 2-1-13　　适应小浪底电站的水轮机流道参数与比转速关系比较

| 方案参数 | $n_s$(m·kW) | 151.8 | | 162.6 | | 175.2 | |
|---|---|---|---|---|---|---|---|
| | $n'_{10}$(r/min) | 60.0 | | 61.0 | | 64.0 | |
| | $Q'_{1r}$(m³/s) | 0.718 | | 0.793 | | 0.831 | |
| 转轮出口相对直径$\overline{D}_2$ | | 0.89 | 0.90 | 0.94 | 0.95 | 0.94 | 0.95 |
| 转轮出口绝对速度 $V'_2$(m/s) | | 1.155 | 1.129 | 1.143 | 1.119 | 1.198 | 1.173 |
| 转轮出口圆周速度 $u'_2$(m/s) | | 2.796 | 2.827 | 3.002 | 3.034 | 3.15 | 3.183 |
| $\sigma_z = K_u \dfrac{u_2'^2}{2g} + K_c \dfrac{V_2'^2}{2g}$ | | 0.101 | 0.098 | 0.105 | 0.102 | 0.117 | 0.115 |
| $\sigma_z = 2.56 \times 10^{-5} n_s^{1.64}$ | | 0.097 | | 0.108 | | 0.122 | |
| $\sigma_M \approx 0.045 Q_{1r}'^{1.65} n_1'^{0.22}$ | | 0.064 | | 0.076 | | 0.083 | |

注：1. $\sigma_z = K_u \dfrac{u_2'^2}{2g} + K_c \dfrac{V_2'^2}{2g}$为挪威 KB 公司计算气蚀系数的经验公式，此式反映转轮出口流速对气蚀性能的影响。式中 $K_c = 1.1 \sim 1.14$，$K_u = 0.004\,26 + 3.6 \times 10^{-4} n_s$。

2. $\sigma_z = 2.56 \times 10^{-5} n_s^{1.64}$ 为美国垦务局的经验公式，此式未反映出 $n'_{10}$、$Q'_1$ 及$\overline{D}_2$ 对气蚀系数 $\sigma$ 的影响。

3. $\sigma_M \approx 0.045 Q_{1r}'^{1.65} n_1'^{0.22}$ 为东方电机厂梁乃基提出的统计公式。

4. 表中所列 $u'_2$ 和 $V'_2$ 分别为 $H = 1$m、$D = 1$m 时的转轮出口圆周速度和出口绝对速度。

5. 表中经验公式或统计公式，都为通常清水条件下的转轮气蚀系数的计算公式。若考虑泥沙的影响，尚需乘以安全系数。

2）导叶轴线分布圆相对直径$\overline{D}_0$

高中水头运行的水轮机导叶磨蚀破坏较中低水头的水轮机严重，主要是因为导叶在小开度和关闭状态时，导叶的间隙在压差产生的高流速和泥沙的双重作用下，致使导叶密封和上下端面密封破坏严重。因此，通过适当加大导叶轴线分布圆相对直径$\overline{D}_0$，可以达到降低导叶处流速、改善转轮进水条件的目的。

适应小浪底电站水轮机水头范围的已运行水轮机导叶轴线分布圆相对直径$\overline{D}_0$ 见表 2-1-14。

表 2-1-14　　适应小浪底电站水轮机的$\overline{D}_0$ 值比较

| 转轮型号 | HL220 | HL200 | HL160 | HL110 |
|---|---|---|---|---|
| 运行水头范围 $H$(m) | 50 ~ 85 | 90 ~ 125 | 110 ~ 150 | 140 ~ 200 |
| 导叶轴线分布圆相对直径$\overline{D}_0$ | 1.161 | 1.161 | 1.130 | 1.166 |

不同单位转速 $n'_1$ 方案条件下，不同导叶高度$\overline{b}_0$ 和导叶轴线分布圆相对直径$\overline{D}_0$ 时的导叶处流速 $V_0$ 见表 2-1-15。

表 2-1-15　　适应小浪底电站水轮机不同 $\overline{b}_0 \sim \overline{D}_0$ 比较

| 单位转速 $n'_{10}$(r/min) | | 60 | | 61 | | | 64 | | |
|---|---|---|---|---|---|---|---|---|---|
| 导叶节圆相对高度$\overline{D}_0$ | | 1.16 | 1.28 | 1.20 | 1.25 | 1.28 | 1.20 | 1.25 | 1.28 |
| 导叶处流速 $V_0$(m/s) | 导叶高度$\overline{b}_0=0.25$ | 26.6 | 24.9 | 26.3 | 25.2 | 24.6 | 25.3 | 24.2 | 23.7 |
| | 导叶高度$\overline{b}_0=0.245$ | 26.7 | 25.0 | 26.3 | 25.2 | 24.7 | 25.3 | 24.3 | 23.7 |
| | 导叶高度$\overline{b}_0=0.24$ | 26.9 | 25.2 | 26.4 | 25.3 | 24.7 | 25.4 | 24.4 | 23.8 |

表 2-1-15 表明：①在 $n'_{10}$和$\overline{D}_0$ 为一定值时，改变$\overline{b}_0$ 对流速影响很小，如$\overline{b}_0$ 由 0.24 增到 0.25 时，$V_0$ 只减少 0.3m/s 左右；②在同一单位转速 $n'_{10}$值下，$\overline{D}_0$ 由 1.16 增加到 1.28，$V_0$ 减少约 1.6m/s，即流速减少 6%左右，对导叶尾部的磨蚀强度降低约 25%；③当$\overline{D}_0$ 与$\overline{b}_0$ 一定时，出口流速随 $n'_{10}$的降低呈增大的趋势。

导叶轴线分布圆相对直径$\overline{D}_0$ 适当加大，可以降低导叶间流速，但其作用也是有限的。因此，解决导叶磨损问题，主要应放在导叶翼型的合理设计方面。

3)导叶相对高度$\overline{b}_0$

为增大转轮流道的过流断面，需采用较大的$\overline{b}_0$ 值，以减小转轮进口水流速度。

适应小浪底电站水轮机水头范围的国内已运行的水轮机系列，对一定的转轮直径与导叶相对高度都具有合理的搭配关系，见表 2-1-16。

表 2-1-16　　适应小浪底电站水轮机的 $\overline{b}_0$ 值比较

| 转轮型号 | HL220 | HL200 | HL160 | HL110 |
|---|---|---|---|---|
| 运行水头范围 $H$(m) | 50 ~ 85 | 90 ~ 125 | 110 ~ 150 | 140 ~ 200 |
| 导叶相对高度$\overline{b}_0$ | 0.25 | 0.20 | 0.224 | 0.118 |

哈尔滨大电机研究所和中国水利水电科学研究院为小浪底电站研究的几个转轮$\overline{b}_0$尺寸见表 2-1-17。

表 2-1-17　　针对小浪底电站水轮机 $\overline{b}_0$ 的比较

| 转轮型号 | A253 | A502 | A503 | XLD02 |
|---|---|---|---|---|
| 导叶相对高度$\overline{b}_0$ | 0.25 | 0.25 | 0.25 | 0.25 |

通过研究，新型抗泥沙磨蚀的转轮的导叶相对高度提高 11.6% ~ 25%是合理的，据此导叶处断面流速可以降低约 20%。

## 四、“八五”国家重大科技攻关研究

### (一)研究课题及内容

小浪底水库的运用方式以防洪为主，汛期与非汛期水库水位变化大。水轮机的运行水头较高、水头变幅大及过机水流含沙量大等特殊条件都将成为水轮机设备磨蚀破坏严重和不易稳定运行的不利因素。

在世界上已运行的大型混流式机组中，小浪底电站水轮机所运行的水沙条件是最为恶劣的，其水流含沙量是最高的（实测最高含沙量 $941kg/m^3$），运行的水头变幅也是最大的（$H_{max}/H_{min}=2.09$）。

黄河上已运行的刘家峡、盐锅峡、八盘峡、青铜峡、天桥、三门峡等电站曾出现由于高含沙水流给水轮机运行带来的问题。如：三门峡电站机组汛期因高含沙水流被迫停机；刘家峡电站机组因活动导叶的严重磨蚀破坏无法正常停机；盐锅峡、青铜峡电站检修频繁，影响了正常发电，设备检修占时长、费用高，严重影响了企业的经济效益和社会效益等。

由于小浪底电站特殊的水沙条件，使得机组汛期发电的安全性备受各界关注，为了集中国内相关单位的技术优势，对可能预见的主要技术问题组织相关部门协同进行攻关，1992 年 9 月，水利部三峡工程及大型水利水电工程重大技术装备领导小组办公室正式下达了国家重大技术装备"八五"科技攻关项目——"小浪底水电站水轮发电机组的研制"子项研究任务（编号：85－308－06－01），黄河水利委员会勘测规划设计研究院承担了"小浪底电站水轮机主要技术参数优选"和"高含沙水流电站水轮发电机组现场试验"两个课题的研究任务。

根据研究课题的任务要求，课题组制定了攻关目标、攻关路线和攻关措施。将"小浪底电站水轮机主要技术参数优选"课题分解为下列专题进行研究：

（1）小浪底水电站水轮机技术参数优选论证兼论水轮机技术性能考核指标。

（2）小浪底水电站水轮机过机泥沙分析研究。

（3）小浪底水电站新型转轮的能量及气蚀性能分析。

（4）小浪底水电站水轮机不同转速方案抗磨性能比较。

（5）小浪底水电站水轮机筒形阀及导叶漏水量的分析。

（6）小浪底水电站水轮机上下止漏环漏水量及效率下降分析。

（7）小浪底水电站水轮机过流部件失重量分析。

（8）小浪底水电站水轮机转轮运输方案探讨。

（9）多泥沙河流水电站水轮机磨蚀调研。

**（二）课题研究的主要成果**

（1）结合国内外水轮机行业对混流式水轮机合理运行区域的研究成果，着重分析小浪底电站水轮机额定单位转速 $n'_{1r}$和最优单位转速 $n'_{10}$的关系。分析不同最优单位转速 $n'_{10}$对导叶出流角 $\alpha_0$ 及叶片翼形（叶片进口安放角 $\beta_{1e}$）的影响，提出小浪底电站水轮机参数的建议，如 $n'_{10}\leqslant 64r/min$，可按 $n'_{1r}=62.5\sim63.0r/min$ 考虑，$Q'_{1r}\geqslant0.805m^3/s$。

（2）为减轻水轮机磨蚀，降低流道流速，在综合水轮机技术性能、电站布置条件、设备运输限制等因素及经济性后，提出了水轮机流道尺寸的建议，如 $\overline{b}_0\approx0.245$，$\overline{D}_2\approx0.94$，$\overline{D}_0\approx1.2\sim1.25$。

（3）参照国内外对水轮机在含沙水流中的空化性能研究成果，结合电站的具体条件，提出了水轮机装置气蚀系数选取建议值。如临界气蚀系数 $\sigma_0 < 0.075$，在额定工况下，装置气蚀系数 $\sigma_p \geqslant 1.7\sigma_0$。

(4)在对多沙河流电站水轮机的结构、材质、磨蚀破坏情况及防护措施进行调研的基础上，从电站的运行要求，对水轮机过流部件的磨蚀程度及水轮机检修周期进行了预测，提出水轮机在保证期 8 000h 内的相应技术考核指标。如转轮金属磨蚀失重量 $W < (4 \sim 6) D_2^2$(kg)，相对于邻近正常磨损表面的最大磨蚀深度不大于 3mm，同一转轮的相似部位的最大破坏值与最小破坏值的比应不大于 3 倍，特别着重提出了对异常磨蚀破坏的限制，并预计小浪底电站在正常运行期内机组大修周期为 3 年。

**(三)研究成果的创新性和先进性**

"小浪底电站水轮机主要技术参数优选"课题研究成果通过水利部三峡及大型装备办公室和水利部水利水电规划设计总院联合主持的审查。审查结论认为，课题的主要研究成果可以用于小浪底水电站水轮机设备的采购招标文件的技术规范。

该课题的研究成果还通过了国家经贸委组织的验收和水利部的鉴定，达国内领先水平。

"高含沙水流电站水轮发电机组现场试验"课题是根据清、浑水模型试验台的转轮试验成果，进行中间机组试验，从而进一步验证水轮机的水力性能、抗磨蚀指标。同时，考核在浑水运行中水轮机过流部件结构的合理性，对各种金属和非金属防护材料及实施工艺进行验证性试验。黄委会勘测规划设计研究院先后对黄河三门峡电站、河南沁河电站、新疆喀什河梯级电站、云南的小水电站等多处适合建设中间试验电站的站址进行了调研。经过综合分析、比选，推荐将中间试验站建在水沙条件与小浪底电站基本相当、交通条件较为便利的黄河三门峡电站，并据此进行了方案设计工作，最终因建站资金无法落实而搁置。

研究提出的适合小浪底水电站水轮机运行的基本参数：

转轮单位流量　$Q'_{10} = 0.88Q'_{1r}$

机组单位转速　$n'_{1r} = (1.01 \sim 1.04)n'_{10}$

比转速　$n_s = 162.6 \sim 179.2$m·kW

模型转轮清水临界气蚀系数　$\sigma_0 < 0.075$

气蚀安全系数　$K_\sigma > 1.85$

水轮机流道尺寸：

转轮出口相对直径　$\overline{D}_2 = 0.9 \sim 0.95$

导叶相对高度　$\overline{b}_0 = 0.2 \sim 0.25$

导叶中心圆相对直径　$\overline{D}_0 = 1.2 \sim 1.28$

根据抗磨蚀防护材料的实际运用状况和制造工艺方面的研究进展及电站现场试验情况，建议小浪底电站水轮机采用以下工艺和防护措施：

(1)叶片板坯采用电渣熔铸、热弯成型的工艺，并提高加工精度。

(2)转轮强气蚀区表面采用直接热喷焊或复合板局部铺焊。

(3)水轮机过流表面采用环氧、尼龙、聚氨酯弹性材料喷涂。

要求水轮机的供货商在磨蚀损坏方面的最低保证指标如下：

(1)相对于正常磨蚀表面的局部磨蚀最大深度 $h_{max} \leqslant 9mm$。

(2)磨蚀面积 $F > 100cm^2$，不应有相对深度大于 3mm 的沟槽或连续洼坑。

(3)按相对周围正常磨蚀表面进行测量和计算，应保证磨蚀失重量 $W < (4 \sim 6) D_2^2$ (kg)。

(4)异常磨蚀的限制。同一转轮的某部位和其相似部位的损坏形态、程度(如面积、深度)显著不同，当损坏程度最大和最小之差超过 3 倍，应视为异常损坏。

"小浪底电站水轮机参数优选论证"成果的创新性和先进性主要表现在以下方面：

(1)对多泥沙电站的水轮机，在为减轻泥沙损害必须合理降低水轮机比转速 $n_s$ 的研究中明确指出，对于同一比转速 $n_s$ 的水轮机，有不同的单位转速 $n'_{10}$与单位流量 $Q'_{1r}$的合理搭配组合关系。只有采用合理的 $n'_{10}$与 $Q'_{1r}$的组合关系，才能取得明显的降低流速、减轻磨蚀的效果。适合于小浪底电站采用的参数搭配关系是：额定单位转速 $n'_{1r}$略小于 64r/min的转轮，其相应的机组额定转速 $n_r$ 及转轮直径 $D_1$ 应采取下列建议值为宜。如额定转速 $n_r = 115.4r/min$ 时，其相应的转轮直径 $D_1$ 应为 5.8m 左右；若额定转速 $n_r = 107.1r/min$ 时，转轮直径 $D_1 > 6.2m$。

(2)根据混流式水轮机运行范围的特点，结合小浪底电站水头年内变化及逐年变化的趋势，对设计水头进行了研究。设计水头的选取既要照顾到汛期高含沙量的运行条件，使水轮机运行在最优工况区，又要在非汛期清水条件下，使水轮机在充分发挥其电能效益、偏离最优工况区太远范围内运行，以避免出现叶片进口冲角过大，叶片背面产生脱流和气蚀破坏，以至于造成汛期磨蚀破坏的加剧。需特别指出的是，水轮机制造厂商应充分理解小浪底电站水头变幅大的特点及水头变化的趋势，注意预防与气蚀系数无关的叶片进口边气蚀问题，并要求对各种可能的运行工况作出流场分析。

(3)在电站装置气蚀系数的确定中，不仅考虑初生气蚀系数 $\sigma_i$ 与临界气蚀系数 $\sigma_0$ 的关系，还考虑了泥沙对气蚀的影响因素，从而要求电站装置气蚀系数 $\sigma_p$ 大于初生气蚀系数 $\sigma_i$ 与临界气蚀系数 $\sigma_0$，并要求在额定工况下装置气蚀系数 $\sigma_p$ 与临界气蚀系数 $\sigma_0$ 的比值不小于 1.7。对此要求水轮机制造厂商予以保证。

(4)根据电站的水沙条件及运行要求，提出水轮机的技术性能考核指标，即建议小浪底电站水轮机以局部磨蚀深度为主进行考核，按相对于正常磨损表面的局部磨蚀深度确定考核指标，并着重对水轮机的异常磨蚀破坏提出限制。对水轮机制造厂的水力设计、加工工艺水平及抗磨防护水平提出新的更高标准的要求，从而为获得抗磨蚀性能良好的水轮机提供保证。

**(四)成果应用**

成果包括对小浪底电站水轮机参数、流道尺寸的建议和水轮机的技术性能考核指标，见表 2-1-18。

**表 2-1-18　　小浪底电站水轮机参数等综合性能指标**

| 项目 | | 研究建议值 | 采购询价采用值 | V公司报价值 | 合同采用值 |
|---|---|---|---|---|---|
| | | $n_r=115.4$r/min | $n_r=115.4$r/min | $n_r=115.4$r/min | $n_r=107.1$r/min |
| 参数 | $n'_{10}$(r/min) | 建议略小于64，可按62.5～63.0设计 | 未明确指出参数值 $n'_{10}$ 和 $Q'_{1r}$ | 63.3 | 63.3 |
| | $Q'_{1r}$($m^3$/s) | ≥0.83 | | 0.847 | 0.73 |
| | $\sigma_0$ | ≤0.075 | | 0.085 | 0.085 |
| | $\sigma_p/\sigma_0$ | <1.85 | ≥1.7 | 1.7 | 1.7 |
| 流道尺寸 | $\overline{D}_0$ | 1.2～1.25 | 不便提出具体要求，以限制 $W\leqslant38$m/s 来控制转轮尺寸 | 1.17 | 1.17 |
| | $\overline{b}_0$ | ≌0.245 | | 0.26 | 0.242 |
| | $\overline{D}_2$ | ≌0.94 | | 0.974 | 0.929 |
| 流速 | $W_2$(m/s) | ≤38 | ≤38 | 35 | 33 |
| 技术性能考核指标 | 转轮金属失重量 $W$(kg) | $(4\sim6)D_2^2$ | $4D_2^2$ | ≤50 | ≤50 |
| | 相对于邻近正常磨蚀表面的最大磨蚀深度 $h_{max}$(mm) | ≤9 | ≤9 | 9 | 5(有涂层) |
| | 在连续面积为100$cm^2$之上的沟槽和洼坑的平均深度 $h$(mm) | ≤3 | ≤3 | 3 | 3(未涂层区)<br>1.5(有涂层区) |
| | 同一转轮相邻部位最大破坏值与最小破坏值之比 | ≤3 | ≤3 | ≤3 | ≤3 |

## 五、与国外水轮机厂的技术交流

小浪底水电站的6台单机出力为306MW的混流式水轮机及其辅助设备采用卖方信贷方式进行采购。由水利部外资办负责组织，就小浪底电站水轮机的设计、制造、供货等技术问题与国外制造商共同举办了“小浪底水电站水轮机设备国际技术交流会”。参加技术交流会的国外水轮机制造厂商有伏伊特(VOITH)公司、挪威克瓦纳(KVAERNER)公司、GEC阿尔斯通(NEYRPIC)公司、加拿大CGE公司、瑞士苏尔寿(SULZER)公司、阿根廷银萨(IMPSA)公司和日本日立(HITACH)公司等7家。

各制造厂商充分展示了各自的技术优势，结合小浪底电站的特点，从水轮机组设计、制造技术、水轮机抗磨蚀措施等方面提出了综合建议书。各厂商技术特点摘要如下。

伏伊特(VOITH)公司　水轮机转轮的选型，可以根据水库蓄水调节时期的不同，选择不同的转轮参数，以使水轮机转轮始终运行在较佳运行区，即工程运行初期10年，采用一个转轮，工程运行10年后，根据水头的不同，更换另外一个合适的转轮。这样可以减少水轮机的磨损，提高效率和稳定性。

建议水轮机组的设计采用可描述泥沙颗粒在流体内流动轨迹和模拟磨蚀破坏的三维

黏性流方法。描述出水轮机各部件的磨蚀区，提出重点防护区域。不同的磨蚀区建议采用金属和非金属不同的防护材料、措施。

建议水轮机流道内的密封、抗磨板等易磨损部件采用易拆、易更换结构。

建议转轮上冠上不开减压孔，以减少转轮上密封的磨蚀。

GEC法国阿尔斯通(NEYRPIC)公司　建议水轮机采用Q30流动分析方法进行设计。建议水轮机组同步转速采用 $n_r = 111.1$r/min。为方便水轮机易磨损部件的检修更换，建议在基础环下部周围设置一环行通道。

在水轮机过流部件的防护措施，应当按其各部件的不同部位的磨蚀程度和特性，采用不同的防护材料。转轮母材用铸ASTMA216WCC不锈钢，表面用阿尔斯通专利聚氨酯(P·U)涂层。抗磨环表面用硬质合金喷涂。座环母材用轧制钢板焊接，表面用阿尔斯通专利聚氨酯(P·U)涂层。抗磨板母材用轧制碳素钢板，表面用阿尔斯通专利聚氨酯(P·U)涂层。筒形阀母材用轧制不锈钢板，表面用阿尔斯通专利聚氨酯(P·U)涂层或硬质合金喷涂。导叶母材用铸不锈钢，表面用阿尔斯通专利聚氨酯(P·U)涂层。

挪威克瓦纳(KVAERNER)公司　建议采用3D-Euler流动分析方法计算水轮机流道各部位的流速分布图，描述部件的相应磨蚀破坏的预期。提出不能用传统设计准则设计小浪底电站水轮机，而应以减小水轮机的磨蚀破坏程度、保障稳定运行为前提进行设计。

建议导叶、抗磨板和转轮静止、转动密封环采用表面等离子渗氮或热喷涂硬化。

建议水轮机采用下拆与中拆相结合的结构方式，尾水锥管、底环、转轮向下拆卸，水轮机导轴承、调速环、顶盖、活动导叶采取中拆方式。

瑞士苏尔寿(SULZER)公司　建议根据水库运行的不同阶段、水头的不同变化，采用两个转轮更换的方案。

建议转轮、活动导叶、顶盖和底环的抗磨板、止漏环等易磨蚀部件母材用CrNi13-4不锈钢，表面喷镀SXH48防护。

建议在水轮机座环下部设置一环行通道，便于易损件的检修更换。

加拿大CGE公司　因受运输条件的约束，建议机组同步转速不宜过低。因水库前后期水头的变化较大，可分期采用两个不同参数的转轮。

建议水轮机主要部件母材用铸CrNi16-5不锈钢。

阿根廷银萨(IMPSA)公司　建议转轮设计采用长叶片方案。与常规设计的转轮叶片相比较，对降低转轮进口处流速有一定优势。

建议转轮上冠开减压孔，减小转轮水推力。

建议转轮上冠、下环母材用ASTM A743 CA6NM铸件。叶片母材用热轧CrNi13-4不锈钢板，高磨蚀区堆焊高强度不锈钢焊条。导叶、抗磨板、抗磨环母材用CrNi13-4不锈钢，高磨蚀区采用渗碳化物或镀钴合金层。

日本日立(HITACH)公司　建议水轮机设计采用Q-3D方法。

建议转轮、抗磨环、导叶母材用轧制或铸13Cr-(4～6)Ni-Mo不锈钢，表面用耐磨金属硬化处理。主轴密封环用高耐磨陶瓷材料(SiC)。

## 六、水轮机设备招标、评标

根据工程的资金情况，小浪底水电站水轮发电机组设备的采购工作分为两个标：水轮机采用卖方信贷的方式进行国际邀请式招标；发电机采用工程自有资金在国内招标。

由于小浪底电站特殊的水沙条件，在水轮机国际采购询价书编制时，主要体现了如下技术思路。

因小浪底水电站水轮机运行条件的特殊性，为了保证机组具有良好的抗磨蚀性能，不追求水轮机的过高效率、高参数。为安全稳定运行，机组性能应适应电站水流泥沙含量高、水头变幅大的特殊水沙条件。

转轮、导叶、抗磨板、止漏环等易磨蚀部件母材，采用锻或铸 Ni-Cr 系列不锈钢。水轮机易损部件尽量采用缩短检修拆装时间和方便更换的结构。要求为水轮机提供合理的抗磨蚀防护涂层。

小浪底电站水轮机首次在多沙水流设置了筒形阀，目的是为停机时减少导叶的间隙磨蚀和当机组甩负荷而调速器失灵时，实现快速紧急关闭，保护机组安全。

水轮机设备采购询价书于 1994 年底对外发售。国际上六个知名公司组成的五个投标集团投标。经技术、经济、信贷等方面综合评定，1995 年将水轮机设备采购合同授予美国伏伊特（VOITH）公司。

合同中规定的机组主要参数：

| | |
|---|---|
| 水轮机名义直径 | $D_1 = 6.356\text{m}$ |
| 转轮出口直径 | $D_2 = 5.6\text{m}$ |
| 水轮机额定流量 | $Q_r = 296\text{m}^3/\text{s}$ |
| 水轮机额定转速 | $n = 107.14\text{r/min}$ |
| 水轮机飞逸转速 | $n_f = 204\text{r/min}$ |
| 水轮机额定出力 | $N_p = 306\text{MW}$ |
| 比转速 | $n_s = 162.6\text{m·kW}$ |
| 原型最高效率 | $\eta_{max} = 95.85\%$ |
| 净水头 112m 时，加权平均效率 | $\eta_{avg} = 94.58\%$ |
| 水轮机流道尺寸： | |
| 导叶高度 | $b_0 = 1.5\text{m}$ |
| 导叶中心圆直径 | $D_0 = 7.239\text{m}$ |

## 七、水轮机模型验收

按照设备采购合同要求，小浪底电站水轮机的效率、气蚀性能等参数仅进行模型验收。水轮机模型试验验收工作于 1997 年 3 月 16 日～4 月 6 日，历时 21 天，在德国海登海姆镇（Heidenheim）伏伊特公司“Brunnenmunhle”水轮机模型试验室进行。

### (一)试验条件

模型验收试验的水轮机外形尺寸较1997年2月提交的初步试验报告有所变化:转轮出口直径 $D_2=340.9$mm(转轮下环和转轮叶片工作面出水边相交的直径)。模型进口边直径 $D_{1M}$ 由 376.6mm 增大到 386.5mm,导致真机进口边直径 $D_1$ 由 6.187mm 增大到 6.356mm,且转轮叶片出口边加厚。

试验模型比尺:$\frac{D_{1ap}}{D_{1aM}}=16.428$;

模型转轮直径:$D_{1aM}=0.386\ 5$m, $D_{2aM}=0.340\ 9$m。

水轮机主要性能参数的合同要求:

模型水轮机最高效率 $\eta_{max}\geqslant 94.2\%$;

额定工况点真机效率 $\eta\geqslant 94.1\%$ (效率修正值 $\Delta\eta=1.6\%$);

真机加权平均效率($H_r=112$m) $\eta_w\geqslant 94.58\%$;

额定工况点($H_r=112$m, $N_T=306$MW, $\sigma_p=0.146$, $T_w=133.6$m)的模型临界空化系数 $\sigma_p\leqslant 0.085$($\sigma_P\geqslant 1.7\sigma_0$);

额定工况点模型初生空化系数 $\sigma_i\leqslant 0.131$。

在整个水头变化范围内,各水头预想出力的80% ~ 100%范围内 $\sigma_p>\sigma_i$,安全余度换算成吸出高度值后,不小于表2-1-19中的值。

表 2-1-19 不同试验水头下的吸出高度比较

| 净水头(m) | 吸出高度差值(m) | 尾水位(m) | 水轮机出力(MW) |
|---|---|---|---|
| 112.0 | 1.70 | 133.64 | 306 |
| 117.0 | 0.90 | 134.00 | 331 |
| 138.0 | 0.90 | 134.00 | 331 |

在整个水头变化范围内,$\sigma_p\geqslant 1.7\sigma_s$(按IEC193规定),最大净水头141.6m时,最大飞逸转速小于等于244r/min,最大轴向水推力小于等于2 750 000kg。尾水管压力脉动峰峰值:在整个水头变化范围内,水轮机在空载工况和60% ~ 110%预想出力运行时 $\frac{\Delta H}{H}\leqslant 4\%$;在40% ~ 60%预想出力运行时 $\frac{\Delta H}{H}\leqslant 6\%$(其中 $\Delta H$ 为单测点、混频双振幅,$H$ 为相应的运行水头)。

模型试验效率测量最大误差(包括系统误差和偶然误差)小于等于0.25%。

### (二)试验项目、仪器测试和率定方法

根据国际电工委员会模型验收的有关规程和小浪底水电站水轮机模型验收技术规范及有关性能保证条款的要求,此次模型试验应包括如下方面。

验收项目:能量特性试验、空化特性试验、飞逸转速特性试验、压力脉动试验。

目睹试验项目:水推力试验、导叶水力矩试验、补气试验、蜗壳压差与流量关系试验。

完成上述试验项目需测取的原始参数及所用仪表见表2-1-20。

表 2-1-20　　测试的原始参数和所用仪表

| 测试参数 | 测量工具 | 测量原理 | 率定方法 | 测量精度(%) |
|---|---|---|---|---|
| 流量 $Q$ | 电磁流量计 | 通过的流量与频率成正比 | 流量用容积法,频率用频率发生器率定 | ±0.16 |
| 水头 $H$ | 压力计等 | 伯努利方程 | 用标准砝码率定 | ±0.044 7 |
| 真空度 | 压力计 | 压力、高程换算 | 用标准砝码率定 | |
| 转速 $n$ | 测速盘、磁感应器 | | 目测测速盘信号,频率发生器率定脉冲频率 | ±0.101 |
| 力矩 $M$ | 砝码 | 力×力臂 | 用标准砝码率定砝码,常规测量工具率定力臂 | ±0.046 8 |
| 含气量 | 专用量测仪器 | | | |

### (三)试验过程

由于完成全部模型试验需要很长时间,而实际验收时间有限,所以验收试验的重点是检验和复检初步模型试验报告的成果。

1. 能量试验

能量试验主要测试以下工况点:

(1)额定水头($H$ = 112m)工况下,变化导叶开度($\Delta\gamma$ = 14.7°、16.8°、18.9°、21.4°、24.5°)校验 $\eta = f(Q'_1)$。

(2)取特征水头 $H$ = 124m、117m、107m,分别变化 5 个导叶开度复核 $\eta = f(Q'_1)$。

(3)取原初步试验时的导叶开度 $\Delta\gamma$ = 28°、23°、21°、19°、15°,分别变动 4 个单位转速(水头),校验 $\eta = f(Q'_1)$,$Q'_1 = f(n'_1)$。

2. 空化试验

空化试验和能量试验在同一试验台上进行,试验时模型机组转速不变。

试验前首先测取水温、水中含气量、当地大气压。在各种水头和尾水位组合工况下,通过真空泵改变尾水箱内的真空度,用闪频仪在尾水锥管透明段观察转轮叶片出水边气泡、叶道涡和尾水管中涡带的产生和发展过程。利用内窥镜观察各种工况下转轮进口处水流的状况和气泡的形成过程,并如实记录观测到的现象。

3. 飞逸转速试验

模型水轮机转速保持 $n$ = 1 000r/min。在电站净水头 $H$ = 141.0m 和尾水位 133.64m 的装置空化系数($\sigma_p$ = 0.116)下,通过改变导叶开度进行试验。

试验分以下两种情况进行:

（1）水轮机轴与测功装置脱开。在 28°、26°、24°、22°、20°、18°、16°、14°、12°、10°、8°、6°、4°、2°、1°共 15 个不同导叶开度下进行试验，测出导叶开度与飞逸转速和单位流量的相互关系曲线，测试不同空化系数对飞逸转速的影响。在导叶 26°开度下，改变装置空化系数，给出不同装置空化系数与单位飞逸转速和单位流量的关系曲线。结果表明，装置空化系数的变化对飞逸转速基本没有影响。

（2）水轮机轴与测功装置不脱开。调整主轴力矩为零，仅在 28°、26°、24°三个导叶开度下进行测试。

结果表明，两种情况下相同导叶开度的单位飞逸转速是一致的。

4. 导叶水力矩

模型水轮机有 20 个导叶，采用应变片测量的方法测定在对称位置上的 2 号、7 号、12 号、17 号 4 个导水叶轴柄上的扭矩。验收前，VOITH 公司已对这四个导叶的转动力矩测量系统进行了率定。为检查其率定的准确性，选取 17 号导叶进行目击率定检验。率定方法是：采用标准砝码对导叶施加力矩，力臂满足 9.8N 的力产生 5.0N·m 的力矩的要求，分别对导叶施加 0N·m、2.5N·m、5.0N·m、7.5N·m、12.5N·m 的力矩，对导叶开（+）关（-）两个方向进行力矩测量，目击检验结果与原率定结果是一致的，误差在允许范围内（相对误差≤0.15%）。

然后分别测定 2 号、7 号、12 号、17 号 4 个导水叶上导叶力矩，试验时模型水轮机转速维持在1 000r/min，并且使模型水轮机吸出高度 $H=0$m，分别测试 $n'_1=82.55$r/min（相应于原型水头 68.0m）、$n'_1=57.33$r/min（相应于原型水头 141.0m）及飞逸工况下不同导叶开度的导叶力矩，给出导叶开度与导叶力矩系数的关系曲线。导叶力矩系数 $K_G$ 按下式计算：

$$K_G=\frac{T_G}{(\pi D_0/Z_0)^2 b_0 \rho g H} \tag{2-1-19}$$

式中 $T_G$——导叶水力矩，N·m；

$b_0$——导叶高度，m；

$D_0$——导叶分布圆直径，m；

$\rho$——水密度，kg/m$^3$；

$Z_0$——导叶个数。

结果表明，导叶力矩系数曲线与初步试验结果吻合，在水轮机正常运行范围内，导叶水力矩的方向为关闭方向。

5. 轴向水推力试验

1）轴向力标定

模型轴向水推力与模型推力轴衬上下油腔的压力差成线性关系。通过上下油腔压力表读数的差值，可计算轴向水推力的大小。为此，预先对压力表读数差值进行标定。利用负荷传感器分别对模型推力轴衬施加 0N、980N、2 940N、4 900N、6 860N、8 820N、9 800N、4 900N、2 940N、980N、0N 的标准负荷，读取不同负荷的压差，给出压差与标准负荷的关系曲线。试验前,轴向水推力为 0 时,压差为 179.5kPa(18.3m 水柱);试验后,轴向水推力为 0 时,压差为 182.4kPa(18.6m 水柱)。计算时取平均值 181.0kPa。模型水推力为

$$F_a = \frac{\Delta P - 181.0}{0.053} \tag{2-1-20}$$

式中 $\Delta P$——压差,kPa;

$F_a$——轴向水推力,kN。

2)测试结果

小浪底电站水轮机没有设水推力释放设施,最大轴向水推力与上冠止漏密封间隙的大小无关。因此,只测试转动止漏环为设计间隙的轴向水推力。试验时模型机组转速维持在 550r/min,并且使吸出高度 $H_r = 0$m,轴向水推力系数 $K_a$ 和原型轴向水推力 $F_{aP}$分别按下式计算:

$$K_a = \frac{F_a}{\pi(D_{2aM}/2)^2 \rho g H} \tag{2-1-21}$$

$$F_{aP} = \left[\pi K_a\left(\frac{D_{2aP}}{2}\right)^2 \rho g H + \pi\left(\frac{D_{zz}}{2}\right)^2 \rho g H_{aP}\right] / g \tag{2-1-22}$$

式中 $D_{2aM}$——模型转轮出口直径,m;

$g$——重力加速度,kg/s$^2$;

$H$——水头,m;

$D_{2aP}$——原型转轮出口直径,m;

$H_{aP}$——原型吸出高度,m;

$D_{zz}$——主轴直径,m。

试验总共检测 20 个工况。在净水头 141.0m、导叶开度 17.5°(相应于原型机组最大出力)时,最大飞逸转速工况下的轴向水推力为 22 576kN。

6. 蜗壳压差与流量关系曲线试验

蜗壳压差与流量关系曲线试验的两个测点位于蜗壳断面 8。压差测量为压差表直接读数;流量测量采用电磁流量计。共抽查 10 个工况点,试验得模型近似关系:

$$Q_M = 1.56\Delta h^{0.481\,347} \tag{2-1-23}$$

推演上式,得原型机组流量与压差近似公式:

$$Q_P = 429.92\Delta h^{0.481\,347} \tag{2-1-24}$$

7. 压力脉动试验

压力脉动试验在电站装置空化系数下进行。压力脉动测量采用全桥应变式压力传感器,共 4 个测压点,其中尾水管锥管进口处两个,分别位于 + Y(HW)和 − Y(TW)方向;尾水管肘管处两个。试验时发现 TW 点振动较为严重,所以验收试验以 TW 测点的结果为准。

根据模型初步试验结果,本次验收有针对性地选择 16 个工况点加以复核。试验中对四个测点均进行测量和记录,其中 TW 测点的试验结果见表 2-1-21。

表 2-1-21 不同水头和导叶开度下的尾水管压力脉动值

| $H$(m) | $\Delta\gamma$(°) | $\Delta H/H$(%) | $H$(m) | $\Delta\gamma$(°) | $\Delta H/H$(%) |
|---|---|---|---|---|---|
| 137.5 | 12 | 5.26 | 91.0 | 12 | 7.97 |
| | 14 | 1.08 | | 14 | 5.58 |
| | 20 | 0.40 | | 20 | 1.68 |
| | 26 | 0.97 | | 26 | 0.43 |
| 112.0 | 12 | 5.75 | 68.0 | 12 | 5.01 |
| | 14 | 3.06 | | 14 | 6.45 |
| | 20 | 0.31 | | 20 | 6.23 |
| | 26 | 0.74 | | 26 | 0.76 |

注:$\Delta H$ 为单测点的混频双振幅。

试验结果同时显示:低水头、小开度工况区有部分测点不能满足合同保证值要求。

同行专家均认可:模型与原型机组的压力脉动不完全相似,模型机组个别工况点压力脉动超过合同保证值是可以接受的。

8. 补气试验

根据压力脉动试验结果,选取 16 个工况点进行补气试验。依合同要求,补气试验以大轴补气为主。作为对比,同时在下环处选 4 个工况点进行补气试验,分别进行 4 个补气量方案试验,即 1.0L/s、2.0L/s、4.0L/s、8.0L/s。

补气试验结果显示:

(1)补气量较小时(1.0L/s 和 2.0L/s),尾水管内压力脉动值降低较少,甚至个别工况点的压力脉动值还有所增加。

(2)补气量较大时(4.0L/s 和 8.0L/s),随着补气量的增加,尾水管内压力脉动值明显降低。

(3)试验证明,小浪底电站水轮机采用大轴补气方式对降低尾水管压力脉动振幅是有效的。

**(四)试验成果**

试验成果见表 2-1-22。

效率修正值计算:

$$\Delta\eta = \frac{2}{3}(1 - \eta_{\mathrm{Mmax}})\left[1 - \left(\frac{D_{\mathrm{M}}}{D_{\mathrm{P}}}\right)^{0.2}\right] \tag{2-1-25}$$

加权平均效率计算:

$$\eta_{\mathrm{w}} = \frac{15\eta_{100} + 30\eta_{90} + 15\eta_{70} + 10\eta_{60}}{100} \tag{2-1-26}$$

**(五)模型验收试验结论**

(1)试验台仪器仪表的检查、率定,各测试仪表和试验台精度满足 IEC 规程和合同要求。效率试验时综合误差小于等于 ±0.22%,满足合同规定误差小于等于 ±0.25%的要求。

(2)模型最高效率 94.4%,较合同规定值高 0.2%;在 112m 水头下,真机加权平均效率 95.16%,较合同规定值高 0.58%;模型最高效率 94.7%,较合同规定值高 0.6%。转轮效率高,且高效率区宽,具有较好的能量特性。

表 2-1-22　　试验结论值与保证值的比较

| 性能参数 | 合同保证值 | 模型实测值 | 折算原型值 |
|---|---|---|---|
| 最高效率(%) | ≥94.20(模型)和95.85(原型) | 94.42 | 96.02 |
| 额定工况点效率(%) | ≥94.10(原型) | 93.15 | 94.7 |
| 额定水头下加权平均效率(%) | ≥94.58(原型) | | 95.16 |
| 额定工况点临界空化系数 | ≤0.085(模型) | 0.067 | |
| 额定工况点初生空化系数 | ≤0.131(模型) | 0.086 | |
| 最大净水头下飞逸转速(r/min) | ≤244(原型) | | 203.88 |
| 最大净水头下轴向水推力(kN) | ≤26 950(原型) | | 22 576 |
| 空载~40%预想出力时 $\Delta H/H$(%) | ≤4 | 满足要求 | |
| 40%~60%预想出力时 $\Delta H/H$(%) | ≤6 | 某些点为6~7 | |
| 60%~110%预想出力时 $\Delta H/H$(%) | ≤4 | 某些点为5 | |
| 效率测量综合误差(%) | ≤±0.25(模型) | ±0.22 | |
| 水中含气量 | IEC规定≥2/1 000(容积) | 8.4/1 000 | |

注:整个水头变化范围内尾水管压力脉动峰值 $\Delta H/H$($\Delta H$ 为单测点的混频双振幅,$H$ 为相应运行水头)。

(3)在额定工况点模型临界空化系数 $\sigma_{0m}=0.067$,满足合同要求 $\sigma_{0m}\leqslant0.085$。额定工况点模型初生空化系数 $\sigma_{im}=0.086$,满足合同要求 $\sigma_{im}\leqslant0.131$。在整个水头预想出力的一定范围内,模型的初生空化系数均小于电站的空化系数,即做到转轮叶片上无气泡,换算成吸出高度值后,均比合同要求有较大的安全裕度。

(4)在整个水头变化范围内,模型水轮机在40%~60%预想出力范围内运行,测得尾水管压力脉动混频双振幅$\frac{\Delta H}{H}$值,在某些工况下超出了合同不大于6%的要求,在60%~110%预想出力范围内的某些工况,$\frac{\Delta H}{H}$值超过合同中不大于4%的要求。经频谱分析,压力脉动的主频振幅值没有超过合同保证值。在超过4%~6%的运行范围不大,超值有限。目前,国际上尚没有将模型机压力脉动全模拟为原型机压力脉动的方法和计算公式。同时,经适当补气后,某些工况下压力脉动超过保证值的情况均有所改善,满足合同要求。VOITH公司承诺对真机采取有效措施是可以解决的。

## 八、结语

小浪底电站水轮机在对大量国内外已建电站运行经验调研的基础上,经过充分论证后,采用了较为合理的技术参数。通过广泛的技术交流,在水轮机结构、材质、工艺、防护等方面采取了有针对性的综合治理措施,为电站的运行和管理创造了有利的条件。表2-1-23可以清晰地表明,在抗泥沙磨损方面,小浪底电站水轮机的各项参数均较已运行的电站有更多的改进。

表 2-1-23　　不同河流电站水轮机参数比较

| 项　目 | 小浪底电站 | 刘家峡电站 | 白山电站 | 变　化 |
|---|---|---|---|---|
| 电站所处河流 | 黄河 | 黄河 | 松花江 | |
| 机型 | HL163 – LJ – 636 | HL008 – LJ – 550 | HL200 – LJ – 550 | |
| $H_{max}$(m) | 141.0 | 114.0 | 126.0 | |
| $H_r$(m) | 112.0 | 100.0 | 112.0 | |
| $H_{min}$(m) | 68.0 | 70.0 | 81.0 | |
| $N_r$(MW) | 306 | 308 | 306 | |
| $D_1$(m) | 6.356 | 5.5 | 5.5 | +0.856m |
| $Q_r$($m^3$/s) | 296 | 348.0 | 307 | –3.7% ~ –17.5% |
| $n$(r/min) | 107.1 | 125.0 | 125.0 | 降 3 挡 |
| $Q'_1$($m^3$/s) | 0.692 | 1.15 | 0.96 | –27.9% ~ –39.8% |
| $n'_1$(r/min) | 64.3 | 68.75 | 65.0 | |
| $n_s$(m·kW) | 163 | 220 | 190 | |
| $W_2$(m/s) | 33.6 | 40.88 | 40.5 | –17.6% |

# 第二节　水轮机设计技术特点

根据小浪底电站的水沙条件，为使机组具有优良的综合技术性能，确保机组在汛期能安全经济运行，黄河水利委员会勘测规划设计研究院经过大量深入细致的调查研究，借助国内外运行电站机组在抗泥沙磨蚀方面所取得的成功经验，结合小浪底工程的实际情况，在水轮机参数的选取、水力设计、结构设计、材质选择、加工工艺要求和防护技术等方面采取了具有针对性的技术措施。

## 一、合理选择机组参数

水轮机参数水平的高低，直接关系到电站的投资及综合效益。国内在多泥沙河流水电站水轮机的研究、设计、制造、运行诸方面虽已积累了许多经验，但因小浪底电站具有过机水流泥沙含量高和水头变化幅度大的双重技术难题，其汛期发电的安全性就显得更加重要。机组参数(转速)的选择得到了有关部门的高度重视与支持，“小浪底水电站抗磨水轮机的研制”课题被国务院重大技术装备办公室(以下简称重大办)列为“八五”国家重大技术装备科技攻关项目，并组织有关单位协同进行了攻关。

为适应小浪底水电站运用前期、后期及汛期、非汛期水头变幅大的特点，在初期的机型研究中曾提出过前、后期更换转轮方案及变速电机方案。但审查结论认为,上述两方案均存在技术上的困难或经济方面的不合理。

对清水电站而言,常希望选取较高的机组参数,以提高机组效率、减小机组及厂房尺寸、降低工程造价。但为提高水轮机过流部件的抗磨蚀性能,宜取用较低的机组参数,而参数(转速)的降低又受到工艺、价格、能量、运输条件等多方面的制约。在多年的研究论证及历次专题审查会议纪要中均认为,小浪底电站水轮机合理的转速范围为 107.1 ~ 115.4r/min,这样的参数水平较同水头清水条件下的机组参数低 15% ~ 30%(如相近水头与容量的隔河岩、白山、刘家峡、龙羊峡等电站机组转速分别为 125r/min 或 136.4r/min)。

## 二、优化水力设计

(1)水轮机过流部件表面相对流速的高低,直接关系到其磨蚀破坏程度。一般认为,磨损破坏强度与流速的三次方成正比。预计小浪底电站水轮机过流部件中转轮叶片出口及下环表面出现最高相对流速,该处的磨损必然是最严重的,其破坏的程度将成为控制机组大修周期的关键。经过大量深入的研究分析,在小浪底电站水轮机招标文件中,对转轮出口最大相对流速作出了不大于 38m/s 的限制。在机组设计时,应用流量分析和磨损分析软件进行迭代计算,得到转轮进口边和下环进口边的最小相对流速。

(2)为准确模拟真机实际流态,优化过流部件设计,采用准三元理论进行计算机模拟。

(3)在额定工况下,电站装置气蚀系数 $\sigma_p$ 不得小于 1.7 倍的模型临界气蚀系数 $\sigma_0$;在整个水头变化范围和水轮机各水头对应的最大预想出力的 80% ~ 100% 范围内,装置气蚀系数 $\sigma_p$ 应大于初生气蚀系数 $\sigma_i$。

(4)水轮机最优水头 $H_0$ 的选取既考虑了汛期高含沙量的恶劣工作条件,又兼顾到了电站大水头变幅的实际情况。经充分研究论证,结合与外商的技术交流情况,最终确定的水轮机最优水头 $H_0$ 约为 120m,此水头略高于正常运用期内电站汛期运行加权平均水头,但接近正常运用期非汛期加权平均水头。这样的选择主要基于两个思路:一是使机组在汛期运行于较优工况,以最大限度地减轻过流部件的磨蚀破坏;二是当机组在高水头小流量区域运行时,减少转轮进口边的脱流和叶片进口边背面的气蚀。这样可避免在整个运行区域内产生严重的气蚀破坏。

(5)按照研究分析,转轮最严重的磨损区域发生在转轮下环与叶片出水边的正面。要减小这一区域的磨损,必须减小其中的水流相对速度,并要确保机组的能量与气蚀特性。图 2-2-1 显示了在设计水头和流量工况下,相对流速和能满足气蚀性能的装置气蚀系数随转轮出口直径变化的关系曲线。由图 2-2-1 可以看出,当转轮直径约为 4.2m 时,相对流速最小。但是,其气蚀性能却变得很差,而且转轮和尾水管的效率由于高水力损失都将降低很多。因此,小浪底电站机组必须在保证良好的水力性能的情况下,选择尽量小的转轮出口直径,以最大限度地减小相对流速和磨损。

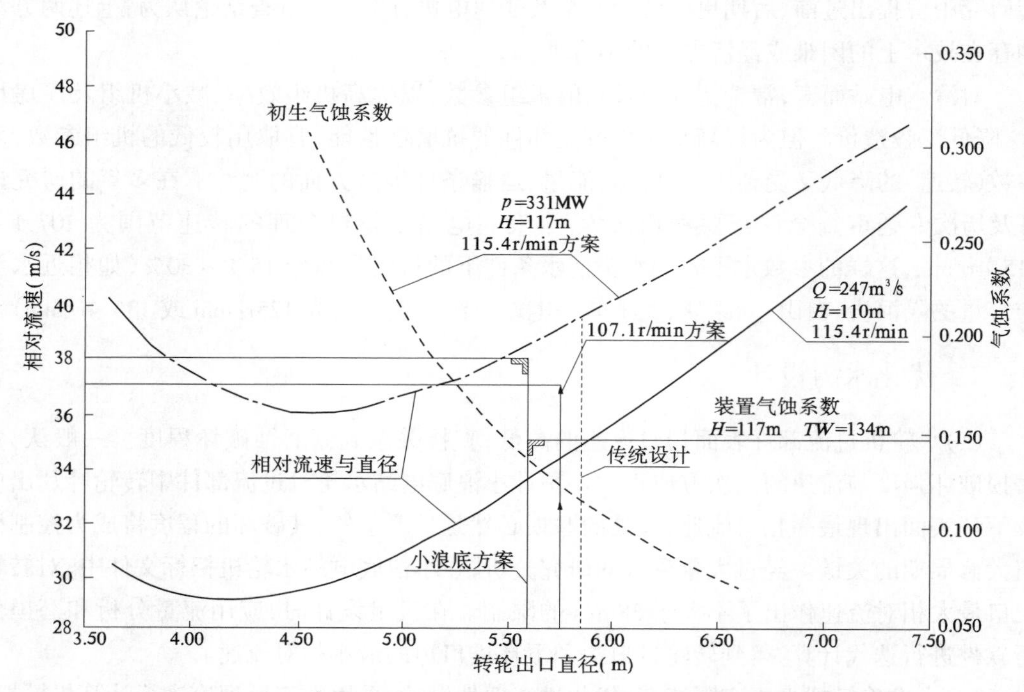


**图 2-2-1 相对流速和初生气蚀系数与转轮直径的关系曲线**

(6)为适应大水头变幅的运行需要,最大限度地减少叶片气蚀、叶片进口边脱流和叶片流道内的二次流,还重点进行了叶型优化设计,叶片头部厚度较常规设计加厚。图 2-2-2表示了小浪底电站水轮机转轮与相同比转速典型混流式水轮机转轮的进口边涡流初生气蚀曲线的对比。从中可以看出,小浪底电站水轮机转轮比传统水轮机的无脱流运行范围要宽得多,这对低水头运行非常有利,因为进口边正压面的脱流往往会导致剧烈的紊流,给在洪水期运行的转轮造成严重的磨损。

## 三、结构措施

小浪底水电站水轮机的结构设计,除满足混流式水轮机的一般结构性能外,主要侧重于提高过流部件的整体抗磨性能和方便易磨蚀部件的检修维护。设计和制造中所采取的主要抗磨蚀结构措施有如下几个方面。

### 1. 适当增加导叶高度、加大导叶分布圆直径

中、高水头多泥沙河流电站水轮机过流部件除转轮外,导水机构的磨蚀破坏往往也是非常严重的。经研究认为,通过适当增加导叶高度、加大导叶分布圆直径等措施,可有效降低导水机构区域的水流速度,从而减轻导水机构的磨蚀破坏。

由于最大流速出现在导叶尾部,图 2-2-3 为导叶分布圆直径与尾部相对流速之间的关系曲线,将导叶分布圆直径由正常的 7.07m 增加至 7.24m 后,导叶尾部相对流速约可减小 1m/s,相对磨损强度可减小约 9%。

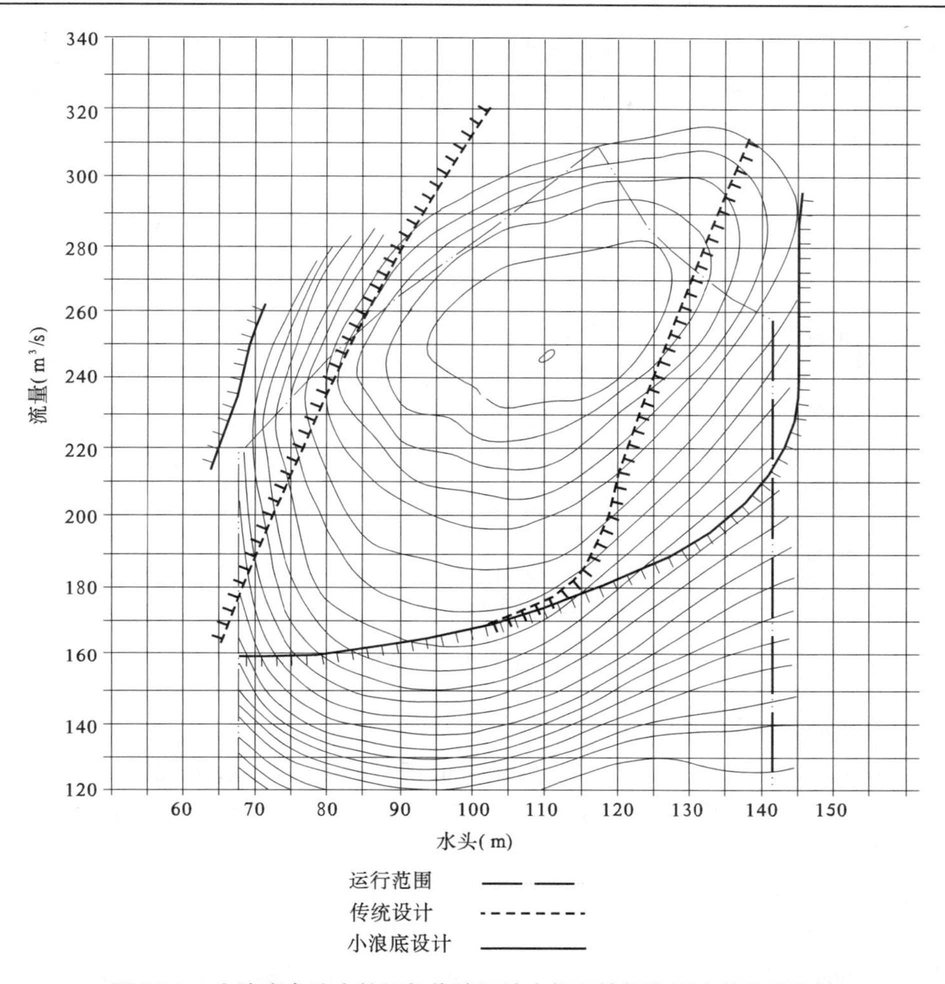


图 2-2-2　小浪底电站水轮机与传统设计水轮机转轮进口边涡流区比较

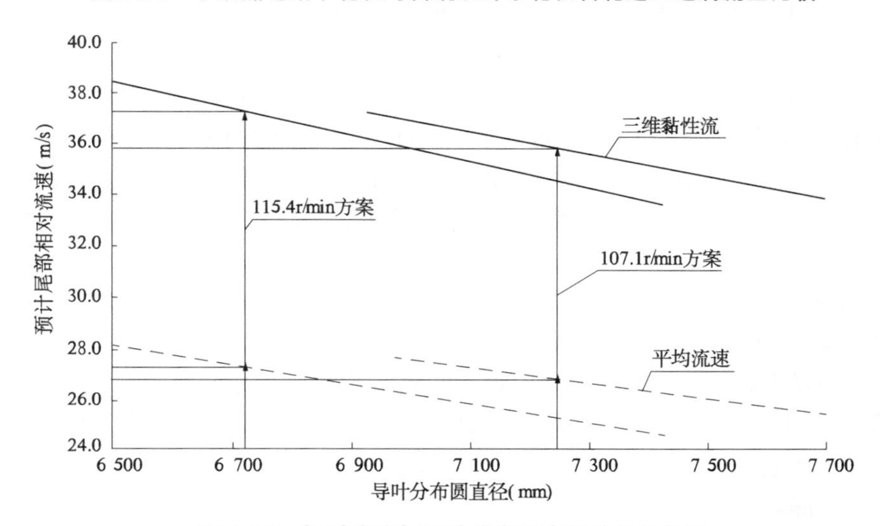


图 2-2-3　相对流速与导叶分布圆直径的关系曲线

为了进一步减小导叶区的相对流速及转轮进口边相对流速，将导叶高度由正常的1.38m增加到1.50m，导叶与转轮的磨损强度可减小3%～5%。图2-2-4为导叶高度与导叶和转轮相对磨损率之间的关系曲线。

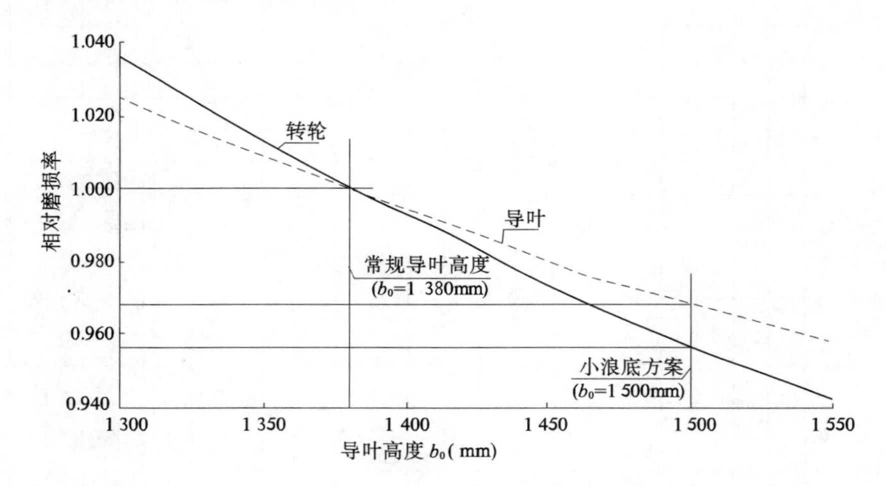


图2-2-4 相对磨损率与导叶高度的关系曲线

2. 选择较小的转轮出口直径

选择较小的转轮出口直径，以减小转轮流道相对流速、减轻磨损，最终所选择的转轮出口直径 $D_2$ 为5.60m(相当于 $0.88D_1$)，使得转轮出口最大相对流速控制在35m/s以内，对减轻磨损是非常有效的。

3. 设置筒形阀

国内中、高水头多泥沙河流水电站机组导水机构的磨蚀破坏一般均较严重，而且多因停机状态下的间隙磨蚀破坏引起。运行一段时间后，因严重破坏而使导水机构关闭后停机时间过长或根本无法实现正常停机的例子很多，导水机构往往成为影响机组大修周期的关键因素。

小浪底电站在水轮机座环与活动导叶之间设置筒形阀的主要目的是为了防止停机状态下导叶上、下端面及立面间隙承受全水头，从而产生严重的间隙气蚀破坏，同时兼有事故阀的作用。小浪底电站筒形阀采用5个直缸接力器进行操作，以液压电动机实现同步。水轮机检修时，可利用筒形阀将顶盖提升到一定高度，以实现在机坑内进行易磨损部件的检修更换。

4. 取消推力释放装置

按常规设计，为减小轴向水推力，混流式水轮机常在转轮上冠设减压孔或另设均压管路系统。取消推力释放装置是小浪底电站水轮机采取的一项重要技术措施，为此可免去采用常规设计因气蚀和泥沙磨损所引起的破坏而需对推力释放系统进行的检修维护工作。由于不存在通过上冠的漏水，故减小了容积损失，提高了机组运行效率，也极大地减轻了转轮上止漏环的磨损。另外，由于减少了转轮上冠与顶盖之间空腔内的泥沙循环运动，有效地防止了泥沙对顶盖和上冠外表面的磨损。

根据 VOITH 公司提供的数据，虽然取消推力释放系统后，将使小浪底电站水轮机轴向水推力大幅增加（水推力达 25 186kN、机组推力轴承负荷近 39 200kN），但该推力值几乎与转轮上止漏环间隙的变化无关，即水推力值不会随着运行时间的延长和止漏环间隙的扩大而增加。而有推力释放系统的常规设计，机组水推力将随止漏环间隙的扩大而增加，对于小浪底电站这样高含沙水流条件，如采用常规的设计方案，其转轮上止漏环的磨损必然是相当严重的，水推力将随着运行时间的延长而急剧增加。图 2-2-5 给出了传统设计方案与小浪底电站机组无推力释放装置方案水轮机效率随转轮上密封间隙而变化的比较曲线。根据 VOITH 公司的初步测算，小浪底电站水轮机在经过一个汛期的运行之后，有推力释放装置的情况下，上止漏环间隙将由 2mm 扩大至 10mm，水推力值也将由7 546kN增至 10 192kN，增幅达 35%。而且，止漏环间隙扩大引起容积损失增加，水轮机效率下降，经过一个汛期的运行，水轮机效率将下降约 1.8%。因此，推力轴承的设计必须充分考虑到泥沙对止漏环磨损的影响。

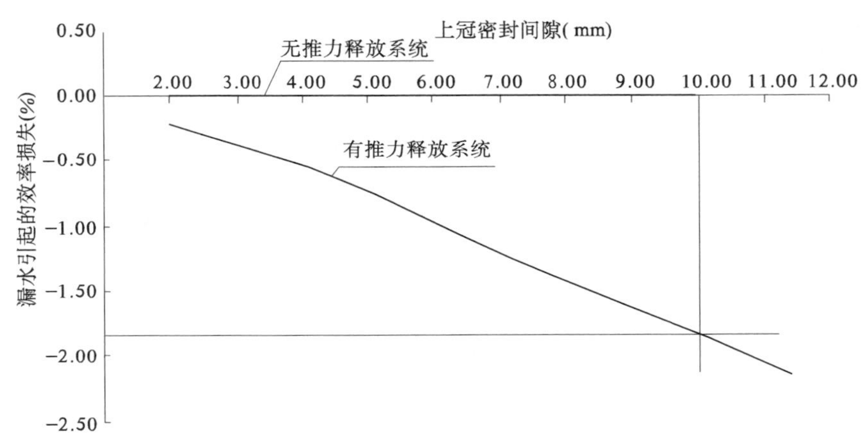


**图 2-2-5　上冠密封磨损与效率损失关系曲线**

另外，取消推力释放装置还将增加推力轴承损失，但由于不存在上冠漏水所引起的容积损失，使得机组的效率水平有较大的提高。

5. 基础环周围设计环形廊道

为了便于易磨损部件的检修更换，在基础环周围设置了环形廊道，在不拆卸机组的情况下，能在此廊道内进行导水叶下轴套的检修更换。

## 四、工艺措施

(1)基于不锈钢材料在实际运行中所表现出的优良抗磨蚀性能，小浪底电站水轮机主要过流部件如转轮、导水叶、抗磨板、底环、基础环、尾水锥管进口段等均采用了具有良好抗磨蚀性能的不锈钢材料进行制造。转轮叶片采用了材料致密性及抗磨性较好的钢板模压成型工艺进行制作。

(2)为使转轮具有良好的整体性且方便运输，转轮采用散件运输方式运至工地，在 VOITH 公司免费提供的工地车间内进行组焊。

(3)为适应过流部件检修、维护频繁的特点,在不移动发电机转子和推力轴承的情况下,依靠筒形阀可将顶盖、导叶及其操作机构提升一定高度(最大提升高度 874mm),这样极大地方便了在机坑内进行易磨蚀部件如导水叶、导叶端面密封、导叶轴套、抗磨板、止漏环和转轮进口边等的检修和更换。由于不需要进行整台机组的拆卸,可使检修周期大大缩短。

(4)抗磨防护涂层。水轮机主要过流部件除选用了不锈钢母材外,对预期磨蚀特别严重的部位,还采用了碳化钨/钴高速氧燃料(HVOF)火焰喷射涂层进行防护。防护部位包括:导叶上、下端面,导叶正、背面的进、出口边区域和接近上、下端部的区域;上、下抗磨板表面;转轮叶片进、出水边区域和靠近下环的高速水流区域;下环内表面;上、下止漏环表面等。每台机组总防护面积达 $180m^2$ 以上,其中转轮部分约 $125m^2$。

对流速相对较低的固定导叶表面和尾水管进口段采用涂刷聚氨酯弹性涂层的办法进行防护。

### 五、性能考核

在现有用于水轮机气蚀性能考核的标准中,仅有适用于清水条件下的气蚀损失重量考核标准,而浑水条件下影响材料损失的因素很多,制定标准是十分困难的。设计人员在对黄河及其他多泥沙河流上已运行电站进行广泛调研分析的基础上,提出了适合小浪底电站特点的、便于实施的重量损失考核标准,并得到了所有参与水轮机投标厂商的认可和响应。标书中提出的保证期8 000h内的重量损失保证要求如下:

(1)相对于正常磨损表面的最大磨蚀深度应不超过 9mm,在任何部件上连续面积在 $100cm^2$ 以内,不应有平均深度大于 3mm 的沟槽或坑洼。

(2)如果在同一转轮的相似部位或区域上所产生的面积、沟槽或坑洼等损坏程度较平均损坏程度大 3 倍以上,则被认为是异常破坏,应由卖方无偿进行修复。

(3)在保证期内,由气蚀和磨损引起的转轮重量损失,相对于正常磨损表面测量和计算,保证不大于 $4D_2^2$(kg)(其中 $D_2$ 为转轮出口直径)。

## 第三节　过流部件的抗磨蚀防护

### 一、概述

基于多泥沙河流电站水轮机过流部件均不同程度地遭受磨蚀破坏,我国许多科研、设计部门与用户单位就水轮机过流部件的防护材料(含金属与非金属材料)进行了大量而艰苦的科研与现场试验工作,并取得了许多有益的研究成果。但由于条件的限制,多数试验系局部性的补救措施试验,各种防护材料尚存在一些技术性的问题,如金属防护材料的焊接性能问题、非金属材料与母材的黏结强度问题等都没有得到很好的解决。因此,尚未能广泛运用于工程实际当中。

根据各过流部件流场的分布规律与结构特点,采取适宜的防护措施,将有助于提高机组抗泥沙磨蚀的整体性能,延长机组大修周期,降低运行维护费用。

小浪底电站水轮机的抗磨防护问题,各方面一直给予了高度的重视,先前也进行了大量的研究工作,但要运用于工程的实际当中,仍然存在不少的困难。20世纪90年代初期,为适应小浪底工程建设及进一步开发多泥沙河流水资源的需要,国务院重大技术装备办公室将小浪底电站水轮机的研制列入国家"八五"重大技术装备科技攻关项目。该课题包括了抗磨蚀材质及防护措施的研究和高含沙水流中间试验电站的建设两项研究专题,以研究与探索小浪底等电站机组在浑水条件下的磨蚀破坏机理,考核验证所选水轮机参数、结构和工艺,并研究过流部件合理的抗磨防护措施。相关科研部门对抗磨蚀材质及防护措施进行了有益的研究工作,取得了一些研究成果。工程设计人员对中间试验电站的建设进行了大量的调研论证和方案设计工作,确定了在三门峡电站建设浑水中间试验电站的设计方案,编制了可行性研究报告报水利部。因建设资金筹措困难,而没能付诸实施。

由于小浪底电站水轮机最终采取了从国外引进的方案,因此可将国际上先进的抗磨防护技术运用于该工程水轮机。在进行水轮机招标文件的编制过程中,根据对国内多沙河流电站水轮机过流部件抗磨防护部位、防护工艺等的调研与分析,结合小浪底电站的运用条件,提出了对水轮机过流部件实施抗磨防护的要求。通过广泛的技术交流,世界上各知名的水轮机制造厂商也均对小浪底工程水轮机的抗磨防护问题给予了高度重视,进行了大量的前期专题研究工作,参加投标的厂商还做出了建议的防护方案。经招标、评标,最终采用了由VOITH公司建议的过流部件防护措施及方案。

## 二、防护设计与材料

通过对全流道的流体力学分析计算,可以预见流道中易发生磨蚀破坏的部件及区域。计算结果与实际工程运行中过流部件所产生破坏的部位及程度基本是吻合的。据此对这些过流部件的抗磨防护措施及工艺做出决定。

小浪底电站水轮机过流部件主要采用了碳化钨/钴高速氧燃料(HVOF)火焰喷射涂层和聚氨酯弹性涂层两种防护材料。该项措施在以往水电工程中尚没有大面积运用的先例。

### (一)碳化钨/钴高速氧燃料(HVOF)火焰喷射涂层

该涂层材料是由碳化钨和钴组成的粉状混合物,其大致成分为86%的碳化钨、10%的钴和4%的铬。

利用高速氧燃料(HVOF)热喷涂工艺将碳化钨/钴混合粉末喷涂到需要进行防护的过流部件表面,即由燃烧的氧燃料携带抗磨材料颗粒高速喷向母材表面,当半溶颗粒冲击到母材时,其动能、高温转化为热能,冲击瞬间热能部分被母材均匀吸收,便产生了高黏结强度、低残余应力的高速固化涂层。由于涂层含碳百分比很高,使得涂层密实、孔隙率低,而且硬度高,有利于抗磨。附加钴的目的在于增加韧性和可延伸性。在喷涂过程中,母材表面温度将保持低于200℃,母材不会因喷涂而产生机械变形。

涂层主要性能指标如下:

| | |
|---|---|
| 黏结强度 | 60~70N/$mm^2$ |
| 表面硬度 | 大于72~75HRC |
| 表面光洁度 | 3.2~6.4$\mu$m |

涂层厚度　　　　　　约 0.4mm

**(二) 聚氨酯涂层(PU)**

聚氨酯涂层材料主要运用于低流速过流部件中,涂层主要性能指标如下:

黏结强度　　　　　　$25 \sim 29N/mm^2$

硬度　　　　　　　　约 90 邵氏

表面光洁度　　　　　3.2μm 或更好

涂层厚度　　　　　　1.5 ± 0.5mm

## 三、防护部位及措施

根据流体力学计算结果,对流道内相对流速较高、预期磨损较为严重的导水机构、转轮等部件采用碳化钨/钴金属涂层进行防护,每台机总防护面积约 $181m^2$。而对于流速相对较低的固定导叶和尾水管进口段则采用聚氨酯弹性涂层进行防护。每台机总防护面积约 $69m^2$。

两种涂层所运用的防护部位及区域划分见图 2-3-1 及表 2-3-1。

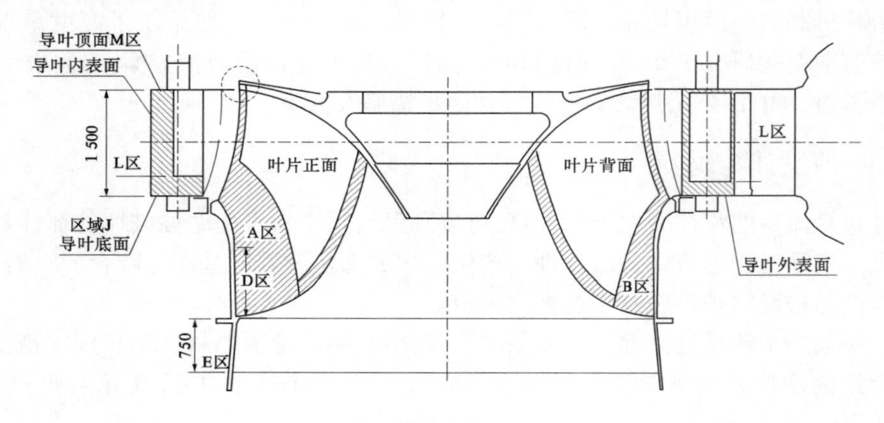


**图 2-3-1　过流部件主要防护区域划分**　(单位:mm)

**表 2-3-1　　　过流部件主要防护区域划分**

| 防护材料 | 区域 | 位 置 | 区域 | 位 置 |
|---|---|---|---|---|
| 碳化钨/钴金属涂层 | A | 叶片正面 | L | 导叶水流通道 |
| | B | 叶片背面 | M | 顶盖抗磨板 |
| | C | 下环密封表面 | N | 底环抗磨板 |
| | D | 下环 | P | 上冠圆柱面 |
| | G | 叶片上冠出水边 | Q | 上冠进水边 |
| | H | 导叶顶面 | R | 顶盖密封环 |
| | J | 导叶底面 | S | 叶片上冠进水边 |
| | K | 导叶轴领 | | |
| 聚氨酯涂层 | E | 尾水管上部 | T | 固定导叶 |

### 四、抗磨涂层的实施

碳化钨/钴高速氧燃料(HVOF)火焰喷射涂层采用机器人喷涂,喷枪距部件距离控制在25~28cm,喷枪所喷射出的混合体以1 250~1 500m/s的速度喷射到需防护部件的表面上。喷枪移动速度50~80m/min,每喷一遍的涂层厚度约为0.01mm。

由于水轮机转轮采用了散件运输、工地组装方案,转轮叶片、下环、上下密封表面及导水叶和抗磨板表面等大面积区域均在制造厂喷涂完成后运至工地。而转轮组装完成后的焊缝区域则在工地转轮组焊车间内的专用区内进行喷涂。

聚氨酯弹性涂层采用真空或常规喷涂。

## 第四节　水轮机转轮的现场组装

### 一、转轮的加工制造方案

根据制造厂商的技术现状及类似工程的运用习惯,在工程招标设计以前的各设计阶段,水轮机转轮的制造方案均按工厂制造后分两半通过铁路(或公路)运输到工地进行组装的方案进行考虑。

出于对在多泥沙条件下运行的安全性考虑,小浪底电站机组最终确定选取了参数水平相对较低的107.1r/min同步转速方案,与之相对应的机组主要结构尺寸为:$D_1=6.356$m、$D_2=5.60$m、最大外径6.57m、转轮高度3.45m。转轮外形尺寸如图2-4-1所示。

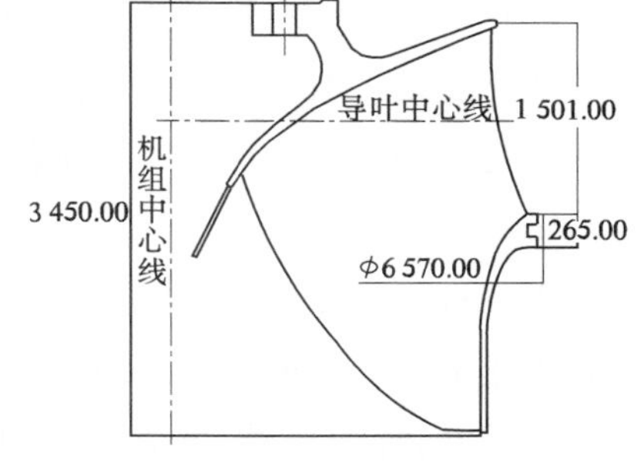


**图2-4-1　转轮外形尺寸**　(单位:mm)

按照铁路运输Ⅱ级超限进行控制,上述尺寸的转轮采用分半铁路运输已十分困难。为此,VOITH公司提出了转轮采用散件运输、工地现场组装方案,即将由国外制造的转轮上冠、下环、叶片、抗磨环等部件散件运输到工地,在由VOITH公司负责建造的组焊加工车间内进行组装、焊接、加工及焊缝区域内的涂层喷涂,制造商在工地将合格的整体转轮交付给业主。

制造商负责组装车间的设计与建造、组装所需全部设备的提供、组装工艺与质量控制,并对最终的产品质量负全部责任,相当于制造商在工地建造了一个制造车间。

现场组装所有工作完成后,制造商将组装车间及其各种组装设备无偿提供给业主。

小浪底电站6台机组的7个转轮(其中1个为备用转轮)均采取了现场组装的制造方案。

## 二、转轮部件的加工与运输

在制造厂制造加工后的部件分为叶片、上冠、下环、止漏环和泄水锥等 5 个部分，共 17 件。

1. 叶片

转轮叶片共 13 片，材料为 OCr13Ni4 不锈钢。为了提高材料的致密性和抗磨蚀性能，按合同规定，叶片采用了不锈钢板模压成型工艺进行加工制造。由于叶片头部与尾部的厚度差别较大，将叶片分成较厚的头部与较薄的尾部两部分分别进行模压成型，然后焊接在一起进行整体退火，之后再进行数控加工。加工成型后的完整叶片在工厂内进行 WC 涂层喷涂后运往工地。

为增加整体抗磨蚀性能，叶片厚度较常规设计有一定的增加。

2. 上冠

上冠为不锈钢材料、整铸结构，重量 42t，最大高度 1 513.7mm，直径 5 890mm。由韩国一家公司承担了分包铸造任务，运往美国加工成型后整体运至工地。

3. 下环

下环也为不锈钢材料制造，采用分段铸焊结构。较厚的上段采取分半铸造方式，而相对较薄的下段则采取钢板卷焊方式。在工厂组焊成整体下环后，加工至设计尺寸，然后对内表面进行抗磨防护涂层(WC)的喷涂。合格的整体下环运至工地。

4. 止漏环

为提高机组整体性能、减小检修维护工作量，设计上取消了上冠推力释放装置，避免了转轮上止漏环的磨蚀破坏。因此，转轮上冠没有设置可更换的转动止漏环。

下环转动止漏环为平板结构，采用了有利于抗磨蚀的整体嵌套式结构，由不锈钢板卷焊而成。在工厂与下环嵌套成整体，并对外表面实施 WC 涂层喷涂。

## 三、现场组焊车间

现场转轮组焊车间的位置与场地由业主单位负责选择与提供，车间的建设与车间内加工所需要的所有设备均由制造商负责，焊接所需的技术工人也均由制造商负责培训。

加工车间位于距电站厂房约 13km 的刘庄铁路转运站内，交通条件便利，方便转轮部件的进入与整体转轮的运出。加工车间布置与平面尺寸如图 2-4-2 所示。

加工车间总长度为 42.48m，宽 40m，高 10m。车间布置上共分成 4 个工位区，分别为组装工位、翻转工位、加工工位和喷涂工位。各个工位间形成一流水工序，可同时进行不同转轮不同工序的工作。

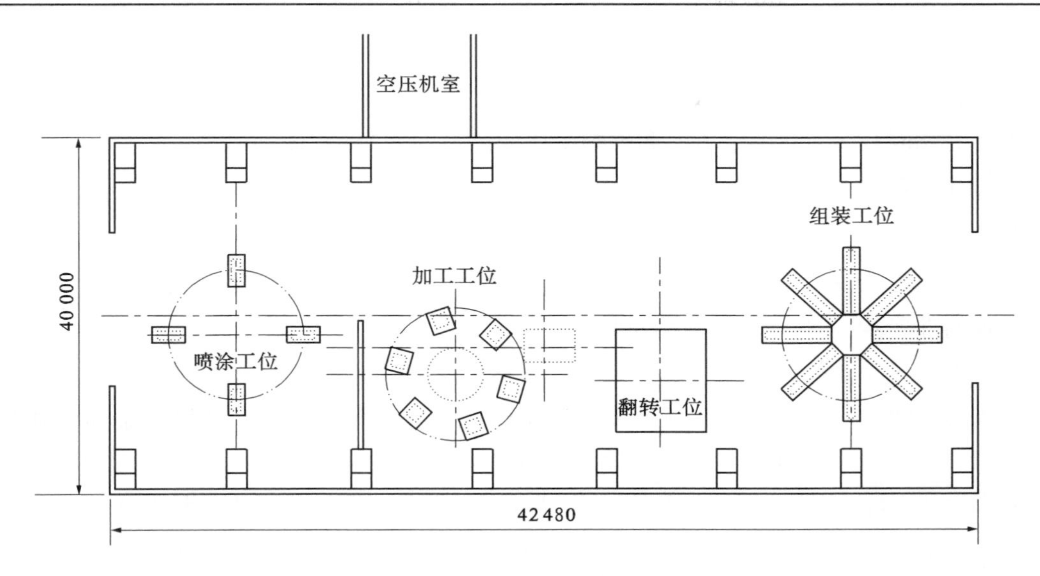


**图 2-4-2　转轮组装加工车间平面布置**　(单位:mm)

## 四、现场组装设备

为进行转轮的现场组装工作,制造厂主要配备了如下一些设备:

(1)单小车桥式起重机 1 台,起吊重量为 150t/32t。

(2)空压机 1 台,额定压力 0.7MPa,主要用于转轮的加工和防护涂层的喷涂。

(3)125t 容量的加工旋转平台及液压驱动装置。

(4)机加工支柱 1 套。

(5)转轮静平衡用的荷载传感器。

(6)带有自动给进器的外部加工工具支撑柱。

(7)6 台具有自动给丝功能的人工焊接设备。

(8)除锈喷沙设备 1 套。

(9)抗磨涂层喷涂机器人及辅助工具 1 套。

(10)测量机架及仪表 1 套。

(11)各种手动工具。

(12)必要的模板。

(13)其他辅助工具。

## 五、组装焊接程序

转轮在现场的组装和加工程序按照在制造商工厂制造整体转轮的相同工艺进行,主要包括组装定位、焊接、机械加工、静平衡与防护涂层等工序。

1. 组装定位

组装定位在组装工位上进行。首先将上冠倒立并固定在中心支柱上，然后将下环由边支柱支撑倒置在上冠的上方。调整钢支柱的高度与水平度，使上冠与下环之间的相对位置尺寸满足叶片进口高度的要求，并使上冠、下环保持完全同心。之后，固定两者间的相对位置，在上冠和下环上刻画出叶片位置。

安装中心支柱和夹具，将叶片安装在上冠和下环之间的预定位置，用样板检查叶片安装位置的准确性，满足要求后点焊进行固定。

2. 焊接

当确认叶片安放位置准确无误后，即可开始焊接工作。焊接采用保护金属电弧焊(SMAW)方法，使用 E309L－16 焊条，利用手工操作半自动焊机进行。焊接过程遵照制造商的规程，为释放焊缝区域的残余应力，每焊接 1～2 遍即用风镐等工具进行敲打。先焊接叶片与上冠之间的焊缝，并进行打磨和无损探伤检查及必要的修理，接着完成方便此工位焊接的叶片负压面与下环的焊接，进行必要的打磨和无损探伤检查及必要的修复。

利用专用夹具和支座及桥机将转轮整体旋转 180°至正交位置，以便进一步施焊。按程序完成转轮叶片与下环剩余焊缝的焊接，进行打磨及无损探伤检查。

最后，还要对整个转轮进行水力尺寸的检查、记录和验收。完成所有过流通道、叶片安放角度、间距、外形、光洁度和型线的检查。

根据 VOITH 公司的经验，现场组焊后的转轮无需进行退火以释放焊缝应力的处理工艺。

3. 机械加工与静平衡

转轮焊接工序完成之后，运到加工工位准备进行机械加工。需进行机械加工的部位有：下环密封面、上冠外表面、下环底平面和转轮/主轴法兰配合面。

加工工具是专门为大型水轮机转轮现场加工而设计的设备。利用在转轮下安装的一个高功率电机驱动的旋转台的转动来进行加工，转轮通过一可调短轴固定在旋转台上，可与转台一起做旋转运动，利用外设的加工升降臂和刀具加工下环密封面、上冠外表面和下环底面。

转轮加工完成之后，吊起转轮，使其与加工台有足够距离，在下环底部间隔均布三个设置有荷载传感器的支座，把转轮落在荷载传感器上即可记录转轮的静平衡状况，然后将转轮旋转 180°再次读取传感器的数据。根据两次读数即可算出偏重方向及大小，据此，可在上冠或下环上适当配重，以达到平衡的目的。

4. 防护涂层

转轮主要部位的防护涂层(WC)已在制造商的工厂内喷涂完毕。在组装车间内需要完成的工作是对组装焊缝区域进行涂层的喷涂。该项工作在喷涂工位上进行，为防止粉末的污染，该工位相对独立。利用机器人喷涂，可使涂层的厚度与质量得到严格的控制。

# 第五节　水轮机主要技术参数

## 一、水轮机

| | |
|---|---|
| 最大水头 | 142m |
| 最小水头 | 68m |
| 额定水头 | 112m |
| 设计水头 | 127m |
| 额定转速 | 107.1r/min |
| 飞逸转速 | 204r/min |
| 额定流量 | 292m$^3$/s |
| 额定出力 | 306MW |
| 最大出力 | 331MW |
| 最大出力所对应的最小水头 | 117m |
| 比转速 | 162.6m·kW |
| 比速系数 $K_t$ | 1 721 |
| 转轮进口直径 $D_1$ | 6.356m |
| 转轮出口直径 $D_2$ | 5.60m |
| 最大水推力 | 2 570t |
| 吸出高度 $H_s$ | -4.64m |
| 导叶轴线分布圆直径 $D_0$ | 7 239mm |
| 导叶高度 $B$ | 1 500mm(相对值$\overline{b}_0=0.236$) |
| 临界气蚀系数 $\sigma_0$ | 0.085 |
| 最优工况下的单位转速 $n'_{10}$ | 60.5r/min |
| 最优工况下的单位流量 $Q'_{10}$ | 0.689m$^3$/s |
| 额定工况下的单位转速 $n'_{1r}$ | 64.32r/min |
| 额定工况下的单位流量 $Q'_{1r}$ | 0.683m$^3$/s |
| 额定水头下的加权平均效率 $\eta_{pj}$ | 95.16% |
| 模型最高效率 $\eta_{mopt}$ | 94.42% |
| 原型最高效率 $\eta_{popt}$ | 96.02% |
| 最大相对流速 $W$ | 35m/s |

## 二、筒形阀

| | |
|---|---|
| 阀体外径 | 8 390mm |
| 阀体厚度 | 145mm |
| 阀体高度 | 1 710mm |
| 阀体重量 | 46t |

| | |
|---|---|
| 动水关闭时间 | 74s |
| 操作机构 | 直缸接力器 |
| 操作油压 | 6.4MPa |
| 同步方式 | 机械或电气 |

# 第六节 调速系统

## 一、系统组成

小浪底电站6台机组的调速系统设备由美国VOITH公司随水轮机一起供货，每台机组配置1套独立的调速系统。调速器为数字式微处理器控制的PID电液型双微机调速器。调速系统包括电气柜、液压单元和测速单元，不再单独设置机械柜。

液压单元包括控制阀组、调速器泵组、回油箱、压力油罐及附属设备。控制阀组、调速器泵组等布置在回油箱顶部。每台机组的液压单元集中布置在母线层(139.00m高程)机墩外围的第Ⅱ象限内。每台机组的压力油罐同时也为该机组筒形阀的操作提供压力油源。

电气柜主要由电子模块(含电源模块、存储模块、处理器模块、输入模块、输出模块)、控制盘、动圈放大器、附加装置(含用于数据采集的转速与导叶位置变送器及功率传感器、用于信号去耦与匹配的缓冲放大器)、与外部进行信号转换和通讯的信号转换装置等组成。电气柜布置于主厂房发电机层(144.50m高程)下游侧。

测速单元由安装于发电机轴顶端的齿盘和2个近程脉冲触发的传感器组成。该测速单元除给调速器转速控制单元提供机组频率信号外，还同时提供8个转速开关信号用于机组自动化控制回路。

## 二、系统的主要功能

调速系统具有转速和加速度检测、转速调节、导叶开度限制、机组频率—相位跟踪、参数自适应、自诊断等功能。所有的控制功能通过安装于电气柜内的一台主用数字式微处理器来完成。为提高调速系统运行的可靠性，在电器柜内还设有一台备用的数字式微处理器，当主微处理器发生故障时，备用微处理器可实现无冲击投入。调速系统还提供有足够数量的外部接口，以实现与电站计算机监控系统的通信。通过该调速系统，可以实现在主厂房机组旁手动开机，也可实现在中控室自动启停机组。

### (一)转速控制

调速器为自适应参数控制的PID型。并网运行的稳定性与孤立运行的稳定性之间有一定的差别，可以通过人工或自动方式设置一个可调整的转速带来完成两者之间的切换。利用最小选择方式，将调速器的输出值与开度限制、气蚀限制或过负荷限制值进行比较，将最小值发送到导叶位置控制系统，以实现转速控制功能。在开度控制方式下，转速控制功能无效。

发电机断路器处于合闸位置时，如果调速器检测到的转速信号故障，调速器将自动切换为开度控制，使发电机出力无任何变化。

**(二)开度控制**

开度控制的给定值与输入导叶位置控制回路的给定值一致。如果机组处于开度控制方式下并网运行,导叶位置将紧随整定值变化。在机组起动过程中,有两个起动开度,导叶位置随整定值变化。在开启过程中,将开度控制整定值与调速器整定值相比较,较小的值传送到导叶开度控制回路作为整定值(最小选择方式)。

**(三)功率控制**

机组并网后,机组转速在允许的转速区时,通过操作“功率控制投入”按钮或运动控制输入,可以使调速器由其他运行方式切换到功率控制方式。

为了实现对功率给定值变化的快速反映,调速器上配置了一个水头协联函数,来确定新的功率给定值与所要求的导叶开度。这个数值被叠加到功率控制器的输出上,当导叶位置接近要求位置时,功率控制器作最后的调节。

如果功率控制器出现故障,调速器自动切换到转速控制,不会引起机组出力的任何改变,机组仍可继续运行。

**(四)开度限制**

导叶开度可设定一个固定的最大限制开度(可调),还可设定一个最小限制开度,在主回路断路器合闸以后起作用。

**(五)冗余开度限制**

当主微机出现故障时,备用微机将提供冗余开度控制,这个切换过程是自动无波动的,这样机组可在无转速控制的情况下在电网中运行,其频率将靠电网的储备来控制。

一旦主微机回复运行状态,即可在任意时间手动切换回主微机控制。主微机也配置一个跟踪控制装置,使切换过程不产生波动。

## 三、压力供油系统

每台机组的调速器与筒形阀公用一套液压操作系统设备。

液压操作系统额定操作油压为6.4MPa。压油罐总容积为9.64$m^3$,向压油罐内的供油由设在回油箱上的两台螺杆油泵完成,油泵容量按照IEEE标准进行选择,电机功率为56kW,这个容量足以保证导叶接力器和筒形阀接力器的工作。

另外,在回油箱上还设有1台小型螺杆油泵(电机功率2.24kW),当操作系统中油温超过规定值时起动该油泵,通过设在回油箱上的小型油冷却器对油进行冷却,同时还可实现回油箱内油质的过滤。

调速器的所有液压控制装置都安装在回油箱的顶部,主要包括泵组、主配压阀、动圈伺服阀、紧急关机电磁阀、压力开关、油位开关、压力表、端子箱、油泵电机控制器等。

压力油系统所需的压缩空气系统由厂房内高压气系统供给,该系统设有3台活塞式空压机,压力8.1MPa,生产率420L/min。

## 四、保护措施

调速系统设有故障保护装置。当调速系统故障时,调速器将保持导叶在故障前的位置,同时报警,并且停机回路和导叶限制控制保持可操作性。当控制电压消失时,紧急关机电磁阀失磁,驱动关机活塞接通回油,快速关闭导叶。运行人员可以操作紧急关机电磁阀使其励磁或失磁,当关机电磁阀失磁时,将作用于导叶,使其关闭。

在连接主配压阀导叶关闭侧的回油管上设有二段关闭阀,实现引水系统过渡过程中导叶的二段关闭。

### 五、调速器的主要技术参数

**(一)性能参数**

调速器的性能满足 IEEE std.125 标准的要求。

**(二)液压系统主要参数及设备外形尺寸**

1. 调速系统操作油压

| | |
|---|---|
| 额定操作油压 | 6.4MPa |
| 最低油压 | 4.82MPa |
| 最高油压 | 7.04MPa |
| 高油位报警 | 6.7MPa |
| 主油泵起动压力 | 6.2MPa |
| 低位报警(低油位、低油压) | 6.1MPa |
| 低油位报警 | 6.0MPa |

2. 液压系统容量及外形尺寸

| | |
|---|---|
| 压力油罐总容积(气和油) | 9.64$m^3$ |
| 充满液压系统所需的总油量 | 4.5$m^3$ |
| 至主接力器的供、回油管管径 | DN150mm |
| 回油箱外形尺寸 | 2 300mm × 1 800mm × 2 000mm |
| 调速器电器柜外形尺寸 | 2 200mm(高) × 600mm(深) × 1 200mm(宽) |
| 调速器机械柜 | 位于回油箱顶部 |
| 压油罐供油泵 | 2 台螺杆型油泵,流量 370L/min、压力 64bar、电机功率 56kW |
| 回油箱冷却油泵 | 1 台螺杆型油泵,流量 120L/min、压力 5bar、电机功率 2.24kW |

## 第七节 筒形阀

### 一、设置的必要性

筒形阀作为水轮机的进水阀,在欧洲及加拿大等国已有多年成功运行经验,云南漫湾水电站为国内在小浪底工程之前惟一采用筒形阀的大型电站。上述电站采用筒形阀的主要目的系取代进水口快速闸门作为事故阀使用。

小浪底电站采用单元式发电引水系统,引水压力钢管直径 $\phi$7.8m,引水管道较长。在电站进水塔设置快速门,作为机组防飞逸的主要技术措施。

根据多泥沙电站水轮机的运行经验,水轮机导水机构是过流部件中磨蚀破坏较为严重的部件,在停机状态下间隙气蚀引起的导叶区域的破坏,往往成了影响机组大修周期的主要因素。黄河刘家峡、四川渔子溪等中高水头多泥沙水流电站的运行实践表明,由于停机状态下产生的导叶间隙磨蚀破坏,致使机组无法实现正常的开停机操作,给电站的安全经济运行造成了不利的影响。考虑到小浪底电站的恶劣水沙条件,为防止导水机构遭受严重的磨蚀破坏,延长机组大修周期,经过多方面的充分论证,在水轮机固定导叶与活动导叶之间设置筒形阀,以防止和减轻导水机构的间隙磨蚀破坏。

筒形阀是布置在水轮机固定导叶和活动导叶之间的一个较薄的圆筒。当机组运行时,筒形阀打开,置于顶盖空腔内(见图 2-7-1)。停机时,筒形阀关闭,可以有效地保护导叶。事故情况下,筒形阀可以动水关闭,以防止机组飞逸事故的发生。

设于底环上的筒形阀密封按底环几何形状设计成光滑通道,减少了水力损失。该闸门结构简单,操作简便。与其他形式进口闸和阀相比,有节省设备投资、减少土建费用的优点。

6 台水轮机的筒形阀均随水轮机本体设备一起,由美国 VOITH 公司设计、供货,其压力油操作系统与调速器压力油操作系统共用。

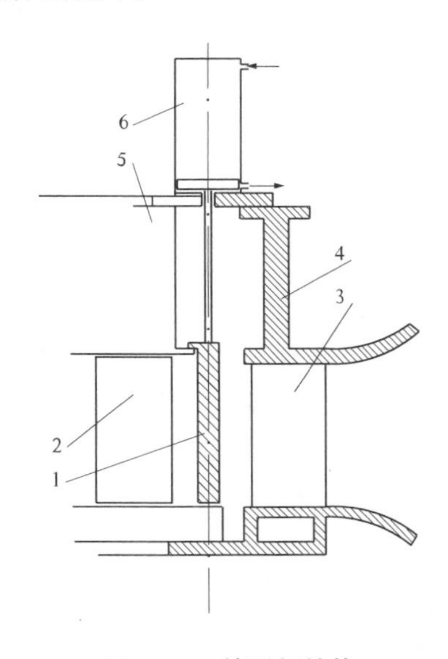


**图 2-7-1　筒形阀结构**

1—筒形阀体;2—活动导叶;3—固定导叶;4—座环;5—顶盖;6—油压缸

## 二、筒形阀的结构特点

小浪底电站筒形阀阀体高 1 710mm、内径 8 100mm,略大于导叶处于最大开度时的外切圆直径。操作筒形阀用的直缸接力器的分布圆直径为 8 245mm,筒形阀外圆直径为8 390mm,阀体厚度 145mm。阀体采用 ASTM A516 – 70 碳钢制造,其下缘采用不锈钢制成,倾角为 5°(主要是为了减小关闭过程中产生的水力振动)。压力油源供给直缸接力器驱动筒形阀,同时依靠同步装置实现各接力器的同步运行,使阀体沿圆周各点均匀地上下运动。为避免当动水关闭时阀体产生晃动,在阀体与座环固定导叶及顶盖内缘之间设置 10 根导向轨,固定导向轨用不锈钢制成,分为上、下两部分,上部长 680mm,下部长1 274mm,位于筒形阀体上的导向轨采用铸青铜合金制成。阀体和固定导向轨之间的间隙为 1 ~ 1.5mm。筒形阀的上、下密封均采用特制的压板橡皮条,上密封位于顶盖底部外缘,下密封位于底环外缘,上下密封的压板均由耐磨、抗气蚀性能良好的不锈钢板制成,用不锈钢沉头螺栓固定。

筒形阀采用 5 个液压直缸接力器驱动,操作压力油源与调速器油源共用一套油压装置(见图 2-7-2),操作油压力为 6.4MPa。

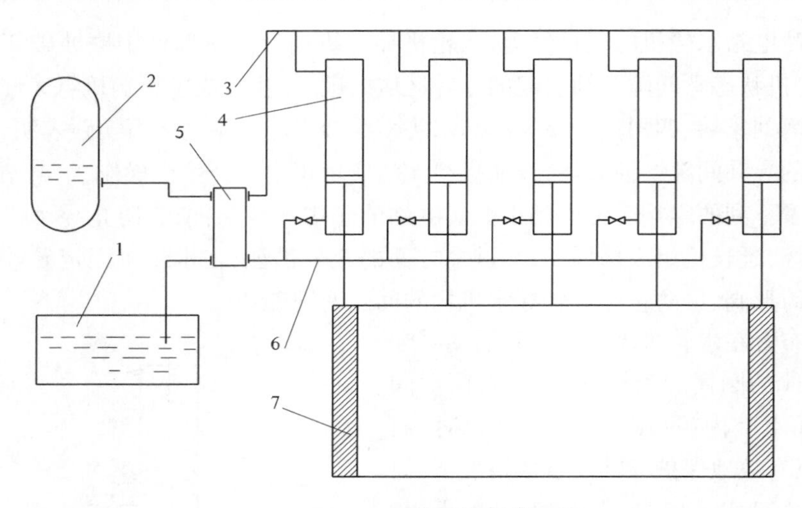


**图 2-7-2　筒形阀操作系统**

1—回油槽;2—压油罐;3—上腔管路;4—接力器缸;5—液压分配器;6—下腔管路;7—筒形阀体

设备布置紧凑,适应小浪底电站地下式厂房的特点。同步装置采用精确度较高的电液装置。筒形阀的操作机构主要包括5套直缸接力器、管件和阀件组单元、液压分配器、液压动力单元、电气控制柜。

三、设置筒形阀的意义

(1)由于小浪底电站在电网中主要承担调峰和负荷备用任务,机组开停机频繁,且停机时间较长,停机时作用于导叶上的水头为全水头,其间隙气蚀磨损将比机组正常运行时要严重得多,设置筒形阀则可以有效避免这一严重破坏,延长机组检修周期。

(2)由于筒形阀密封可靠,有效减少了机组停机时的导叶漏水量,减少容积损失,使电站在机组停机时的电能损失大大减少。

(3)筒形阀能够在机组甩负荷而调速器失灵的紧急情况下实现动水关闭,其关闭时间为74s,具有事故阀的作用,可防止机组发生飞逸,保证机组和地下厂房的安全。

(4)筒形阀结构简单紧凑,当机组运行时阀体位于水轮机座环和顶盖间的腔室内,使得水流通道基本光滑,与蝶阀和球阀相比,大大减少了局部水力损失。

(5)由于筒形阀的操作机构简单,占据平面尺寸较小,对于小浪底电站的地下式厂房而言,采用筒形阀替代传统的蝶阀或球阀,可大大减小地下厂房跨度,提高土建结构安全度,减少土建工程量,缩短建设周期,降低工程总投资。

(6)由于小浪底电站额定水头高达112.0m,且过机含沙量很高,其过流部件的磨蚀破坏必然较清水电站要严重得多,停机检修及易损部件的更换必定远比清水电站要频繁。而筒形阀的设置,使得在不拆卸发电机转子及推力轴承的条件下,利用筒形阀将顶盖提升到合适的高度,为检修人员提供进入水轮机流道的通道,实现在机坑内对水轮机易损部件进行维修和更换,可大大缩短检修工期,其经济效益是非常显著的。

# 第三章　水力机械辅助设备

## 第一节　厂房桥式起重机

小浪底电站主厂房桥式起重机的起吊能力是根据安装和检修电站机组时所需起吊的设备最重单件的重量选定的。电站机电设备在安装和检修时所需起吊的最重件为发电机转子，转子本体与起吊工器具的重量之和约为950t。

### 一、桥机型式选择

提升同样吨位的设备，由于起重小车结构不同，其对机架上部净空高度要求有所不同，而该高度直接影响主厂房拱顶的高度。小浪底电站是地下式厂房，通过优化桥式起重机的型式，可减小主厂房的轮廓尺寸、减少岩石开挖量、节省投资、缩短施工周期。根据制造厂产品系列和规格，桥式起重机的型式有单小车和双小车两种。

设计过程中对采用1台单小车起重机与2台双小车起重机两种方案进行了比较，结果见表3-1-1。

表3-1-1　单、双小车桥式起重机设备参数比较

| 项　　目 | 单小车 | 双小车 |
| --- | --- | --- |
| 主钩起重量(kN) | 10 000 | 2 500 + 2 500 |
| 机械数量 | 1 | 2 |
| 跨度(m) | 23.5 | 23.5 |
| 小车数量 | 1 | 2 + 2 |
| 小车设备重(t) | 216 × 1 | 49 × 2 + 49 × 2 |
| 轮压(kN) | 1 250 | 710 |
| 轨顶至桥机顶高度(mm) | 7 350 | 5 255 |
| 设备总重(t) | 351 | 2 × 236 |

由表3-1-1看出，双小车桥式起重机的高度较单小车桥式起重机低2.095m(降低40%)，可有效地降低主厂房拱顶高度，也即降低了主厂房总高度。在轮压方面：双小车桥式起重机轮压较单小车桥式起重机轮压小540kN(减小76%)，使得主厂房桥机轨道梁结构设计、梁型结构较为简单，固定锚索、轨道梁投资有所降低。

小浪底电站2台双小车桥式起重机设备总重量较重(较1台单小车桥式起重机增加了121t)，并增加了2套平衡梁，对起吊发电机转子提出了新的要求。

### 二、设备招标

经方案比选，主厂房内选取 2 台 250t + 250t（双小车）桥式起重机，桥机跨度 $L_k$ = 23.5m。

桥式起重机的采购采用了国内邀请招标方式。1995 年 6 月编制完成《小浪底水电站主厂房 250t + 250t 桥式起重机设备采购询价书》，同年 9 月正式对外发售。

参加投标的有太原重型机器厂、大连起重机厂、中信起重机公司洛阳矿山机械厂、无锡起重设备厂、江河水电机械工程公司和江苏神力起重设备有限公司等 6 家制造厂。通过对企业信誉、业绩、财务状况、售后服务措施、投标价格等多方面的综合比选，选定太原重型机器厂为设备中标单位。

主厂房桥式起重机设备由土建Ⅲ标承包商进行安装，然后移交机电安装标，在水轮发电机组及其辅助设备安装时使用。

## 第二节　技术供水系统

### 一、概述

按照电站的水头范围，技术供水系统较适合采用自流减压供水方案。

由于黄河小浪底电站河流所具有的高含沙特性，且汛期河水中还常伴有芦苇、杂草等，如果不能较好地加以解决，势必会造成机组冷却器的淤堵，影响电站的正常运行。由于该地区清水资源比较缺乏，为保证电站水轮发电机组正常运行，必须因地制宜地解决好电站的技术供水问题。为此，在工程设计的不同阶段，设计人员针对电站机组技术供水系统所存在的问题，对黄河干流上刘家峡、盐锅峡、八盘峡、青铜峡等大型水电站和有关城市引黄供水的水处理工程进行了广泛的调查研究，结合小浪底水利枢纽的布置情况，先后进行了不同方案的系统设计，如坝前分层取水、沉沙池除沙供水等。经多次修改设计，使该系统逐步完善。

### 二、电站技术供水系统的任务要求

在工程的前期设计中，设计人员根据经验与调研情况拟定了技术供水系统的主要技术指标；施工图设计阶段，制造厂提供了主要用水部位的技术供水要求后，对系统的设计进行了相应的优化工作。

电站技术供水系统的供水对象包括机组各轴承冷却器、发电机空气冷却器和水轮机主轴密封润滑水、顶盖下腔冲洗水、主变压器冷却水以及附属设备系统如水泵等的润滑水等。

水轮发电机为半伞式结构，空气冷却器及各轴承冷却器的设计供水压力均为 0.2 ~ 0.6MPa，进水温度按 25℃考虑。水轮机主轴密封用水要求好的水质及很高的水压力，而主系统供水压力不能满足要求，须进行加压，加压水泵的扬程为 94.2m；顶盖下腔冲洗用水加压水泵的扬程为 32.9m，其加压设备均由主机生产厂家随主机设备一起供货。主变压器冷却器由日本引进，为沉沙型，可承受 0.96MPa 的水压。每台机组主要用水部位的用水量如下。

(1)水轮发电机空气冷却器：900$m^3$/h。

(2)水轮发电机推力轴承冷却器：390$m^3$/h。

(3)水轮发电机上导轴承冷却器：13.2$m^3$/h。

(4)水轮发电机下导轴承冷却器：13.2$m^3$/h。

(5)水轮机导轴承冷却器：5.68$m^3$/h。

(6)水轮机主轴密封：24.2$m^3$/h。

(7)水轮机顶盖下腔冲洗：6.14$m^3$/h。

(8)主变压器油冷却器的冷却：144$m^3$/h。

单台机组运行时需冷却水量约 1 500$m^3$/h，电站最大运行方式下 5 台机组运行所需水量为 7 500$m^3$/h。

## 三、电站技术供水系统的设计方案

小浪底水利枢纽地处黄河中下游河段，汛期来水含沙量大，并伴有大量的杂草等污物，如果采用库水作为机组技术供水的主要水源，泥沙和杂草的联合作用势必会对水轮发电机组的冷却供水及安全运行产生严重的影响。为此，按照工程设计阶段的不同，对技术供水系统进行了多方案技术经济比较。

### (一)技术供水系统方案比较

#### 1.坝前分层取水技术供水方案

该方案是在坝前不同高程分设多个取水口，根据水库不同运用时段的运行水位，取用水质相对较为清洁的水库表层水，由钢管将库水引至厂房内供水轮发电机组及其他用户使用。该方案的优点是不同高程的取水口可适应水库水位的变化，系统相对较为简单；存在的问题是，由于水库水位变幅较大，坝前取水口的切换复杂，管路容易淤堵，部分用水部位的水质不能满足要求，无法保证水轮发电机组的安全运行。

#### 2.射流泵供水方案

射流泵供水方案在其他中、高水头电站已有应用。该方案具有设备投资省、节约能源等优点。对小浪底电站而言，由于汛期库水的高含沙特性，势必会磨损流速很高的喷嘴等部位，影响其使用寿命，而且射流泵本身效率较低，不利于电站的安全、经济运行。

#### 3.自流减压供水方案

电站的水头范围较适合采用自流减压供水方式。但由于汛期水流的多泥沙特性，该供水方式无法保证所有时段机组都能安全正常运行，为了解决汛期高含沙时段机组的安全运行问题，应寻找其他合适的补充水源。

#### 4.沉沙池除沙供水方案

在我国早期建设的其他多泥沙河流水电站中，有采取大型斜流式或平流式沉沙池进行除沙供水的例子，并取得了较好的效果。

小浪底电站水流泥沙含量要较其他电站高出很多，且机组台数多、容量大，使得供水系统的规模也大；运行中清除泥沙所需的设施规模较大，劳动强度也大；操作控制复杂，易出现故障的部件多,不利于自动控制运行;沉沙池占地面积大,小浪底工程区域内布置困难。故该方案也不便采用。

**(二)推荐的电站技术供水系统设计方案**

在电站技术供水系统设计过程中,从估算的电站冷却水量的要求出发,结合电站的特点,经过多年的研究,提出了推荐的技术供水系统设计方案,见图 3-2-1。

电站所处位置具有河流天然泥沙含量高,且 90% 的泥沙均集中于汛期下泄的特点,经泥沙专业分析估算,电站汛期过机含沙量随水库建成时间的推移而逐渐增加,其范围为 7~60kg/m³。如利用库水作为电站技术供水的惟一水源,则难以满足用水对象的水质要求。

从已查明的枢纽地下水资源情况看,该地区地下水资源较为匮乏,按照抽水试验结果分析推算,工程区域内(大坝下游滩区)可供电站使用的地下水的最大可能出水量不超过 5 000m³/h。因此,单纯利用地下水作为技术供水水源,其水量不但不能满足要求,也是不经济的。为此,经过对多种技术供水方案的比较论证,推荐电站的技术供水方式为库水、清水供水系统并存、互补的供水方式,即针对不同供水对象的不同用水要求,不同时期采用不同的供水方式。

(1)由机组压力钢管取水,经减压阀减压后自流供给电站技术用水部位,组成库水供水系统(自流减压供水系统)。

(2)由厂外地下水资源井水泵扬水,经管路送至电站厂房外清水池,再自流供给电站用水部位(冷却器等)。根据需要,机组冷却排水除部分泄弃外,剩余部分排至厂内回水池,再由水泵扬水至厂外清水池,与地下水源井提供的补充水混合后循环使用,组成清水供水系统。

电站技术供水系统采用以下三种方式运行。

运行方式一:压力钢管取水供水轮发电机组及主变压器全部冷却器用水,清水供主轴密封用水。该方式主要在非汛期过机水流较清的情况下使用。

运行方式二:压力钢管取水供水轮发电机组空气冷却器及主变压器冷却器用水,清水供上导、下导、推力及水导冷却器和主轴密封用水。该方式主要运用于汛期过机水流泥沙含量相对较小的情况。

运行方式三:用清水供水轮发电机组及主变压器全部冷却器和主轴密封用水。在汛期过机水流泥沙含量较大的情况下采用该供水方式。

**(三)库水供水系统**

1.系统组成

在非汛期及汛期过机水流中含泥沙较少的时段,采用库水供水系统。该系统采用自流减压供水方式。

自每台机组的压力钢管取水,取水管为 $\phi$426mm×9mm。取水经减压阀减压后,通过旋转滤水器进行过滤,过滤后的水一路供给水轮发电机组的空气冷却器,上、下导轴承冷却器,推力轴承冷却器及水轮机导轴承冷却器;另一路接至 $\phi$480mm×10mm 全厂库水供水联络干管,该联络干管经 3 条 $\phi$273mm×8mm 支管供水给 $\phi$325mm×8mm 主变压器冷却供水干管,供给主变压器冷却器使用,升温后的主变压器冷却水经管路排至下游尾水。

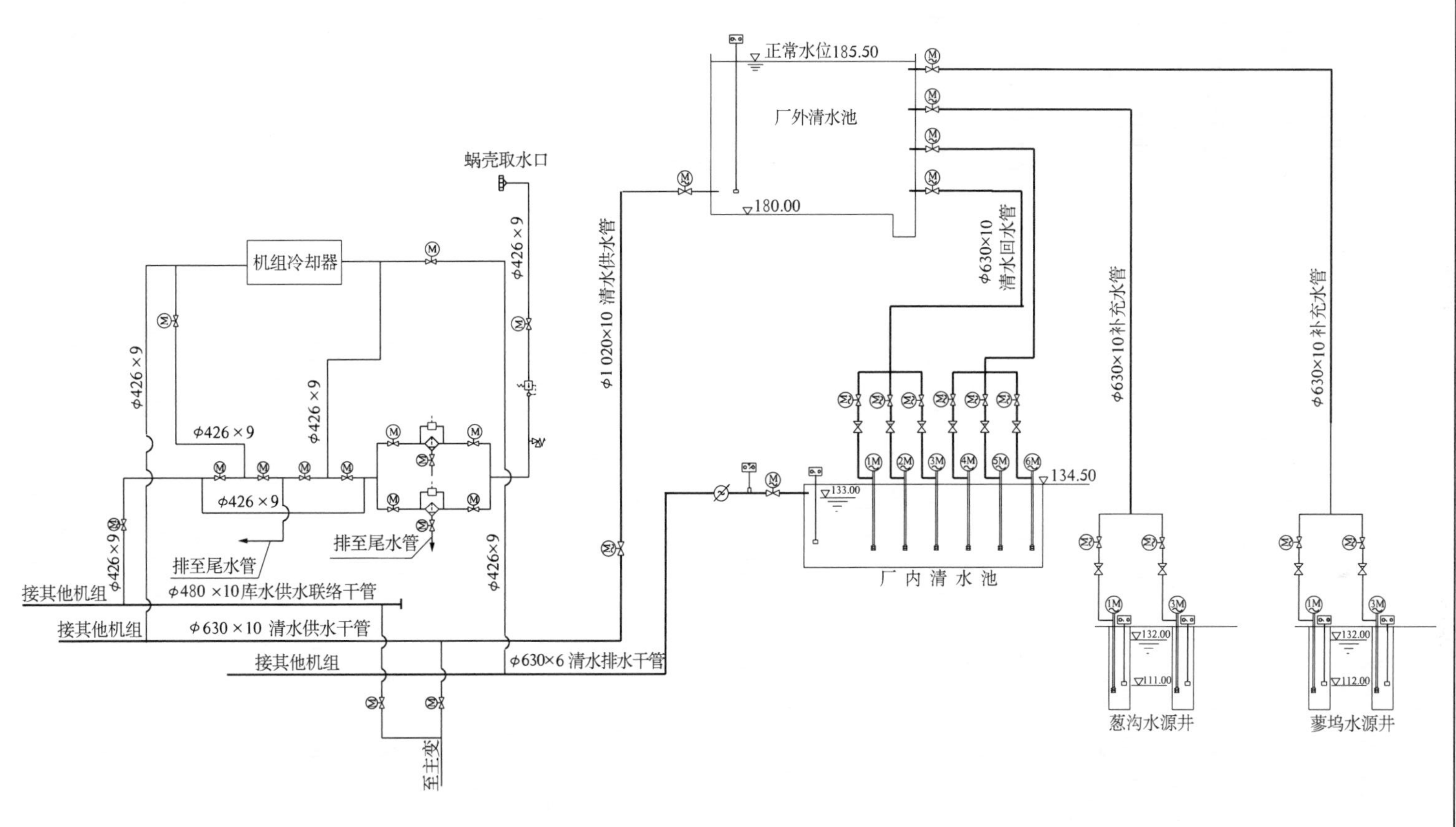


图 3-2-1 技术供水系统简图

2. 系统的防淤堵措施

为防止供水管道的淤堵,保证水轮发电机组的冷却用水,主要采取了以下一些技术措施:

(1)每台机组压力钢管取水口设置固定拦污栅,并装有压缩空气吹扫装置。

(2)每台机组压力钢管取水管路上均并联装设 2 台 $\phi$400mm 自动自清洗滤水器,可实现自动、手动和定时反冲洗,2 台滤水器互为备用。

(3)水轮发电机组冷却水每个机组段均设有正反向运行阀门组,通过该阀门组的切换,可以实现机组各冷却器的正反向通流,达到防淤、冲淤的目的。

(4)在一些容易淤积泥沙杂物的设备和管道上设有冲淤阀门和冲淤管道。

**(四)清水供水系统**

1. 系统概述

在汛期库水水质无法满足用水部位水质要求的情况下,采用清水供水系统。该系统主要由地下水水源井、清水池、回水池、回水泵及管路系统等组成。

清水供水系统的水源作为清水池的补充水,分别来自蓼坞、葱沟两地的水源井和消力塘一级加压泵站,由水泵加压经管路系统送至厂外容积为 10 000$m^3$ 的清水池。清水池的水自流供给主厂房水轮发电机组及其他用水部位。

水轮发电机组各冷却器升温后的冷却排水经尾水锥管排泄,或排至厂内回水池(回水池有效容积约 1 700$m^3$),由回水泵扬回厂外 10 000$m^3$ 清水池,与由水源井提供的清水进行混合后,循环供机组冷却使用,以节约地下水的用量。

厂外清水水源的补充水量按正常运行的最大负荷工况确定,可供使用的最大补充水量约 5 000$m^3$/h。清水水源共设置 3 个供水井点:一个为葱沟,有两口水源井,总供水量 $Q$ 为 2 600$m^3$/h 左右,距厂外清水池的供水管线长度为 2.12km;另一个为蓼坞,有两口水源井,总供水量 $Q$ 为 1 000$m^3$/h 左右,距厂外清水池的供水管线长度为 1.97km;还有消力塘一级加压泵站供水点,水源来自消力塘排水廊道的渗漏水,供水量 $Q$ 为 600$m^3$/h 左右,距厂外清水池的供水管线长度为 1.63km。

2. 主变压器冷却供水方案选择

电站 6 台 360MVA 主变压器采用地下布置、水冷却方式。水冷却器由日本生产,为沉沙型。每台主变压器需冷却水量为 144$m^3$/h,配有 3 组水冷却器,2 组主用,1 组备用。设计含沙量为 25kg/$m^3$。

非汛期及汛期过机水流泥沙含量相对较低的时段,主变压器冷却器的水源可由库水提供,而汛期在库水水质不能满足要求的时段,需由清水系统来承担向主变压器供水的任务。清水供水可选择如下两种方案:

(1)厂外清水池直接供水方案。由厂内清水供水干管直接接 3 条支管(其中 2 条主用,1 条备用),引至主变压器冷却供水干管,再分别供给各主变压器冷却器,冷却后的升温水排至下游尾水。

(2)水轮发电机组冷却排水供水的方案。适当提高主变压器冷却器进水设计温度,将水轮发电机组冷却后的排水由管道泵进行加压后,供主变压器冷却使用,冷却后的水排至下游尾水。

经过对上述两个主变压器冷却供水方案的比较论证,从小浪底工程区域地下水资源较为贫乏的实际情况考虑，采用水轮发电机组冷却排水加压供给主变压器冷却器重复使用的供水方案能达到节约地下水资源的目的。但由于该方案设备元器件较多，操作控制相对较为复杂，对冷却水可靠性要求较高的主变压器而言不宜采用。而厂外清水池直接供水方案相对比较简单，自动化操作容易实现，有利于提高供水的可靠性。而且，每年汛期必须利用清水对主变压器进行冷却的时段不是很长，总的水量消耗不大。因此，推荐采用了方案一，即汛期库水高含沙量时由厂外清水池直接向主变压器供水。

3.清水供水系统热循环计算

清水供水系统由水源井的供水泵、厂外供水管路、厂外 10 000m$^3$ 清水池、用水设备(冷却器)、回水池、厂内回水泵、回水管路等组成。相对于其他工程而言，系统设备(设施)较多，运行方式复杂。为了使系统在电站不同运行方式下均能灵活运用，并最大限度地节约地下水，对不同的机组运行台数下所需要的补充水量及回水量进行了热循环计算，以确定相应的补充水泵和回水泵的运行台数。

1)热循环计算结果

由于不同的室外温度条件和机组的复杂运行工况条件，供水系统的热循环计算工作显得十分复杂。为此，计算仅按控制工况进行，并对计算边界条件作了一些假定。

计算工况按 5 台机满负荷运行考虑，总用水量 6 925m$^3$/h，计及主变压器冷却水量后共需水量为 7 645m$^3$/h。3 地水源井点中，葱沟水源井可供水量最大，为主供水水源，而蓼坞及消力塘加压泵站将作为备用水源使用。因而计算中以葱沟水源井及其供水管线为主要计算对象，室外供水管道采用硅酸铝进行保温，控制冷却器的进水温度不大于 25℃。根据抽水试验结果，井水出水温度为 17℃左右，计算时计及了设备引起的温升及周边环境的影响。在满足主要用水部位水温要求的前提下，以水源井的补充水量最小为原则，计算得出如下结果：

(1)4 台以下水轮发电机组运行时，葱沟水源井 2 台水泵运行时的补充水量(约2 600 m$^3$/h)，可以满足机组安全运行要求。

(2)5 台机运行时，葱沟水源井的 2 台水泵加上蓼坞水源井的 1 台水泵运行，总补充水量约 3 600m$^3$/h，需由回水泵将机组冷却排水中的 4 045m$^3$/h 抽回厂外清水池与补充水混合后进行循环使用。在此情况下，投入 3 台回水泵来抽取 3 台机组的冷却排水，可基本满足机组冷却水水温及水量平衡的要求。

(3)电站 6 台机同时运行的机会很少，计算中作为一种校核工况进行复核。此种情况下的总冷却需水量为 9 174m$^3$/h，葱沟、蓼坞和消力塘加压泵站 3 地水源井 5 台水泵的可补充水量约 4 200m$^3$/h，将机组冷却回水约 5 000m$^3$/h 抽回厂外清水池进行循环使用，可基本满足机组冷却水的水温要求。在此情况下，需要将 6 台运行机组中 4 台机的冷却排水由 4 台回水泵工作进行循环使用，水量也基本平衡。

2)厂外清水补充水源和补充水管道

根据热循环计算结果，葱沟两口水井水泵的总出水量为 2 600m$^3$/h，基本上满足了水轮发电机组的运行要求。另两个供水井点共计可提供水量约 1 700m$^3$/h，可作为水轮发电机组冷却的备用水源。

按照沿管线地形条件，补充水管道多为明敷布置。考虑管路防腐及保温的需要，厂内部分供、回水管道和厂外全部供水管道采用硅酸铝进行防护。

## 四、系统主要设备选择

### (一)滤水器选择

根据对水轮发电机组冷却水量的计算与分析,1台水轮发电机组的总冷却水量 $Q$ 约为1 500m³/h。按此水量,每台水轮发电机组选用2台LSQ - A - 1400型 $\phi$400mm电动旋转滤水器,1台主用,1台备用。滤水器的过滤精度为5mm,主要作用是将水中较大颗粒的污物过滤掉,滤水器可实现自动、手动和定时反冲洗。全厂共选用12台,每台设计流量 $Q$ 为1 400m³/h。

### (二)厂内回水泵选择

1.设计流量选择

根据技术供水系统热循环计算结果,补充水量 $Q$ 为2 600m³/h时,可基本满足4台及以下水轮发电机组冷却用水需要。当5台水轮发电机组运行时,需要将 $Q$ 为4 045m³/h的水轮发电机组冷却排水送回厂外清水池循环使用。当6台水轮发电机组运行时,需要将 $Q$ 约为5 000m³/h的水轮发电机组冷却排水送回厂外清水池循环使用。为简化系统控制程序,尽量使机组的冷却水以整台机全部弃、回的方式运行,使所选回水泵的流量接近1台机组的冷却排水量。按此需要,选用单泵流量为1 300m³/h。

2.设计扬程选择

厂外清水池最高水位为185.50m,厂内回水池最低水位为122.50m,位置差为63.0m。选用2根 $\phi$630mm × 10mm焊接钢管,从厂内回水池到厂外10 000m³清水池的管线长度为890m,考虑管线水头损失后,确定回水泵的扬程为100m。

根据所确定的设计流量与扬程,最终选择6台500RJC1250 - 100型立式深井泵。在最大负荷工况下,4台工作,2台备用。

### (三)厂外水源井水泵选择

1.葱沟水源井水泵选择

1)设计流量选择

按照抽水试验结果,葱沟水源地两口水井的出水能力为2 500 ~ 3 000m³/h。根据技术供水系统设计要求和水源井的实际出水能力,选择单泵设计流量为1 300m³/h。

2)设计扬程选择

厂外清水池最高水位为185.50m,厂外葱沟补充水源井点最低水位为112.0m,位置差为73.50m。2台泵合用1根 $\phi$630mm × 10mm供水钢管,从葱沟补充水源井点到厂外10 000m³清水池的供水管线长度为2 120m,考虑沿管线水头损失后,确定水泵的扬程为120m。

根据所确定的设计流量与扬程,最终选择2台750SG1300 - 120型立式深井泵。此2台水泵为清水供水系统的主用泵,正常情况下,系统优先启用该泵组。

2.蓼坞水源井水泵选择

1)设计流量选择

按照抽水试验结果,蓼坞水源地两口水井的出水能力约1 000m³/h。据此选择单泵设计流量为1 000m³/h。

2)设计扬程选择

厂外清水池最高水位为185.50m,厂外蓼坞补充水源井点最低水位为112.0m,位置差为73.50m。选用1根$\phi$426mm×10mm钢管,从蓼坞补充水源井点到厂外清水池管线长度为1 970m,考虑管线水头损失后,确定水泵扬程为106m。

根据所确定的设计流量与扬程,最终选择2台500RJC1000－29×4型立式深井泵,其中1台主用,1台备用。

3.消力塘一级加压泵站水泵选择

1)设计流量选择

消力塘排水廊道的出水能力约550m$^3$/h。根据技术供水系统设计要求,确定选择单泵设计流量为280m$^3$/h。

2)设计扬程选择

厂外清水池最高水位为185.50m,消力塘一级加压泵站进水池的最低水位为146.5m,实际水位差为39.0m。3台泵共用1根$\phi$377mm×9mm钢管,从消力塘一级加压泵站水泵房到厂外清水池的管线长度为1 610.0m。考虑管线水头损失后,确定水泵扬程为63.0m。

根据所确定的设计流量与扬程,最终选择3台200S63型离心泵,其中2台主用,1台备用。

4.技术供水系统主要设备

最终选定的技术供水系统主要设备见表3-2-1。

表3-2-1　技术供水系统主要设备

| 序号 | 设备名称 | 设备型号 | 规　　格 | 数量 | 备注 |
|---|---|---|---|---|---|
| 1 | 厂内回水泵 | 500RJC1250－100 | 额定流量 $Q$ = 1 300m$^3$/h,设计扬程 $H$ = 100m | 6 | 4主2备 |
| 2 | 旋转滤水器 | LSQ－A－1 400 | 额定流量 $Q$ = 1 300m$^3$/h, DN400mm | 2 | 1主1备 |
| 3 | 葱沟供水泵 | 750SG1300－120 | 额定流量 $Q$ = 1 300m$^3$/h,设计扬程 $H$ = 120m | 2 | 主用水泵 |
| 4 | 蓼坞供水泵 | 500RJC1000－29×4 | 额定流量 $Q$ = 1 000m$^3$/h,设计扬程 $H$ = 106m | 2 | 1主1备 |
| 5 | 消力塘供水泵 | 200S63 | 额定流量 $Q$ = 280m$^3$/h,设计扬程 $H$ = 63m | 3 | 2主1备 |

## 五、供水系统自动化

### (一)发电机冷却水

1.冷却水温

水轮发电机空气冷却器进、出口水温,上、下导轴承冷却器进、出口水温,推力轴承冷却器进、出口水温均在机旁及中央控制室显示,当进水温度超过25℃,或出水温度超过30℃时报警。

2.冷却器示流信号

水轮发电机空气冷却器出口示流信号,上、下导轴承冷却器出口示流信号,推力轴承冷却器出口示流信号作为水轮发电机组开机条件之一,并在机旁及中央控制室显示。

3.流量计量

水轮发电机空气冷却器进水流量,上、下导轴承冷却器进水流量,推力轴承冷却器进水流量等均采用电磁流量计进行计量,并在机旁及中央控制室显示与记录。

**(二)水轮机冷却水**

1.冷却水温

水轮机导轴承冷却器进、出口水温及水轮机主轴密封进口水温均在机旁及中央控制室显示,当进口水温超过25℃,或出口水温超过30℃时报警。

2.冷却器示流信号

水轮机导轴承冷却器出口示流信号、水轮机主轴密封进口示流信号作为水轮发电机组开机条件之一,并在机旁及中央控制室显示。

3.流量计量

水轮机导轴承冷却器进水流量、水轮机主轴密封进水流量均采用电磁流量计进行计量,并在机旁及中央控制室显示与记录。

**(三)主变压器冷却水**

冷却器进水口的水温及压力在中央控制室显示,水温一般为28℃,当超过30℃时报警。进口水压力达到0.1MPa以上时,发报警信号。

**(四)机组段技术供水设备的自动化**

(1)每台水轮发电机组压力钢管取水口经减压阀减压后的压力信号在中央控制室显示,经计算减压阀后的水压整定值为0.6MPa。减压阀后配有安全阀,当减压阀后水压高于0.75MPa时自动泄压。

(2)2台$\phi$400mm电动旋转滤水器的运行能根据需要进行自动或手动现场切换。

(3)$\phi$400mm电动旋转滤水器的差压信号在机旁及中央控制室显示。

(4)$\phi$400mm电动旋转滤水器能根据压差实现自动控制反冲洗机构并自动排污,压差值可根据水库来水情况进行整定。

**(五)其他自动化要求**

(1)厂内回水池回水泵根据水池水位自动起停主、备用水泵及发出报警信号。

(2)根据厂外清水池的水位及水温来控制水源井主用和备用水泵的起停,并发出相应的报警信号。

## 六、系统主要设备及管道布置

**(一)主要设备布置**

(1)滤水器。每台水轮发电机组设置2台$\phi$400mm电动旋转滤水器,均布置在厂房水轮机层的第Ⅰ象限。

(2)厂内回水泵。厂内6台回水泵(其中4台工作,2台备用)按一字形布置在安装间水轮机层上游侧。

(3)厂外水源井水泵。厂外补充水水泵共计7台,其中葱沟水源井和蓼坞水源井各设2台,消力塘一级加压泵站设3台。

**(二)主要管道布置**

1.厂内主要管道布置

(1)清水供水干管。从厂外清水池经8号交通洞、管道竖井、地下副厂房底部管廊到主厂房内水轮机层 134.50m 高程下游侧地面，明敷清水供水干管 1 条。管径由1 020mm×10mm 渐缩为 630mm×10mm。

(2)清水排水干管。沿水轮机层 134.50m 高程下游侧到安装间厂内回水池埋设清水排水干管 1 条。管径由 720mm×10mm 渐缩为 630mm×10mm。

(3)清水回水管道。厂内 6 台回水泵中，每 3 台泵并联组成一个单元，公用 1 根 630mm×10mm 回水干管，2 根回水干管与清水供水干管同线路敷设至厂外清水池。

(4)库水供水联络干管。$\phi$480mm×10mm 库水供水联络干管埋设布置于水轮机层(134.50m 高程)上游侧地面以下。

2.厂外清水供水管道

厂外清水供水干管共布置 3 条。蓼坞供水井 $\phi$426mm×8mm 供水管路沿 8 号公路、桥沟大桥至厂外清水池，管线全长 1 970m。葱沟供水井 $\phi$630mm×10mm 供水管路沿 20 号公路、11 号公路、11 号桥、7 号交通洞，穿过 14 号公路，沿 8 号公路至厂外清水池，管路全长 2 120m。消力塘一级加压泵站 $\phi$377mm×9mm 供水管路穿过 20 号公路，经消力塘 3 号竖井、4 号竖井，沿油库边到 7 号交通洞前与葱沟供水管线并行穿过 7 号交通洞和 14 号公路，沿 8 号公路敷设至 180.0m 高程平台后与蓼坞供水管线连接，送至厂外清水池。

## 七、管道安全防护

由于技术供水系统管道较多，管道过水流量较大，受地形的影响，管线布置复杂，各泵站扬程也较大。因此，在工程的施工设计阶段，对主要供、回水管道的水锤防护措施的研究问题给予了充分的重视。

清水供水系统葱沟、蓼坞、消力塘一级加压泵站 3 个供水水源点至 10 000$m^3$ 清水池的长距离供水管线和厂内回水泵房至 10 000$m^3$ 清水池的 2 条大口径回水管线均采用了较高扬程和流量的水泵扬水，如果不采取相应的防护措施，一旦在抽水过程中出现水泵断电的情况，将会产生很大的水击压力，危及系统的安全运行。根据各条管线的特点和重要程度，宜采取不同的水锤防护措施。

经计算，如不采取任何防水锤的措施，在运行中水泵突然断电的情况下，相应管线均不同程度地存在着水柱分离现象，并由此而诱发较大的正水锤，最大压力可达水泵工作扬程的 3~4 倍，将会对系统的安全运行构成威胁。主要原因是由于受地形条件的制约，管线布置不可避免地存在高程方面的起伏，且由于深度很大的水源井采用了长轴深井泵，自泵房水井开始的很长一段管路正常运行时均处于压波线之上。

根据各条管线的不同特点，分别采取了较安全、简便的防护措施。回水泵房至厂外清水池的 2 条 $\phi$630mm×10mm 回水管，在水泵断电情况下的水锤防护措施，比较了调压塔、压气罐和由 $\phi$1 000mm 供水管直接补水等防护方案，各方案均能达到有效降低突然断电情况下的管道内水击压力的目的。其中采用 $\phi$1 000mm 供水管直接补水的防护方案具有系统最为简单、投资省、易布置等特点。因此，最终采用了 $\phi$1 000mm 供水管与该 2 条回水管道之间设管道与止回阀连接的防护方案。水泵突然断电情况下，当回水管道出现水压降低现象时，供水管道可及时进行补充，以防止水柱脱流，避免进一步诱发高的水击压力的危险。葱沟、蓼坞、消力塘一级加压泵站 3 个供水水源点至 10 000$m^3$ 清水池的长距离供水管线均采用了以压气罐为主的防护方案，在泵房及沿管线突高部位辅以补气排气阀，为提高防护效果，空气罐均靠近水泵出口。

## 第三节　机组检修排水系统

电站机组检修排水系统的设置是为了机组检修时排除水轮机流道中的积水，该系统设计的合理与否，将直接影响机组检修工作的正常进行。

### 一、多沙水流电站机组检修排水系统现状

多泥沙河流上水电站的机组检修排水系统设计有其自身的特殊问题，应根据水流的含泥沙情况、机组容量的大小、电站主厂房布置形式等多种因素加以研究后进行设计。从对已建的刘家峡、青铜峡、天桥、三门峡等电站的机组检修排水系统的调研情况分析，必须采取有效方法排除多沙水流，才能确保机组正常检修。如天桥电站机组检修排水系统采用了设排水廊道间接排水方案，由于含沙水流进入排水廊道后机组检修排水泵不能迅速地将其排出厂外，水流在廊道内积蓄，随之泥沙沉积在廊道内，只能采用人工挖出，抬至厂房外。该方法既不利于电站的运行管理，也加大了工人的劳动强度，而且易造成工作环境的污染。

### 二、系统方案选择

为防止泥沙淤堵及沉积给机组检修排水带来的困难，曾拟订了 3 种系统方案，从技术可行、布置简便、操作简单、经济合理等诸方面进行分析比较。

#### (一)立式深井泵直接接尾水管抽排方案

采用立式深井泵直接接尾水管抽排方案(见图 3-3-1)的优点是取消了较长的引水管道和容纳积水的廊道或积水井，减少了易于淤堵的环节，水泵电机可以布置在电站尾水位以上，发生尾水倒灌时，水泵仍能正常运行，保证电站安全。

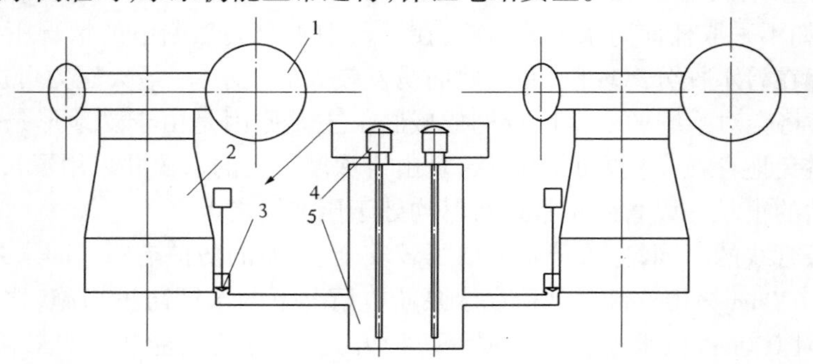


**图 3-3-1　机组检修排水方案一**

1—蜗壳；2—尾水管；3—排水盘阀；4—排水龙头坑；5—立式排水泵

小浪底电站安装 6 台机组，组成 3 个单元。采用该方案存在排水设备多、布置分散及操作、维护不便的缺陷，且水泵的吸水坑有淤死的隐患，清淤困难。同时，排水设备布置将

使主厂房轮廓尺寸加大，增加投资。

**（二）排水廊道积水、水泵抽排的间接排水方案**

排水廊道积水、水泵抽排的间接排水方案（见图 3-3-2），在许多水电站均有采用。该方案由于设置了较大容积的积水池，在打开尾水管、排水盘阀后，蜗壳、尾水管的积水短时间内迅速排入积水池，内部的水位发生骤降，使尾水门两侧产生较大压差，减少漏水量。如刘家峡水电站、天桥、三门峡等工程均采用了此种排水方式。

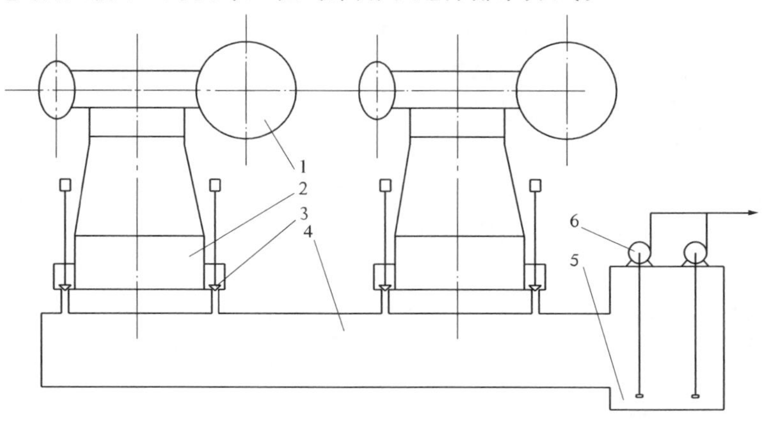


**图 3-3-2　机组检修排水方案二**

1—蜗壳；2—尾水管；3—排水盘阀；4—排水廊道；5—排水龙头坑；6—卧式排水泵

该方案集水廊道在发电主厂房中的较低位置，存在集水廊道易受泥沙淤积、清理困难的缺点。已建电站的运行实践证明，这些缺点将给电站运行带来非常大的工作量，且对厂房的环境影响较大，与水电站现代化管理要求极不协调。

**（三）在不积水的排水廊道内设置全封闭管路及离心泵组集中抽排的直接排水方案**

在不积水的排水廊道内设置全封闭管路及离心泵组集中抽排的直接排水方案（见图 3-3-3），是在以上两个设计方案的基础上提出的一种综合优选方案。该方案的优点在于管路系统全封闭，排水泵吸水管直接与封闭钢管连接，由于排水泵排水功率大，水流在管道中流速相对较高，水泵工作状态下，管道内泥沙不易沉淀淤积。

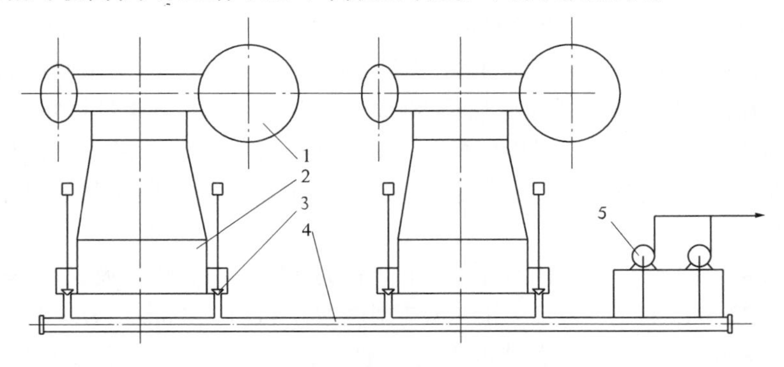


**图 3-3-3　机组检修排水方案三**

1—蜗壳；2—尾水管；3—排水盘阀；4—排水干管；5—卧式排水泵

该方案的优势还在于不设水泵吸水龙头坑、全厂机组可共用水泵设备、泵组集中布置、排水设备少、易于管理等。缺点是排水时不能利用积水廊道的容积,使机组过流段的水突然释放,不利于尾水管内水位产生陡降,造成尾水门密封效果不好;其次由于排水管道较长,泵房设置位置较低,泵组设备易受潮,管道和泵体仍有淤塞的可能。

以上三种排水方案,前两种是清水电站根据自身特点较常用的方式,但运用于多沙水流电站则存在明显缺点。第三种排水方案在前两种方案的基础上,充分考虑泥沙对管道和排水设备带来淤堵的问题,采取减少和避免淤沙的环节,争取使淤塞事故控制在可机械处理的范围内。小浪底电站机组检修排水系统就是在此方案的基础上进行优化的结果。

**(四)电站机组检修排水系统设计**

小浪底电站的机组检修排水系统设计方案,充分考虑多沙水流的特点和运行条件,采用了在不积水的排水廊道内设置全封闭管路及离心泵组集中抽排的直排方案,并在排水干管上设置高压清水冲淤管道及放空措施加以完善(见图 3-3-4)。

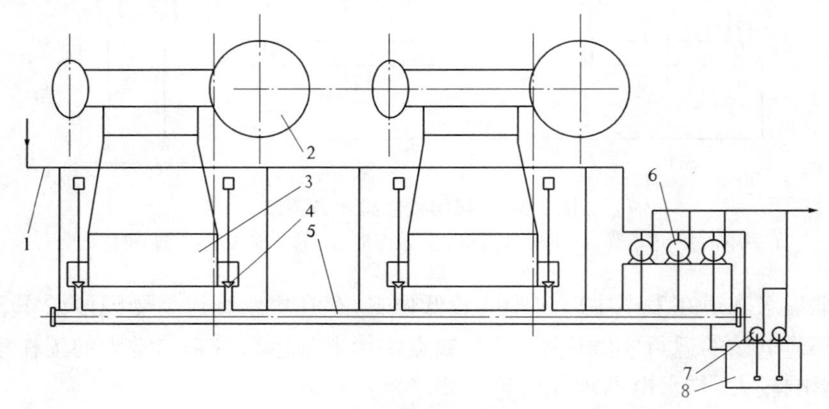


**图 3-3-4　采用的机组检修排水方案**

1—高压清水冲淤管;2—蜗壳;3—尾水管;4—排水盘阀;5—排水干管;
6—检修排水泵;7—渗漏排水泵;8—渗漏集水井

该方案设置了高压冲水管道,可以在排水干管放空后对可能的沉积泥沙进行冲刷,也可在发生淤塞后进行冲淤,大大减少了常规机组检修排水系统所带来的问题,也为电站运行的自动化提供了条件。当机组检修需要排除电站尾水位以下的发电引水钢管、蜗壳、尾水管内的积水(约 12 400m$^3$)时,关闭上游引水发电进口闸门、下游尾水闸门,通过蜗壳和尾水管的排水盘阀,将水排至排水干管($\phi$800mm),经排水泵排至 4 号机组或 6 号机组尾水管内,排水时间为 5 ~ 6h。根据检修的机组单元情况,可以采用操作阀门切换排水管,控制水流向非检修机组尾水排放,控制切换的阀门组安装在尾水管盘阀操作廊道内(120.2m高程)。

检修排水泵房内安装 5 台排水泵,其中 2 台为 14SH – 19 型双吸泵($Q = 972 \sim 1\ 440$ m$^3$/h,$H = 32 \sim 22$m),1 台为 300ZJ – Ⅱ – A87 型渣浆泵($Q = 760$m$^3$/h,$H = 32.5$m)。另外,为排除泵房内渗漏水及兼顾检修排水干管的放空,在检修泵房内还设置有 2 台 80ZJ – Ⅰ – A35G型渣浆泵($Q = 76$m$^3$/h,$H = 47.4$m)。

在抽排水轮机流道积水的初始阶段,由 2 台双吸泵同时工作,经 1 根 $\phi$600mm 的排水管排至 4 号或 6 号机组尾水管,待水位降至 116.0m 高程后,改由 1 台渣浆泵继续抽排剩余积水和排除上下游工作闸门的渗漏水,以保证在机组检修时水轮机流道不积水。尾水管内积水的抽排由安装在排水干管上的水位计控制渣浆泵的起停,将积水排至 111.40m 高程。当需要将尾水管底部的剩余积水完全放空时,可打开排水干管末端的放水阀,排放至检修泵房内的集水井,再由渗漏排水泵将水排除。

每台机组在蜗壳进口处设置检修排水盘阀 1 台,其操作廊道设在主厂房上游侧 121.40m高程处。

每台机组在尾水管下平段设置尾水排水盘阀 2 台,其操作廊道设在主厂房下游侧 120.20m 高程处。

排水干管廊道位于主厂房下游侧的尾水管底板下 104.85m 高程,贯穿全厂,断面尺寸为宽 2.50m、高 3.0m。检修排水泵房位于安装间下方 104.65m 高程,泵房尺寸为宽 9.0m、长 26.0m,与排水干管廊道左端(面对下游)相连。

当机组检修完毕需开机时,打开相邻机组的尾水管排水盘阀,利用检修排水管路系统对该机组进行充水,以满足尾水闸门平压开启的要求。

电站的机组检修排水系统防淤堵采取了如下措施:

(1)在尾水管排水口处设有拦污隔栅,以防止杂草及较大颗粒的石块进入排水管道。

(2)排水干管以 2‰的坡降,自 1 号机组端向检修排水泵房倾斜。

(3)自布置在水轮机层的技术供水干管分别引水,供检修排水干管冲淤使用,引水管径 150mm。在尾水管排水盘阀操作廊道(120.20m 高程)设有 $\phi$150mm 联络管道。在每台机组尾水管两侧,分别自该联络干管引 $\phi$32mm 支管至检修排水干管,待排水干管排水完毕后,手动打开阀门放水冲淤,其阀门设在尾水管排水盘阀操作廊道内。

(4)排水泵出水管末端设有逆止阀,防止尾水倒灌。在排水干管最低处接一放空管,当机组检修完毕,蜗壳及尾水管排水盘阀关闭后,可将总排水干管内剩余积水由放空管排至检修排水泵房内的渗漏集水井中,通过渗漏排水泵排至 4 号或 6 号机组尾水管。在非检修期间,检修排水总干管保持无水状态,避免泥沙堵塞管道。

(5)一旦发生管道淤塞,采取冲淤措施无效时,可以进入检修排水干管廊道,打开管道连接段进行清理。

**(五)尾水洞检修排水**

明流尾水洞和尾水闸门门槽有检修的要求,虽概率很小,但仍应考虑检修的措施。在检修明流尾水洞或尾水闸门门槽时,需将整条明流尾水洞排空,总排水容积一般为4 万~8 万 m$^3$。如单独为其设 1 套排水设备将造成设备浪费,因此考虑与机组检修排水系统共用设备。

机组检修排水系统设备选型时,考虑了承担此部分排水任务的需要。其操作过程为:检修任何 1 条尾水洞时(每 2 台机组共用 1 条尾水洞,全厂共 3 条尾水洞),洞内积水经相应的机组尾水管排水盘阀排入检修排水干管,由机组检修排水泵排至此时不进行检修的尾水管,抽水时间约 24h。

机组检修排水可分别引向 4 号与 6 号机组的尾水管。通过管道上控制阀组的切换,将积水排入不检修机组的尾水管。机组检修排水系统管道主要采用焊接钢管材料。

## 第四节 厂房渗漏排水系统

### 一、主厂房渗漏排水

电站主厂房渗漏排水系统主要承担以下几部分来水的排除任务：

(1)厂内水工建筑物的渗水。

(2)机组顶盖排水。

(3)各辅助设备冷却排水和管道阀门的漏水。

因工程区域地质条件较差,地下厂房围岩渗水性较强,尽管水工建筑物设计时采取了许多防渗措施,但漏水量仍较大。施工设计阶段水工专业所提供的厂房围岩渗漏水量为4 000$m^3$/d。考虑厂房内部分机械附属设备的冷却排水,并留适当余量后,电站渗漏排水系统的总渗漏水量按218$m^3$/h进行设计。

为了保证主厂房内有良好的工作条件,地下厂房水工设计时,采取了防排水措施,在主厂房四周构成了一道封闭的排水幕,以有效地截断水库方向渗透的地下水。排水幕所拦截下来的厂房围岩渗水主要汇集至厂房上游侧30号排水洞(高程117.00～125.00m),然后汇入厂房渗漏集水井。其余各部分渗漏水由设置在主厂房水轮机层及盘阀操作廊道内靠侧墙的排水沟汇集至厂房渗漏集水井。渗漏集水井底部高程103.76m,容积350$m^3$,有效容积308$m^3$。

渗漏排水泵房布置在主厂房3号与4号机组段之间,泵房地面高程118.20m,面积5.5m×7.4m,与厂房上、下游盘阀操作廊道(高程分别为121.40m和120.20m)连通,内设500RJC1250－30×2型深井泵($Q$＝1 000$m^3$/h,$H$＝46m)2台,1台主用,1台备用。

在集水井内设置水位计控制水泵的起停,为增加可靠程度,水位计设置2套。设定主用泵起动水位116.60m,备用泵起动水位117.26m,报警水位117.46m,停泵水位107.40m。水泵排水管沿机墩混凝土埋设引至3号机组尾水闸门外侧、2号尾水洞内,排水管管径为350mm。考虑到2号尾水洞检修的需要,从排水管出口接岔管分别引至4号与5号机尾水闸门外侧,这样厂房渗漏排水可以分别排到2号及3号尾水洞,并有阀门可以控制排水出口的切换。其中的任何一条尾水洞检修,不影响厂房渗漏排水系统的正常运行。

按上述水量及水泵选型参数,正常情况下1台主用泵工作时,在24min内可将集水井内的集水抽完,抽水间隔时间为85min。

工程建设期间,发现实际的厂房围岩渗漏水量较设计采用数值要增大许多,水泵运行起停频繁,工作时间较设计延长较多。另外,施工期间进入集水井的水中含有较多杂物,导致水泵电机在运行一段时间后两次烧毁。

据观测,水库下闸蓄水前,厂房30号排水洞日平均排水量为2 400$m^3$/d。1999年10月25日水库下闸蓄水,库水位在220m以下时,30号排水洞排水量维持在3 000$m^3$/d左右,库水位超过220m,尤其是超过226m后,排水量突增。2000年10月30日库水位234.1m时,30号排水洞的排水量约7 000$m^3$/d,厂房区总排水量达9 000$m^3$/d左右。随着水库蓄水位的上升,厂房围岩的渗漏水进一步增加,但实际增加量呈减少趋势。

由于厂房实际渗水量较设计值增加了1~2倍，造成排水泵起动运行频繁、工作负担加重，设计所配置的厂房排水系统设施的容量及规模已不能满足安全运行的需要，对厂房及机电设备的安全运行构成隐患。受渗漏排水泵房面积的限制，在渗漏排水泵房内增加布置排水设施已比较困难，而且集水井的容积也明显偏小。从地下厂房的安全角度考虑，工程施工后期，在渗漏集水井内另增加了1台潜水污水泵作为2台渗漏泵的备用，该泵安装在集水井内107.5m高程的平台上，并另外准备1台同型号的潜水泵作为冷备用。潜水泵型号为CP3231型（$Q=400m^3/h, H=44m$），配套出水管管径为200mm，接至设在4号机组段的检修排水泵出水侧的DN350mm的出水管上，可以经手动切换，分别排入4号或6号机尾水管。

为解除渗漏水量偏大给厂房安全构成的潜在威胁，将进入主厂房之前的30号排水洞渗漏来水（主厂房渗漏水主要来源）的一部分进行了分流，使进入主厂房的水量尽量减少。为此，在30号排水洞内、靠近6号机组端另外开挖了一个渗漏集水井（井底高程106.3m），其有效容积为445m³。在位于该集水井上部的17C号洞设排水泵房，内装2台500RJC 1000-24.5×2型立式长轴深井泵（$Q=1\ 000m^3/h, H=45m$），1台主用，1台备用。DN400mm的水泵出水管沿17C号洞敷设，渗漏排水管穿过17号进厂交通洞后，进入尾水闸门室，排水入尾水洞。该排水系统约可汇集30号排水洞渗漏水量的50%，极大地减轻了厂房排水系统的压力。

为实现水泵与出口阀门的联动操作（即开机时先开机、后开阀，停机时先关阀、后停机），水泵出口设有电动蝶阀。同时，为了长轴深井泵在起动初期的润滑需要，设有润滑水自动充水管路系统。

## 二、检修排水泵房渗漏排水

机组检修排水泵房位于地下厂房的最底层（104.65m高程），为了排除检修排水泵房四周围岩及管件渗漏水、放空检修排水总干管中的积水及排水泵出水管的剩余水量，在检修排水泵房中单独设置了集水井及排水设备。集水井有效容积40m³，设2台80ZJ-Ⅰ-A35G型渣浆泵（$Q=76m^3/h, H=47.4m$），1台主用，1台备用，由水位计控制起停。主用泵起动水位103.45m，备用泵起动水位103.95m，报警水位104.10m，停泵水位101.45m。集水坑底面高程为99.95m，泵房地面高程为104.65m。为实现泵的自动充水起停，设有充水电磁阀组及管道系统。

泵房渗漏水排至4号或6号机尾水管，由设置在尾水盘阀操作廊道内的阀门手动进行切换，水泵出水管管径为125mm，末端设有逆止阀，防止尾水倒灌。

## 三、进水塔排水系统

### （一）2号明流塔渗漏排水

为排除2号明流塔及相邻进水塔的渗漏水，在2号明流洞下方189.65m高程设置排水泵房，泵房尺寸为11m×6m，高4.5m，集水井有效容积为113m³。设置2台S250-39型离心泵（$Q=360m^3/h, H=42.5m$），1台主用，1台备用。由设置在集水井内的液位变送器自动控制起停，主用泵起动水位188.20m，备用泵起动水位188.70m，报警水位188.80m，停泵水位 186.50m。

离心泵组配有充水箱及管道系统,由电磁阀实现自动控制。

排水管采用焊接钢管,直径 250mm,出口设在 2 号明流塔 220.0m 高程处。

**(二)3 号发电塔渗漏排水**

为排除 3 号发电塔及相邻进水塔的渗漏水,在 3 号发电塔距 3 号孔板塔的端头 184.26m高程处设置排水泵房,泵房尺寸为 5.7m × 3.5m,高 3.54m,集水井有效容积为 34.13m$^3$。设置 2 台 150S78A 型离心泵($Q = 112 \sim 180m^3/h$, $H = 67 \sim 55m$),1 台主用,1 台备用。由设置在集水井内的液位变送器自动控制起停,主用泵起动水位 183.60m,备用泵起动水位及报警水位 184.10m,停泵水位 181.30m。集水坑底面高程为 180.00m,泵房地面高程为 184.46m。

离心泵组配有充水箱及管道系统,由电磁阀实现自动控制。

排水管采用焊接钢管,直径 200mm,出口设在 2 号明流塔 221.00m 高程处。

**(三)3 号明流塔渗漏排水**

为排除 3 号明流塔及相邻进水塔的渗漏水,在 3 号明流塔 217.80m 高程处设置排水泵房,泵房尺寸为 2.85m × 2m,高 2.2m,集水井有效容积为 1.4m$^3$。设置 1 台 KWQ × 10 – 34 – 2.2 型潜水电泵($Q = 10m^3/h$, $H = 34m$)。由设置在集水井内的液位变送器自动控制起停,泵的起动水位 216.80m,报警水位 217.30m,停泵水位 215.80m。集水坑底面高程为 214.80m,泵房地面高程为 217.80m。

排水管直径为 50mm,排至位于 237.80m 高程处的充水平压廊道里的排水沟内,再自流到事故门井。

## 第五节 油系统

在工程设计的不同阶段,对油系统的设计也进行了相应的优化工作。油系统的规模在按设计规程进行设置的同时,考虑了工程规模、电站在系统中的位置等因素。

电站油系统包括透平油系统和绝缘油系统两部分。由厂外油库、主厂房透平油系统、主变压器洞绝缘油系统和油化验 4 个单元组成。

### 一、厂外油库

油库的主要任务是:接收运油车送来的新油及设备检修排油,进行油的净化处理;储存清油并向设备供油。

为尽可能节省地下工程的开挖量,并从地下厂房的安全角度考虑,电站油库设在主厂房外。

厂外油库位于黄河北岸消力塘附近,与 14 号公路相邻,地面高程为 173.0m,占地面积约 2 500m$^2$,离地下主厂房约 1km。

油库由生产区和辅助生产区组成。生产区包括透平油库和绝缘油库、油处理室、值班室、工具间和事故油池。其中透平油库和绝缘油库为露天平行布置,两油库各长 22m、宽 7.6m,两油库之间为油处理室,油处理室长 22m、宽 7m。油处理设备分两侧布置,一侧为透平油处理区,另一侧为绝缘油处理区。工具间、烘箱室、值班室等附属生产设施与透平油库和绝缘油库相邻。厂外油库布置如图 3-5-1 所示。

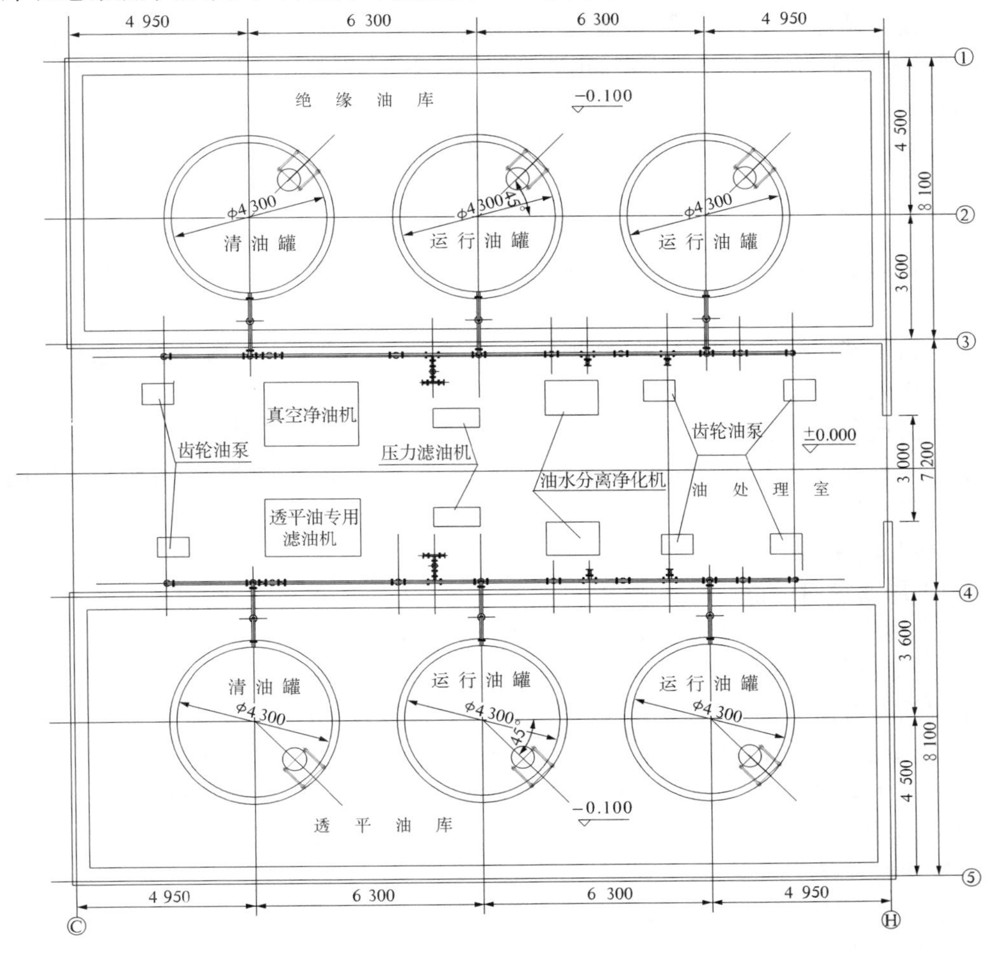


**图 3-5-1　油库平面布置图**　(单位:mm)

透平油库和绝缘油库内各布置 3 只容积为 $60m^3$ 的立式油罐(直径 $\phi = 4\ 300mm$,高度 $H = 4\ 500mm$),其中 1 只为清油罐、2 只为运行油罐。透平油罐的容积按 1 台机组用油量的 110%并留有一定的防火容积确定,绝缘油罐的容积按 1 台主变压器用油量的 110%并留有一定的防火容积确定。

透平油系统和绝缘油系统各配置 3 台 2CY－18/3.6－1 型齿轮油泵($Q = 18m^3/h$,$H = 0.36MPa$),通过 DN80mm 供排油管与油罐相连。设置 1 台 KCB－75 型移动油泵($Q = 4.5m^3/h$,$H = 0.36MPa$)用于事故排油。油库的净化设备选择按重复滤油同时进行,透平油系统容量均按 1 台机组所有透平油在 8h 内过滤完进行配置,设置 1 台 ZJCQ－9BF 型透平油专用滤油机($Q = 9m^3/h$,$H = 0.33MPa$)、1 台 LY－200 型压力滤油机($Q = 12m^3/h$,$H = 0.5MPa$)及 1 台 YSF－6 型油水分离净化机($Q = 6m^3/h$,$H = 0.33MPa$)。绝缘油系统设备容量按 1 台主变压器绝缘油在 24h 内过滤完进行配置，设置 1 台 ZJA－9BF 型真空净油机（$Q=9m^3/h$，$H=0.5MPa$），其压力滤油机及油水分离净化机配置同透平油系统。

为满足消防需要，透平油库及绝缘油库周围均设有 120mm 高的挡油坎，设有 1 个 $100m^3$ 的事故油池，油库发生火灾时，迅速打开油罐的事故排油阀，将油排至事故油池，以防火势蔓延。

透平油系统和绝缘油系统各配置 1 辆 $V=11.5m^3$ 的运油车，便于运油。

## 二、主厂房透平油系统

主厂房内安装 6 台单机容量为 300MW 的立轴混流式水轮发电机组，每台机组用油量约 $40m^3$。

为了机组添加油的方便及运行油现场过滤的需要，在地下厂房内设置规模相对较小的透平油中间油库。

主厂房透平油系统包括中间油库、系统管道等。中间油库布置在主厂房安装间下水轮机层 144.5m 高程，由油罐室、供油泵房、排油泵房、烘干机室和设备室等组成。中间油库的主要任务如下：

(1)接受运油车送来的新油。

(2)利用油泵向设备供油。

(3)利用压力滤油机或透平油专用滤油机对设备运行油进行现场净化处理。

(4)接受设备检修排油并送至运油车。

中间油库面积 $77m^2$，设置 2 只容积为 $15m^3$ 的卧式油罐，1 只为清油罐，1 只为运行油罐，以满足系统运行的需要。油处理室面积 $40m^2$，设置 2 台齿轮油泵，1 台为 2CY－12/6－1型（$Q=12m^3/h$，$H=0.6MPa$），1 台为 2CY－12/3.3－1 型（$Q=12m^3/h$，$H=0.33MPa$），分别用于向 1～3 号及 4～6 号机组供油，油泵容量按满足 4h 内充满 1 台机组所需的用油量选择。

排油泵房设置 1 台 2CY－18/3.6－1 型排油泵（$Q=18m^3/h$，$H=0.36MPa$），用于将运行油罐的设备检修排油排到安装间的运油车。

在设备室内设有 1 台 ZJCQ4BT 型透平油专用滤油机（$Q=4m^3/h$，$H=0.33MPa$）、1 台 LY－50 型压力滤油机（$Q=3m^3/h$，$H=0.5MPa$），滤油机的容量按 1 台机组所有透平油在 8h 内过滤完进行配置。另配 1 台 2CY－18/3.6－1 型移动油泵。上述设备均为移动式，使用时移至现场。

系统管道由贯通全厂的供排油干管和各机组供油、排油、溢油管道组成。系统管道主要运行方式如下：

(1)在安装间 144.50m 高程下游侧、进厂大门旁边设有 2 个活接头及 DN80mm 专用管路，一条用于中间油库接受运油车运来的新油，靠自流送到清油罐，另一条用于排出中间油库运行油罐中由机组检修排放的污油至停放在安装间的油罐车。

(2)利用供油泵将清油罐的清油通过贯穿全厂的 DN80mm 供油干管向机组各轴承及调速器操作油系统供油。

(3)为接受机组在运行时的溢油及下导检修时的排油，在主厂房上游侧蜗壳盘阀操作廊道(121.4m 高程)设有 1 个 1.5$m^3$ 的回油箱。通过回油箱上的油泵,可将油排到中间油库的运行油罐。

(4)发电机上导、推力、下导的检修排油利用移动式排油泵,通过全厂 DN80mm 排油干管排到中间油库运行油罐。

(5)各机组的供排油支管上设有现场净化用的油净化系统,使用时将设备室的滤油设备移至现场接入系统即可。

### 三、主变压器洞绝缘油系统

电站地下厂房采用三洞室布置形式,主变压器洞与主厂房平行布置,位于主厂房下游侧 33.95m 处。主变压器洞地面高程与主厂房发电机层相同,为 144.5m,洞内共布置 6 台主变压器和 3 台厂用变压器。主变压器电压等级为 220kV,每台主变压器用油量约 40$m^3$。

为了添加油和主变压器检修排油的方便,主变压器洞内设置绝缘油中间油库和设备间等。中间油库布置在主变压器洞进口上游侧,面积 72$m^2$,其任务如下:

(1)清油罐接受运油车送来的清油并向变压器供油。

(2)运行油罐接受变压器检修排油并送至运油车。

中间油库设置 2 只容积为 10$m^3$ 的油罐,一只为清油罐,另一只为运行油罐。设有 2 台2CY－18/3.6－1 型齿轮油泵(1 台为卸油泵,1 台为排油泵),油泵的容量按 6h 内充满 1 台主变压器的油量选择。

设备间存放 1 台 ZJA6BT 型真空净油机($Q = 6m^3/h, H = 0.5MPa$),满足 24h 内过滤完 1 台主变压器的油量,考虑到主变压器现场注油前要抽真空,设有 3 台 ZX－15 型真空泵($Q = 15L/s, H = 6 \times 10^{-2}Pa$)。为便于主变压器运行过程中添加油,设有 1 只容积为 1$m^3$ 的移动油罐,另设 1 台 2CY－18/3.6－1 型移动油泵用于变压器的检修排油。

油罐与油泵之间用 65mm 管道相连,与主变压器之间用 65mmZPVC 软管连接。

根据防火要求,6 台主变压器下面均设有事故油坑,周围设有固定水喷雾灭火装置,在 6 号主变压器端部设有 1 个公共事故油池。按 1 台主变压器载油量及水喷雾灭火时一次所消耗的水量之和确定其容积为 200$m^3$。

### 四、油化验

油化验设备按全分析配置,油化验室布置在地面副厂房,由化验室色谱分析室、天平室和药品库等组成,建筑面积约 120$m^2$。

## 第六节　压缩空气系统

按供气对象的不同,电站压缩空气系统共设置了 2 套中压压缩空气系统(供气压力分别为 6.4MPa 和 3.4MPa)和 1 套低压压缩空气系统。供气对象分别为调速器及筒形阀操作用油压装置、技术供水压力钢管取水口吹扫用气、机组制动、检修密封供气及工业用气等。电站机组不作调相运行。

电站 6 台(套)水轮机、调速器、筒形阀及油压装置均由美国 VOITH 公司负责供货,

6台(套)发电机则由哈尔滨电机厂和东方电机厂各供应3台。

## 一、6.4MPa 中压气系统

电站调速器及筒形阀共用的油压装置操作油压为6.4MPa,容积9.64m$^3$。每台机组设置1套,全厂共6套,为此而设置专用压缩空气系统。该系统共配置活塞式空压机3台,为提高空气的干燥度,选择了空压机及储气罐的压力高于压力油罐的压力,单台排气量0.42m$^3$/min,工作压力8.1MPa,其中2台主用,1台备用。与之相配套,还配置储气罐2只,每只容积为1.45m$^3$,工作压力8.1MPa。全厂设1根直径为50mm的供气干管,从该干管通过直径为20mm的支管引至每台机组的压力油罐。

整套压缩空气系统的设备、阀件及管路均随主机设备一起由美国VOITH公司供货。该中压气系统的3台空压机及2个储气罐集中布置于安装间139.00m高程的空压机室内。

## 二、3.4MPa 中压气系统

为防止技术供水压力钢管取水口的淤堵,设置专用压气系统,以对取水口进行定期的吹扫。该系统共配置型号为15T2A/XH20T5N-LN的空压机2台,单台排气量1.07m$^3$/min,工作压力3.4MPa,1台主用,1台备用。另外设置容积为4m$^3$的储气罐1个。全厂设1根$\phi$57mm×3.5mm的供气干管,从该干管引出支管,经减压阀减压后送至每台机组的压力钢管取水口。

中压气系统的2台空压机及1个储气罐布置在安装间135.0m高程的中压空压机室内。

## 三、低压气系统

低压气系统的主要供气对象包括机组制动用气、检修密封用气和工业用气等,压力等级为0.8MPa。根据电站电气主接线情况,一旦发生电气事故,有可能出现3台机组同时制动的情况。因此,按3台机组同时进行制动考虑用气量。制动前后储气罐内允许压力降为0.1MPa,按储气罐恢复气压时间10min计算机组制动空压机的生产率。经计算,制动用气共配置2台EP30S型螺杆式空压机,单台排气量3.5m$^3$/min,工作压力0.86MPa,1台主用,1台备用。

考虑到机组制动时对气的质量要求较高,故在每台空压机的出口设有IR150PC型空气过滤器。

按照空压机不起动,储气罐内气压维持在最低压力0.7MPa以上进行计算,配置2个容积为12m$^3$的储气罐,供机组制动使用。

工业用气主要作为吹扫、清污、除锈和机组检修用风动工具的气源。根据机组大修时的预计工作量,按同时使用4台风砂轮、1台风铲、1台电弧气刨计算,上述风动工具的总耗气量为8m$^3$/min。经计算,工业用气配置2台型号为EP200-Ⅱ型的螺杆式空压机,单台排气量20.0m$^3$/min,工作压力0.86MPa,1台工作,1台备用。配置容积为12m$^3$的工业用气储气罐1个。

为提高制动供气的可靠性及充分发挥工业用气设备的作用，将机组制动用气、检修密封用气及工业用气联合设置。在制动储气罐与工业用气储气罐出口通过连通管连接，在连通管上加一单向阀，使工业用气储气罐可以作为制动用气的备用气源，并确保制动用气不会被工业用气消耗。低压气系统见图 3-6-1。

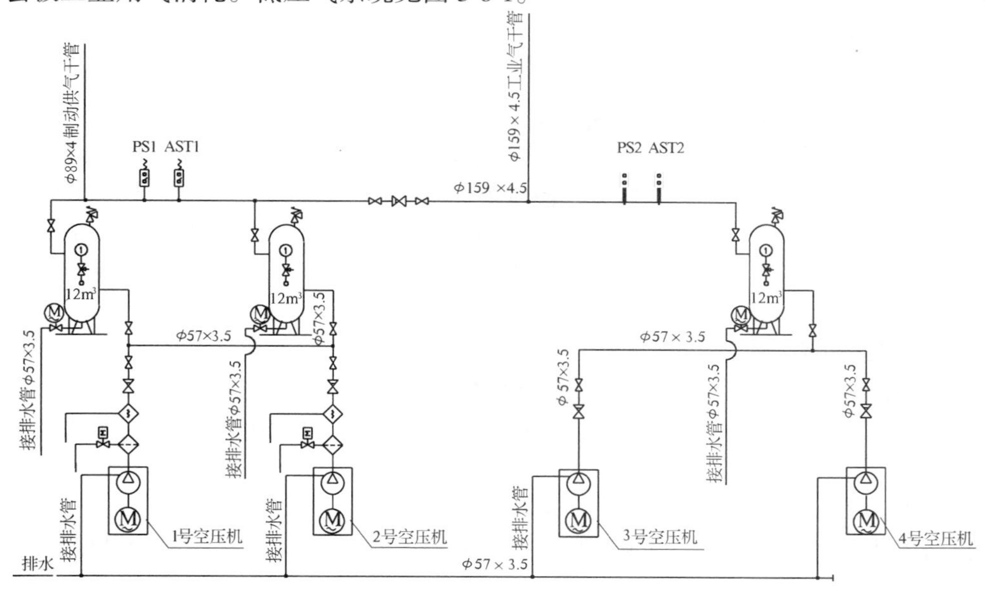


图 3-6-1　压缩空气系统简图

自储气罐引出的 φ89mm × 4mm 制动供气干管纵贯全厂，由此干管引出 φ22mm × 2.8mm的支管至每台机组制动柜。

因机组检修密封用气耗气量很小，所以也从制动供气干管上通过 φ22mm × 2.8mm 的支管引至每台机组检修密封用气处。

工业用气通过引自储气罐出口的 φ159mm × 4.5mm 工业用气供气干管纵贯全厂，并由此干管通过 φ89mm × 4mm 的支管引至每台机组段的发电机层、母线层、水轮机层、尾水管进人门处及操作廊道等可能使用压缩空气的部位，通过 φ57mm × 3.5mm 的支管引至安装间的上、下游侧，供检修机组时使用。

低压气系统的 4 台空压机及 3 个储气罐与中压气系统设备一起，集中布置于安装间下 139.00m 高程的空压机室内。

电站压缩空气系统中的空压机的起动和停机均能实现自动控制，空压机及储气罐均设有安全阀和压力过高、过低信号报警装置。

## 第七节　水力量测系统

为了掌握多泥沙水电站的水流规律及电站进水口前沿的泥沙淤积情况，指导机组的安全运行，在电站设计初期，便将水力量测系统的设计作为工程设计的重要一环。

小浪底电站的量测系统研发课题包括水轮机过机含沙量的量测技术、水轮机止漏环间隙量测装置、发电引水口前沿淤积状态监测装置、发电引水口进口拦污栅压差监测装置、适应高含沙水库及尾水水位的量测装置、水轮机高含沙水流流量量测装置等多种针对电站特殊水沙条件的量测装置研究。

## 一、量测装置研究

### (一)水轮机过机含沙量的量测技术

为了进行水轮机过流部件泥沙磨蚀研究,掌握原型水轮机在高含沙水流运行状况下的磨蚀规律和机理,指导机组运行,改善运行条件,及时了解水轮机过流部件的破坏程度,从而合理地确定检修时机,获得更高的发电效益,设置过机含沙量量测装置是十分必要的。在小浪底电站设计之前尚没有成功应用到原型机组的实例。因此,该项设备的研究具有一定的技术挑战性和创新性。

根据小浪底电站的实际情况,水轮机过机含沙量测量装置的技术要求包括:①能在线实时监测和记录;②测量范围应满足过流断面瞬间过流含沙量 0.5~400kg/m$^3$,测量误差小于±5%;③装置具有良好的抗震、防潮性能。能够满足以上条件的测量装置主要有以下几种。

#### 1.重力型半自动测沙装置

根据泥沙的密度 $\gamma_n$ 大于水的密度 $\gamma$,在定容积中盛浑水,其水中含泥沙量越多,总质量相应越大的原理,首先将定容积的清水进行率定,然后放入含沙水,电子秤称重记录后水中的泥沙量按式(3-7-1)计算:

$$X = [\gamma_n/(\gamma_n - \gamma)](W_s - W) \tag{3-7-1}$$

式中 $X$——含沙量,kg;

$\gamma_n$——泥沙的密度,kg/m$^3$;

$\gamma$——水的密度,kg/m$^3$;

$W_s$——水沙总质量,kg;

$W$——容器中清水质量,kg。

这种方法的优点是结构原理简明。缺点是浑水短时间内难以静止稳定,重力、压力、浮力测量受波动影响,时间长则泥沙会沉淀淤积,浮力、压力测量的代表性失效;不易实现连续、瞬间在线测量。

#### 2.波粒衰减类测沙仪器

声波、光波、放射性粒子射入浑水流体中,介质产生反射、散射、绕射以及复杂的物化反应,对于顺入射方向的一定行程,其能量的衰减将随含沙量的高低呈现显著变化,从而可依此检测水流中的含沙量。

射波的衰减公式为

$$I = I_0 e^{-aL} \tag{3-7-2}$$

式中 $I$——射入量;

$I_0$——初始射入量;

$a$——衰减系数;

$L$——介质行程。

声波、光波受水中泥沙粒径和穿射能力的影响较大，放射性粒子污染和安全性较差。

3.振管型测量仪

振动原理指出，棒体自由振动的基频周期 $T$ 与密度 $\gamma$ 的平方根成正比，反过来也即密度与基频周期的平方成正比。推演振动周期与水流含沙量的关系为

$$S_n = K(T_n^2 - T_0^2) \tag{3-7-3}$$

式中　$S_n$——浑水含沙量，$kg/m^3$；

$K$——修正系数；

$T_n$——浑水测量的振管频率，Hz；

$T_0$——清水测量的振管频率，Hz。

试验确定 $K$ 值、$T_0$ 值，建立 $S_n \sim T_n$ 关系，即由 $T_n$ 推得 $S_n$。

该方法测量中，粒径对含沙量测量无明显影响，具有测量范围广、可自动连续在线检测的特点，且设备运行对环境要求不苛刻，有一定精度的重复性和稳定性。

**(二)水轮机止漏环间隙监测装置**

清水试验结果表明，水轮机止漏环边缘的线速度大于 30m/s，气蚀破坏作用明显随流速增高而增加。据测算，小浪底电站水轮机上下止漏环处的流速将超过 32m/s，磨蚀将比较严重。止漏环间隙磨蚀破坏将使漏水量加大，导致水轮机效率下降。因此，对止漏环间隙进行在线检测，保障水轮机的安全运行和适时检修是十分必要的，而采用非接触的电涡流传感器是检测止漏环间隙的有效方法。

小浪底电站水轮机止漏环间隙的检测宜采用适宜湿度大、振动幅度大、非接触式的电涡流传感器，以满足设备对工作环境的要求。方案设计时，考虑分别在水轮机转轮下转动止漏环与固定止漏环上设置两对或两对以上的探头进行在线检测，并对国内以及美国、英国、日本等国各种仪器进行了研究，提出了较为完整的实施方案。因该设备的安装需要在水轮机设备上开孔，在水轮机运行初期，国外设备供应商不允许开孔，该方案未能实施。

**(三)水轮机流量监测装置**

通过对水轮机流量的在线监测，能监测水轮机的原型效率，指导机组合理运行，优化机组负荷分配，掌握泥沙磨蚀破坏对机组效率的影响，及时安排机组设备检修。国内水电站应用的测流方法有流速仪法、示踪法、水锤法、蜗壳压差法、超声波法、堰流法、比托管法、相对法等。根据小浪底电站的特点，设计中水轮机流量测量方法比选了蜗壳压差(沃特－肯尼迪)测流装置、电磁测流装置、核磁共振测流装置、超声波测流装置等。

1.蜗壳压差测流装置

压差流量计是基于流体的节流原理，即利用流体经节流装置时所产生的压差来测量流量。其测量原理为：在水轮机蜗壳的水力设计中，蜗壳中的水流是按等速度矩定律设计的，即 $v_1\cos\alpha_1 R_1 = v_2\cos\alpha_2 R_2 =$ 常数(在蜗壳某一断面上取两点，外缘测点为“1”点，它离水轮机旋转中心轴线的距离为 $R_1$，水流流速为 $v_1$，与圆周切线的夹角为 $\alpha_1$；内缘测点为“2”点，它离水轮机旋转中心轴线的距离为 $R_2$，水流流速为 $v_2$，与圆周切线的夹角为 $\alpha_2$)。当具有一定流速的水流经蜗壳时，水流在弯曲流道上产生离心力，使蜗壳任一断面上距机组中心不同的两点间产生压力差 $\Delta H$，此压差值的大小与蜗壳中水流流速有关，即与流量 $Q$

有关。通过压差与流量的关系确定水轮机流量。水轮机流量与蜗壳压差的关系根据水力学原理得

$$Q = K\sqrt{\Delta H} \tag{3-7-4}$$

式中 $K$——蜗壳流量系数(需率定)。

压差节流装置结构简单,使用寿命长,适用性较广,能够测量各种工况下的单相流体的流量,成本和维护费用也较低,但精度较低,在含沙量较高的水流中使用,存在泥沙淤堵差压计的问题。

2.电磁测流装置

电磁流量计是根据电磁感应定律制作的。线圈通以电流产生磁场,若保持磁场强度为常数,当水流对导体切割磁力线时,将在导体两端产生电动势,由此计算流量。

该仪器的特点是输出电信号与流量之间成线性关系,仪器不受被测介质的密度、温度、黏度、流动状态的影响,可靠性高,使用寿命长,但成本和运行维护费高,安装精度要求高,工作环境要求高(如温度、湿度、交直流电磁场等)。

3.核磁共振测流装置

核磁共振流量计是利用核磁共振现象来实现流体的流量测量。其优点是可测流体的种类广,只要管内的流体成分中含有存在磁矩的原子核,就可以用该原理测出管体内流速;流体各种参数与其物理性质无关,即对流体中含沙量无限制;在管道内不增加任何插入件,仪表元件和流体没有任何机械接触,对流场不干扰破坏;输出信号可以是模拟量或数字量,测量精度高。其缺点是设备体积大,造价极高,到目前尚无用于电站工程的报道。

4.超声波测流装置

超声波流量计是应用声学原理,即声波穿越流体时受流体介质的影响,超声波在流体中的顺流和逆流的传播速度不同。通过测量声波在顺流和逆流中的时间差或循环频率差来完成流量测量。计算公式如下:

顺流传播时间

$$t_{+} = \frac{L}{C + v} \tag{3-7-5}$$

逆流传播时间

$$t_{-} = \frac{L}{C - v} \tag{3-7-6}$$

式中 $C$——超声波在流体静止时的声速,m/s;

$L$——被测断面两点间距离,m;

$v$——流体的平均速度,m/s。

超声波在流体中逆、顺传播的时间差 $\Delta t = t_{-} - t_{+} = \frac{2Lv}{C^2 - v^2}$。

利用 $C$ 和 $L_{+}$、$L_{-}$ 的关系得每个声道的线平均流速公式如下:

$$v = \frac{L}{2t^2\cos\theta}\Delta t \tag{3-7-7}$$

式中 $\theta$——声道与流体流向间夹角,(°)。

基于上式推得圆管流量计算式为

$$Q = 2R^2 \sum_{i=1}^{n} K_i v_i \tag{3-7-8}$$

式中　$R$——管道半径,m;

$n$——测量段中的通道数;

$K_i$——包括通道角的影响在内的通道权;

$v_i$——第 $i$ 通道测得线平均速度,m/s。

超声波流量计不破坏流场,无压力损失,设备结构简单,成本和运行维护费用低,测流范围宽,精度高,可靠性高,使用寿命长,可实现适时在线监测,安装灵活简便,对工作环境无特殊要求。小浪底电站设计初期在发电引水钢管下平段设置了超声波流量仪安装廊道和仪器工作小室,为防止水流含沙量对探头的磨蚀,采用外装式探头。因地下工程建筑物的结构安全和布置问题最终取消了该方案。

## 二、小浪底电站水力量测系统的设置

电站量测系统分为全厂性量测项目和机组段量测项目两部分。

### (一)全厂性量测项目

全厂性量测项目包括水库水温、上下游水位和电站毛水头。

1.水库水温

水库水温测量采用半导体深水温度计,由测量船在坝前进行不定期的水温测量,以掌握不同季节不同水深的水温变化规律,积累水温资料,指导电站运行管理。

2.上下游水位

上下游水位测量装置的选择,应充分考虑被测水质条件、信号传输距离、电站自动化水平、设备布置条件、要求的测量精度和测量范围等。在设计初期,根据调研和小浪底水库多沙、多漂浮物、多污物的实际情况,对水位测量装置进行了选择比较。

(1)静压式水位计。采用半导体电桥,当它受到水体等外界压力时,电桥失去平衡,输出一个电压信号,电压信号大小与压力成线性关系,电压信号转换成压差。该设备精度高,适应性强。

(2)浮子式水位计。它由浮子体、吊绳、编码器三部分组成。该设备稳定可靠,精度较高。但因设备的浮子体必须接触水面,易受水中泥沙、水草等漂浮物的影响。

(3)超声波式水位计。它是一种非接触式测量装置。根据声波传播的工作原理,声波遇到不同界面时发生反射,测定声波往返时间,测出距离,计算水位。

利用拦污栅差压水位计测取发电引水口拦污栅栅前水位作为电站的上游水位。发电引水系统共设发电进水塔3座,在每座进水塔进口拦污栅上游设置1个 $\phi$ 的 500mm 的钢管测井。采用静压缆式水位计,传感器固定安装在测井中,变送器固定安装在测井上端。水位计型号为 B0805,测量水位变幅 0~80m。水位计输出 4~20mA 标准信号,传至发电塔 276.5m 高程的闸门控制室,信号同时传至主厂房发电机层机组控制单元 LCU 及电站计算机监控中心,在中控室显示水位。

下游水位测量的测井设置在电站尾水闸门上游,每台机设置1个 $\phi$400mm 的钢管测井,全厂共设6个。水位计采用静压缆式,传感器固定安装在测井中,变送器固定安装在测井上端。水位计型号为 B0850,测量水位变幅 0 ~ 20m。水位计输出 4 ~ 20mA 标准信号,在尾水闸门室可以现地显示水位信号,同时标准信号被输送至主厂房发电机层机组控制单元 LCU 及电站计算机监控中心,在中控室显示水位。

3.电站毛水头

电站毛水头取上、下游水位的差值,在中控室显示屏上直接显示。

**(二)机组段量测项目**

机组段量测项目包括拦污栅前后压差、蜗壳进口压力、蜗壳末端压力、水轮机工作水头、尾水管出口压力、沃特 - 肯尼迪测流、水锤法测流、主轴摆度、顶盖水平与垂直振动、水轮机相对空化强度、机组耗水率、机组总效率、尾水锥管进出口压力、顶盖真空压力、基础环压力、水导轴承冷却水压力、主轴密封水压力和过机泥沙含量等。

1.拦污栅前后水位压差测量

分别测量拦污栅栅前和栅后水位,然后取差值得出栅两侧的压差值。拦污栅栅前水位测量设备与上游水位测量设备共用,栅后设置 2 个 $\phi$500mm 钢管测井,采用静压缆式水位计,型号、量测范围、输出信号与栅前水位计一致。栅前和栅后水位信号传至发电塔 276.5m 高程的闸门控制室,信号同时传至主厂房发电机层机组控制单元 LCU 及电站计算机监控中心,在中控室显示拦污栅栅前和栅后水位压差值。当该值达到预先设定的参数时,有报警信号输出,提醒运行人员采取措施清除拦污栅淤堵物,保证电站机组运行正常。

2.蜗壳进口压力测量

蜗壳进口压力测点位置选在靠近压力钢管末端,距机组中心线上游 9.369m 的断面上。断面上设置 4 个测点,分别引出测压管至厂房水轮机层 134.5m 高程,在机墩旁设压力表及压力变送器。同时,另外引出 1 根测压管至厂房下游侧 120.2m 高程操作廊道,与尾水管出口压力测点相结合,测量机组工作水头。

3.尾水管出口压力测量

为与模型试验的测量断面相一致,测量断面设于尾水管扩散段,距机组中心线下游侧约 66m 处。该测量断面上设置了 4 个测点,分别引出测压管至主厂房下游侧 120.2m 高程操作廊道,在廊道中设置压力表和压力变送器,其平压后的测压管还要与蜗壳进水口测压管相结合,以测量机组的工作水头。

4.水轮机工作水头测量

在 120.2m 高程操作廊道中设置差压变送器,以测量水轮机工作水头,差压信号分别来自蜗壳进口压力测量信号和尾水管出口压力信号。该差压变送器输出 4 ~ 20mA 标准信号至发电机层效率盘柜及中控室。

5.沃特 - 肯尼迪测流

在与蜗壳进口断面( + X 轴)成 247°角的断面上设置了 4 个测点,其中 2 个在内侧,2 个在外侧。测压管引至厂房 134.5m 高程水轮机机墩外侧,在此设置流量变送器。输出信号传送至水轮机层的流量性能柜,在柜上显示其流量并输出一个信号至发电机层的效率柜及中控室。该测量项目为水轮机过机流量的长期在线测量项目。

6.水锤法测流

水锤法测流采用双断面法,在压力钢管下平段的 2 个断面(位于主厂房内)上设置测点。每一测量断面设置4个测点，将由环管均压后的测压管信号引至水轮机层机墩旁。测量时用差压传感器测出2个断面的水锤压力差，再通过应变仪或示波器将2个断面的压差随时间变化的曲线记录下来，最后求出流量。测量过程由运行单位根据要求选择确定。

7.水轮机相对空化强度测量

利用噪声原理在尾水管进人门处设置测点，信号传至水轮机层的机械流量性能柜。该测量项目为非在线测量项目，6台机组共设1台空化测量仪。

8.水轮机效率测量

为测量水轮机效率等指标参数，专门设有效率测量柜，该设备由水轮机生产厂VOITH公司供货，布置在发电机层，显示3个信号，分别为耗水率、瞬时效率和工作水头。

9.压力测量

压力测量项目包括蜗壳末端压力、锥管进出口压力、顶盖真空压力、基础环压力、水导轴承冷却水压力以及主轴密封水压力等。这些信号均在相应的位置埋设测点，信号传至水轮机层的压力测量柜。

10.管路系统

电站水力量测管路均采用不锈钢管道，因所测水体有较高的含沙量，管径均较清水河流水电站机组测压管直径略大(管径 $\phi$33.4mm×3.5mm)，其目的是防止淤堵。此外，为了防止运行过程中管道的淤塞，对蜗壳进口测压管、蜗壳测流管、肘管测压管、尾水管出口测压管等还设置了专门的冲淤管路。其中，蜗壳进口测压管及蜗壳测流管采用高压气进行冲淤，而肘管测压管及尾水管出口测压管采用压力清水进行冲淤。整个量测系统管路均按《水力发电厂水力机械辅助设备系统设计技术规定》(DL/T5066—1996)的要求进行埋设、试压、冲洗及排气，以保证量测系统的正常使用。

上述测量项目中除半导体深水温度计、上下游水位计、拦污栅差压计、水锤法测流仪等仪表由业主另行采购外，其余设备均由水轮机制造商VOITH公司供货。

## 第八节　机修设备

多泥沙河流上的水电站，水力机械设备因泥沙的磨蚀破坏较清水电站严重，其设备的检修周期和工作量也加大许多，对检修设备的设置和选型均有所不同，需要特殊设计。

### 一、机修厂规模的设置原则

在初步设计和优化设计阶段，电站机修厂的设计及设备规模是按照当时的运行管理习惯，主要依据《水电站机电设计手册》(水力机械篇)、《水利工程管理单位编制定员试行标准》、《水电站机修设备配置试行标准》等配置标准，并结合对已运行电站特别是多泥沙河流水电站进行的大量调研，根据小浪底工程的特点，按正规机修厂的规模设计与配置机修设备，即电站主要机电设备的检修任务均是在电站机修厂内完成的。

小浪底水电站最大水头141.6m，河流多年平均含沙量37.0kg/m³，尽管在设计过程中采用了有利于减轻机组磨蚀破坏的综合治理措施，但由于电站水头较高，过机泥沙含量大,水轮机过流部件的磨损必然较清水电站严重。水轮机的大修周期将较清水电站明显缩短,检修工作量无疑也将相应增加。经分析判断,水库正常运行周期内,机组小修将每年进行 1 次,机组大修每 3 年进行 1 次,电站机修厂内每年要完成 2 台机组的大修、4 台机组的小修,而现行的水电站机修厂设计标准,无论是人员编制还是设备配置均按每年大、小修各 1 台机组的规模进行配备。所以,常规的水电站机修厂设计标准远不能满足小浪底水电站机组设备频繁检修的需要。

水利部编制的《水利工程管理单位编制定员试行标准》(SLJ—705—81)对大型水电站机修人员编制和大型水库机修人员编制分别做出了明确规定。据此,若分别设置水库机修厂和电站机修厂,则除了一次性建设投资较大外,在长期运行中,必然造成人员和设备的浪费,无论从经济或技术角度讲,都是不合理的。若水库机修厂和电站机修厂合并,其规模如何确定,设备如何配置,并没有明确规定。

为了合理确定机修厂的规模,设计人员对黄河干流上已投运的龙羊峡、刘家峡、八盘峡、青铜峡、三门峡、天桥水电站及四川映秀湾、耿达、渔子溪、石棉矿等多泥沙河流水电站的机修厂的规模、机修设备的配置、机修厂运用情况等方面进行了专题调研。经研究分析后,确定小浪底水利枢纽设一个机修厂,以电站机修厂为基础,兼顾枢纽各种闸门销、轴等零部件的修理配制,其规模按电站机修厂的任务确定。

机修厂设置机械加工车间、焊接车间、锻工车间、转轮检修车间、材料仓库、成品仓库、办公室等生产和生活设施。

## 二、机修设备配置

### (一)大型设备配置

为加工发电机集电环等部件,配置 1 台 CX5225 - 2 型立式车床。

为加工活动导水叶轴和活动导水叶上下端面,配置 1 台 CW61125 型普通车床。

活动导水叶密封面的加工精度是控制导水叶漏水量的关键,为了保证活动导水叶的加工精度,配置 1 台 B2216 型龙门刨铣磨床。

水电站机修厂是否配置大型立式车床,要根据水轮发电机组的检修工艺确定。《水电站机电设计手册》规定,大 - 3 型水电站应配置 1 台加工直径为 3 000mm 的简易立车。实际上,一些按此标准进行设备配置的多泥沙水电站机修厂,因其设备不能满足检修工艺的需要,在工程运行后又配置了大型立车。例如,在对刘家峡水电厂进行调研中了解到,该厂安装有 5 台混流式水轮发电机组,水转机转轮直径 $D_1 = 5\ 500$mm。为对水转机过流部件的维修,设置了一台简易立车。但由于黄河的含沙水流造成水轮机过流部件的磨蚀破坏,使得设备检修频繁;原计划将设备运到兰州市加工,由于受兰州有能力加工检修的工厂生产的安排,严重影响了设备加工的计划性,致使刘家峡水电厂增置了一台加工直径为 8 000mm 的大型立车,解决了生产之急。最近几年设计的多泥沙河流的水电站,也都配置了大型立车。如万家寨水电站(转轮直径 $D_1 = 6\ 100$mm)配置了 1 台加工直径为 6 000mm 的大型立车。映秀湾水电站(转轮直径 $D_1 = 4\ 100$mm)设计时就配置了 2 台加工直径为 3 500mm的大型立车 1992 年该厂又配置了 1 台加工直径为 5 600mm 的大型立车。从检修工艺分析,该厂的大型立车除用于加工水轮机转轮外,还承担水轮机顶盖和底环的加工任务。机组每次大修都要将补焊后的顶盖和底环组装在一起，对活动导叶轴孔进行同心镗孔。为了满足镗孔要求，电厂和立车制造厂共同对立车进行改造：在1台加工直径为3 500mm的大型立车上增加了镗头，使立车具备了镗床的功能，以满足加工工艺的要求。根据上述情况，经分析研究，确定小浪底电站（转轮直径 $D_1=6\ 356$mm）配置1台加工直径为8 000mm（最大加工直径为10 000mm）的大型立车，以满足加工工艺的需要。

**（二）常规设备配置**

小浪底水电站机修设备配置不但要满足转轮检修加工的需要，而且要适应枢纽、电站的其他机械、电气、金属结构等设备的检修加工。为此配置了如下常规设备：

（1）机械加工设备。配置有车床、刨床、铣床、插床、磨床、钻床等各类机床。

（2）钳工设备。配置有钳工台、划线平板、检验平板等设备。

（3）焊接切割设备。为满足电焊、气焊、切割、清根、开坡口、除锈、喷漆等工艺要求，配置有除锈设备、喷漆设备、电焊机、等离子空气切割机、双气体燃料发生器（替代氧气瓶和乙炔发生器）、碳弧气刨等设备。

（4）锻工设备。配置有箱式电阻炉、空气锤、型钢切断机等设备。

（5）其他设备。机修厂还配置有起重设备、运输设备、空气压缩机等辅助设备。

**（三）机修厂设计变更**

随着水电站自动化水平的不断提高，近几年来我国的水利水电工程的建设管理模式及业主管理思想发生了很大变化。电站管理及生产人员编制数量大幅压缩。新建大型工程的设备维修也由过去主要由电厂自行修理改为大件的修理主要依托社会上其他企业的协作来完成。特别是小浪底电站距离有着雄厚加工实力的洛阳市仅40km。因此，电厂仅需具备进行小部件的维修加工的能力，就可以满足生产需要，以减小工程的管理规模，降低生产运行成本。在招标设计阶段，根据小浪底水利枢纽建设管理局的要求，设计部门对机修厂设备配置进行了大幅度的压缩，主要变更包括以下方面：

（1）将设在留庄转运站的转轮组焊加工车间搬迁至电站机修厂作为转轮检修车间。原转轮组焊车间是水轮机供货商（美国VOITH公司）用于水轮机转轮的现场组焊而建造的，车间内配有组装、翻转、焊接、加工、起吊等用于转轮检修的整套设备。主要设备包括起重量为125t的桥式起重机、二氧化碳气体保护半自动电焊机、喷涂抗磨涂层用的自动化喷涂设备、空压机及转轮进行机械加工的简易立式车床等设备。因简易立式车床可以满足加工转轮的要求，故取消加工直径为8 000mm的大型立车。

（2）取消机修厂各车间的起重设备。

（3）取消机修厂的运输设备。

（4）取消空压机设备和锻工设备。

（5）大量削减常规的机修设备。为了满足加工工艺的需要，保留了加工直径为2 500mm的立式车床、加工宽度为1 600mm的龙门铣磨刨床和加工直径为1 250mm的普通车床。

**（四）机修厂设计现状**

施工图设计阶段，小浪底水利枢纽建设管理局提出，电站的大部分机修任务委托外单位承担，要求进一步压缩机修厂的规模。对机修设备采购清册提出变更如下：

(1)取消加工直径为2 500mm的立式车床。

(2)取消加工直径为1 250mm的普通车床。

(3)取消加工宽度为1 250mm的龙门铣磨刨床。

(4)大幅度减少常规机修设备。

**(五)实施的机修厂设计方案**

在工程施工阶段后期,工程的土建承包商陆续撤离,小浪底水利枢纽建设管理局提出用二标承包商移交的机修设备替代原拟定的部分机修设备,据此对机修设备又做了进一步调整。小浪底水电站最终的机修厂设备见表3-8-1。

**表3-8-1 电站机修厂设备**

| 序号 | 设备名称 | 设备型号 | 主要技术参数 | 单位 | 数量 |
|---|---|---|---|---|---|
| 1 | 卧式车床 | CW6140 | 最大回转直径:400mm<br>最大加工件长度:750mm | 台 | 1 |
| 2 | 液压牛头刨床 | B6032 | 最大刨削长度:320mm | 台 | 1 |
| 3 | 移动万向摇臂钻床 | Z3725×8 | 最大钻孔直径:25mm<br>主轴中心至立轴表面距离:800mm | 台 | 1 |
| 4 | 台式钻床 | Z4016 | 最大钻孔直径:16mm<br>主轴中心至立轴表面距离:240mm | 台 | 1 |
| 5 | 落地式砂轮机 | S3SL-400,200 | 最大砂轮直径:400mm,200mm | 台 | 2 |
| 6 | 液压弯管机 | W27Y-114A | 弯管:$\phi$45mm×114mm | 台 | 1 |
| 7 | 硅整流电焊机 | ZX-500 | 电流调节范围:50~500A<br>额定输入电流:38kVA | 台 | 1 |
| 8 | 硅整流电焊机 | ZX-1000 | 电流调节范围:100~1 000A<br>额定输入电流:100kVA | 台 | 1 |
| 9 | 交流电焊机 | BX1-400 | 电流调节范围:70~480A<br>额定输入电流:36kVA | 台 | 2 |
| 10 | 交流电焊机 | BX1-500 | 电流调节范围:80~580A<br>额定输入电流:40kVA | 台 | 2 |
| 11 | 直流手工氩弧焊机 | NSA1-400 | 额定焊接电流:400A<br>保护气体流量:25L/min | 台 | 2 |
| 12 | 电动试压泵 | DSY-161/16 | 工作压力:0~16MPa | 台 | 1 |
| 13 | 划线平板 | | 平板尺寸:2 800mm×1 500mm | 台 | 1 |
| 14 | 钳工台 | | 台面尺寸:1 800mm×1 400mm | 台 | 2 |
| 15 | 风动砂轮机 | | $\phi$100mm以下 | 台 | 4 |
| 16 | 软轴砂轮机 | | $\phi$60mm | 台 | 2 |
| 17 | 台式砂轮机 | | $\phi$200mm | 台 | 2 |

# 第四章　主厂房布置

## 第一节　影响厂房布置的主要因素

小浪底工程为地下厂房布置方案，三洞室式布置形式。主厂房内布置有6台单机容量为300MW的混流式水轮发电机组，发电机为半伞式结构。

电站厂房尺寸主要取决于机组设备的尺寸和运行维护的要求。由于小浪底工程地处黄河多泥沙河段，为了减轻泥沙对水轮机过流部件的磨蚀破坏程度，设计时采取了降低机组参数等综合防护措施，使得机组及厂房尺寸较一般清水电站要大一些。而且，从已运行的多泥沙电站的运行效果来看，由于机组的严重磨蚀破坏，机组检修频率及检修工作量较清水电站要大许多。因此，主厂房安装间的尺寸要充分考虑到检修场地的需要。但是，由于工程地质条件较差，采用大的厂房跨度存在着围岩的稳定性问题。为解决上述矛盾，并尽量减少工程投资，采取了如下措施：

(1)考虑到地下厂房温度变化小，压力钢管与蜗壳连接处不设置伸缩节。

(2)为减小厂房跨度，机墩靠厂房上游侧布置，仅下游侧留出交通通道。

(3)机组进水阀采用筒形阀，其主要作用是为了保护导水机构免受严重的磨蚀破坏，同时，还可大大减小厂房跨度。

(4)为了围岩稳定的需要，采用了窄高型尾水管设计方案，机组尾水管的宽度确定为10.5m，较普通尾水管宽度小了许多，这样就能相应减小机组段宽度。

(5)为降低厂房高度，采用了双小车桥式起重机，这样较采用单小车桥机能降低厂房高度1.25m。

(6)采用岩壁吊车梁，不设吊车排架柱。

(7)蜗壳进口中心线与厂房纵轴线成78.5°夹角，斜向进入厂房。

## 第二节　厂房主要尺寸的确定

电站压力钢管直径7.8m，与主厂房纵轴线成78.5°交角进入厂房，末端渐缩为7.0m，经凑合节与蜗壳相连。主厂房、安装间、副厂房从右到左成一列布置，进厂交通洞沿厂房下游方向垂直进入安装间。

主变压器洞宽15.20m，平行于主厂房布置，位于主厂房下游侧31.4m处。主变压器洞地面与主厂房发电机层及安装间地面同高程，均为144.50m。

尾水闸门室宽度为10.60m，位于主变压器洞下游24.3m处，闸门中心线与机组中心线距离为92.25m。尾水闸门室内设1台2×2 500kN台式启闭机，地面高程142.0m。

主变压器洞及尾水闸门室的左端均与进厂交通洞相连，主变压器洞与主厂房之间设有6条母线洞相通。

主厂房平面尺寸受发电机风罩与蜗壳外混凝土布置等的共同影响。发电机定子机座外径15.60m,确定风罩内径18.10m、外径19.10m;蜗壳+X方向尺寸10.50m,-X方向的尺寸9.3m,总宽19.80m;蜗壳+Y方向的尺寸7.7m,-Y方向的尺寸10.1m,总宽17.8m;尾水管为窄高型,宽10.50m,考虑地下洞室结构稳定的需要,确定其长度为88.50m。

制约厂房平面尺寸的因素还包括厂房内的上下交通楼梯的布置、机电设备的布置以及厂房内的交通运输通道的需要等。

根据所确定的布置原则,综合上述各种影响厂房尺寸的因素,经优化后所确定的厂房轮廓尺寸为:主厂房开挖宽度25.0m,净宽23.5m,其中机组中心线至上游侧墙为9.55m、至下游侧墙为13.95m;机组段长度26.50m,端机组段长度29.00m,主厂房总长161.50m。

## 第三节　厂房及主要机电设备布置

安装间与主厂房发电机层同高程,长度59.00m,可以满足机组大修期间布置转轮、转子、定子、顶盖、筒阀、推力轴承、主轴等的需要。

地下副厂房布置在安装间的左侧,长度30.05m,共4层。副厂房内主要布置有厂用电高压配电室、低压配电室、电气试验室、继电保护室、直流蓄电池室和参观大厅等。电站采取“无人值班、少人值守”控制方式,中控室布置在地面副厂房内。

水轮机吸出高度$H_s=-3.64$m,根据单台机发电下泄流量所对应的尾水位确定机组安装高程为129.00m。

自厂房拱顶至尾水管底板的总高度确定为56.44m。其中,发电机层地面高程为144.50m,考虑2台2 500kN+2 500kN双小车桥机起吊发电机转子带轴的需要,确定桥机轨顶高程为155.00m,母线层地面高程139.00m,水轮机层地面高程134.50m,操作廊道层之上游侧廊道(蜗壳盘阀廊道)地面高程121.40m,下游侧廊道(尾水管盘阀廊道)地面高程120.20m,尾水管底板高程108.61m。导叶中心线至尾水管底板的尾水管总高度为20.39m,相当于转轮直径的3.21倍。

尾水管底板下方104.85m高程设有断面尺寸为2.5m×2.5m的机组检修排水干管(管道直径800mm)敷设廊道。该廊道贯穿1~6号机组段,并延伸至机组检修排水泵房。

机组采取上拆方式,机组大修时主要部件均从发电机风罩吊出。机坑内径为9.6m,在机坑的-X与-Y方向分别设有一个进人门。

主厂房发电机层(144.50m高程)布置有励磁盘、机组保护盘、电气制动柜、调速器电器柜、水轮机效率柜、筒阀控制柜、机组现地控制单元屏、交直流配电柜等。上述盘(柜)集中在下游侧布置。在上游侧夹墙内布置有水轮机大轴补气消声器。每台机组的第Ⅳ象限布置有尺寸为3.1m×5.5m的吊物孔,该吊物孔兼作通风孔使用。

母线层(139.00m高程)第Ⅱ象限主要布置调速器油压装置和回油箱;第Ⅰ象限主要布置发电机中性点设备;第Ⅲ象限布置机旁盘和发电机机械制动柜;机组自用电盘柜布置在第Ⅳ象限。每台机组的第Ⅳ象限布置有尺寸为2.0m×3.0m的吊物孔,与发电机层的吊物孔相对应。

水轮机层(134.50m 高程)第Ⅰ象限布置有机组技术供水系统设备及管件、机组压力测量盘和流量性能盘,第Ⅱ象限布置机组油系统管路和尺寸为 2.0m×2.0m 的通风孔(自操作廊道向水轮机层通风用),水轮机主轴密封水和顶盖下腔冲洗水加压泵组布置在第Ⅲ象限。3 号机的第Ⅱ象限另外布置一个尺寸为 1.5m×1.5m 的吊物孔,通至渗漏排水泵房。6 号机的第Ⅳ象限布置有尺寸为 2.0m×3.0m 的吊物孔,通至盘阀操作廊道。技术供水系统的清水供水干管($\phi$720mm×10mm ~ $\phi$630mm×10mm)靠厂房下游侧墙布置。

由于电站采用了库水与厂外清水两套技术供水系统,因此厂房内水系统的管路布置所占面积较大。为了不致厂房内过于拥挤,将库水供水联络干管($\phi$480mm×10mm)及清水系统的回水干管($\phi$720mm×10mm ~ $\phi$630mm×10mm)分别埋设布置于靠厂房的上、下游侧墙水轮机层以下。水系统的其他管路也尽可能地采用了埋设布置方式。

贯穿全厂的机组油、气、水管路(技术供水管路除外)沿厂房上游侧墙布置。

厂房渗漏排水泵房布置在 3 号与 4 号机组之间的 118.20m 高程,泵房尺寸 5.5m×7.4m,与厂房上、下游操作廊道相连。集水井容积 350m$^3$,有效容积 308m$^3$。

检修排水泵房尺寸 26m×9m,布置在安装间下 104.65m 高程,左端与尾水管盘阀操作廊道相连,泵房内共布置 5 台排水泵和与其配套的动力及控制盘柜。为了排除泵房围岩及管件渗漏水,放空检修排水管路内的积水,设有有效容积为 40m$^3$ 的集水井。

空压机室布置在安装间下 139.00m 层上游侧,尺寸 43.1m×12m,共布置 7 台空压机、5 只储气罐和干燥器等附属部件。

回水泵房布置在安装间下 134.50m 高程之上游侧,尺寸 38.6m×8.6m,一列布置 6 台回水泵及控制盘柜。上部设有 1 台起吊重量为 100kN 的电动单轨吊。

透平油中间油库及厂内机修间布置在安装间下 134.50m 高程下游侧。其中,机修间尺寸 15m×11.8m,透平油中间油库及泵房尺寸 11.8m×10m。

主厂房横断面布置如图 4-3-1 所示。

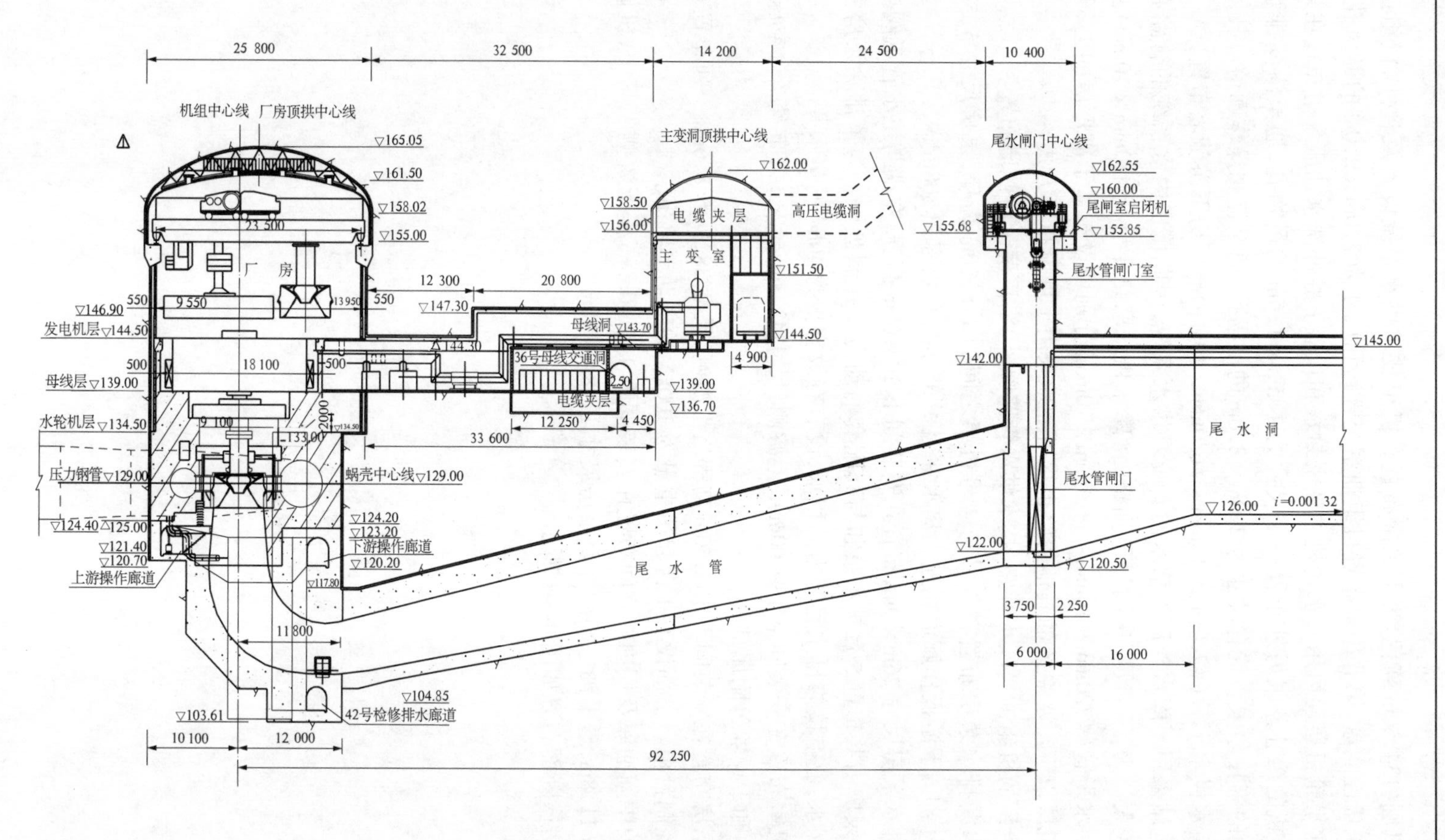


图 4-3-1 主厂房横断面布置图（尺寸单位:mm）

# 第五章　接入系统设计

## 第一节　电站与电力系统连接

### 一、电网概况

小浪底水电站属于河南电网和华中大电网范围的电站。华中电网包括湖南、湖北、河南、江西四省。该地区常规能源主要是水电和煤炭,其次是石油。四省水力资源理论蕴藏量为45 150MW,占全国的6.7%,主要分布在湖南和湖北两省,占华中四省的74%。河南省水电资源比较少,理论蕴藏量4 720MW,占四省的11%。华中四省的煤炭资源集中于河南省,已探明储量$2.05 \times 10^{11}$t,占四省的80%以上。四省的石油资源也集中于河南省,储量和产量都占四省的85%以上。根据四省的能源分布特点,华中电网的30年规划确定,河南省是火电基地,湖北和湖南是以三峡水电站为主体的水电基地。

河南电网地处华中电网的北部,是华中电网的重要组成部分,规模约占华中电网的1/3,与湖北电网通过一回500kV和两回220kV线路连接。网内最高电压等级为500kV,主网已形成以220kV电压为主的骨干网架。

到1997年初,小浪底水电站最终确定接入系统方案时,河南电网内共有500kV变电站1座,变电容量7 500MVA;220kV变电站46座,变电容量99 400MVA;500kV线路324km,220kV线路5 262.7km。全省6 000kW以上电厂发电装机容量10 940MW,其中水电459MW。1996年底,河南统调电厂装机容量7 300MW,其中水电325MW;全省总发电量$5.901 \times 10^{11}$kW·h,统调电厂发电量为$4.105\,5 \times 10^{11}$kW·h,其中水电$9.91 \times 10^{9}$kW·h。

河南电网已建的大型水电站仅有三门峡电站,装机250MW,其他均为小水电,装机容量小。全省统调水电装机容量仅占总装机容量的4.5%,而且运用限制条件多,主网调峰能力很差,仅靠部分机组起停调峰,既不经济也不安全。电厂结构不合理的矛盾十分突出。由于河南电网的负荷中心远离华中电网的水电基地,华中的水电站无力解决河南电网的调峰等问题,即使将来三峡水电站建成后,从经济性上看,远距离为河南电网调峰也不尽合理。因此,小浪底电站的兴建,对改善河南电网运行条件起着其他电厂无法替代的关键作用。

小浪底水电站位于豫中地区西部,距省会郑州及洛阳、新乡、焦作等城市都不远,靠近全省的负荷中心,在河南电网的位置适中,具有得天独厚的地理条件,在以火电为主的河南电网中,小浪底水电站是1座不可多得的能发挥调峰作用的大型水电站,在河南电网中占有重要的地位。

## 二、小浪底水电站接入系统设计

### (一)设计概况

接入系统设计与电站的动能、水工、机电以及电网、电力用户等都有密切关系。大型水电站多处于深山峡谷中,枢纽布置复杂,供电范围广,建设周期长,接入系统设计水平年往往超过已审定的电力系统设计,使设计中未定因素较多,随着负荷水平的发展和能源建设政策的变化,水电站接入系统设计往往需要进行多次补充设计和修改才能最终确定。小浪底水电站的接入系统设计也正是经历了这样一个复杂的过程。

小浪底水电站设6台水轮发电机组,总装机容量1 800MW,保证出力352MW,年利用3 250h。2000年初第一台机组发电,2001年底6台机组全部发电,电站多年平均发电量前10年为$5.115\times10^{10}$kW·h,10年后为$5.864\times10^{10}$kW·h。

为了使小浪底水电站建成后能够将所发电安全、经济、合理地送往电力系统,充分发挥电站效益,同时也为电站电气设计提供依据,早在1987年,水电部便已组织小浪底水电站接入电力系统的设计工作。小浪底水电站接入系统设计的主设单位为电力工业部中南电力设计院。

1987年9月,《小浪底水利枢纽工程(电站)接入系统设计》报告编制完成。最初的接入系统方案为:电站出220kV和500kV两级电压,220kV接4台机,500kV接2台机,220kV和500kV间不设联络变压器;220kV出线6回,其中洛阳方向2回,吉利化工区2回,备用2回,500kV出线1回去洛阳方向。

1989年4月在《小浪底水电站接入系统补充报告》中又提出了在220kV和500kV两级电压间装设1台360MVA联络变压器的方案。

为配合小浪底工程国际标招标设计,电力工业部电力规划设计总院于1993年7月在北京主持召开了河南小浪底水电站接入系统审查会,审查结论如下:

(1)电厂在系统中的地位和作用。小浪底水电站位于豫中西部洛阳地区,是河南省不可多得的调峰电站,其主要供电对象为河南省,承担河南主网的调峰任务。

(2)接入系统方案。小浪底水电站6台机分别接入两段220kV母线,其中3台机接入一段母线后,由2台540MVA升压变压器升至500kV电压,经1回500kV线路送电到郑州,并预留500kV第2回出线位置;2台机接入220kV另一段母线,另有1台机经2个开关分别接入上述二段母线。220kV出线6回(包括给山西省的送电线路和备用回路)。

(3)电磁环网问题。为避免电磁环网,220kV和500kV两级电压间不设联络变压器。

小浪底水电站建设期间,由于建设投资来源的变化,取消了向山西省的送电计划,全部电力送至河南电网销售;在河南电网方面,豫西(洛阳、三门峡地区)电源建设迅速增加,原预测的豫西负荷也发生了很大变化,已形成了西电东送的格局;在电站方面,原接入系统设计时是按电站6台机组投运后,常年有1台机组作为检修备用的条件来考虑的,而经过设计优化,小浪底电站内设置了备用转轮,这使6台机同时运行的几率大大增加。

鉴于送电范围、电站条件以及系统条件的变化,小浪底水电站接入系统设计再次进行修改,此时,小浪底水利枢纽主体工程已经开工两年有余,水电站主变压器洞已开挖完成,开关站场地开挖回填工作已结束。因此,接入系统修改设计是在此前提条件下完成的。1997 年 5 月,中南电力设计院和河南省电力设计院共同提出了小浪底水电站接入系统修改设计报告,报上级主管部门审查。

**(二)最终的接入系统方案**

电力工业部、电力规划设计总院于 1997 年 5 月在京召开了小浪底电站接入系统修改设计审查会,并以电规规(1997)59 号文下发了《关于小浪底水电站接入系统修改设计审查意见》。最终的接入系统方案概括如下:

(1)供电对象。小浪底电站是一个区域性电站,供电对象为河南省,并承担河南电网的调峰任务。

(2)出线电压。为简化电站接线,提高安全可靠性和运行灵活性,节省电站升压站和电网总体投资,并兼顾河南 500kV 网架发展,电站内只出 220kV 一级电压。

(3)接入变电站。6 台机组全部接入 220kV 母线,在洛阳北部建设 500kV 升压站,兼作 500kV 枢纽站。

(4)电站接线。电站采用双母线双分段带旁路接线,出线 6 回,其中 4 回至洛北 500kV 升压站,1 回至豫北(运行中有 1 台机直送豫北),备用 1 回。

(5)电网建设。为保证小浪底电站电力送出,加强豫中 500kV 网架建设,为 220kV 电网分片运行创造条件。

小浪底水电站的兴建,反过来也促进了河南电网的建设与发展。为配合小浪底电站送电,河南电网配套兴建了 500kV 变电容量 3 000MVA,架设 500kV 送电线路 550km;220kV 变电容量 1 800MVA,架设 220kV 送电线路 600km。在小浪底送出工程的带动下,河南电网 500kV 的骨干网架已逐渐形成。

## 三、负荷预测及地区电力平衡

根据河南省电力局编制的电网“九五”规划和华中电管局编制的华中地区“九五”期间电力工业发展计划(调整方案),2000 年河南全省需电量 $8.2\times10^{11}$kW·h,2005 年 $12.0\times10^{11}$kW·h。对应发电最大负荷 2000 年 12 500MW,2005 年 9 000MW。

根据河南省电力局电力规划分析预测,2000 年后电网最大负荷出现在夏季(7 月)。

按照预测的负荷水平和规划的电源装机(包括小浪底电站在内)进度安排进行电力电量平衡。典型年份电力平衡结果见表 5-1-1。

电力电量平衡结果表明,河南电网 2000 ~ 2005 年夏季电力均短缺,最大缺 1 591MW(2000 年夏季),冬季电力略有盈余,最大盈 934MW(2002 年冬季),这与华中电网夏季北送水电、冬季南送火电的基本原则是相吻合的。小浪底电站参与电网运行后,缓解了河南省夏季缺电的矛盾。

**表 5-1-1　河南电网典型年份电力平衡结果**　（单位:MW）

| 项目 | 2000 年 | | 2002 年 | | 2004 年 | | 2005 年 | |
|---|---|---|---|---|---|---|---|---|
| | 夏季 | 冬季 | 夏季 | 冬季 | 夏季 | 冬季 | 夏季 | 冬季 |
| 1. 系统需要容量 | 15 625 | 14 823 | 18 500 | 17 550 | 22 000 | 20 870 | 23 750 | 22 530 |
| 1)系统最大负荷 | 12 500 | 12 250 | 14 800 | 14 500 | 17 600 | 17 248 | 19 000 | 18 620 |
| 2)系统需要备用 | 3 125 | 2 573 | 3 700 | 3 046 | 4 400 | 3 622 | 4 750 | 3 910 |
| 2. 电源装机 | 15 584 | 15 584 | 19 534 | 19 534 | 22 784 | 22 784 | 24 154 | 24 154 |
| 1)统调 | 11 584 | 11 584 | 15 534 | 15 534 | 18 784 | 18 784 | 20 154 | 20 154 |
| (1)水电 | 1 300 | 1 300 | 2 200 | 2 200 | 2 200 | 2 200 | 2 200 | 2 200 |
| (2)火电 | 10 284 | 10 284 | 13 334 | 13 334 | 16 584 | 16 584 | 17 954 | 17 954 |
| 2)非统调 | 4 000 | 4 000 | 4 000 | 4 000 | 4 000 | 4 000 | 4 000 | 4 000 |
| 3. 水电可用容量 | 750 | 1 300 | 1 650 | 1 900 | 1 650 | 1 900 | 1 650 | 1 900 |
| 4. 火电可用容量 | 13 284 | 13 784 | 15 834 | 16 584 | 18 834 | 19 709 | 20 584 | 21 269 |
| 5. 电力盈(+)亏(-) | -1 591 | +262 | -1 016 | +934 | -1 516 | +739 | -1 516 | +639 |

河南电网分为豫北、豫中和豫南三个地区。当小浪底水电站 2001 年底 6 台机全部建成投产后，根据计算得知，除豫中地区电力有盈余外，豫南和豫北两地区处于电力短缺状态。豫南地区夏季缺 755MW，冬季缺 400MW；豫北地区夏季缺 947MW，冬季缺 576MW；豫中地区夏季盈 498MW，冬季盈 1 162MW。由于小浪底水电站坐落在豫中地区的西部，电力的送出与洛阳、三门峡两地区的电源和负荷有直接关系。2001～2005 年，小浪底水电站投产后，该两地区夏季须送出电力 1 890～3 010MW，冬季须送出电力 2 310～3 320MW。

根据河南省及地区电网电力平衡和潮流计算的结果，小浪底水电站投产后，电网已形成豫中地区西电东送、河南电网豫中电力向豫北和豫南送电的格局。

2000 年河南电网接线见图 5-1-1。

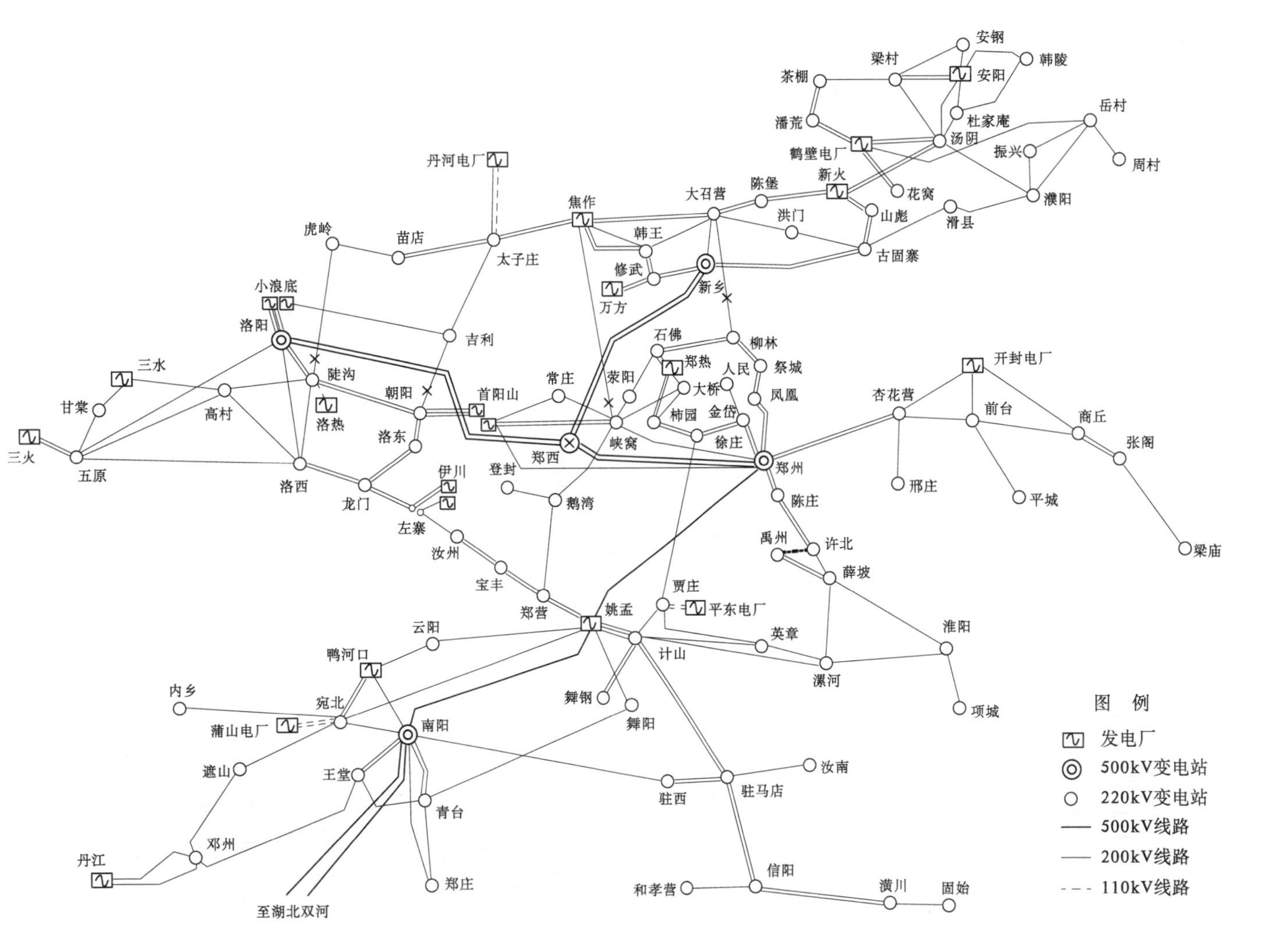


图 5-1-1　2000 年河南电网接线

# 第二节　电气主接线

## 一、电气主接线的基本要求

电气主接线设计是水电站机电设计的主体，是电气设计的主要依据。它与电力系统、枢纽条件、电站动能参数以及电站运行的可靠性、经济性等密切相关，同时对电气设备的布置、设备的选择、继电保护和控制方式等都有较大影响。设计中要因地制宜地综合考虑装机规模、机组台数、电站在系统中的地位、输电距离及电站枢纽布置等多种影响因素，合理选定接线方式。

小浪底电站的电气主接线，从20世纪70年代开始着手设计，历经了初步设计、优化设计、招标设计和施工设计各个阶段的反复论证，这期间，由于装机规模、枢纽布置和接入系统等设计条件的变化，接线形式也曾做过多次修改。尤其是接入系统方案的变化，对主接线设计的影响最大。主接线曾随接入系统设计先后论证过电站设500kV和220kV两级电压、母线设联络变，500kV和220kV两级电压、母线不设联络变和只设220kV电压、母线500kV带帽升压等方案。直到接入系统设计方案的最终确定，电气主接线才最终得以完成。

除了水电站主接线设计的基本原则外，小浪底水电站主接线设计还考虑了以下因素：

(1)电站在电力系统中地理位置重要，是河南电网中不可多得的调峰、调频电站，电站投入系统运行后，运行出力变化大，机组开停机操作频繁，电气主接线应具有较高的供电可靠性和调度灵活性。

(2)根据枢纽整体规划，水工建筑为一次建成，电站装机也将一次完成，接线形式可一次到位，不再考虑机组扩建，也不考虑设置更高电压等级的变电站及出线场地。

(3)小浪底水电站地处山区，地形复杂，出线走廊狭窄拥挤，考虑到升压站距洛阳500kV变电站仅20km，应尽量简化接线，减少出线电压。

(4)按照电力系统要求，在电站运行初期须有1台机直送豫北，即用一机一变一线的方式送出。主接线设计应能满足这种运行方式。

(5)小浪底水利枢纽的首要任务是防洪，在厂、坝用电关系上，电站厂用电源兼作坝用电源的一部分，对厂用电源的可靠性要求较高。

(6)由于接入系统设计滞后于电站设计，接入系统条件最终确定时，电站内主变压器洞、开关站等土建施工已形成一定规模，另外土建工程是通过国际招标由外国承包商承建的，大规模调整土建工程量也会导致高额索赔。为节省国家投资，在主接线设计时应兼顾已形成的土建条件。

(7)电站布置为地下厂房，主接线的设计要与主要电气设备布置结合起来。

(8)主要电气设备立足于国内采购。发电机断路器、220kV干式电缆和计算机监控系统等国内制造尚不成熟的少数设备，由国外引进。

## 二、接线形式

### (一)发电机电压侧接线

电站单机容量为300MW,发电机端电压为18kV,属大型发电机组。主变压器布置在与主机室平行的地下洞室内。主变升高电压侧电压为220kV。机组的容量和主变升高电压侧电压决定了发电机电压侧接线采用单元接线的必要性和合理性。根据主变压器的制造运输能力和布置情况,也排除了采用扩大单元的可能性。因此,发电机电压侧接线采用国内绝大多数大型机组采用的发—变组单元接线。

此种接线简明清晰,故障影响范围最小,运行可靠灵活;发电机与主变压器容量相同,适合主变布置,也与设备制造、运输能力相适应;发电机电压设备数量少,布置简单方便,维护工作量小;相应的继电保护简单。缺点是主变压器与高压设备多,增加了布置场地和设备投资。

### (二)升高电压侧接线

1.220kV配电装置形式选择

小浪底水电站配电装置形式的选择,主要考虑了场地和环境条件、设备和土建的投资情况,并力求与水电站总体布置协调配合。

开关站的位置主要是由枢纽总布置确定的。根据工程总体格局、厂区地质条件、开挖工程量、出线走廊等情况,220kV开关站布置在回填的户外台地上。对于220kV电压等级户外式的配电装置,有敞开式和$SF_6$全封闭组合电器两种配电装置可供选择。在20世纪80年代小浪底工程初步设计阶段,曾对两种电器型式进行了论证。$SF_6$全封闭组合电器占地省,运行可靠,具有明显的技术优势,但鉴于当时220kV全封闭组合电器制造水平尚低,价格昂贵,设备投资远远高于敞开式,所以上级主管部门审查确定220kV配电装置采用常规敞开式设备。随着经济的发展和设备制造能力的提高,全封闭组合电器与敞开式设备的价差逐渐缩小,使组合电器的性能价格比有所提高。但由于小浪底工程浩大,建设周期长,土建需先行施工,当主接线最终形成时,开关站已按敞开式设备回填平整完毕。因此,配电装置形式按户外敞开式布置,不再论证。

2.基本接线

小浪底电站220kV出线6回,发电机与变压器的连接方式采用扩大单元接线后,进线6回,考虑从220kV母线引接厂用电源后,进出线回路数较多,达13回。

小浪底水电站在电力系统中所处地位重要,电气主接线首先应保证有足够的可靠性和灵活性。其基本要求如下:

(1)任何断路器或母线检修,不影响对系统的连续供电。

(2)任一进出线断路器故障或拒动以及母线故障,不应切除1台以上机组和相应的线路,并要保证对厂用负荷的供电。

(3)避免主接线中的任一元件或环节故障而出现全站机组停运的可能性。

(4)可以灵活地投入和切除发电机、变压器和线路,调配电源和负荷,满足系统在事故运行方式、检修运行方式下的调度要求。

(5)检修时可以使断路器、母线及其保护设备方便地退出运行。

根据电站电压等级、出线回路数、已形成的开关站布置和可靠性、灵活性的要求,参照国内外同类电站接线形式,主变升高电压侧首选的方案就是双母线带分段断路器接线。此种接线的特点如下:

(1)双母线的两组母线同时工作,并通过母线联络断路器并联运行,电源负荷平均分配在两组母线上。

(2)接线清晰,供电可靠。任一组母线及所连设备检修,经过切换操作,不影响送电;一组母线及所连设备故障,不影响另一组母线送电,将故障母线所接回路切换到另一组母线后即可恢复送电。

(3)调度灵活。各个进出线可以任意分配到某一段母线上,能灵活地适应系统中各种运行方式调度和潮流变化的需要。

(4)母线分段后,进一步限制了故障范围,提高了可靠性和灵活性。

(5)继电保护易于实现。

为了保证在出线断路器检修时(包括其保护装置的检修和调试)不中断向系统送电,结合国产敞开式 $SF_6$ 断路器的实际运行经验和制造水平,在双母线出线侧还设置了旁路母线。因为出线回路较多,选择装设专用旁路断路器的形式。当出线断路器检修时,由旁路断路器代替,通过旁路母线向系统送电。

采用双母线带分段断路器接线,为电站 1 台机直送豫北提供了可能:将其中 1 段母线专门留作向豫北供电之用。但此时此段双母线变为单母线运行方式,使电站运行的可靠性有所下降。

升高电压侧接线设计中也比选过一台半断路器的接线方案。一台半断路器接线具有较高的可靠性和灵活性,但造价也高。由于开关站进出线回路数多,一台半断路器接线一次设备的投资要比双母线带分段断路器接线大得多。对于小浪底这样的峰荷电站,由于经常停机,需切断两台断路器,常使相应回路的出线按单母线运行,影响其可靠性,继电保护和二次设备也复杂,因此未予采纳。

3.分段断路器装设位置

为了限制故障范围和短路电流水平,满足各种工况下对系统的供电要求,220kV 双母线需分段运行。根据电站复杂的运行条件和较多的回路数,采用两组母线 4 分段,每组母线均用断路器分段,以提高安全可靠性和调度灵活性。

按进出线回路确定分段断路器位置可以有多种组合方式。首先按接入机组台数确定分段位置。小浪底电站有 6 台机组,可能的方案有两种:在母线分段一侧接入 4 台机、另一侧接入 2 台机和两侧各接入 3 台机方案。前者可将送往豫北的机组和线路接在 2 台机侧,因该侧一机一线的特殊工况,运行时将解列为单母线,减少单母线侧的所连机组和送电线路,相对提高了电站运行的可靠性。而后者各段母线接入的机组和送电线路相对均衡,接线对称、清晰。

经与业主协商,最终确定选用两侧各接入 3 台机方案。相应 6 回出线也在两侧各接入 3 回,正常情况下,电站发、送电量保持均衡。

## 三、装设发电机断路器论证

### (一)装设发电机断路器的必要性

发电机断路器是一种大电流高分断开关装置,一般装设在发电机与主变压器之间,它作为发电机主回路的重要设备,已逐渐在水电站中得到应用。

小浪底水电站的发电机侧为单元接线,其中 3 号、6 号机的机端引接有厂用电。对于机端接有厂用分支的单元回路,发电机端必须设置发电机断路器,以保证该机组停运时,通过主变从电力系统反送厂用电。对于未接厂用电的回路是否也装设发电机断路器,则应根据电站运行情况、投资水平等具体条件来确定。在初步设计阶段,鉴于发电机断路器需要进口设备,价格昂贵,曾考虑仅在装有厂用分支的 2 台机组装设,其他 4 台机组预留装设位置,暂以国产隔离开关代替,待条件成熟后换成发电机断路器。随着设计工作的深入,对装设发电机断路器的认识也逐渐深刻。根据国内外水电站建设的发展趋势和运行经验,装设发电机断路器的重要性逐步得到了验证,同时进口设备的价格也大幅回落,装设发电机断路器的条件成熟,最终确定 6 台机均装设发电机断路器。

### (二)装设发电机断路器技术分析

1.有利于厂房运行安全

电站 220kV 开关站位于地面,与地下厂房相距较远,通过 2 条电缆斜井相连。如不装设发电机断路器,从 220kV 高压断路器到发电机之间没有明显开断点,对安全运行不利。而电站主变压器等充油设备布置在地下洞室内,对安全防火有较高要求。装设发电机断路器有利于厂房运行安全。

2.提高厂用电可靠性

小浪底大坝运行尤其是泄洪设施对电源的要求非常高,厂用电源兼作坝用备用电源。无论从地下式厂房运行需要还是从坝用电重要程度上看,都要求厂用电源十分安全、可靠。按厂用电设计,电站设置有 4 个电源,其中 2 个引自发电机端,在机组停运时,厂用电由系统反送。装设发电机断路器可避免在停机后由于倒闸操作造成的厂用电源中断,提高了可靠性。

3.提高主设备保护水平

装设发电机断路器,使主变压器和发电机之间有明显的保护区。主变内部发生故障时,机组侧所提供短路电流的时间取决于机组灭磁时间,故障电流衰减慢,延误切除故障时间会导致故障范围扩大,严重时可造成起火和爆炸。发电机断路器具有切断反向电流和低频电流的能力,能迅速切断故障电流,在 40~80ms 内把机组从故障点切开,降低故障电流应力,减小故障损失,从而有效保护机组和变压器。这些作用是其他开关设备无法替代的。

4.适合频繁操作的调峰运行

小浪底水电站作调峰运行,开停机频繁,平均年开停机次数约 1 000 次。主变高压侧断路器机械寿命约为 3 000 次,如用高压断路器进行同期操作,无故障使用年限仅为 3 年。发电机断路器是专门用于频繁操作的设备,机械寿命可达 10 000 次,更适宜于小浪底水电站的运行工况。

装设发电机断路器,还有利于延长主变使用寿命。承担小浪底工程设计咨询任务的加拿大 CIPM 公司和世界银行咨询团的电气专家均指出,若不装设发电机断路器,采用主变高压侧断路器进行开停机同期并网,主变将同时投切,频繁的开停会使主变因热效应而发生累积损伤,缩短主变无故障运行时间和使用寿命。

5.有利于厂内设备布置

电站地下厂房为三洞室(主厂房室、主变压器室、尾水闸门室)方案,主厂房与主变压器室之间的母线洞内布置发电机配电装置。受三洞室岩石稳定性的制约,母线洞开挖长度有限。发电机配电装置若采用分散布置方式,洞内设备密度大,主母线转角多,安装、维护不便。只有适当选择发电机断路器型式,将部分元件组合到断路器内集中布置,才能改善布置场地和母线走向。

6.提高电站的整体经济性

采用发电机断路器会使电站一次性投资增加,但从长远看,它在整个电站运行周期中仍具有一定的经济效益。

发电机断路器可提高电站的可利用率,减少停机时间,增加发电效益;可减轻故障破坏程度,缩短这些设备的平均维修时间,降低整个电站的周期成本,加快投资回收;易于操作,维护方便;间隔布置清晰,容易实现远方操作,节省间接费用。

发电机断路器安装在发电机主回路中,在产品设计时特别强调了回路的可靠性。更进一步说,为使回路更加简洁,发电机断路器已从单一功能向多功能方向发展。从这个意义上看,它不仅具有开断功能,而且是一个集回路操作、保护、测量、试验、机组制动为一身的小型化配电装置。配电装置的小型化、集成化减少了成本,节省了占地,降低了土建费用。

## 四、电气制动开关的设置

电站水轮发电机组采用机械制动与电制动联合方式。对于电气制动短路开关,国内尚无专门的产品可供选择,有的工程暂以隔离开关代替,但体积较大,布置困难。进口的专用制动短路开关价格又十分昂贵。为解决这一矛盾,小浪底工程在发电机断路器选型上做了大胆尝试:将电制动设备组合到断路器内,利用主断路器、星点短路连线及辅助开关实现电气制动操作。

停机操作程序为:打开断路器及主回路隔离开关→合辅助隔离开关→合断路器→加励磁→完成制动后打开断路器→打开辅助隔离开关。

从操作程序上可以看出,辅助隔离开关是在完全无电压的情况下合分,短时通过负荷电流,其本身并不能合分发电机回路残压电流,而须由断路器完成,停机过程断路器须操作两次。这样做虽然存在停机时断路器重复操作的缺点,但因其是空载操作,对断路器主触头及灭弧触头影响不大,仅对操动机构寿命产生影响,而操动机构价格所占比重在整个发电机断路器中很小,维修更换都不困难。与专设电气制动短路开关相比,组合电气制动的方案的投资明显减少,星点连接及其辅助开关的费用仅为引进制动短路开关的 1/10。因此,该方案在技术和经济上均是有利的。

用发电机断路器兼作电气制动这种方案,在国内外水电站中是首次采用。小浪底电站投产后电气制动过程运行良好，实践表明这种制动方案是经济可行的。

### 五、主接线的总体评价

综上所述，电气主接线确定为发电机电压侧采用发—变组单元接线，6 台机组均装设发电机断路器，3 号、6 号机接有厂用分支，用发电机断路器兼作电气制动。站内设 220kV 一级出线电压，进出线回路数 13 回。配电装置选择敞开式设备，采用双母线 4 分段带旁路母线接线，设专用旁路断路器，母线按机组台数和出线回路数均衡分段。

这种接线形式具有较高的可靠性与灵活性，在国内水电站中已积累了一定的建设经验和运行经验，保护方案简单易行，对小浪底电站有较强的适应性。

电气主接线见图 5-2-1。

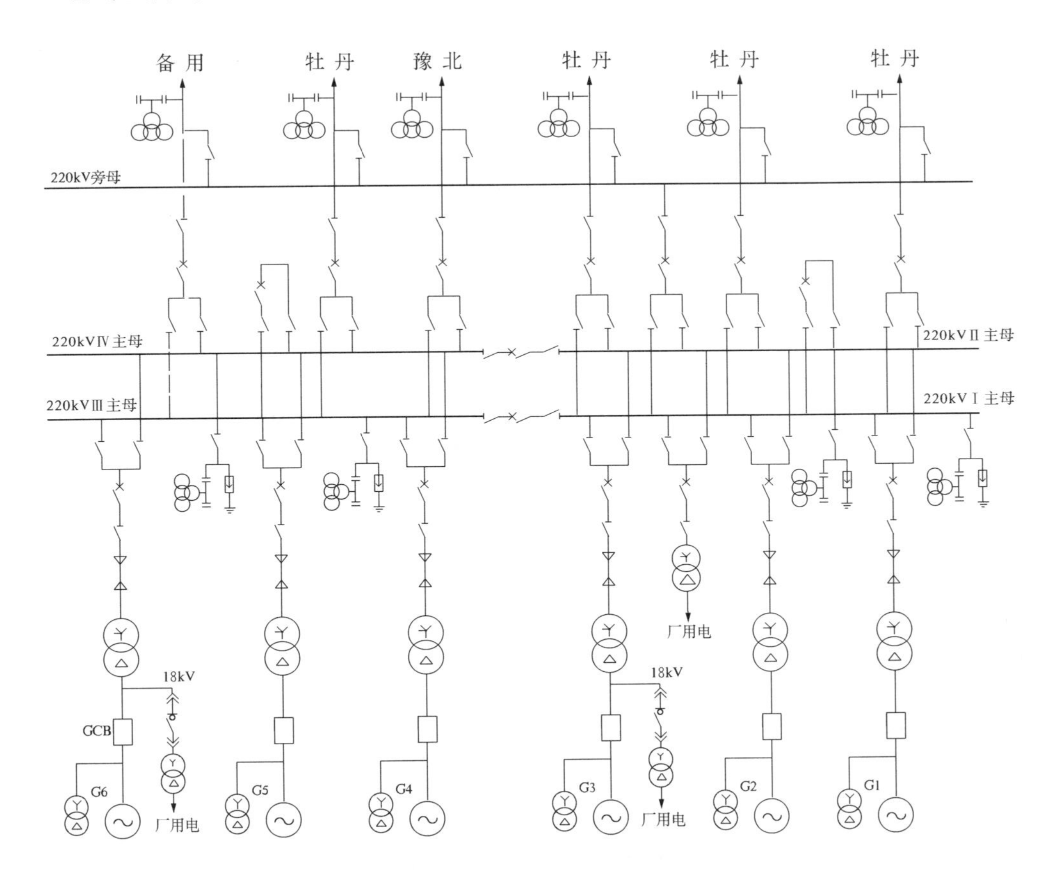


图 5-2-1　电气主接线简图

## 第三节　短路电流计算

根据确定的电气主接线形式，进行三相短路电流计算，用以进行电气设备的选择校验。电力系统阻抗等参数在中南电力设计院和河南省电力勘测设计院联合所做补充接入系统设计之后，由河南省电力勘测设计院提供：基准容量 $S_j = 100MVA$；系统正序阻抗（最大运行方式下）$X_1^* = 0.012\ 8$。

短路电流计算接线见图 5-3-1。

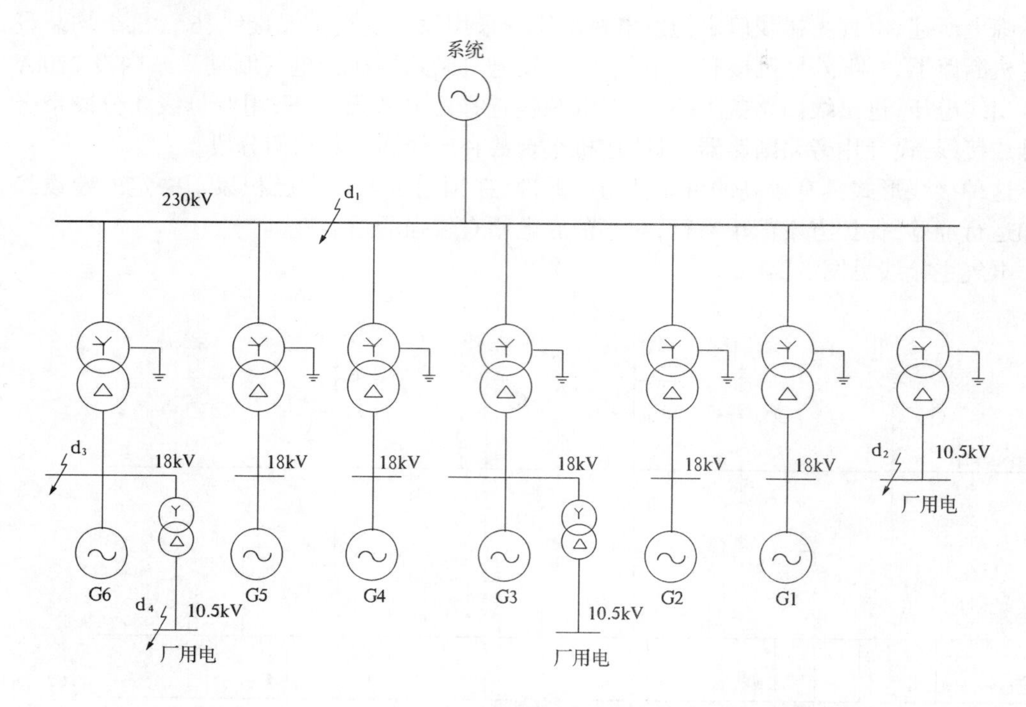


**图 5-3-1 短路电流计算接线图**

采用“电力系统短路电流计算软件包 DLXJ1”进行三相短路电流计算，计算结果见表 5-3-1。

**表 5-3-1 短路电流计算结果**

| 短路点 | | | 分支线名称 | 三相短路电流周期分量有效值 | | | | | | | | 冲击电流（kA） | 全电流最大有效值（kA） | 初始短路容量值（MVA） |
|---|---|---|---|---|---|---|---|---|---|---|---|---|---|---|
| | | | | 0s | | 0.1s | | 1s | | 4s | | | | |
| 位置代号 | 位置 | 基准电压（kV） | | 幅值（kA） | 相角（°） | 幅值（kA） | 相角（°） | 幅值（kA） | 相角（°） | 幅值（kA） | 相角（°） | | | |
| $d_1$ | 220kV 侧母线 | 230 | S | 18.287 | 261.97 | 18.287 | 261.97 | 18.287 | 261.97 | 18.287 | 261.97 | | | |
| | | | 1～6G | 16.058 | －72.61 | 13.216 | －61.88 | 12.816 | －55.51 | 13.589 | －55.63 | | | |
| | | | 厂用分支合计 | 33.508 | －86.15 | 29.992 | －82.96 | 29.056 | －80.68 | 29.770 | －80.09 | 87.741 | 51.73 | 13 349 |
| $d_2$ | 220kV 厂变低压侧 | 10.5 | | 8.611 | －86.18 | 8.040 | －82.79 | 7.991 | －79.07 | 8.587 | －77.58 | 21.924 | 13.04 | 157 |
| $d_3$ | 发电机出口 | 18 | S 及 1～5G | 65.534 | －88.78 | 61.174 | －86.00 | 60.469 | －83.15 | 63.707 | －81.94 | | | |
| | | | 6G | 59.781 | －73.30 | 43.115 | －61.03 | 38.595 | －56.52 | 36.814 | －56.56 | | | |
| | | | 厂用分支合计 | 124.168 | －81.40 | 101.899 | －75.71 | 96.534 | －72.83 | 98.245 | －72.70 | 334.659 | 202.48 | 3 871 |
| $d_4$ | 机端厂变低压侧 | 10.5 | | 2.834 | －77.42 | 2.541 | －70.70 | 2.543 | －64.41 | 2.824 | －63.27 | 6.871 | 4.04 | 52 |

# 第六章　厂用电

## 第一节　厂用电源数量及引接方式

### 一、可靠性要求

厂用电系统在水电站中的作用是极为重要的，直接关系到枢纽的安全可靠运行。小浪底电站厂用电系统的主要特点如下：

(1)供电范围广。小浪底水利枢纽布置有大坝、泄洪系统、地下厂房和附属建筑等设施，建筑物众多，需要供电的范围较大。按负荷性质分，有机组自用电、电站公用电、照明用电、坝用电备用电源等；按供电区域分，有地下厂房、地面副厂房及开关站、尾水防淤闸建筑、水源地、清水供水池、油库、机修厂和坝顶控制楼等场所。

(2)负荷性质特殊。一般水电站的生产过程比火电厂简单，厂用负荷较小，厂用变压器的容量为电站总装机容量的0.4%～1.5%，总装机容量越大，厂用电容量比重越小。由于小浪底枢纽设施庞大，厂用电又兼作坝用电备用电源。因此，厂用变压器容量设置较大，约占1.7%。厂用电实际负荷通常较小，最小负荷与最大负荷之间相差很大，只有少数设备处于经常运行状态，设备容量的年利用小时数低。但厂用变压器的备用容量又是极其重要的，由于小浪底工程的首要任务是黄河下游的防汛，厂用电作为坝用电的一部分，承担着防洪供电和紧急情况下保护大坝安全的重要任务。

(3)厂用电与施工用电可结合运用。小浪底工程浩大，建设周期长达十余年。主要土建工程由国外承包商施工，施工电源由业主提供，施工供电中断会引起索赔，对施工供电可靠性要求高。110kV 施工变电站按双回路进线、永久标准建设。施工期结束后，可作为厂用和坝用电源。

(4)厂用电运行方式复杂。电站以调峰方式运行，机组起停频繁。另外，电站运行受季节水位的影响。丰水期，在非泄洪排沙时可达到满发或超发，而在枯水期则要兼顾供水和灌溉，要求电站运行调度服从水库调度。电站运行方式多变，厂用电的运行方式复杂。

(5)主要发、变电设备布置在地下洞室内，排水、防火、人员疏散对厂用电的可靠性要求更高。

(6)枢纽工程建设周期长，在工程施工期间，由于电缆通道尚未形成，厂用电设计应考虑先期投入的厂用负荷电源的过渡方案。

(7)综合自动化水平高。全站按“无人值班、少人值守”标准设计，电站控制和闸门控制均采用计算机监控系统，相应要求厂用电系统自动化水平较高。

从以上特点可以看出，小浪底电站厂用电的规模大，运行方式复杂，无论从电站在电力系统所占的地位还是从水库对黄河的防洪作用上看，都要求厂用电系统安全可靠、运用灵活。

## 二、电源数量

考虑厂用电源数量的基本因素主要是电站规模、重要程度和运行方式。按厂用电设计规范,小浪底电站厂用电源的设置原则为:当机组运行时,不论是全部机组运行还是一台机组运行,必须保证3个或3个以上独立电源;在正常全厂停机或当电厂机组、主变或引水隧洞等大修而使全厂停机时,应保证有2个可靠的外来电源。

## 三、厂用电源取得方式

小浪底水电站可能取得的电源方式有机组本身引接电源、电力系统通过主变反送电源、主变升高电压侧电源、施工变电站电源、专设柴油发电机电源等方式。具体分析如下。

### (一)从机端引接电源

用分支母线从发电机机端引接的厂用电源既方便又可靠,厂用电源应首先考虑由发电机电压侧取得。结合电站电气主接线的形式,发电机电压侧为单元接线,无发电机电压母线,6台机均装设发电机断路器,为引接厂用分支提供了条件。220kV侧为双母线四分段,每侧母线各连接3台发电机,机端厂用电源的数量可按母线分段情况每侧各设置1个,以保证从系统反送电源时的可靠性。结合施工期机组安装顺序为由6号发电机至1号发电机,为使第一台机组发电时即可获得厂用电,分别从3号、6号发电机机端引接厂用电源。从机端引接厂用分支,不仅使厂用电首先从机组获得,同时又使之与电力系统有电的联系。机组正常运行时,由发电机提供电源,当机组停运时,可以实现由系统反送电。

### (二)从系统反送电源

尽管由发电机电压取厂用电源在机组停运时断开发电机断路器,可以实现系统反送厂用电,但因主变容量过大,相应空载损耗也大。因此,大容量机组的峰荷电站是通过主变压器反送厂用电还是在高压母线上装设高压厂用变压器以取得外来厂用电源,应通过技术经济比较确定。小浪底水电站建成后的前10年年最大负荷利用小时数为2 598h,10年后年最大负荷利用小时数为3 250h,经技术经济比较,认为采用主变反送供厂用电是不经济的。从国内白山水电站等已投运大型水电站的建设经验看,从220kV高压母线取得厂用电的方式具有可靠性高、倒闸操作少、电能质量高等优点,可以在大型峰荷采用。小容量的220kV变压器受制造技术制约,最小容量为20MVA,作为厂用电源显得偏大。但从另一方面看,一次投资后,反送容量范围大,变压器轻载运行,冷却条件好,对变压器绝缘和寿命均有好处。特别是厂用电向坝区供10kV两回作为坝区用电备用电源,厂用电源的可靠性对坝用电系统的安全可靠运行存在着潜在影响。因此,选择从220kV母线取得厂用电外来电源。

### (三)从施工变电站取厂用电源

小浪底水利枢纽施工用电由东河清110kV永久变电站提供,站内设2台25MVA三卷变,以2回110kV线路与电力系统连接。35kV侧分别供蓼坞、南坝头、留庄等3座二级变电站。其中蓼坞变电站按永久变电站建设,施工期设双回35kV线路带2台10MVA变压器,由该变电站引接厂用电源是方便和经济的,可靠性也高。主体工程施工结束后,先后对东河清 110kV 变电站和蓼坞 35kV 变电站进行了设备更新改造,使其运行更加安全可靠、自动化程度更高、运行成本更低。改造后东河清主变容量按永久用电负荷重新设定为 2 台 8MVA。因此,选择从蓼坞变电站引 1 回 35kV 线路至电厂,作为厂用电的备用电源。

**(四)柴油发电机电源**

柴油发电机组是十分可靠的备用电源,它不受外部因素影响而可独立供电,但运行维护复杂,利用率甚低。对电站是否装设柴油发电机组作为保安电源应进行充分论证。对小浪底电站而言,短暂失去厂用电一般不会引起水淹厂房和设备损坏,机组也允许在失去厂用电时进行"黑起动",直流系统可保证事故照明和人员疏散指示。从上述的电源分析也可以看出,即使全厂停机,也可从电力系统反送电和从地区网络取得电源,厂用电的可靠性可得到充分满足,不推荐装设专用柴油发电机组。

综上所述,小浪底电站设置 4 个厂用电源,即 2 个机端 18kV/10kV、1 个施工变 35kV/10kV、1 个 220kV 母线 220kV/10kV。这 4 个电源的设置,既满足了大型电站厂用电源不少于 3 个的规定,也满足在全厂停机时有 2 个可靠厂用电源的要求。

## 四、供电电压等级

小浪底水电站厂用负荷容量大,有回水泵、深井泵等大容量高压电动机。厂用电供电范围除地下主厂房、副厂房、地面副厂房之外,还有距厂房较远的辅助设施,如蓼坞深水井、葱沟深水井、厂外油库、清水池、西沟坝及尾水防淤闸,供电距离均超过 500m,最远的在 3 000m 以上。根据各级电压的输送容量与输送距离,小浪底电站厂用电应选择高、低两级电压(即 10kV 或 6kV 与 0.4kV)供电。

高压电压等级可采用 10kV 或 6kV,这两种电压等级均能满足供电容量和电能质量的要求。两种电压等级各有其特点:

(1)10kV 电压为国家标准配电电压等级,配电设备易于选取,也有利于与地方电网相匹配。

(2)10kV 电压等级电能损失比 6kV 小,运行费用低,电能质量高。

(3)10kV 电缆投资比 6kV 小,可节省投资。

(4)常用的厂用高压电动机为 6kV 电压等级,10kV 高压电动机选择范围小,造价也相对较高。

(5)枢纽施工供电采用的是 6kV 电压等级,若厂用电采用 10kV 电压等级,需要对留做厂用备用电源的施工变电站进行改造,以适应厂用系统要求。

(6)由于发电机机端电压为 18kV,无论 10kV 电压等级还是 6kV 电压等级,均不能直接从机端引用,需装设降压变压器。

经调查研究和与设备制造厂协商,厂用负荷高压电动机可以在 10kV 电压等级中选取,考虑到 10kV 电压等级的经济技术性能优于 6kV 电压等级,确定高压采用 10kV 电压等级,低压采用 0.4kV 电压等级。

## 第二节 厂用接线

### 一、10kV 系统接线

按高压电源所取数量，10kV 厂用电设 5 段母线。第一段母线进线电源取自蓼坞 35kV 变电站，经 35kV 架空、电缆线路至主变洞内的干式厂用变压器，降压为 10kV，引至 10kV 母线；第二段母线进线电源取自 3 号发电机机端，经 3 台单相干式变压器降压至 10kV；第三段母线进线电源取自 220kV 母线，经三相油浸变压器降压至 10kV 后引出；第四段母线进线电源取自 6 号发电机机压，经 3 台单相干式变压器降压至 10kV 后引出。在工程施工期间，由于电缆通道尚未形成，厂用电设计应考虑先期投入的厂用负荷电源。坝顶控制楼是整个枢纽泄洪系统的控制中心，鉴于首台机发电时泄洪系统必须投入运用，而泄洪系统尚无电源，为保证泄洪系统的正常投入运用，确保大坝安全，在地面开关站 220kV 厂用变压器低压侧另设 10kV 第五段母线，为坝顶控制楼、地下副厂房及地面副厂房提供电源。

5 段母线连接成环形接线，根据运行上的要求可以互相切换，互为备用。高压电动机直接从 10kV 母线上引接，低压负荷则根据不同性质和区域经变压器二次降压。这种两级电压辐射式供电方式既可保证厂用负荷用电的可靠性，又保证了用电的经济性。

为保证供电质量，高压厂用变压器均选择有载调压方式。10kV 系统接线见图 6-2-1。

在正常发电运行情况下，10kV 厂用电源可取自 220kV 母线和 3 号、6 号发电机机端，蓼坞变电站引接的电源作为备用电源；当全厂发电机停运时，厂用电源取自电力系统，通过 220kV 厂变和 3 号、6 号机单元主变反送，蓼坞变电站引接的电源作备用电源。当电源设备故障时，可通过联络断路器以失压自投使各段母线带电，提高了供电可靠性。这种厂用电的运行方式稳定可靠，倒闸操作少，在任何情况下都能保证厂用电系统的连续供电。

### 二、0.4kV 系统接线

#### (一)自用电与公用电的供电方式

小浪底电站机组台数多，自用电负荷包括调速系统、技术供排水系统、润滑系统和励磁系统等维持机组运行所需的各种油泵、水泵、控制闸阀、冷却风扇和自动装置，还包括主变压器水冷却系统用电，容量较大。为了提高机组供电的可靠性与节省电缆，采用专设自用电变压器的供电方式，0.4kV 厂用电接线采用机组自用电、全厂公用电和全厂照明用电分开的接线形式，并设置了专用检修用电网络。

#### (二)机组自用电接线

机组自用电采用 4 台变压器，每 2 台变压器接成一组单母线分段接线。其中 1 号、2 号自用变压器为一组，电源引自 10kV 1、2 段母线，供 1 号、2 号、3 号发电机组自用电；3 号、4 号自用变压器为另一组，电源引自 10kV 3、4 段母线，供 4 号、5 号、6 号发电机组自用电。正常运行时自用变压器均带 50%负荷，互为备用。

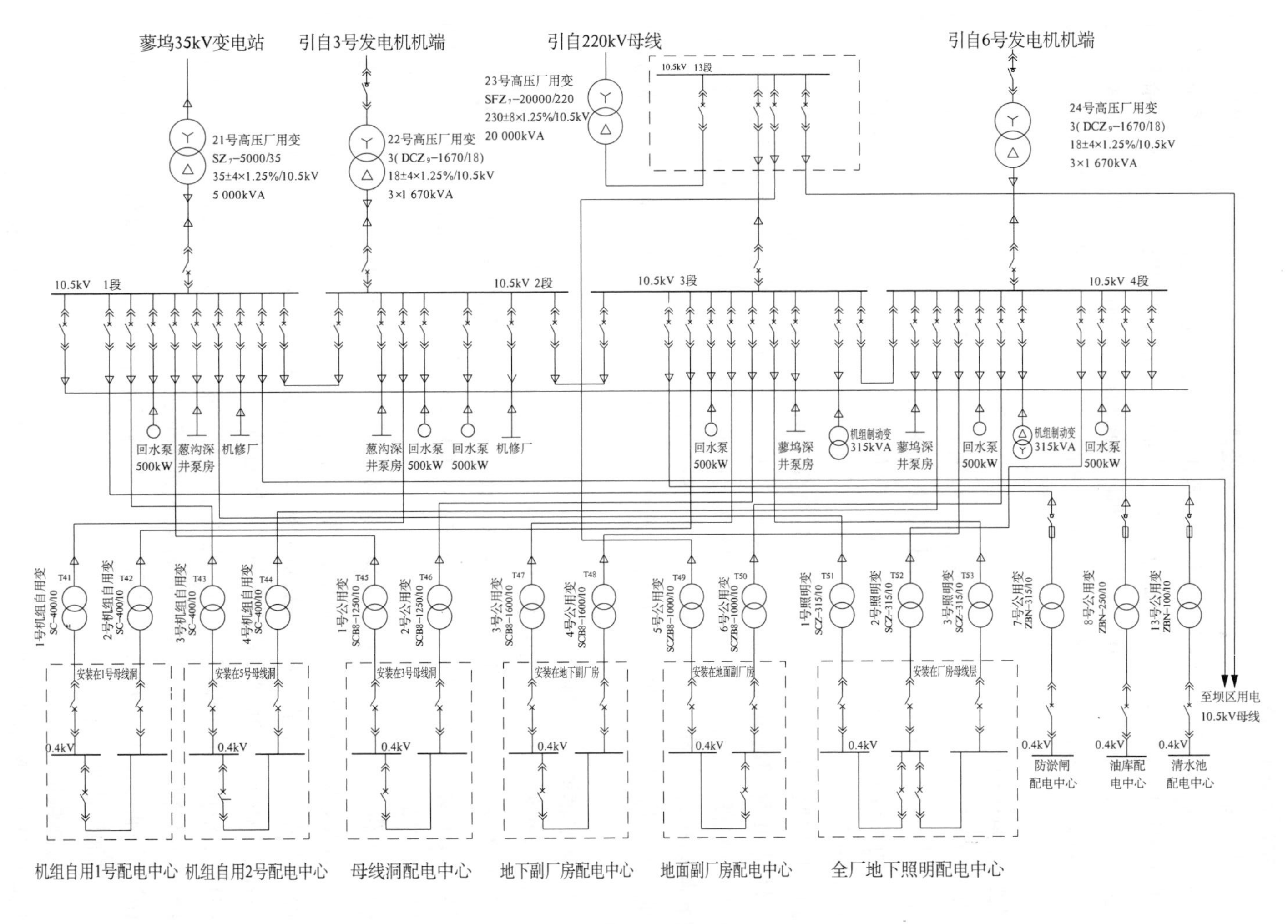

蓼坞35kV变电站
引自3号发电机机端
引自220kV母线
引自6号发电机机端
21号高压厂用变
SZ7-5000/35
35±4×1.25%/10.5kV
5 000kVA
22号高压厂用变
3(DCZ9-1670/18)
18±4×1.25%/10.5kV
3×1 670kVA
23号高压厂用变
SFZ7-20000/220
230±8×1.25%/10.5kV
20 000kVA
24号高压厂用变
3(DCZ9-1670/18)
18±4×1.25%/10.5kV
3×1 670kVA
10.5kV 13段
10.5kV 1段
10.5kV 2段
10.5kV 3段
10.5kV 4段
回水泵
500kW
葱沟深井泵房
机修厂
蓼坞深井泵房
机组制动变
315kVA
1号机组自用变 SC-400/10 T41
2号机组自用变 SC-400/10 T42
3号机组自用变 SC-400/10 T43
4号机组自用变 SC-400/10 T44
1号公用变 SCB8-1250/10 T45
2号公用变 SCB8-1250/10 T46
3号公用变 SCB8-1600/10 T47
4号公用变 SCB8-1600/10 T48
5号公用变 SCZB8-1000/10 T49
6号公用变 SCZB8-1000/10 T50
1号照明变 SCZ-315/10 T51
2号照明变 SCZ-315/10 T52
3号照明变 SCZ-315/10 T53
7号公用变 ZBN-315/10
8号公用变 ZBN-250/10
13号公用变 ZBN-100/10
安装在1号母线洞
安装在5号母线洞
安装在3号母线洞
安装在地下副厂房
安装在地面副厂房
安装在厂房母线层
0.4kV
至坝区用电
10.5kV母线
防淤闸
配电中心
油库配
电中心
清水池
配电中心
机组自用1号配电中心
机组自用2号配电中心
母线洞配电中心
地下副厂房配电中心
地面副厂房配电中心
全厂地下照明配电中心


图 6-2-1　厂用电系统

### (三)全厂公用电接线形式

公用电包括全厂公用的压缩空气装置、油处理系统、水系统、通风空调、照明、起重机械、直流充电、机修、试验、检修等负荷,涉及范围广。按供电区域,电站公用电系统设置母线洞、地下副厂房、地面副厂房、防淤闸等配电中心。除防淤闸配电中心之外,其余三处配电中心均设2台变压器、2段0.4kV母线,两段母线间设联络开关,2台变压器正常运行时各带50%负荷,互为备用。防淤闸配电中心根据负荷性质只设1台变压器和1段0.4kV母线。

### (四)照明接线

电站地下厂房及其所连洞群复杂,照明范围大。地下主、副厂房和主变压器室等均无天然采光,且布置了主机、主变压器等重要设备,它是整个照明系统中最重要的部分。为提高供电可靠性和照明质量,确定了如下设计方案:地下厂房设置独立的照明系统,与动力负荷分开。

地下厂房照明设3台照明变压器,电源分别引自10kV 1、3、4段母线。对应设3段0.4kV母线,由照明配电盘对地下厂房照明负荷集中供电。变压器正常运行方式为2台运行,1台热备用。为保证供电电压质量,3台照明变均选用干式有载调压型,以避免发电机频繁起动和大容量电动机起动对照明质量的影响。

地面副厂房、防淤闸等处的照明电源则取自相应的公用电配电中心,与动力用电合用。

### (五)其他辅助场所供电接线

(1)厂外机修厂设10kV配电所,根据机修厂所在位置,电源直接取自蓼坞35kV变电站10kV的2段母线。配电所设2段10kV母线,母线之间设联络柜。两段母线为对称式,每段母线均连接2台变压器,其中1台为1 000kVA,专供转轮检修用;另一台为500kVA,供机修厂0.4kV负荷用电。

(2)技术供水水源地葱沟和蓼坞深井泵房各设1个10kV配电所。为保证水源地电源的可靠性,10kV母线采用双电源供电,分别取自10kV厂用3、4段母线。每个深井泵房设有2台深井泵,每台容量为630kVA,负荷较大,直接从10kV供电。另外设1台50kVA泵站变压器,主要供电动闸阀及检修照明等低压负荷。

(3)清水池设1个10kV配电所。电源引自厂用电10kV 3段母线,设置1台100kVA变压器,主要供清水池内电动闸阀、电动起重机等低压负荷。

(4)厂外油库设1个10kV配电所。电源引自厂用电10kV 3段母线,设1台250kVA变压器,供油库内部用电。

### (六)检修供电

根据电站内主要检修负荷的分布情况,在检修负荷集中的场所设置适当数量的检修动力盘或动力箱,以满足就近获取检修电源的需要。检修回路一般采用单电源供电方式。

# 第三节　厂用变压器容量选择

## 一、确定最大运行方式

针对电站具体情况,对各种运行方式进行分析,以确定哪种运行方式的厂用计算负荷为最大计算负荷。厂用电负荷与一年四季气候变化有关,也与机组运行方式、检修和水库调度有关。小浪底水电站地处中原,温度适宜,而且是地下式厂房,不存在北方寒冷地区和南方高温高湿地区空调负荷占厂用电负荷较大比重的特殊现象,主要还是取决于运行方式。电站的基本运行方式有:①电站全部机组运行;②电站 1 台机组检修,其余机组运行;③电站全部机组停运;④可能使所连接的厂用变压器出现最大负荷的其他运行方式。

小浪底水利枢纽开发的目标是以防洪、防凌、减淤为主,兼顾供水、灌溉和发电,水库采用"蓄清排浑"的运行方式,每年汛期水库降低水位泄洪排沙,电站运行受水库调度运用方式制约。在大量科学试验和技术论证的基础上,提出了汛期严酷条件下机组发电的运行方式。因此,上述 4 种运行方式的出现均有可能。

经过对各种运行方式下负荷组合排列的分析得知,电站全部机组运行和电站全部机组停运时出现最大负荷的概率较小,而丰水年汛期 1 台机组停机检修,其余机组发电运行时厂用电负荷最重,故将其作为厂用最大负荷计算用运行方式。

## 二、负荷统计

### (一)用电负荷统计应注意的问题

(1)小浪底工程具有多泥沙特点,安排 1 台机组长年处于停机检修状态,同国内其他水电站相比,机组停机检修时间长,在负荷分析过程中,应分别对夏季和冬季投运的负荷进行认真分析,把具有典型性的各季节负荷统计出来相比较,以确定最大负荷出现的时间。

(2)检修负荷随机性强。对大容量设备比如检修排水泵、发电机工频耐压试验设备、主厂房桥吊、主变压器大修干燥设备的统计,应尽量做到准确。

(3)电站厂用电最大负荷运行方式确定为 1 台机组检修,其余机组运行。在计算检修机组所在段的自用变压器所带最大自用负荷时,应考虑自用变压器的备用关系按 1 台自用变压器能满足 3 台机组同时运行计算,而不是按满足 2 台机组同时运行计算。

(4)厂用电 10kV 网络所供负荷除机组自用电、公用电和高压电动机负荷之外,在 10kV 第 1 段、第 3 段母线分别引一回路作为坝区用电备用电源。因此,对高压负荷的分析应充分考虑坝用负荷的季节性。

(5)电站外设有机修厂,而且规模较大,在机组安装期间,该厂主要供水轮机转轮组装用,机组投运之后,机修负荷仍然较大。因此,机修厂负荷分析不容忽视。

### (二)负荷统计原则

在选择厂用变压器容量时,最大运行负荷计算原则如下:

(1)经常连续及经常短时运行的负荷均应计入最大运行负荷。

(2)经常断续运行负荷应适当计入,针对负荷特性和电站机组台数确定哪些应计入最大负荷。

(3)不经常连续及不经常短时运行的负荷(事故情况下运行的负荷除外),一般按设备运行情况确定。

(4)不经常断续负荷,一般仅计入在检修期经常使用的负荷。

(5)互为备用的电动机设备,只计入同时运行的电动机负荷。

**(三)最大负荷计算方法**

厂用电负荷的计算方法有负荷统计法和综合系数法等。负荷统计法是分别统计出机组自用电和公用电负荷的有功功率、无功功率,并考虑负荷的同时率、负荷率、电机效率和网损率。应用负荷统计法计算最大负荷较为繁琐,相关专业提供的设备负荷在不确定电动机型号之前,所提供的数据仅是初估值,且往往不能完整取得所需参数。因此,负荷统计法计算出的变压器容量一般偏大,电站在实际运行中很少出现原设计所出现的最大值。

综合系数法是在负荷统计法的基础上改进简化而成的。它根据对国内一些水电站厂用最大负荷时的功率因数及效率的平均值的分析,得出了各类电站功率因数与效率的平均值,并根据这一统计数值进行实测验证取得负荷率及同时率,从而得出综合系数 $K_c$。在负荷统计时将可能同时参加运行的设备额定功率千瓦数直接相加,然后乘以综合系数 $K_c$ 值,即得出厂用计算负荷。其计算公式为

$$S_{js} = K_{cz}\sum P_z + K_{cg}\sum P_g \tag{6-3-1}$$

式中 $S_{js}$——厂用计算负荷,kW;

$K_{cz}$——机组自用电系数;

$\sum P_z$——所有参加最大负荷运行自用电额定功率之和,kW;

$K_{cg}$——公用电系数;

$\sum P_g$——所有同时参加最大负荷运行公用电额定功率之和,kW。

综合系数法规范了厂用负荷的统计,减少了人为误差,也简化了计算方法。因此,将该计算方法用在了小浪底电站厂用电的最大负荷的计算上。

## 三、厂用变压器容量选择

**(一)厂用变压器容量选择的原则**

(1)厂用变压器容量的选择,应满足电站在各种运行方式下(包括其中1台机扩大性检修时)和防洪期间可能出现的最大厂用电负荷,并在一般事故或检修情况下应有足够的备用容量,不会导致由于短时过负荷过热而缩短其使用年限,更不能出现变压器容量限制闸门启闭机电机正常起动的情况。

(2)厂用变容量应满足电机自起动的要求,故障消除后电动机端的自起动电压一定不低于额定电压的70%,如果厂变的自起动容量不够,将要求自起动的电动机分批自起动。

(3)当1台厂变检修或故障时,其余厂变应能承担所有重要厂用负荷或短时承担厂用最大负荷。

(4)由于厂用电运行方式的复杂性和多变性,最大负荷的出现是一个复杂的组合关

系，但对某 1 台变压器来讲，变压器最大负荷时并不一定是全厂最大负荷。因此，每台变压器容量选择应满足其供电范围内设备的计算负荷（$S_{js}$）。

### （二）低压厂用变压器容量选择

（1）当装设 1 台厂用变压器，或装设 2 台厂用变压器，正常运行 2 台厂用变各以 50% 容量备用方式运行时，变压器容量选择条件为

$$S_{nb} \geqslant S_{js} \tag{6-3-2}$$

式中　$S_{nb}$——厂用变压器额定容量，kVA；

$S_{js}$——变压器所带的总的厂用负荷计算值，kVA。

（2）当供电范围为 3 台变压器为一组，正常运行方式为 2 台工作、1 台备用时，变压器容量选择按 $S_{nb} \geqslant 50\% S_{js}$来进行。

由于变压器的故障率很低，检修亦可安排在低负荷时进行，故当最大负荷的计算值稍大于变压器额定容量时，可适当考虑变压器的过负荷能力，尽可能不选择高一级额定容量的变压器。

### （三）高压厂用变压器容量选择

高压厂用变压器容量选择较为复杂，需要考虑正常运行和备用运行等工况。高压厂用变压器电源数量为 4 个，5 段 10kV 母线之间互相联络，构成环形网络。在正常运行方式下，4 个电源点不可能也没有必要同时向其对应的 10kV 母线供电，在各种运行方式下，以 3 号、6 号机组均发电运行，从机端供电最为经济。在电气设备布置上该厂用分支线最短，缩小了因厂用故障而影响主机正常运行的范围。

高压厂变计算负荷除低压厂变计算负荷之外，还有高压电动机负荷，同时还要考虑对坝区负荷的备用关系。因此，将 4 台高压厂用变按每 2 台分为一组，正常运行方式下，2 台厂用变各带本组负荷的 50%，并互为暗备用。

变压器容量选择条件为

$$S_{nb} \geqslant S_{js} \tag{6-3-3}$$

式中　$S_{nb}$——厂用变压器额定容量，kVA。

$S_{js}$——每组变压器所带厂用负荷计算值，kVA。

### （四）厂用变压器阻抗及调压范围

高低压厂用变压器阻抗的选择，应使厂用电系统能选到合适的配电设备，并能满足电动机正常起动和成组起动的母线电压水平。结合国内开关设备制造水平，厂用变压器阻抗按国家推荐的标准值选择，不再向变压器制造厂提出特殊要求。

在正常的电源电压偏移和厂用负荷波动的情况下，厂用电各级母线电压不宜超过额定电压的 ±5%，当仅接有电动机时，则可不超过 +10% 和 −15%。

厂用电负荷统计及变压器选择见表 6-3-1。

表 6-3-1 厂用电负荷统计及变压器选择

| 变压器名称 | 台数 | 参加最大运行方式负荷$\sum P$ | 综合系数 | 计算负荷 $S_{js}$（kVA） | 选择变压器型号及规格 | 备注 |
| --- | --- | --- | --- | --- | --- | --- |
| 1号、2号自用变压器 | 2 | 450 | 0.76 | 350 | $SC_8$ – 400/10 400kVA<br>10.5 ± 4 × 2.5%/0.4kV Y,yno | 两台变压器互为备用 |
| 3号、4号自用变压器 | 2 | 450 | 0.76 | 350 | $SC_8$ – 400/10 400kVA<br>10.5 ± 4 × 2.5%/0.4kV Y,yno | 两台变压器互为备用 |
| 1号、2号公用变压器 | 2 | 1 553 | 0.77 | 1 196 | $SCB_8$ – 1250/10 1250kVA<br>10.5 ± 4 × 2.5%/0.4kV Y,yno | 两台变压器互为备用 |
| 3号、4号公用变压器 | 2 | 1 550 | 0.77 | 1 194 | $SCB_8$ – 1600/10 1600kVA<br>10.5 ± 4 × 2.5%/0.4kV Y,yno | 两台变压器互为备用 |
| 5号、6号公用变压器 | 2 | 1 252 | 0.77 | 964 | $SCB_8$ – 1600/10 1600kVA<br>10.5 ± 4 × 2.5%/0.4kV Y,yno | 两台变压器互为备用 |
| 7号公用变压器 | 1 | 307 | 0.77 | 236 | ZBN – 315/10 315kVA<br>10.5 ± 4 × 2.5%/0.4kV Y,yno | 防淤闸 |
| 8号公用变压器 | 1 | 293 | 0.5 | 146 | ZBN – 250/10 250kVA<br>10.5 ± 4 × 2.5%/0.4kV Y,yno | 油库 |
| 9号、10号公用变压器 | 2 | 1 304 | 0.35 | 456 | $SC_8$ – 500/10 500kVA<br>10.5 ± 4 × 2.5%/0.4kV Y,yno | 两台变压器互为备用 |
| 1号、2号、3号照明变压器 | 3 | 650 | 0.77 | 500 | $SCZ_8$ – 315/10 315kVA<br>10.5 ± 4 × 2.5%/0.4kV Y,yno | 3台变压器互为备用 |
| 21号高压厂用变压器 | 1 | 8 098 | 0.6 | 4 860 | SCZ – 5000/10 5000kVA<br>35 ± 4 × 1.25%/10.5kV Y,d11 | |
| 22号高压厂用变压器 | 1 | 8 098 | 0.6 | 4 860 | 3 ×（$DCZ_9$ – 1670/18）<br>3 × 1670kVA<br>18 ± 4 × 1.25%/10.5kV Y,d11 | |
| 23号高压厂用变压器 | 1 | 7 862 | 0.6 | 4 717 | $SFZ_7$ – 20000/220 20000kVA<br>230 ± 8 × 1.25%/10.5kV Y,d11 | |
| 24号高压厂用变压器 | 1 | 7 862 | 0.6 | 4 717 | 3 ×（$DCZ_9$ – 1670/18）<br>3 × 1670kVA<br>18 ± 4 × 1.25%/10.5kV Y,d11 | |

# 第七章　坝用电

## 第一节　坝用电电源设置原则

坝用电包括大坝用电和泄洪设施用电。由于泄洪、排沙、发电、灌溉等功能的需要，小浪底水利枢纽有着极其复杂而庞大的洞群和水工建筑物。坝用电系统要向10座进水塔、3个排沙洞出口闸室、3个孔板洞中间闸室、正常溢洪道、消力塘等部位供电。小浪底工程的主要任务是黄河下游的防洪、防凌、减淤，坝区供电系统的可靠性直接影响着大坝及整个枢纽的安全运行，也关系到人民生命和国家财产的安危。在任何情况下，供电电源都必须十分可靠，以确保闸门启闭系统不因失电而引起泄洪障碍或洪水溢坝垮坝的危险。

水电站厂用电设计规范规定：对有紧急泄洪要求的大坝，应有两个电源供电，如2个电源有可能都失去，且对特别重要的泄洪设施无法以手动方式开启闸门满足泄洪要求时，可增设第三个电源。

小浪底水利枢纽闸门启闭机设备选型先进，采用计算机监控系统进行运行管理，自动化程度高，闸门的规模也不可能采用手动方式启闭。鉴于工程设施的重要性和设备运行方式，坝用电源不应少于3个。根据外来电源的条件，最终小浪底工程坝区电源为4个：由东河清变电站引接2回10kV电源，东河清变电站的2回110kV电源分别引自上一级220kV变电站的两段110kV母线上，因此东河清变电站引接的2回10kV线路可视为2个电源，并应作为坝区供电的主供电源；由厂用电的两段10kV母线上引接2回10kV电源，作为坝区供电的备用电源。由于厂用电的各段高压母线是互为备用关系，因而取自厂用电的2个电源也是十分可靠的。在水库投运初期，由厂用电引2回电源作为坝用电的主供电源，即由厂用电10kV 1段及开关站10kV配电室(13段母线)引来，待东河清变电站改建完成后，再按终期方式运行。

为集中控制和灵活运用坝区用电，在坝顶靠近主要负荷处建设坝顶配电楼，布置10kV配电装置。

在坝用电备用电源的长远规划上，还考虑了将在建的小浪底水利枢纽的配套工程西霞院水电站作为小浪底水库防洪备用电源的可能性。西霞院水电站是小浪底水库的反调节电站，装设4台35MW水轮发电机组，并有着自己的外来厂用电源。将西霞院水电站与小浪底电站坝用电源结合起来运用，可进一步增加防洪电源的可靠性。此方案待西霞院建设时一并考虑。

# 第二节 负荷分析与统计

## 一、泄洪排沙系统的负荷分析计算

对于小浪底这样复杂的水利枢纽,坝用电的最大负荷计算尚无现行规程参考,也没有相似的工程经验可供借鉴,只能根据具体情况做具体分析。

小浪底水利枢纽设置了几十扇各种各样的闸门设施,按水库不同的运用方式,闸门启闭可以有很多种组合方式。各种闸门同时起动所需电源容量过大,这种工况在实际运行中也极少出现。因此,应采取措施,避免闸门同时起动。

根据水库及泄洪排沙系统的运用方式及闸门启闭机的运行特点,将闸门做分组运行,使各组闸门启闭分步进行。

在几组大的泄洪建筑物中,不考虑进水塔、孔板洞中间闸室、正常溢洪道、排沙洞出口闸室这几个建筑物的闸门短暂同时启闭这种工况,以限制坝用电总容量。

在各个泄洪、排沙建筑物内,凡是设置2扇闸门的均考虑同时启闭。

正常溢洪道有3扇闸门,每扇闸门启闭机设两台电动机,3扇闸门禁止同时起动。其运行要求允许有以下两种方案:①左、右两扇闸门启闭机1台电动机工作、1台起动,两拱闸门启闭完毕,再起动中间1扇闸门;②先起动中间1扇闸门启闭机,再起动左、右两扇,1台电动机工作、1台起动。

在分析了各种负荷组合方式后,泄洪排沙系统的最大用电负荷按以下8种负荷之和计算:

(1)1条孔板洞事故门启闭。每条孔板洞由2个事故门组成,每个事故门设2台电动机。每条孔板洞启闭按4台电动机同时运行。电动机功率为4×132kW。

(2)3部电梯同时运行。泄洪建筑群中共有7部电梯:坝顶控制楼2部,进水塔中3个发电塔各1部,1号、3号孔板洞中间闸室各1部。每部电梯功率20kW,考虑3部电梯同时使用。

(3)6个加压泵房同时工作。6个加压泵房分别设在1号、2号、3号发电塔和1号、2号、3号孔板塔中,属于高压冲水系统。每个加压泵房有1台90kW的加压泵。在闸门启闭前,先由加压泵冲刷淤堵于闸门处的泥沙,然后才能启闭闸门,故这6台加压泵按有可能同时工作计算。

(4)所有渗漏排水泵工作。进水塔中渗漏排水泵要随时排除渗漏,以保证进水塔的安全,塔中设3处渗漏排水泵,电动机功率共计123kW。

(5)进水塔塔顶门机工作。汛期从黄河上游冲下许多杂物堆积在进水塔前,此时门机需要清理搬运杂物及各种检修设备,按门机主起升机构运行考虑,电动机功率为200kW。

(6)消力塘排水泵工作。消力塘1号、2号竖井内分设2台排水泵,工作方式为短时经常运行。正常运行一主一备,水量大时也有同时工作的可能性,故按2台排水泵同时工作考虑,计算负荷372kW。

(7)坝顶控制楼内的负荷。坝顶控制楼是水利枢纽的监测、控制中心,其内的负荷包括2部电梯、2套空调机组、1台屋顶增压泵、通风机、直流电源、闸门控制系统、大坝安全监测系统及火灾报警控制器,共计320.2kW。

(8)所有照明负荷及通风负荷。不论是在汛期还是在非汛期,必须保证泄洪排沙系统的照明供电和通风供电。计算最大用电负荷时计入全部照明负荷及通风负荷,其中进水塔照明负荷约为30kW,孔板洞中间闸室照明负荷约为15kW,排沙洞出口闸室照明负荷约为10kW,1号、2号、3号明流塔通风机功率共为3.3kW,2号发电塔通风机功率为4kW,共计62.3kW。

综合以上8种负荷,泄洪排沙系统的最大用电负荷$\sum P = 2\ 205.5$kW,以此作为坝用电供电总容量的设计依据。

## 二、变压器容量选择

### (一)统计原则

参照厂用电负荷的计算方法,选择坝区变压器容量时,最大负荷按以下原则计算:

(1)经常连续及经常短时运行的负荷均应计算。

(2)经常断续运行负荷应适当计入。

(3)不经常连续及不经常短时运行负荷,除仅在事故情况下运行的负荷不统计外,应按设备组合运行情况计算。

(4)不经常断续运行负荷,一般仅计入在启闭机检修时经常使用的负荷。

(5)互为备用的电动机,有可能由同一电源供电时,只计算参加运行的部分,由不同电源供电时,则应分别计入。

### (二)坝用变压器容量选择要求

变压器的容量应满足在正常情况下可能出现的最大坝用负荷的需要,而且在一段母线事故或检修条件下有足够的备用容量。

互为备用的变压器应有足够的备用容量。正常运行时,各台变压器以50%左右的额定容量承担所连母线上的重要负荷,并以暗备用方式运行;当一台变压器故障时,另一台应通过变压器分段(或联络)断路器以100%容量承担两台变压器所带的全部负荷。

互为备用的变压器,在承担所连母线上的负荷后,还应满足另一台变压器所连母线段电动机起动时的最低电压要求,以保证电动机顺利起动投入运行。

根据负荷统计分析,并经过 0.4kV 母线电压降校验选定变压器容量。

坝区用电负荷及变压器选择见表 7-2-1。

表 7-2-1　坝区用电负荷及变压器选择

| 变压器名称 | 台数 | 计算负荷 $S_{js}$ (kW) | 选择变压器型号及规格 (kVA) | 备注 |
|---|---|---|---|---|
| 坝顶控制楼配电中心 | 2 | 550 | SC8－630/10　630kVA 10.5±4×2.5%/0.4kV　Y,yno | 2 台变压器互为备用 |
| 1 号发电塔动力中心 | 1 | 931 | SCB8－1000/10　1000kVA 10.5±4×2.5%/0.4kV　Y,yno | |
| 2 号发电塔动力中心 | 1 | 1 018.1 | SCB8－1250/10　1250kVA 10.5±4×2.5%/0.4kV　Y,yno | 3 台变压器互为备用 |
| 3 号发电塔动力中心 | 1 | 787.1 | SCB8－1000/10　1000kVA 10.5±4×2.5%/0.4kV　Y,yno | |
| 排沙洞出口闸室动力中心 | 2 | 280 | SC8－400/10　400kVA 10.5±4×2.5%/0.4kV　Y,yno | 2 台变压器互为备用 |
| 中间闸室动力中心 | 2 | 431.6 | SC8－500/10　500kVA 10.5±4×2.5%/0.4kV　Y,yno | 2 台变压器互为备用 |
| 消力塘动力中心 | 2 | 400 | ZBN－315/10　315kVA 10.5±4×2.5%/0.4kV　Y,yno | |

# 第三节　坝用电接线

坝顶配电楼 10kV 配电装置采用单母线分段的接线方式,两段母线用断路器联络。每段母线分别接入 2 回 10kV 电源,其中东河清变电站外来电源 1 回,厂用电源 1 回。供电范围包括整个泄洪排沙系统及发电、灌溉系统闸门启闭设施和大坝安全监测系统、闸门控制系统、通信系统、直流系统、消防泵、空调机组、电梯等。

由于坝用电负荷比较分散,相互距离远近不等,最远的在 1 000m 以上,按负荷性质及分布区域分设 10 个动力中心。由坝顶控制楼高压配电室的 10kV 母线分别向 10 个动力中心供电。

## 一、进水塔动力中心

小浪底电站进水建筑由 16 个进水口组成 10 座进水塔,分别为 3 座明流塔、3 座孔板塔、3 座发电塔和 1 座灌溉塔,组成明流洞、孔板洞、发电排沙洞及灌溉洞的进口控制结构,整个塔呈一字形排列,是一个庞大而复杂的水工建筑物。

10座进水塔设3个动力中心，分别是进水塔1号、2号、3号动力中心，位于1号、2号、3号发电塔内。进水塔1号动力中心集中向1号明流塔的工作门和事故门、1号孔板塔的事故门、1号发电塔的快速门、1号排沙洞的事故门等闸门的启闭机和塔顶门机负荷供电；2号动力中心向2号孔板塔、2号发电塔及2号明流塔的各种闸门启闭机及塔顶门机负荷供电；3号动力中心则向3号明流塔、3号孔板塔、3号发电塔及灌溉塔的各种闸门启闭机及塔顶门机负荷供电。

在3个进水塔动力中心内，每个中心各设1台变压器，变压器低压侧采用单母线断路器分段，其中一段母线电源由本中心变压器主供，另一段母线电源由另一个动力中心低压母线经断路器用电缆引来，3个动力中心连成环形供电，互为联络，互为备用，保证了供电的可靠性。

## 二、排沙洞动力中心

3个排沙洞出口闸室设2个动力中心。排沙洞出口1号动力中心设在1号排沙洞出口闸室，排沙洞出口2号动力中心设在3号排沙洞出口闸室。每个中心各设1台变压器，变压器低压侧采用单母线接线，并在未设变压器的2号排沙洞出口闸室设1段低压母线，其电源分别从1号、2号动力中心低压母线经电缆相互联络。这3段低压母线分别担负着3个排沙洞出口闸室偏心铰弧门启闭机、排沙洞双梁桥吊及照明等负荷的供电。

## 三、孔板洞中间闸室动力中心

3个孔板洞中间闸室设1个动力中心，位于2号孔板洞中闸室，担负3个孔板洞中间闸室偏心铰弧门启闭机、吊车及照明等的供电。中心内设2台变压器，分别供两段低压母线，两段母线之间用断路器联络，互为备用。

## 四、坝顶控制楼动力中心

坝顶控制楼动力中心位于坝顶配电楼内。设2台变压器，分别设两段低压母线，并通过断路器联络，互为备用。其供电负荷包括坝顶控制楼的大坝安全监测系统、闸门控制系统、电梯、通信系统、直流系统、消防泵、空调机组、屋顶增压泵等，还担负着正常溢洪道闸门油压启闭机等的供电任务。正常溢洪道配电中心设两段母线，彼此联络，每拱闸门启闭机设2台电动机，供正常溢洪道闸门启闭负荷供电。

## 五、消力塘动力中心

2个消力塘动力中心位于消力塘左右两侧的1号、2号排水泵房内。2个动力中心分别设2台变压器和相应的低压母线，供排水泵房负荷用电。鉴于两个消力塘相距较远，采用10kV电压级相互备用。

## 六、右岸洞群动力中心

右岸洞群动力中心位于右岸灌溉洞口处，设1台箱式变压器，配备相应的低压回路，主要供右岸洞群照明负荷用电。坝用电接线详见图7-3-1。

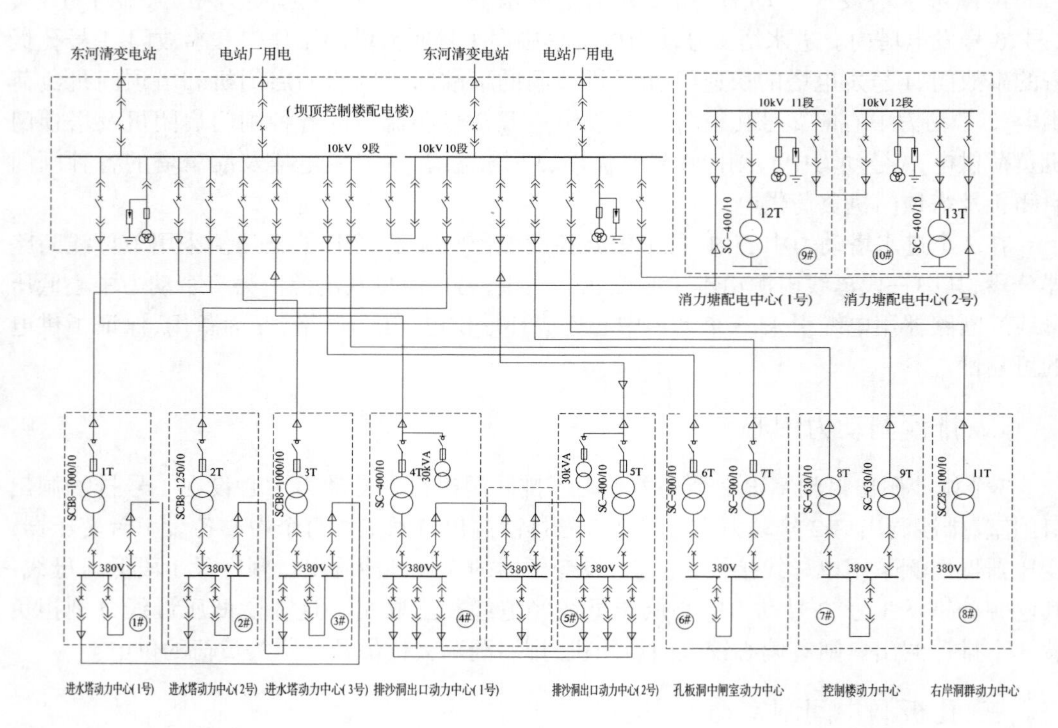
东河清变电站
电站厂用电
东河清变电站
电站厂用电
(坝顶控制楼配电楼)
10kV 9段
10kV 10段
10kV 11段
10kV 12段
SC-400/10
12T
9#
SC-400/10
13T
10#
消力塘配电中心(1号)
消力塘配电中心(2号)
1T
SCB8-1000/10
380V
1#
2T
SCB8-1250/10
380V
2#
3T
SCB8-1000/10
380V
3#
4T
SC-400/10
30kVA
380V
4#
380V
30kVA
5T
SC-400/10
380V
5#
6T
SC-500/10
7T
SC-500/10
380V
6#
8T
SC-630/10
9T
SC-630/10
380V
7#
11T
SCZ8-100/10
380V
8#
进水塔动力中心(1号)
进水塔动力中心(2号)
进水塔动力中心(3号)
排沙洞出口动力中心(1号)
排沙洞出口动力中心(2号)
孔板洞中闸室动力中心
控制楼动力中心
右岸洞群动力中心

图 7-3-1　坝用电系统

# 第八章　主要设备选择

## 第一节　水轮发电机

### 一、主要参数选择

水轮发电机组是发挥小浪底工程发电效益的关键设备，在工程规划与设计中得到充分的重视，对发电机组容量、性能参数、结构都进行过长期的研究论证工作，与国内外主要制造厂商进行过多次技术交流，为最终确定水轮发电机组的性能参数和结构提供了技术基础。

小浪底电站发电机及其附属设备立足于国内采购，经招标，确定由哈尔滨电机厂与东方电机厂各生产3台，哈尔滨电机厂牵头设计。

主要参数选择如下。

**（一）额定容量**

依据小浪底水库的水能指标及水库运用方式，几经技术经济论证，确定发电机额定容量为300MW。

**（二）最大容量**

发电机最大容量是发电机电磁计算和机械计算的基础参数。通常水轮发电机的额定容量是根据水轮机在额定水头下的出力而定的。当水库蓄水位高于额定发电水头时，水轮机有可能增大出力，与之匹配的发电机则可设置最大容量，以充分利用水能，提高发电效益。

小浪底水电站作为电力系统中骨干调峰电站，设置发电机最大容量是必要的也是可能的。其主要条件如下：

（1）在水库水情和运行方式上，夏季防洪及冬季防凌有弃水现象，在非汛期发电水头也有大于水轮机设计水头的运行方式，存在机组超发的水能条件。

（2）根据电力平衡计算，电力系统有增加调峰容量的需要。

（3）水轮机的设计有超出力能力，相应的水工建筑也有超出力时的过水能力。

（4）发电机电压配电装置及主变等设备在容量范围选择上存在一定的裕度，适当超发不会引起设备选择上的困难和容量档次上的变化。

（5）适当增大发电机的设计容量，发电机的制造成本增加很少甚至不增加，但带来的发电效益却是十分可观的。

基于上述条件，经技术经济综合分析论证，推荐电站发电机设置最大容量，最大容量为额定容量的108%，即324MW。发电机可以在此容量下连续运行。

**（三）额定电压**

发电机额定电压的选择，主要取决于发电机本身的技术经济指标，同时也要考虑发电机电压配电装置、大电流母线和主变压器的技术经济指标。

对应300MW额定容量的水轮发电机组，可供选择的机端电压有15.75kV、18kV和20kV。

发电机电压选择过高，不仅会消耗较多的绝缘材料和有效材料，增加制造成本，而且会增加定子铁芯长度而恶化通风散热条件，使发电机在设计、制造和安装上难度加大，也使定子线圈防电晕问题更加突出。根据国内外机组的设计选型经验，不推荐采用20kV电压等级。

15.75kV和18kV是大型机组中经常被采用的电压等级。较低的额定电压在发电机设计、制造上有一定的优势，经济上也较省，但会引起发电机回路电流增大，增加母线投资，也增加发电机电压设备的发热与损耗。通过对15.75kV和18kV不同电压下发电机槽电流和槽满率的分析对比，以及发电机回路配套设备(如封闭母线、发电机断路器、主变压器)的投资及年运行费用的综合比较，推荐发电机额定电压采用18kV。

**(四)额定功率因数**

发电机功率因数的大小直接影响到发电机视在功率的大小，亦即影响到发电机的尺寸和造价，对系统的稳定也有一定的影响。在输出有功功率一定的情况下，提高功率因数，可以提高发电机有效材料的利用率，增加同步电抗和同步瞬变电抗，使发电机气隙长度减小，或使线负荷增加。气隙长度的减小可使电机磁阻减小，因而减小转子尺寸和励磁容量；线负荷的增加也使发电机尺寸减小，从而降低发电机造价。但提高功率因数将减小发电机视在功率，降低运行稳定性。所以，发电机功率因数要根据电网结构、负荷性质和发电机造价等因素综合确定。

1984年初，小浪底电站初步设计时，对发电机额定功率因数电站接入系统设计为0.875。随着设计方案的优化和电网结构的加强，大型水电站对发电机功率因数的取值有增高趋势。为降低发电机造价，在机组招标设计阶段再次对发电机功率因数进行了论证。根据电站接入系统方案变化、系统无功平衡、无功功率在电网中的分配及发电机投资估算等条件和影响因素，对0.875、0.9、0.925、0.95等功率因数取值进行了分析比较，最后推荐采用0.9。

**(五)额定转速**

发电机的额定转速要满足发电机电磁设计及结构布置的需要，也要考虑水轮机的转轮型式、工作水头、效率、气蚀与泥沙磨损等因素，与水轮机转速相匹配。

黄河泥沙含量大，对水轮机过流部件磨损严重，降低水轮机转速可减少这种磨损。经与制造厂商的技术交流和技术经济比较，小浪底电站水轮发电机转速采用115.4r/min、107.1r/min、111.1r/min都是可行的。但从发电机制造角度看，发电机额定转速选用107.1r/min时，相应极数为56，每极负荷为5 952kVA，并联支路数为2、4、7、8，设计选择4支路并联，有效导体为2，槽电流为5 346A，这是比较经济合理的电流密度。故从发电机电磁设计角度出发，发电机额定转速推荐采用107.1r/min。最终这一转速被确定为水轮发电机组的转速。

值得强调的是，水轮机制造商提出的机组飞逸转速是相当高的，飞逸转速与额定转速之比达2.278，是混流式水轮发电机组少见的。为满足飞逸转速要求，除了重视转子材料选择外,还要适当控制发电机转子周边的线速度,以限制定转子直径。

### (六)短路比

发电机的短路比是指发电机出口发生三相短路时的励磁电流与额定值时的励磁电流之比。短路比是根据电站输电距离、负荷变化情况等因素提出的,短路比愈大,发电机稳定极限愈高,电压变化愈小,但转子用铜量会增加,成本提高。一般发电机短路比取值0.9~1.3,随着电网结构的进一步加强,励磁调节器反应速度的进一步加快,这一参数可适当降低。小浪底电站发电机短路比经与电力系统协商,定为1.1左右,制造厂家的设计值为1.114。

### (七)发电机飞轮力矩

飞轮力矩是发电机转动部分的重量与其惯性直径平方的乘积,它对发电机甩负荷时速率升高和系统负荷突变时运行的稳定性有很大影响。当电力系统发生故障时,水轮机突然和电网解列,由于水轮机导水叶关闭需要一定时间,在该时间内机组转速会升高,引水管道压力也会上升。为了将这种转速上升值控制在一定范围内,要求水轮发电机具有一定的飞轮力矩。根据现行规定,机组最大转速升高率宜小于45%,蜗壳最大压力升高率宜为50%~30%。当水轮发电机组部分负荷被切除时,水轮机的驱动转矩与发电机的电磁转矩瞬时失去平衡,机组转速也会上升。飞轮力矩越大,机组变化率越小,系统运行稳定性越高,但飞轮力矩过大会使发电机重量增加,从而导致成本提高。所以,应通过水轮机调节保证计算来确定飞轮力矩,以期达到水工建筑物和机组造价最省的目的。

小浪底电站调节保证计算要求发电机飞轮力矩为97 000$t \cdot m^2$,按照机组调节保证计算和电网稳定性的要求,设计取值99 000$t \cdot m^2$。

### (八)效率

发电机在额定容量、额定电压、额定转速、额定功率因数时,其效率保证值不低于98.3%;发电机在额定容量、额定电压、额定转速、功率因数为1时,其效率保证值不低于98.5%;发电机加权平均效率保证值不低于98.2%。

### (九)绝缘及温升

发电机定子、转子绕组和定子铁芯主绝缘采用F级厚粉云母纸,云母含量达48%以上。因此,减小了主绝缘厚度,提高了槽利用率。此种绝缘的定子线圈热态损耗和击穿场强性能指标优良。

虽然发电机主绝缘采用了F级,但由于绝缘材料易受老化、机械损伤、电晕、局放等因素影响,在工程应用上一般均按低一级的绝缘来考虑温升,以利安全。小浪底电站发电机温升按B级绝缘要求控制,容量按324MVA设计。

### (十)电抗

电抗计算值如下:

纵轴同步电抗　$X_d = 1$

纵轴瞬变电抗　$X_{d'} = 0.327\,4$

纵轴超瞬变电抗　$X_{d''} = 0.212\,4$

横轴同步电抗　$X_q = 0.681$

横轴瞬变电抗　$X_{q'} = 0.680\,9$

横轴超瞬变电抗　　　　$X_{q''} = 0.2169$

转子设有纵横阻尼绕组，其交、直流超瞬变电抗计算值之比可满足接近 1 的要求。

**(十一)主要电磁数据对照**

小浪底电站发电机与国内典型发电机主要技术数据对比见表 8-1-1。

**表 8-1-1　　典型发电机主要技术数据对比**

| 项　目 | 电站名称 | | | | | |
|---|---|---|---|---|---|---|
| | 小浪底 | 岩滩 | 白山 | 龙羊峡 | 隔河岩 | 水口 |
| 额定容量（MW） | 300 | 302.5 | 300 | 320 | 306 | 200 |
| 视在功率（MVA） | 333.3 | 345.7 | 343.0 | 355.6 | 340 | 222.2 |
| 功率因数 | 0.9 | 0.875 | 0.875 | 0.9 | 0.9 | 0.9 |
| 额定电压（kV） | 18 | 25.75 | 18 | 15.75 | 18 | 13.8 |
| 额定电流（A） | 10 692 | 12 673 | 11 000 | 13 035 | 10 906 | 9 296 |
| 额定转速（r/min） | 107.1 | 75 | 125 | 125 | 136.4 | 107.1 |
| 飞逸转速（r/min） | 244 | 145 | 260 | 256 | 270 | 278 |
| 定子铁芯外径（cm） | 1 360 | 1 700 | 1 230 | 1 280 | 1 244 | 1 196 |
| 铁芯长度（cm） | 230 | 233 | 275 | 260 | 210 | 226 |
| 极距（cm） | 71.752 | 63.735 | 74.22 | 77.558 | 82.11 | 62.83 |
| 槽数 | 576 | 720 | 468 | 630 | 528 | 528 |
| 电负荷（A/m） | 766.3 | 715.8 | 722.5 | 735.3 | 781.3 | 679.6 |
| 纵轴瞬变电抗 | 0.327 4 | 0.339 9 | 0.36 | 0.318 6 | 0.3 | 0.312 3 |
| 短路比 | 1.114 | 1.04 | 1.114 | 1.135 | 1.11 | 1.118 |
| 效率（%） | 98.56 | 98.51 | 98.44 | 98.39 | 98.64 | 98.57 |
| 利用系数 | 8.272 | 7.513 | 7.25 | 7.8 | 8.978 | 7.319 |
| 单位容量铁重（kg/kVA） | 0.578 | 0.646 | 0.607 | 0.628 | 0.6 | 0.683 |
| 单位容量铜重（kg/kVA） | 0.300 8 | 0.345 5 | 0.314 | 0.300 | 0.220 | 0.348 |
| 推力制造难度系数（$t \cdot r/min \cdot 10^3$） | 400.55 | 206.25 | 225 | 283.75 | 225.06 | 439.11 |

## 二、发电机结构

**(一)结构型式**

发电机型式要与水轮机结构型式相匹配，同时也要适应地下厂房布置的要求。小浪底电站水轮机为竖轴混流式，厂房为地下厂房，故选定发电机为立轴半伞式密闭自循环空气冷却三相凸极同步发电机结构。

**(二)总体布置**

发电机主轴采用整体锻造变径结构。设 2 个导轴承，1 个推力轴承。上导轴承布置在上机架中心体内，下导轴承布置在下机架中心体内。推力轴承布置在转子下方的下机架中心体上。这种布置同下导轴承和推力轴承均放置在下机架油槽内的方案总高度相当,而造价可以减少。发电机定子铁芯内径设计为 12.79m,能满足整体吊出发电机下机架及水轮机顶盖的要求。

转子中心体采用法兰与主轴螺栓连接并以十字键传递扭矩,主轴用外法兰与水轮机主轴螺栓连接,按摩擦传递扭矩设计,法兰及螺栓强度按无摩擦传递扭矩校核。

发电机转子下方下机架支臂之间设置平台,供装配与检修推力轴承部件,维修制动系统、磁极绕组和定子下端部时使用。发电机上机架上面设置有密封盖板,盖板下面敷耐火隔音材料,以消除噪音。

发电机定子基础板埋入混凝土机坑内,可以用楔子板调整高度,以确保定子具有正确的垂直位置和水平位置。

为防止轴电流,各导轴承支架均设有绝缘垫,并在水轮机大轴上装有轴电流监测装置。

**(三)定子**

为便于运输,定子机座分为 6 瓣,现场组焊整圆,在机坑内下线。定子铁芯采用 0.5mm 厚低损耗、高导磁、无时效、不老化的优质冷轧硅钢片。为减少涡流损耗,表面喷涂 0.02mm 厚 F 级绝缘的树脂改性漆。为保证铁芯叠片质量,采用分段冷压及铁损试验后加热压紧的特殊工艺冲片与机座采用双鸽尾筋固定,两端用大齿压板及双螺杆拉紧。

定子绕组采用双层条式波绕组,3 相 4 支路并联,星形连接,为减小端部漏磁引起的附加损耗,采取罗贝尔法则做 360°换位。定子槽数为 526,每槽中有效导体为 2 根。定子绕组上、下端各设两道端箍,以防端部变形与破坏。

**(四)转子**

转子为无轴结构,由支架、磁轭和磁极等部件组成。支架为通风损耗小、整体钢度大的圆盘式焊接结构,由中心体和 8 面扇形瓣组成。转子设有纵、横阻尼绕组。

磁极采用 1.5mm 厚的高强度薄钢板,用磁极压板及螺杆紧固成一体。磁极绕组采用七边形铜排扁绕而成,每极 22 匝,匝间采用 F 级绝缘,上下均设绝缘托板与线圈热压成一体,提高了磁极的机械性能和电气性能。

磁轭用高强度合金钢板冲制,工地叠压。磁轭与转子支架采用切、径向键复合键连接结构,分离转速为额定转速的 1.15 倍(即 123r/min)。

**(五)主轴**

发电机主轴采用整体锻造变径结构。上部外径 1.7m,内径 1.3m;下部外径 2.1m,内径 1.7m。变径结构可使主轴与转子中心体下圆盘和水轮机轴上部法兰可靠连接,同时也不增加推力轴承直径,从而减少推力损耗。大轴与转子中心体及水轮机轴采用螺栓连接。

顶轴外径 1.26m,用 20SiMn 锻钢制造。上部热套上导轴承滑转子,下端与发电机转子中心体连接。

**(六)轴承**

1.推力轴承

由于受水轮机过机泥沙高等因素影响,小浪底电站发电机推力负荷较高,达 $3.67\times10^4$kN。因此,推力轴承成为发电机设计的重点之一。

从布置上,推力轴承设在转子下方的下机架中心体上。与将推力轴承布置在水轮机顶盖上相比,这种布置使运行不受顶盖振动影响,稳定性能好;检修水轮机可通过下机架电动葫芦起吊顶盖,不起吊发电机转子,方便了检修。

推力瓦是推力轴承的关键部件。传统的钨金瓦刮瓦、研瓦麻烦,且存在瓦温过高甚至烧瓦的隐患。为确保电机可靠安全运行,推力瓦采用由俄罗斯引进的弹性金属塑料瓦。弹性金属塑料瓦是以填充聚四氟乙烯为摩擦表面层,以金属丝为中间层,并通过特殊焊接方式同钢背结合为一体的复合材料推力轴承。其主要特点是摩擦系数小,耐磨性好,承压能力强,安装检修方便,使用寿命长,提高了推力轴承的可靠性。

推力轴承采用油浸式、内部循环冷却,在瓦型上,仍采用国内有成熟经验的单挑瓦扇形结构。推力瓦采用弹性油箱自调式支撑双层分块瓦结构。推力轴承冷却器采用可抽出式,以方便检修,为防止油雾,采用了气密封结构。

2.导轴承

发电机设置上导及下导轴承。导轴承为油浸式自循环和巴氏合金结构,润滑油由装在油槽内的 12 个螺旋形油冷却器冷却。

上导轴承有 12 块扇形瓦,采用自调式楔形支撑结构,以保证轴瓦间隙维持不变。下导轴承结构与上导轴承相同。

**(七)上、下机架**

发电机上机架由中心体和支臂组成,中心体兼作上导轴承油槽。上机架中心体为井字形钢板焊接结构,4 个支脚成 90°对称分布在风道壁上,与基础板通过切向键连接。支脚与基础板之间具有一定间隙,允许发电机正常运行时,上机架径向自由膨胀,避免机坑壁承受热应力。这种结构的上机架可保证通过上导轴传递的径向力均转变为切向力作用到风道壁上,使风道壁受力情况得到改善。

下机架由中心体和 12 个支臂组成,中心体为整圆结构,支臂与中心体在现场组焊在一起。下机架支臂与基础之间设置 12 个千斤顶装置。

**(八)引出线**

发电机全部引出线为线电压级全绝缘结构。主、中引出线每相 4 支路,直接引至机坑壁内侧,与插进风道壁内侧的离相封闭母线软连接。引出线在道壁内设可拆卸的接头,接头全部镀银,采用螺栓连接。

主引线 - Y 方向引出。中性点引出线在第Ⅰ象限,Y 形接线,引出机坑后经消弧线圈接地。招标阶段设计中性点引出方向在第Ⅰ象限与 + X 方向夹角为 30°。在发电机制造图纸设计中,由于下机架基础螺栓位置与水轮机层进人门相矛盾,后将发电机整体(除主引出线外)逆时针旋转 15°布置,故中性点引出线方向定为与 + X 方向夹角 45°,中性点引出线高程也由 142.4m 抬高至 143.1m。

**(九)空气冷却器**

发电机冷却采用转子磁轭鼓风、密闭自循环、双路径向、旋转挡风板无风扇端部回风通风方式。这种通风系统结构损耗小,风量分配均匀,上、下风路对称,不设风扇,机组运行更安全可靠。

发电机内的空气由转子支架、磁轭和磁极旋转而形成压力,使气流经过气隙、铁芯、机座进入空气冷却器，由空气冷却器冷却后的气流又经上、下风道流回转子。为避免定、转子上下两端气隙漏风，采用了旋转挡风板的结构。12个空气冷却器对称布置在定子机座周围，冷却器为胀管式，其设计裕量可满足在1台冷却器退出运行情况下，发电机仍可带额定负荷连续运行。

**（十）润滑油冷却系统**

推力轴承和导轴承采用润滑油在油槽内自循环冷却的润滑方式。润滑油通过装在油槽内的水冷却器进行水冷却。冷却器设计为正反向均可进水，以防止沉淀物堆积，且可在不拆卸轴承条件下进行更换或检修。

**（十一）高压油润滑和制动、转子顶起装置**

由于机组采用了弹性金属塑料瓦，故取消了开停机前用于顶起转子建立油膜的高压润滑油系统。但在机组停运72h后再起动或检修塑料瓦时，每台机仍需配置1台转子液压顶起装置。

发电机装设1套空气操作的机械制动装置，同时还设置高效除尘装置。发电机还设置有电气制动装置，每3台机有1台制动变压器，容量315kVA、变比10/0.4kV，每台机有1套制动开关和制动控制盘。

**（十二）灭火及干燥系统**

发电机采用水喷雾灭火方式，自动探测和报警，手动操作喷水。发电机风罩内设置足够数量的喷雾头，并布置安装适量的火灾探测器。

在发电机风罩内设置1套电加热干燥系统，以防发电机停机时绝缘受潮结露，并可维持机坑内的温度不低于45℃，以利轴承随时起动。该系统可手动或自动投入运行。

## 三、机组励磁系统

**（一）励磁系统型式**

励磁系统采用自并激静止晶闸管整流励磁方式，主要由励磁电源变压器、三相全控桥式整流装置、灭磁装置、转子过电压保护装置、起励装置、双微机双通道自动励磁调节器及励磁系统控制、保护、检测等部分组成，除励磁电源变压器外的其他设备均装在机旁励磁柜内。

整套装置国际询价采购，最后从瑞典ABB公司引进。

**（二）励磁系统基本技术条件**

励磁系统的基本技术条件除符合有关标准和规程规范外，还应满足以下条件：

（1）满足发电、调频、同步（手动准同步、自动准同步）、调峰、发电机组零起升压以及充电运行的要求。

（2）保证发电机额定容量时的强励要求。

（3）保证在发电机额定负荷下1.1倍励磁电压和励磁电流时的长期连续运行。

（4）在发电机端正序电压为额定电压的80%时，励磁系统能提供2倍的额定励磁电压和2倍的额定励磁电流，持续时间不小于50s。

（5）压响应时间：上升至强励顶值的时间不大于0.08s，下降时由顶值电压减小到零的时间不大于0.15s。

（6）能满足220kV线路初始充电要求，并能稳定运行。

(7)励磁系统交流工作电源电压在短时间(不大于50s)、波动范围为55% ~ 120%的额定值、频率为45 ~ 77.5Hz时,能维持正常工作。

(8)装设电力系统稳定器PSS,其有效频率范围为0.2 ~ 2.0Hz,并设置必要的保护和控制电路或配置最优励磁控制器,以阻尼电力系统振荡。

(9)满足成组调节要求,能现场和远方调节,设置与机组LCU通信的接口,接受机组LCU的控制。

(10)设置完整的起励装置及灭磁装置。

**(三)晶闸管整流装置**

晶闸管整流装置采用三相全控桥式整流电路,要求在满载运行时,晶闸管元件能承受的反向峰值电压不小于2.75倍励磁电源变压器二次侧的最大峰值电压。晶闸管整流桥每1个支臂上配置1个晶闸管整流元件和1个限流熔断器,并设置熔断器熔断信号输出。

晶闸管整流装置的交、直流侧设置相应的过流、过压保护以及整流桥分支电流检测和触发脉冲检测实施。

**(四)励磁调节器**

采用独立的双微机双通道励磁调节器,双微机双通道可互为备用,也可并列运行,能自动跟踪,自动切换,并设置脉冲监视信号及防止跟踪异常的措施,以保证在切换时机端电压和无功功率的平稳无波动。励磁调节器的自动调节部分具有P、PI、PD、PID调节选择功能和在线显示运行参数、在线修改运行参数的功能,保证在发电机额定电压10% ~ 110%范围内连续稳定、平滑地调节。励磁调节器还设有手动控制单元,其范围为下限不高于发电机空载励磁电压的10%,上限不低于额定励磁电压的110%,以满足对线路初始充电的要求。

励磁调节器采用数字电压给定装置,给定电压的变化速度为每秒不大于空载额定电压的1%,不小于空载额定电压的0.3%,电压给定装置具有限位功能和停机时自动回到初始状态的功能。自动励磁调节器能提供下列保证:

(1)发电机空载运行时,频率值每变化1%,发电机电压的变化值不大于额定值的±0.25%。

(2)电机空载运行,转速在0.95% ~ 1.05%额定转速范围内,突然投入励磁系统,使发电机端电压从零上升到额定值时,超调量不大于额定电压的5%,调节时间不大于3s,振荡次数不超过3次。

(3)当发电机甩额定有功和无功负荷后,发电机电压超调量不大于额定值的15%,调节时间小于5s,振荡次数不超过3次。

(4)保证发电机机端电压精度不大于0.5%。

励磁调节器设置多种辅助单元,包括最大励磁电流限制单元、过励磁限制单元、欠励磁限制单元、电力系统稳定器或最优励磁控制器、系统电压跟踪单元、V/f限制单元、手动控制单元、无功功率成组调节单元、部分功率柜切除时励磁电流限制单元、故障自检和故障自诊断单元等。

**(五)灭磁装置及转子过电压保护装置**

采用双断口灭磁开关,灭磁开关的断流能力最大值不低于3倍额定工作电流,最小值不大于额定电流的6%，在转子额定电流的1.1倍时能长期连续运行。发电机转子回路装设过电压保护。正常停机采用逆变灭磁，事故停机采用灭磁开关和碳化硅电阻灭磁，并设有逆变失败转灭磁开关与非线性电阻灭磁的措施。

**（六）起励装置**

励磁系统设有直流起励和残压起励两种起励方式。直流起励回路设置防止电流倒送的阻塞电路，残压起励保证发电机在2%额定电压情况下可靠起励。起励回路设置起励后自动退出和起励不成功保护回路。

**（七）励磁系统控制**

通过机旁励磁柜或电站计算机监控系统能对励磁系统进行控制，主要包括以下内容：

(1)发电机的电压、无功功率调整，停机时电压给定值自动恢复到初始状态。

(2)对灭磁开关的操作。

(3)实现直流起励和残压起励。

(4)机组起动后，转速达95%额定值时，自动投入起励回路，机端电压上升至30%额定空载电压时，投入自动励磁调节器并切除起励回路，机端电压自动上升至额定值。

(5)满足自动准同步、手动准同步并网的要求。

(6)正常停机时自动进行逆变灭磁。

(7)机组起动后，实行灭磁开关、晶闸管整流桥交流侧开关、直流侧开关、冷却风机等的联动。

**（八）励磁系统的保护、检测及信号**

励磁系统根据《大、中型水轮发电机静止整流励磁系统及装置技术条件》的要求装设必要的保护、检测和信号装置。

1.保护

(1)功率整流元件的过流和过压保护。

(2)励磁变压器低压侧过电压保护。

(3)转子过电压保护及过流保护。

(4)电压互感器断线保护。

(5)功率柜冷却风机电源消失保护。

2.检测

(1)功率整流桥分支电流检测。

(2)触发脉冲检测。

(3)功率柜上部风温检测。

(4)功率柜运行数量的自动检测和处理。

(5)调节器稳压电源检测和处理。

(6)励磁电源变压器温度检测。

(7)发电机磁场绕组温度检测。

(8)调节器运行状态的自动检测和处理。

3.信号

(1)发电机灭磁开关、控制调节开关等的位置信号。

(2)励磁装置故障及事故信号。

所有保护、检测、信号除在现地显示外均通过接口发送至电站计算机监控系统。

# 第二节　主变压器

## 一、总体特点

主变压器为三相水冷无励磁调压双卷铜绕组油浸式升压变压器,额定容量360MVA,额定电压242±2×2.5%/18kV,额定频率50Hz,连接组别YN,d11,型号为$SSP_{10}$-360000/220。经国内招标,由沈阳变压器有限责任公司中标承制。

主变压器按容量和电压等级属常规产品,但由于电站在设备布置、运行工况等方面具有特殊要求,所以主变在设计选型上也有其特殊性。主变压器是超重超大件设备,选型首先要考虑其运输问题。小浪底工程铁路运输条件较好,火车可直达工区内的留庄转运站。厂区公路和进厂交通洞具备大型设备运输条件。主厂房设有2台250t+250t双小车桥式起重机,留庄转运站设有200t起重机械。根据这些条件,主变压器选择三相油浸式,充氮运输,运输总重量控制在200t以内,外形尺寸按铁路二级超限设计,以满足主变运输和搬运要求。

根据电站电气设备布置需要,主变压器采取了特殊的引出线方式:220kV侧出线端经油/$SF_6$套管由变压器油箱垂直引出,通过$SF_6$管道母线与220kV高压电缆终端连接;18kV侧出线端水平引出与封闭母线相连。主变压器中性点为直接接地方式。

为满足变压器布置、运行和使用寿命等要求,对变压器的性能特性提出了严格的要求,体现了国产变压器设计、制造的先进水平,在降低损耗、减少噪音、提高局放水平、限制温升、防止渗漏油和抗短路能力等方面都做了大量研究改进,其主要技术指标优于国家标准。

## 二、主要技术指标

### (一)额定容量

主变压器的额定容量应与所连发电机视在容量相匹配。对于发—变组单元接线,变压器容量应大于等于发电机容量。小浪底电站发电机最大视在容量为360MVA,电站本身所需的厂用电不多。因此,与之成单元连接的主变压器容量亦选择360MVA。此容量既满足了电站最大运行方式的需要,又正好符合国家现行变压器标准系列等级,无需特殊订货。

### (二)额定电压

主变压器为升压型。电站220kV开关站的几回出线距系统变电站的距离均在50km之内。系统对电站送电无特殊要求。按送电距离和电站运行情况,主变压器选用无励磁调压型,低压侧电压取发电机额定电压18kV,高压侧电压为受电设备额定电压的110%,并带有额定电压±2×2.5%的分接头,供调整电压水平使用。所以,额定电压为242±2×2.5%/18kV。

### （三）阻抗电压

阻抗电压的取值影响到主变压器低压侧的短路电流，也与电力系统稳定要求有关。当电气设备的选择无限制短路电流的特殊要求时，一般按国家标准规定值选取。国家标准规定，220kV 变压器阻抗电压在 12% ~ 14% 范围内。经过与电力系统配合和电站短路电流计算，在此范围内的阻抗电压能满足电力系统运行和电站设备选择要求。考虑小浪底电站机组容量较大，阻抗电压取标准值 14%，误差为 ±7.5%。

### （四）损耗值

电站担任系统调峰，发电利用小时数低。3 号、6 号机组机端接有厂用分支，其停机时主变要保持同系统的联系，以反送厂用电源；其他机组为了操作方便，主变压器亦不经常从电站 220kV 母线上切开。因此，要求变压器的空载损耗尽量小。

国家标准规定，360MVA 的无励磁调压双绕组变压器，空载损耗按Ⅰ类现行标准为 272kW，负载损耗按Ⅰ类现行标准为 860kW。小浪底电站主变压器选用 10 型产品，节能效果显著。其设计空载损耗 ≤180kW，允许偏差 +5%；总损耗（包括空载损耗、负载损耗，不包括冷却器损耗）≤800kW，允许偏差 +7.5%。与国家标准相比，其空载损耗值下降了 34%，负载损耗值下降了 7%。这在国内是一个非常领先的损耗值水平。采取的技术保证措施主要有如下方面：

（1）采用优质冷轧、晶粒取向、低损超薄 30HZ110 型硅钢片，降低铁芯损耗。

（2）改进铁芯剪切、叠积工艺。采用剪切精度高、毛刺小的剪切生产线和铁芯叠积、压紧设备，用自动化选片代替普通的手工化理片、选片、叠装等工艺，提高了产品质量。

（3）改善磁屏蔽和铜屏蔽制造工艺，降低杂散损耗。

（4）采用铁芯不叠上铁轭工艺，减少铁芯片反复拆装受损，降低变压器空载损耗。

（5）采用换位导线绕制线圈，换位导线采用多根导线组合而成，以降低线圈的附加损耗。

### （五）温升限值

变压器各部分的温升值是变压器的主要特性参数之一。国家标准规定，油浸式变压器在连续额定容量稳态下的温升限值为：绕组 ≤65K，顶层油 ≤60K（温度计法）。对于铁芯本体、油箱及结构外表面不规定温升限值，但仍要求温升不能过高，通常不超过 80K。

主变压器布置在地下洞室，采用水冷却器，冷却水取自发电机组冷却器之后。考虑正常冷却水温度偏高，同时也为了留有适当裕度，延长主绝缘使用寿命，对主变温升限值提出了更严格的要求：绕组 ≤60K，顶层油 ≤50K（温度计法），铁芯本体、油箱及结构外表面小于 75K。以此作为制造厂的保证值。

### （六）局放水平

局部放电是由变压器绝缘内部存在的薄弱点，在一定外施电压下发生局部与重复的击穿和熄灭现象。这种局部放电发生在一个或几个很小的空间内，如在绝缘内部的气隙或气泡内，放电的能量是很小的，所以它的存在暂时并不影响短时绝缘强度。但是这种微弱的放电能量通过电、热、声和辐射等各种效应，使材料的介电性能发生变化，绝缘击穿强度降低，所以局放值过大，对设备安全运行存在着潜在的威胁。国家标准规定，油浸式变压器 220kV 线端（按单相逐相测试）在 1.5 倍相电压下允许放电量不大于 500pC，在 1.3 倍相电压下允许放电量不大于 300pC。小浪底水电站主变压器在提高局放水平方面进行了有益的尝试。通过对已运行变压器的调研和与国内制造厂家的技术交流,认为只要在改善生产环境、制造工艺方面采取措施,降低局放值是完全有可能的。因此,在主变订购合同中明确规定,220kV 线端(按单相逐相测试)在 1.5 倍相电压下允许放电量不大于 50pC,在 1.3 倍相电压下允许放电量不大于 30pC,远远优于国家标准值。这对国内变压器制造水平是一个考验也是一个促进。为达到此标准,采取的技术保证措施有如下几方面:

(1)改善生产环境。对线圈绕制、绝缘件加工和保管、器身绝缘装配以及引线装配等关键工序都在空调间内进行,同时强化物料、人员出入等管理,提高产品洁净程度。

(2)采用先进设计手段。利用计算机软件和模拟技术研究成果,绝缘结构设计。

(3)采用冷压焊工艺。引线采用冷压接头与引线(导线)冷压焊,减少或不用磷铜焊,保证连接质量和器身清洁度,杜绝出现尖角毛刺和焊渣。改善电极形状,减少金属异物传播及产生的几率。

(4)改善绝缘件加工工艺,确保绝缘件的加工尺寸和精度。绝缘件成型化和周边圆整化,降低场强。采用成型件不但可以减少绝缘距离,还可以提高电气强度。

(5)采用煤油气相干燥技术,提高器身绝缘干燥水平。采用当代最先进的气相干燥技术和设备,有效除去器身绝缘内的水分,加强器身干燥前后的水分控制。采取线圈整体组装、器身出干燥炉后立即高真空浸油和总装过程充入干燥空气等工艺措施。

(6)改善静电场分布,降低电场强度。包括电极、地极圆整化。

经出厂试验,6 台主变均达到了规定的局放标准。

**(七)噪声水平**

在水电站中,除了水轮发电机组外,变压器也是主要噪声源之一。随着电站建设和运行水平的提高,噪声污染的问题已经越来越得到人们的重视。小浪底电站主变压器布置在地下洞室,对噪声控制问题也十分敏感。在制造成本增加不多的情况下,应尽量降低噪声,创造良好的运行环境。

在主变设计中,为降低噪声,除对线圈和铁芯等振动部位采取减振措施及对油箱进行了磁屏蔽外,还采取专门措施,在油箱内侧加装隔音板,并在油箱与隔音板间填加吸音材料。隔音板为自振板,抗疲劳性能好,有效地限制了噪声幅值。主变运行后经现场实测,结果显示:冷却器未投入时,在距变压器 0.3m 处测量,噪声不大于 70dB(A);冷却器全投入时,在距变压器 2.0m 处测量,噪声不大于 74dB(A),均优于国家标准 80dB(A)和 85dB(A)的要求,达到了预期的水平。

**(八)绝缘**

绝缘水平按国家标准设计。

1.220kV 线端

| | |
|---|---|
| 额定雷电全波冲击耐压(峰值) | 950kV |
| 截断雷电冲击耐压(峰值) | 1 050kV |
| 1min 工频耐压 | 395kV |

2.220kV 中性点

| | |
|---|---|
| 雷电冲击全波和截波耐受电压(峰值) | 400kV |
| 1min 工频耐压 | 200kV |

3.18kV 线端

| | |
|---|---|
| 额定雷电冲击耐压(峰值) | 125kV |
| 截断雷电冲击耐压(峰值) | 140kV |
| 1min 工频耐压 | 55kV |

**(九)承受短路能力**

变压器的短路机械强度是影响其可靠性的重要因素之一。在设备运行中,由于各种偶然因素的存在,要想完全杜绝短路故障的发生是不可能的。因此,确保变压器能承受规定的短路故障,无论对于保证变压器的使用寿命还是保证电站的可靠供电都具有重要的意义。对小浪底电站主变压器的承受短路能力的要求是:变压器低压套管侧三相短路时,220kV 侧为无限大电源供给的短路电流;变压器 220kV 高压套管侧三相短路时,低压侧为 300MW 机组供给的短路电流。当出现上述短路电流时,变压器应能承受此时的机械作用,而不发生部件损坏,其绕组不应产生变形。为增强抗短路能力,在变压器设计制造中采取了以下几方面的措施:

(1)采用新的动态的短路强度计算方法,减少线圈短路强度的计算误差。变压器短路是一个动态的过程,以动态计算方法对以静态为主的计算方法进行修正,可以提高短路强度的计算精确度,从基础理论上改进变压器的整体设计。

(2)在电磁设计时,限制安匝分布不均衡的最大值,降低振动机械力。

(3)改善铁芯的截面形状,做好内部线圈的径向支撑。线圈采用内部硬纸筒,根据计算调整内外撑条数量,加强铁芯柱对硬纸筒的支撑点,形成以线圈的内径为短跨距的刚性点。

(4)设计合理的线圈端部绝缘结构,保证线圈轴向压紧。

(5)采用线圈恒压干燥与整体组装工艺,保证线圈的轴向高度。需调整时,严格控制安匝分区的轴向高度,以满足设计要求。

(6)端圈垫块及线圈垫块采用密化处理。

(7)铁芯装配为框架式结构。下夹件均为加厚单板式,由立柱外侧的大截面拉板连接,夹件外侧为上梁、侧梁、垫脚,由此组成刚性框架。

(8)在铁芯上梁焊有方盒,与油箱间在四个方向上用压钉压紧,在铁芯下轭两端将油箱顶紧,并用压块上梁压紧整个器身,形成器身与油箱 6 个刚性定位,以防位移。

## 三、结构型式

**(一)进出线方式**

1.高压侧出线

变压器高压侧套管通常有瓷套管出线、象鼻式套管出线和油/ $SF_6$ 套管出线等方式。对于地下洞室布置的变压器,为节省布置空间,不宜采用敞开式的油/ $SF_6$ 套管方式。象鼻式套管是将变压器出线套管与电缆终端结合为一体的出线方式。这种方式布置空间最省,投资也较少,但对生产技术要求较高。经设计调研和技术交流,国内仅生产过小容量的与油浸式电缆配套的象鼻式套管变压器,对大容量的与干式电缆配套的且垂直出线的象鼻式套管变压器生产技术尚不成熟。由于 220kV 高压电缆是进口设备,如采用 220kV

出线方式,电缆与变压器的接口协调以及现场试验问题也将十分突出。油/ $SF_6$ 套管出线运行安全可靠,充油侧与变压器线圈连接,充 $SF_6$ 气体侧与 $SF_6$ 管道母线连接,可适用于各种出线角度,造价较高,一般与 $SF_6$ 全封闭组合电器配套采用。小浪底电站 220kV 高压电缆采用的是水平布置的 $SF_6$ 终端,符合 $SF_6$ 管道母线连接的条件,为满足设备布置和安全运行的要求,高压侧出线采用油/ $SF_6$ 套管由变压器油箱垂直引出的方式。

220kV 油/$SF_6$ 套管采用进口部件,套管内装有电流互感器。主变压器与 $SF_6$ 管道母线的供货界面按 IEC 标准划分。垂直引出对法兰面加工精度要求较高,以减少垂直累计误差。安装后要求法兰水平面绝对误差不得超过 ±1mm。

2.低压侧和中性点出线

主变低压侧 18kV 出线端与封闭母线相连。可供选择的引出方式有垂直引出、水平引出和斜角引出三种。考虑封闭母线造价较贵,为使母线最短,采用了水平引出方式。为减少主变出线端子受力,在靠近引出线处对母线加设了支架固定。

中性点采用空气绝缘套管,爬距不小于 2.5cm/kV。套管内装有电流互感器。中性点装设隔离开关、电流互感器、避雷器及放电间隙等设备。

**(二)油箱**

油箱为钟罩式,梯形顶,侧壁设有爬梯至油箱顶部。顶部设有全密封胶囊油枕和硅胶呼吸器,以防绝缘老化;底部设 3 排 6 套可转向 90°的滚轮,以方便电站内运输。

油箱装有压力释放阀,以保证油箱过压时的安全。

油箱渗漏油一直是影响变压器质量的难题,给电站运行维护带来很多不便。小浪底电站变压器在防止油箱渗漏油方面也采取了积极措施。在订购合同中规定:油箱在承受 $5.066\times10^4$Pa(0.5 大气压)72h 的密封试验后应无渗漏和变形;在经受残压 13Pa、正压 $10.13\times10^4$Pa 的机械强度试验后,油箱不得有损伤和不允许的永久变形。变压器油箱保证运行 20 年内无渗油、漏油。为此采取的技术保证措施如下:

(1)加强对钢板和型材检验,增加表面预处理工序,严格把住材料关。

(2)采用压弯式油箱工艺,减少焊缝数量,使结构更加精巧,强度有所提高。

(3)采用振动时效工艺,消除油箱焊接应力。

(4)提高工件精度,金属材料采用数控切割机,法兰密封面全部机械精加工,改进法兰面结构,设置密封凹槽,保证连接面的密封性。

(5)油箱及外部附件在工厂内进行整体预装,做出对装标志,保证现场装配质量。

(6)在工厂内做高压正压试验,将油箱缺陷消除在制造厂内。

上述措施取得了较好的效果,6 台主变在工地安装后,未发现有渗漏油现象,为方便设备维护检修、创建一流电站提供了有利条件。

**(三)外形尺寸及检修方式**

为减少洞室开挖工程量,主变压器窄面尺寸设计较小。不含水冷却器时,主变压器外轮廓尺寸为 8.5m×4.1m×6.5m(长×宽×高),高度包括滚轮和高压出线套管。

主变压器采用吊罩检修方式,检修在主厂房的安装场内进行,主变压器室与安装场间设有运输轨道,检修时允许主变压器本体带油搬运。

## 四、冷却系统

地下厂房自然通风条件差,强油循环吹风冷却效率低,不易散热,不能满足主变压器冷却要求,因此采用强油循环水冷却方式。冷却水来自发电机技术供水或直接取自河水。为防止冷却水管破裂造成冷却水混进绝缘油中,冷却器采用双重管水冷装置,由日本多田公司生产,每台主变配 1 组 3 台冷却器,其中 1 台为备用。考虑黄河水质泥沙较重,为减少磨损,防止堵塞,每组冷却器设置 1 个沉沙罐,可自动排沙。每台冷却器额定冷却功率为 473kW,额定水流量 $78m^3/h$,冷却水工作水压 0.98MPa,额定入口水温 30℃。

冷却器配有自动控制装置。投入变压器时,工作冷却器自动投入,并根据变压器温度调整冷却器投入数量;当工作冷却器出现故障时,备用冷却器自动投入,并保证所有冷却器不会同时起动。任何冷却器均可处于工作或备用状态。冷却器为双电源供电,自动切换。

# 第三节　发电机电压设备

## 一、总体说明

发电机电压设备包括发电机断路器、离相封闭母线、电压互感器、电流互感器、厂用分支设备、中性点设备等。

根据小浪底工程的具体条件,发电机电压设备的选取,在满足安全、可靠运行的前提下,着重考虑了布置紧凑、引线最短、分相设置及实现无油化等问题。

发电机主回路及厂用变压器、励磁变压器、电压互感器等分支回路均采用离相封闭母线,所连设备亦采用分相式结构,装设分相保护外壳,使相间短路的概率大大减小,提高了运行的可靠性。

由于离相封闭母线的价格较贵,体积较大,转弯不便,要求其走径短而直。母线洞设备布置密度大,设备宜选择体积小的封闭式产品,并采用紧凑的布置方式,以节省宝贵的可利用空间。

对于地下洞室布置的电气设备,防火问题尤为突出,设备选型中要充分考虑这一因素。厂用变压器、消弧线圈、电流互感器、电压互感器均采用环氧树脂浇注式产品,主回路及厂用分支回路的开关设备采用 $SF_6$ 介质,实现了设备无油化。

发电机主回路主要特点是额定电流和短路电流大,设备运行要有良好的通风散热条件。

发电机电压设备布置在主厂房母线层,环境湿度较大,设备选择应考虑防潮和凝露。

除发电机断路器外,发电机电压设备放在一个设备标进行采购。经招标,北京电力设备总厂中标供货。发电机断路器由瑞士 ABB 公司提供。

## 二、发电机断路器

### (一)型式选择

发电机断路器的主要特点是额定电流大,开断能力强。按灭弧介质分,主要有空气、

$SF_6$ 和真空几种型式。真空型发电机断路器容量较小,在选用上受到限制,其额定电压和额定电流不满足小浪底工程要求。因此,主要对空气和 $SF_6$ 两种型式进行了比较。

空气型发电机断路器已有很长的生产历史,它的额定电流和开断电流容量都很强,但存在体积大、噪音高、零部件较多因而可靠性相对较低等缺点。到20世纪80年代已逐渐被 $SF_6$ 型所取代。$SF_6$ 作为新型的绝缘和灭弧介质用于发电机断路器中,使得设备体积小、噪音低、工作更加可靠,在水电站中得到广泛应用。随着生产技术日臻完善,制造成本也逐步下降,主要技术性能更适合小浪底工程,因此最后选用 $SF_6$ 型。

**(二)结构设计**

小浪底电站发电机断路器型号为 HEC3。采用单相式、$SF_6$ 气体绝缘、自然风冷式结构。它由主断路器、隔离开关、电制动用星点连接及辅助开关、接地开关、电压互感器及避雷器组合。每相设 1 个矩形铝外壳,上述元件均装在外壳内,组成 1 个封闭的整体装置。三相断路器及操动控制箱安装在一个整体机座上,整体运输和安装。断路器配置先进的液压弹簧操动机构,结构简单、紧凑,噪音小,操作次数可达 10 000 次。隔离开关、电制动用辅助开关和接地开关均采用电动操动机构。操作次数为 5 000 次。

外壳上装设观察窗和机械式位置指示器,可观测隔离开关、接地开关的触头位置。发电机断路器导体采用铜编织线与离相封闭母线连接,外壳上接有圆形过渡段,直接与封闭母线焊接。

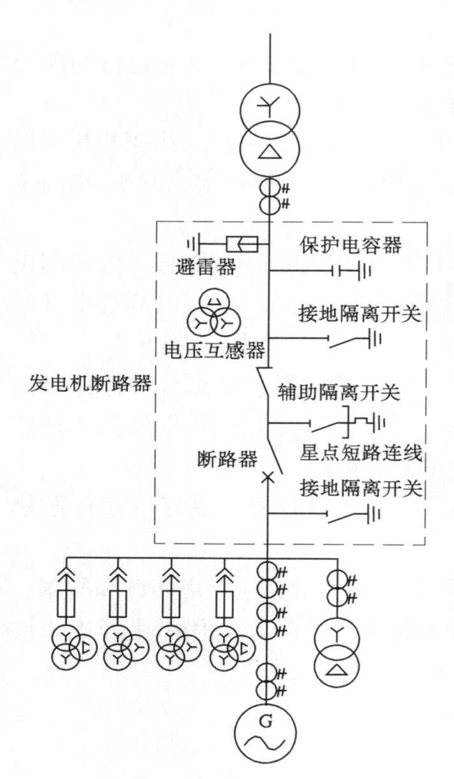


图 8-3-1 发电机断路器接线

为避免误操作,断路器与接地开关之间、隔离开关与电制动辅助开关之间设置机械连锁;断路器与隔离开关之间、隔离开关与接地开关之间、隔离开关与电制动辅助开关之间、断路器与接地开关之间设置电气连锁。

发电机断路器采用整体运输、整体安装,其组装、调试和试验在工厂内进行,减少了在工地的安装周期。基础支架直接用膨胀螺栓固定在地板上,不需要特殊的基础预埋件,安装十分方便。

小浪底电站发电机断路器接线见图 8-3-1。

从所配置的元件可知,它已从单一开断功能向多功能发展,可以进行发电机主回路的操作、保护、测量、试验和电气制动,是一个多功能配电装置。具有集成化程度高、布置紧凑、功能强大、安全可靠等优点。特别是将电气制动短路开关组合在发电机断路器内这种方案,在国际国内的水电站中尚属首次。

**(三)主要技术数据**

断路器主要技术数据见表 8-3-1。

隔离开关、接地开关的额定参数与断路器相对应。电制动用星点连接及辅助开关的短时载流量为 10 000A(15min)、热稳定值及耐压水平与断路器相同。

**表 8-3-1　　断路器主要技术数据**

<table>
<tr><th colspan="2">名称</th><th>单位</th><th>数值</th><th>名称</th><th>单位</th><th>数值</th></tr>
<tr><td colspan="2">额定电压</td><td>kV</td><td>24</td><td>瞬态恢复电压(TRV)陡度</td><td>kV/μs</td><td>5.0</td></tr>
<tr><td colspan="2">额定电流</td><td>A</td><td>12 000</td><td>开断空载变压器电流</td><td>A</td><td>50</td></tr>
<tr><td colspan="2">额定短时耐受电流(有效值,3s)</td><td>kA</td><td>100</td><td>分闸时间</td><td>ms</td><td>32</td></tr>
<tr><td colspan="2">额定短路关合电流(峰值)</td><td>kA</td><td>300</td><td>合闸时间</td><td>ms</td><td>48</td></tr>
<tr><td colspan="2">额定峰值耐受电流(峰值)</td><td>kA</td><td>300</td><td>合闸不同步性</td><td>ms</td><td>2</td></tr>
<tr><td colspan="2">雷电冲击耐压(1.2/50μs,峰值)</td><td>kV</td><td>150</td><td>分闸不同步性</td><td>ms</td><td>2</td></tr>
<tr><td colspan="2">1min 工频耐压(有效值)</td><td>kV</td><td>80</td><td>机械操作次数</td><td>次</td><td>10 000</td></tr>
<tr><td rowspan="2">短路开断能力</td><td>对称</td><td>kA</td><td>100</td><td>额定开断短路电流次数</td><td>次</td><td>5</td></tr>
<tr><td>非对称度</td><td>%</td><td>75</td><td>开断额定电流次数</td><td>次</td><td>600</td></tr>
<tr><td rowspan="3">失步开断能力</td><td>失步角</td><td></td><td>180°</td><td rowspan="3">瓷件的爬电比距</td><td rowspan="3">mm/kV</td><td rowspan="3">2.87</td></tr>
<tr><td>对称分量</td><td>kA</td><td>71</td></tr>
<tr><td>非对称度</td><td>%</td><td>75</td></tr>
</table>

电压互感器为环氧浇注式,避雷器采用氧化锌型式,它们均为免维护型,保证使用年限为15年。

关于备品备件,考虑到设备的无故障运行时间长,平时很少需要维护检修,而较大故障的检修可由专业的维修单位完成。因此,没有必要一次性购买过多的备品备件,以免增加投资和避免长期储存造成元件老化。6台发电机断路器仅备有断路器操动机1套、液压泵电动机2台、跳闸控制阀2套、开关操动元件4套以及少量的液压用油和润滑油。

电站备有1套DRM诊断系统,它能够对发电机断路器触头等主要部件的状态进行检测分析,使运行人员更准确地了解断路器的运行状况和使用寿命。如果再配置相应软件,该系统也可对220kV $SF_6$ 断路器进行检测。

## 三、离相封闭母线及电流互感器

### (一)型式结构

离相封闭母线为全连式、自然风冷结构。要求同相外壳各段有良好的电气连接,并在封闭母线的两端与设备的连接处装设短路板,将各相的外壳连成完整的电气通路。母线导体和外壳均采用铝材。母线导体采用三绝缘子支持结构,即在同一断面上用3只绝缘子支撑,并互成120°。绝缘子可不拆开外壳更换。外壳的支撑结构能满足支撑、吊装及垂直安装的强度要求。在支撑或吊装的基础结构连接部分,装设具有橡胶垫的减震器。

封闭母线与设备(如发电机、变压器、电压互感器柜、开关柜等)的连接端装设盆式绝缘子,以防止灰尘侵入和设备故障波及母线。在与设备连接处还加装绝缘隔垫,其金属部分采用非磁性材料,防止外壳环流流入设备,导致设备的附加发热。所有与设备的连接处和厂房建筑分缝处均装设便于拆卸的伸缩节,以起补偿和调节作用。

封闭母线除与设备的连接处和需要检修、测试、更换之处采用螺栓连接外，母线导体间及外壳间均采用焊接。

为防止母线受潮和凝露，每台机封闭母线设置 1 套热风干燥装置。在封闭母线穿墙处设置盆式绝缘子和硅胶呼吸器。在母线最低点设置满足密封要求的排水装置，以排除壳内积水。

电流互感器为环氧浇注式，装在主回路母线外壳内并套装在导体外。在装设电流互感器之处，外壳加装铝质活动套筒，导体设置软连接断口，以便于互感器安装和检修。

考虑地下厂房比较潮湿，要求所有钢构件采取防腐措施。

封闭母线设置三相短路装置，以方便发电机做短路试验和短路干燥。在每台机封闭母线上预设短路试验接头，正常运行时装上试验接头封板，保证母线的封闭性；6 台机公用 1 套 E 型短路母线，试验时接到封闭母线上即可。

母线外壳采用的是结构简单、安装方便的多点接地方式，在各个短路板处与电站主接地网接地。与一点接地相比，省去了各支吊点处加装的绝缘件。运行实践表明，多点接地时由壳外磁场产生的接地地中电流很小，完全满足安全运行要求。

**(二)技术数据**

主回路封闭母线 6 套，总长 3 303 相米。厂用分支回路封闭母线 2 套，总长 523 相米。主要技术数据见表 8-3-2。

**表 8-3-2　　离相封闭母线主要技术数据**

| 名　称 | 单位 | 技术数据 | |
|---|---|---|---|
| | | 主回路 | 分支回路 |
| 额定电压 | kV | 20 | 20 |
| 额定电流 | A | 12 500 | 1 250 |
| 额定动稳定电流 | kA | 400 | 560 |
| 额定热稳定电流(4s) | kA | 160 | 220 |
| 外壳外径 | mm | 1 050 | 700 |
| 外壳厚度 | mm | 8 | 5 |
| 导体外径 | mm | 500 | 150 |
| 导体厚度 | mm | 12 | 10 |
| 额定雷电冲击耐压(1.2/50μs，峰值) | kV | 125 | 125 |
| 1min 工频耐压(有效值) | kV | 68 | 68 |
| 相间距离 | mm | 1 500 | 1 500 |

## 四、负荷开关柜

为了灵活投切厂用变压器，3 号、6 号机端的厂用分支各装设 1 组负荷开关柜，用于正常情况下带负荷操作厂用变压器。与回路离相封闭母线相对应,负荷开关柜采用单相式,并委托设备供应商对该产品进行了特殊设计、制造。厂用分支回路持续工作电流按厂用变容量5MVA计算仅为160A,远远小于主回路的工作电流,但其短路电流为发电机侧和系统侧两方面电流的叠加,又大大超过主回路的短路电流值,这给设备的制造和选择带来了很大困难。按照国内外现有的制造能力和技术水平,18kV负荷开关尚无定型产品可供选择。因此,采用35kV断路器代替负荷开关,断路器额定电流1 250A,开断短路电流25kA。每组负荷开关柜由3个单相封闭柜组成,每柜内装设1极$SF_6$手车式断路器及弹簧储能操动机构,三相电气联动操作。开关柜采用金属铠装式,具有五防功能。

由于厂用分支回路短路电流甚大,因此厂用分支负荷开关柜不能用于短路保护。当厂用分支出现短路故障时,需跳开发电机和主变高压侧断路器。

## 五、电压互感器柜

除了装设在发电机断路器中的1组用于测量的电压互感器外,发电机回路还有4组电压互感器,其中2组用于励磁(励磁双通道所需),1组用于测量,1组用于发电机匝间保护。电压互感器采用单相独立式。4组电压互感器通常需要2面金属封闭柜,为了节省空间,设计中研究了合并成1个单柜的可能性。由于受发电机出线高度的限制,母线中心线距地面仅有3.4m,如果4组互感器上下布置,会使柜体过高。针对这一情况,设计了1个分支引线,引线两侧各设2组电压互感器的宽体四抽屉结构,既减少了分支引线,又满足了单柜放4组电压互感器的要求。每台发电机回路设1个单相柜,每个单相柜内上下排列4只抽出式电压互感器及其相应的熔断器保护设备。3个单相柜之间由电缆构成连接通道,由此组成4套电压互感器组。

## 六、发电机中性点设备

小浪底电站发电机为国内制造,发电机的中性点沿用国内习惯,采用经消弧线圈接地的方式。当定子绕组发生单相接地故障时,允许机组继续运行一段时间,只发出信号,待运行人员检查出原因后再做处理。

按国家规定,对机端电压18kV、单机容量300MW的发电机而言,接地允许电流应限制在1A以内。因此,消弧线圈的选择应使补偿后的接地电流小于1A,以避免发电机定子铁芯烧损。经计算,发电机回路电容电流为19.91A,其中发电机16.62A,发电机断路器保护用电容器2.54A,离相封闭母线0.55A,主变低压侧线圈0.2A。消弧线圈按欠补偿设置,取脱谐度±30%,容量选择为220kVA。发电机中性点消弧线圈调谐要求比较严格,为满足定子接地保护和调谐的要求,设置9个电流分接头,电流调整范围为10~22A。发电机设备安装完成后,对发电机回路电容电流进行现场实测,装设发电机断路器的6号机组实测值为17.68A,小于设计计算值,但控制在电流调整范围内。

消弧线圈采用环氧浇注式,装于封闭的中性点金属柜内,柜内还装设隔离开关等设备。发电机的中性点引线沿发电机风罩壁垂直布置,内装电流互感器,封星后用电缆与消弧线圈柜连接。

# 第四节 220kV 配电装置

## 一、型式选择

### (一)使用条件

220kV 配电装置为敞开式电气设备,布置在大坝左坝肩下游侧的户外开关站。自然环境条件比较优越,气温、风速、湿度、海拔、地震、覆冰等环境条件不超出一般电器的基本使用条件。因邻近水库泄水建筑物,电气设备的选择考虑了水雾和泥雾的影响,均选择耐污型。电气设备户外布置,所以还要考虑日晒的影响。

经国内招标采购,$SF_6$ 断路器、隔离开关、电容式电压互感器由西安电力机械制造公司生产,电流互感器由上海(MWB)互感器有限公司生产,避雷器由抚顺电瓷厂生产。

### (二)基本结构

220kV 配电装置在国内采购,设备选型应体现可靠性和先进性。要求所有设备工作年限不小于 30 年。

1.断路器

断路器为 $SF_6$ 气体绝缘、单断口、户外瓷柱型,型号 $LW_{15}$ – 220W/3150,是三相分装式结构,由 3 极单相开关组成,整体呈 I 形布置,每相配用一台气动操作机构,可单相操作,又能通过电气连接实现三相联动。每个单相由灭弧室、支柱瓷瓶、机构箱组成。灭弧室采用变开距、双向吹弧原理。整个设备装备有完整的支撑构架。为方便运行,相间连接的管道、配线通过地下敷设。

操作机构的供气方式为分散式,每台产品带有一个压缩空气供给装置,每个机构箱带有一个储气罐,由压缩空气供给装置维持其正常压力。

每台断路器配备 1 面控制柜,柜中包括全部机械和电气控制部件。

2.隔离开关

隔离开关为三相联动、户外型。结构型式包括 2 种类型,即三柱水平转动式(型号 $GW_7$ – 220W)和单柱垂直伸缩式(型号 $GW_{10}$ – 220W),根据电气主接线设计要求配备双接地刀、单接地刀或不带接地刀。

三柱水平转动式隔离开关为三柱式水平双断口,由 3 个独立的单极组成,每极底座上有 3 个支柱绝缘子,两端支柱绝缘子是固定的,装有静触头;中间支柱是转动的,动闸刀装在中间支柱绝缘子上部,并与机构的主轴连接。当分闸或合闸时,机构的主轴旋转 180°,转动绝缘子和导电杆被带动在水平面上回转约 70°。每组隔离开关配用三相联动操动机构,其主闸刀配用 CJ6 – I 型电动机构,能实现电动和手动操作;接地刀配用 CS 型手动机构操作。

单柱垂直伸缩式隔离开关由 3 个独立的单极组成,静触头安装在开关站母线上,刀闸的动作方式为垂直伸缩式,分闸形成垂直方向的断口。隔离开关由底座、绝缘支柱、传动装置导电刀闸、静触头、操动机构组成。每组隔离开关配用三相联动操动机构,其主刀配用 CJ6 型电动机构,能实现电动和手动操作;接地刀配用 CS 型手动机构操作。

为了保证隔离开关和接地开关二者之间操作顺序正确，接地开关和主闸刀之间装有机械连锁装置。

3.电容式电压互感器

电容式电压互感器为单相、单柱叠装式，分为母线型和线路型，型号为 TYD220/$\sqrt{3}$ - 0.01H 和 TYD220/$\sqrt{3}$ - 0.0075。电容式电压互感器由电容分压器和电磁元件组成。电容分压器由耦合电容器和分压电容器叠装而成。电容器为全密封结构，内部由若干相同的元件串联连接，装入绝缘外壳。固体介质材料为优质聚丙烯薄膜和纸复合，电容器内部浸渍并灌注绝缘油，绝缘油为经处理的合成绝缘油，与环境相容性良好。外壳为高强度瓷套。

电磁元件为全密封结构，箱体内装有中压变压器、补偿电抗器和阻尼器，并充有优质矿物油，油箱侧面装有二次端子盒，二次端子板由环氧树脂在真空条件下浇注，可有效防止渗漏。中压变压器一次侧设有调节绕组，可以调节电压误差。

4.电流互感器

电流互感器为 $SF_6$ 气体绝缘、单相、全密封户外独立式，型号为 SAS245。电流互感器采用引进德国技术生产的目前国内较先进的互感器设备。初级绕组为 U 形结构。铁芯采用高质量冷轧晶粒取向硅钢片卷成。支持套管为硅橡胶套管，具有高绝缘强度、耐污和抗震能力强等突出优点。

5.避雷器

避雷器为无间隙氧化锌式，单相独立安装，型号 $Y_{10}W_1$ - 216/536W。由基本元件、均压环、绝缘底座组成。基本元件内部由氧化锌电阻片串联而成，装设在瓷套管内，瓷套管微正压充氮。避雷器带有压力释放装置，由隔弧筒、放压板和压力释放排气口组成。每只避雷器配有放电记数器。

## 二、基本数据

220kV 主要电气设备基本数据见表 8-4-1 ~ 表 8-4-5。

**表 8-4-1　　$SF_6$ 断路器（$LW_{15}$ - 220W/3150）基本数据**

<table>
<tr><th>名称</th><th>单位</th><th>数值</th><th colspan="2">名称</th><th>单位</th><th>数值</th></tr>
<tr><td>额定电压</td><td>kV</td><td>220</td><td colspan="2">分闸时间</td><td>ms</td><td>25</td></tr>
<tr><td>最高电压</td><td>kV</td><td>252</td><td colspan="2">合闸时间</td><td>ms</td><td>100</td></tr>
<tr><td>额定电流</td><td>A</td><td>3 150</td><td colspan="2">合闸不同步性</td><td>ms</td><td>4</td></tr>
<tr><td>额定短路开断电流（有效值）</td><td>kA</td><td>50</td><td colspan="2">分闸不同步性</td><td>ms</td><td>3</td></tr>
<tr><td>额定短路关合电流（峰值）</td><td>kA</td><td>125</td><td colspan="2">机械操作次数</td><td>次</td><td>3 000</td></tr>
<tr><td>雷电冲击耐压</td><td>kV</td><td>1 050</td><td colspan="2">额定开断短路电流次数</td><td>次</td><td>20</td></tr>
<tr><td rowspan="2">1min 工频耐压</td><td rowspan="2">kV</td><td rowspan="2">460</td><td rowspan="2">瓷件的爬电距离</td><td>相对地</td><td>mm</td><td>6 300</td></tr>
<tr><td>断口间</td><td>mm</td><td>7 650</td></tr>
</table>

表 8-4-2 隔离开关（$GW_7-220W$，$GW_{10}-220W$）基本数据

| 名称 | | 单位 | 数值 | 名称 | | 单位 | 数值 |
|---|---|---|---|---|---|---|---|
| 额定电压 | | kV | 220 | 1min 工频耐压（有效值） | 相对地 | kV | 460 |
| 最高电压 | | kV | 252 | | 断口间 | kV | 460 + 145 |
| 额定电流 | | A | 2 500 | 额定热稳定电流(3s) | | kA | 50 |
| 稳定动稳定电流(峰值) | | kA | 125 | 机械操作次数 | | 次 | 1 000 |
| 雷电冲击耐压（峰值） | 相对地 | kV | 1 050 | 瓷件的爬电距离 | | mm | 6 300 |
| | 断口间 | kV | 1 050 + 206 | | | | |

表 8-4-3 电容式电压互感器（TYD220/3 – 0.01H，TYD220/3 – 0.0075）基本数据

| 名称 | | 单位 | 数值 | 名称 | | 单位 | 数值 |
|---|---|---|---|---|---|---|---|
| 初级绕组额定电压 | | kV | 220 | 次级绕组额定输出 | 0.5（10 000PF） | VA | 250 |
| 初级绕组最高电压 | | kV | 252 | | 0.2（7 500PF） | VA | 100 |
| 次级绕组额定电压 | | kV | $0.1/\sqrt{3}$ | | 3P（10 000PF） | VA | 400 |
| 剩余电压绕组额定电压 | | kV | 0.1 | | 3P（7 500PF） | VA | 200 |
| 电容分压器绝缘水平 | 雷电冲击耐压（峰值） | kV | 950 | 剩余电压绕组额定输出 | 3P | VA | 100 |
| | 1min 工频耐压（有效值） | kV | 395 | 瓷件爬电距离 | | mm | 7 812 |

表 8-4-4 电流互感器（SAS245）基本数据

| 名称 | 单位 | 数值 | 名称 | | 单位 | 数值 |
|---|---|---|---|---|---|---|
| 初级绕组额定电压 | kV | $220/\sqrt{3}$ | 次级绕组的额定输出 | 750 – 2500/0.5 | VA | 60 |
| 初级绕组最高电压 | kV | $252/\sqrt{3}$ | | 750 – 2500/0.2 | VA | 50 |
| 初级绕组额定并联电流 | A | 2 500 | | 200/0.5 | VA | 30 |
| 初级绕组额定串联电流 | A | 1 250 | | 1250 – 2500/5P | VA | 50 |
| 次级绕组额定电流 | A | 1 | | 2500/5P | VA | 50 |
| 雷电冲击耐压(峰值) | kV | 1 050 | 短时热稳定电流(有效值) | 初级绕组并联 | kA | 100 |
| 1min 工频耐压(有效值) | kV | 460 | | 初级绕组串联 | kA | 50 |
| 瓷件的爬电距离 | mm | 7 812 | 动稳定电流（有效值） | 初级绕组并联 | kA | 250 |
| | | | | 初级绕组串联 | kA | 125 |

表 8-4-5　　避雷器(Y10W1 - 216/536W)基本数据

| 名称 | 单位 | 数值 | 名称 | 单位 | 数值 |
|---|---|---|---|---|---|
| 额定电压 | kV | 216 | 陡波冲击电流下残压（峰值） | kA | 590 |
| 最高电压 | kV | 146 | 雷电冲击耐压(峰值) | kV | 950 |
| 额定电流 | kA | 10 | 1min 工频耐压(有效值) | kV | 395 |
| 操作冲击电流下残压 | kA | 456 | 瓷件的爬电距离 | mm | 8 070 |
| 雷电冲击电流下残压 | kA | 536 | | | |

# 第五节　厂坝用电设备

## 一、变压器

### (一)10kV 厂(坝)用变压器

10kV 厂(坝)变压器均为户内布置,最大容量为 1 600kVA,最小容量为 30kVA。从防火节能的角度出发,厂(坝)用变压器采用了环氧树脂绝缘的干式变压器。与油浸式变压器相比,环氧树脂浇铸干式变压器具有良好的阻燃性,大大简化厂内消防设施,且其绝缘性能好,耐压水平高,局部放电量小,绝缘等级可达 H 级,损耗低、噪音小、体积小、检修维护十分方便。另外,如果干式变压器配置风冷系统,采用强迫空气冷却,变压器过载能力较强。鉴于此,小浪底电站厂(坝)用电 10kV 变压器均选择环氧树脂浇铸、铜芯、低损耗、户内布置干式变压器。变压器均设铝合金防护外壳,并根据需要,设置有载调压开关及温度显示和温度控制装置。

### (二)18kV 厂用变压器

18kV 厂用变压器从 3 号、6 号发电机机端引接电源,布置在母线洞内。由于和离相封闭母线相配套,变压器选择单相式。高压侧为离相封闭母线进线,低压侧为电缆进线。考虑到防火和布置等原因,选用环氧树脂浇铸干式变压器。

变压器每个单相设 1 个铝合金防护外壳,3 个单相组成 1 台三相变压器,整体运输和安装。有载调压开关引进德国 MR 公司产品,与单相变压器封闭在外壳内。

变压器为单相、铜芯、双绕组、风冷、三相联动有载调压式、低损耗降压变压器,型号 $DCZ_9$ - 1670/18/$\sqrt{3}$。额定电压比 $18/\sqrt{3} \pm 8 \times 1.25\%/10.5$kV,单相变压器额定容量 1 050kVA,空载损耗 $\leqslant$2kW,负载损耗 $\leqslant$8kW,三个单相组合成 Y,d11 接线,阻抗电压 6%,效率 $\geqslant$99%。

### (三)35kV 厂用变压器

35kV 厂用变压器从蓼坞施工变电站引接电源,布置在地下主变压器洞内,高、低压侧均为电缆进线。根据厂用电负荷计算,变压器容量为 5MVA。根据其电压等级和容量,变压器选择三相式。考虑到地下洞室布置,为简化消防设施,提高运行可靠性等因素,选用环氧树脂浇铸干式变压器,这在干式变压器中是容量较大、电压等级较高的一种。

变压器设铝合金防护外壳,外壳在制造厂预制,现场组装。有载调压开关引进德国

MR公司产品,与三相变压器一同封闭在外壳内。变压器底部设转轮,以便于厂内运输。

变压器为铜芯、双绕组、风冷、有载调压式降压变压器,型号 $SCZ_9-5000/35$。额定电压比 35±4×1.25%/10.5kV,阻抗电压 8%,连接组别 Y,d11,空载损耗≤7.6kW,负载损耗≤29kW,效率≥99.12%。

**(四)220kV 厂用变压器**

220kV 厂用变压器从 220kV 配电装置母线引接,布置于 220kV 开关站内。根据其电压等级和布置条件,选择三相、油浸、双绕组、强迫风冷、有载调压降压型变压器,户外露天设置,型号 $SFZ_9-CY-20000/220$。受结构设计的制约,220kV 级变压器制造容量的最小值为 20MVA,作为厂用电源容量有所富裕。变压器经常处于轻载运行,冷却条件好,这对变压器寿命和绝缘均有好处。但对空载损耗应加以控制,以免运行费用过高。

变压器 220kV 高压侧采用瓷绝缘套管,通过钢芯铝绞线与配电装置母线连接;10kV 侧为封闭瓷绝缘套管,与共箱母线连接;220kV 中性点侧采用瓷绝缘套管,经接地隔离开关接地或经避雷器接地。

变压器额定容量 20MVA,额定电压比 230±8×1.25%/10.5kV,阻抗电压 12%,空载损耗≤26kW,负载损耗≤63kW,效率≥99.3%。原设计连接组别 YN,d11,由于设计布置原因高压侧接线相序调整,变压器的实际连接组别变为 YN,d1。

经国内招标采购,220kV 高压厂变由沈阳变压器有限责任公司生产,35kV、18kV 厂变由金乡变压器厂生产,10kV 厂变由顺德特种变压器厂生产。

## 二、高压开关柜

**(一)10kV 开关柜**

高压开关柜种类较多,技术特性、结构型式和布置尺寸各不相同。考虑到开关柜在厂用和坝用供电中的重要性,结合小浪底工程的具体情况,开关柜的选型考虑了以下几点原则。

1.技术先进

小浪底电站厂用电、坝用电负荷的重要性决定了厂(坝)用配电装置的型式选择必须遵照技术先进、质量可靠的原则。高压开关柜应具有运行可靠、使用寿命长、适合频繁操作、检修维护量小等优点,确保供电系统安全运行。

2.结构合理

高压开关柜大多布置于地下洞室内,布置场地狭小。开关柜的结构设计应紧凑、合理,易于布置,节省占地。开关柜应能柜下或柜上进出线,并能够靠墙安装,安装和调试均在正面进行。受配电室条件限制,开关柜宽度不大于 800mm。

3.断路器无油化

为简化消防设施,提高运行的安全性,宜优先选用真空断路器。真空断路器配用性能较好的陶瓷真空泡,其操动机构也采用结构简单、性能可靠的弹簧操动机构,实现断路器的无油化。

4.保证绝缘性能

与国外中压电网中性点直接接地的运行方式不同,国内中压电网普遍采用的是中性点经消弧线圈接地，加之开关柜的布置场所比较潮湿，必须加强开关柜的绝缘性能。要求以空气作为主绝缘，不使用绝缘隔板。母线相间距及相对地间距应大于 125mm，支持绝缘子爬距应大于 230mm。

5. 防潮性能良好

为提高防潮和抗腐蚀性能，高压开关柜的柜体主材采用具有高抗腐蚀和抗氧化性能的进口敷铝锌钢板，各功能单元室亦使用敷铝锌钢板分隔。为防止湿度变化时产生凝露，在手车室及电缆室加装电加热器。为防止变形，柜体为全组装结构。开关柜外壳防护等级不小于 IP4X，断路器室门打开防护等级不小于 IP2X。

6. 元件的互换性强

高压开关柜数量较多，布置在几个不同的场所。为方便运行、维护和检修，减少备品备件的数量，所有厂用电、坝用电的开关柜宜选择统一型式。高压开关柜的元件应具有良好的互换性。

7. 可靠的闭锁装置

开关柜应设置可靠的机械闭锁及电气闭锁系统实现“五防”，以确保操作人员及设备的安全。

8. 综合保护水平高

要求采用微机保护装置，该继电保护装置能根据各被保护对象的特点有效地检测和保护各高压设备，能将各项信息传送到电站计算机监控系统，可实现现地控制和远方控制。

按照上述原则，在众多的开关柜型式中，确定采用具有先进水平的 KYN 系列铠装中置式柜型。它具有结构合理、手车与柜体易于高精度加工、易于布置、元件互换性强、电气绝缘距离大和操作方便等优点。断路器为 Siemens 公司生产的 3AH1 型真空断路器，短路开断电流 25kA，额定电流 800 ~ 1 250A。

**(二)35kV 开关柜**

35kV 开关柜用于 35kV 厂用电源进线，布置在主变压器洞内。选择定型的铠装移开式金属封闭开关柜。断路器为 ABB 公司的 VD4 型真空开关，短路开断电流 25kA，额定电流 1 250A。

## 三、低压配电盘

低压配电盘种类更是繁多，小浪底电站配电盘的选型主要考虑了以下几方面因素：

(1)小浪底水电站厂用电供电辐射范围较大，根据供电距离的远近，低压配电网络大致分为 3 层，即一级盘、二级盘、三级盘。对机组自用电和全厂公用电的一类负荷，有的是直接在一级盘上取得电源，有的是引接在二级盘上取得电源，供电电源可靠性要求高。在盘型选择时应把运行可靠性放在首位。对于断路器等关键部件要具有国际先进水平。

(2)鉴于小浪底水电站处于多泥沙的黄河干流上，电站的水轮机磨损快，一般常年 1 台机组处于检修补焊中，检修时间长，检修工作量较重，对检修用电的可靠性提出了较高的要求。所以检修盘基本与一级盘的产品技术性能一致。

(3)低压配电盘选择不同的型式，所需盘数也不相同，单从每面盘价格差别来比较投资大小是不全面的。因为各种型式的配电盘出线回路数差别较大,全厂需要设置配电盘的数量差别也较大,所以在设备选择时从可靠性、先进性、经济性及所发生的土建费用综合考虑。

(4)小浪底水电站计算机监控系统为引进设备,全厂自动化程度高。低压配电盘的选择要与此相适应。

(5)在盘内元件选择时,尤其是一级盘和二级盘之间,应注重断路器对三相短路选择的配合。需针对盘内设置的保护元件的特性曲线进行分析,当一级盘和二级盘分别由不同厂家制造时,对元件配置应提出保护配合要求。

(6)配电盘要考虑因地制宜,合理布置。低压盘选择靠墙布置方案,在满足操作维护通道的前提下尽量缩小布置空间。

经过技术经济综合比较,小浪底电站0.4kV低压配电盘主要选用了两个系列的盘型,即MLS系列金属封闭抽屉式配电盘和MCC200系列金属封闭抽屉式配电盘。MLS配电盘的主开关配用F系列万能式断路器,具有分断能力高、安全性能好、结构紧凑、维护方便的特点;小开关采用S系列塑壳断路器。MCC200配电盘配用NZM系列断路器,具有体积小、分断能力高、密封性能好、采用透明玻璃钢外壳和可视触头等特点。

# 第六节 电力电缆

## 一、220kV电力电缆

### (一)型式选择

在水电站中广泛使用的220kV电力电缆有充油电缆和塑料绝缘干式电缆两种类型。

与充油电缆相比,干式电缆具有施工方便、运行维护工作量小、防火性能优越、不受敷设高差限制等突出优点,因而近年来干式电缆敷设量不断增加,已成为高压电缆的主导产品,并有替代充油电缆的趋势。小浪底水电站电缆敷设落差76.5m,单相总长度5 850m。如果220kV电缆选用充油电缆,其供油设施比较复杂,电缆防火亦比较困难。因此,电缆绝缘型式首选干式电缆。干式电缆又分为交联聚乙烯绝缘(XLPE)电缆和低密度聚乙烯绝缘(LDPE)电缆。考虑到220kV电缆产品为国际招标,而低密度聚乙烯电缆仅有个别厂商生产,形不成竞争局面,因此确定选用电、热和机械性能均较好的交联聚乙烯电缆。经招标采购由德国Siemens公司生产。

### (二)结构特点

电缆导体采用单芯结构,截面800mm$^2$,由多股铜导线压制成实心圆形的绞合线。主绝缘层绝缘材料采用交联聚乙烯,导体屏蔽层和绝缘屏蔽层采用半导体交联聚乙烯。导体屏蔽层、主绝缘层及绝缘屏蔽层三层同时挤压。金属护层采用皱纹铝材料,并具有防水、防机械及化学损伤的功能,能经受单相接地短路电流50kA 3s无损伤。外护套采用HDPE材料,具有防白蚁和霉菌引起的损坏的技术特性。

电缆金属护套采用一点接地方式,沿电缆外护套敷设回流线。电缆金属护套一端直接接地,另一端经护层电压限制器接地。

除电缆本体外，电力电缆还配置有户外电缆终端、户内电缆终端、接地连接盒、护层电压限制器、温度监测设备等附属装置。

### (三)主要技术数据

小浪底水电站220kV电力电缆及电缆终端主要技术数据见表8-6-1、表8-6-2。

表8-6-1　　220kV电力电缆主要技术数据

| 名称 | 单位 | 数值 | 名称 | | 单位 | 数值 |
|---|---|---|---|---|---|---|
| 额定电压($U_0/U$) | kV | 140/242 | 外护层直流耐压(1min) | | kV | 35 |
| 最高电压 | kV | 252 | 介质损耗 | | | $8\times10^{-4}$ |
| 额定工作电流 | A | 859 | 额定单相功率损耗 | 导体损耗 | W/m | 21.8 |
| 三相短路耐受电流(3s有效值) | kA | 67 | | 绝缘损耗 | W/m | 0.5 |
| 单相短路耐受电流(3s有效值) | kA | 50 | | 金属护套损耗 | W/m | 1.53 |
| 额定峰值耐受电流(峰值) | kA | 125 | 最大电场强度 | 导体屏蔽层 | kV/mm | 9.5 |
| 电缆雷电冲击耐压(峰值) | kV | 1 050 | | 绝缘屏蔽层 | kV/mm | 4.1 |
| 电缆工频耐压(有效值) | kV | 280 | 电缆使用寿命 | | 年 | 40 |
| 外护层雷电冲击耐压(峰值) | kV | 25 | | | | |

表8-6-2　　220kV电缆终端主要数据

| 名　　称 | 单位 | 技术数据 | |
|---|---|---|---|
| | | 户内电缆终端 | 户外电缆终端 |
| 型号 | | SF2XI | FE2XI |
| 交流耐压 | kV | 252 | 252 |
| 30min耐压 | kV | 350 | 350 |
| 雷电冲击耐压 | kV | 1 050 | 1 050 |
| 操作冲击耐压 | kV | 850 | 850 |
| 尺寸(直径×长度) | m×m | 0.64×2 | 0.64×3.075 |

## 二、35kV及以下动力电缆

35kV及10kV电力电缆均采用交联聚乙烯绝缘、聚氯乙烯护套阻燃电力电缆，一般场所选用钢带铠装阻燃电缆，对于高落差场所选用细钢丝铠装阻燃电缆，额定电压分别为26/35kV和8.7/10kV。电缆终端均采用技术性能优异的3M型冷塑终端，具有绝缘性能好、易于现场制作安装、成品成功率高等优点。

0.4kV电力电缆均采用聚氯乙烯绝缘、聚氯乙烯护套钢带铠装阻燃电力电缆，额定电压为0.6/1kV。

# 第九章 过电压保护与接地

## 第一节 过电压保护

### 一、过电压保护内容

过电压保护包括雷电过电压保护、工频过电压保护和操作过电压保护等内容。小浪底电站高压配电装置为220kV电压等级,采用中性点直接接地方式,发电机中性点采取消弧线圈接地方式。电站距系统变电站距离较近,不存在空载长线路问题,不需要采取特殊措施限制工频过电压。对于操作过电压,由于220kV及以下电压系统的绝缘水平较高,能承受可能出现的操作过电压,一般也不需要采取限制措施。因此,小浪底电站的过电压保护内容主要是雷电过电压保护,包括直击雷保护和雷电侵入波保护。

### 二、直击雷保护

水电站直击雷过电压一般采用避雷针或避雷线保护。小浪底工程所在地区年平均雷暴日数为20,属于雷电活动一般地区。电站主厂房和主变压器室为地下洞室布置,对机组、主变及洞内电气设备可不设置防直击雷保护装置。重点保护对象是220kV开关站、地面副厂房、油库等地面设施。

220kV开关站位于左岸230m高程,为敞开式中型布置,站内设备采用多根避雷针进行防直击雷联合保护。避雷针装于15m构架上,总高为27m和28m。

所有220kV送电线路全线架设架空地线。

油库储油罐采用独立避雷针保护。

地面副厂房内设有全站的计算机监控系统。考虑地面副厂房建筑的重要性,按Ⅱ类防雷建筑物专设防直击雷保护装置。地面副厂房为三面傍山的4层结构,附近可供选择的设置避雷针的位置有限。如采用普通避雷针,由于保护半径太小,计算避雷针将超过50m以上,显然既不经济也不安全。为此,地面副厂房选择了具有主动式提前放电功能的避雷针装置,有效解决了直击雷保护问题。根据避雷针保护范围计算结果,所设避雷针总高25.62m,其中针塔25m,顶部接闪器高0.62m,接闪器采用不锈钢材质,提前放电时间43μs,当针尖距被保护物高度15m时保护半径为82m。

### 三、雷电侵入波保护

为保护设备免受由线路侵入的雷电波危害及预防操作过电压,在220kV开关站的4段母线上各装设1组氧化锌避雷器。为保护主变压器,在220kV开关站主变高压进线电缆外侧装设1组氧化锌避雷器。为保护发电机回路设备,在发电机断路器内装设1组氧化锌避雷器。

所有 10kV 配电装置母线上均设置氧化锌避雷器。

为保护弱电电子元件,在所有低压进线电源处均装设电涌保护器。

# 第二节 接地系统

## 一、接地设计总体要求

小浪底水利枢纽由拦河大坝、泄洪排沙洞群、引水发电系统和灌溉用水系统等几大部分组成。水工建筑物复杂庞大,沿黄河左岸东西约 2 000m、南北约 1 000m 的范围内,集中布置有引水前渠、进水塔、泄洪洞、发电洞、溢洪道、尾水洞、尾水放淤闸、消力塘、地下主厂房、主变压器室、地面开关站、副厂房、坝顶控制楼等几十座建筑设施,大坝高 154m,长 1 667m,横跨南北两岸,将黄河拦腰截断。这些建筑设施担负着各自的任务,相对独立布置又联合运用,构成了具有鲜明特点的有机联系在一起的建筑群体。

由于接地系统的设计对整个枢纽及电力系统的运行和安全极为重要,因此必须针对小浪底工程水工布置特点,合理安排接地网,确保在正常和故障情况下不危及人身和设备的安全,保证各泄洪建筑物正常运用。

小浪底工程土建标分别由 3 个国际承包商承担,安装标由国内联营体承担。由于接地系统具有整体性和连续性,各标之间的衔接与协调尤为重要。在接地系统设计中,除了要完成总体设计外,还要针对各标的界面做出严格规定,以保证隐蔽工程的可靠衔接。在实际施工中,要求承包商针对各层作业面绘制分解车间图,以有效防止错、漏、碰现象。

## 二、接地电阻允许值

小浪底电站 220kV 开关站属大接地短路电流系统。对于大接地短路电流系统,根据接地设计规程的要求,在正常情况下,发电厂变电所的接地电阻应符合下式:

$$R \leqslant 2\,000/I \tag{9-2-1}$$

式中 $R$——接地电阻,Ω;

$I$——计算用的流经接地装置的入地短路电流,A。

当 $I>4\,000$A 时,可采用 $R\leqslant 0.5\Omega$。对入地电流过大的情况,允许通过技术经济对比放宽对接地电阻值的要求。

小浪底电站地处河南电网,作为在电力系统中起重要作用的大容量电站,故障时入地电流也很大。经单相短路电流的计算,其最大入地短路电流为站外短路时由电站提供的单相短路电流,其值为 11.98kA,以此作为电站接地设计的短路电流,其枢纽的接地电阻值可按 $R\leqslant 0.5\Omega$ 控制。

由于电站入地电流较大,地网电位将会很高。在接地设计中,不仅要考虑设法减小地网接地电阻,还要致力于降低地网电位梯度,保证地网各点的接触电势和跨步电势均在安全许可范围之内。

## 三、跨步电势和接触电势

接地电阻并非是接地系统的惟一安全指标，在土壤电阻率较低和接地面积较大的情况下，虽然接地电阻达到规定的数值，但若接地装置设计不合理，地面仍可能出现很高的电位梯度，给人员和设备带来威胁。根据规程要求，当接地电阻 $0.20\Omega \leqslant R \leqslant 0.50\Omega$ 时，应校验各处的接触电势和跨步电势。其计算公式如下：

接触电势

$$E_j = \frac{174 + 0.17\rho_f}{\sqrt{t}} \tag{9-2-2}$$

跨步电势

$$E_k = \frac{174 + 0.7\rho_t}{\sqrt{t}} \tag{9-2-3}$$

式中 $\rho_f$——人脚站立处介质电阻率；

$\rho_t$——接地短路电流持续时间；

$t$——后备保护动作时间，取 0.6s。

开关站地面敷设 150mm 厚碎石，取 $\rho_f = 5\ 000\Omega\cdot m$，计算的接触电势和跨步电势允许值为 $E_j = 1\ 322V$，$E_k = 4\ 743V$；高压电缆隧道、地下主副厂房、母线洞、主变压器洞及地面副厂房等处取 $\rho_f = 700\Omega\cdot m$，计算的接触电势和跨步电势允许值为 $E_j = 378V$，$E_k = 857V$。因此，当接地系统形成后，需要计算接地网的接触电势和跨步电势，看是否在允许值范围内，如不满足要求，需要对均压网进行改造并采取相应措施，使接触电势和跨步电势控制在允许的安全值内。

## 四、接地系统构成

小浪底工程建设在峡谷地区，地势起伏，主要水工建筑坐落在坚固的岩石基础上。接地一方面受到地形限制，另一方面电阻率较高，接地设计比较困难。根据工程实际情况，接地系统按自然接地体和敷设人工接地网相结合的方式进行设计。

### （一）自然接地体

小浪底水利枢纽计有金属结构安装 3.26 万 t，水工建筑物耗用钢筋 13.59 万 t，浇筑混凝土 337 万 $m^3$，有大量的自然接地体可资利用。将这些自然接地体与人工接地体连成具有良好通路的整体，将有效地降低接地电阻，同时也可起到散流和均衡电位的作用。

为充分利用工程结构中的自然接地体，要求对进水塔、泄洪和引水洞群、尾水渠及消力塘等水工结构中的钢筋网进行焊接或绑扎，以保持电气的连续性。针对水工布置的特点，进一步采取如下措施：从进水塔至消力塘的 9 条泄洪洞，每条洞内沿洞两侧各敷设 1 根接地带，通过焊接与洞壁的水工钢筋结构连接，两根接地带沿洞全长敷设且每隔 100m 互连一次；从进水塔至地下主厂房的 6 条发电引水洞，每条洞内敷设 1 根接地带，并在地下厂房一侧与压力钢管连接；从主厂房至尾水渠的 3 条尾水洞，每条洞内敷设两根接地带，每隔 100m 互连一次，经尾水渠引至防淤闸。

上述连接可使枢纽内的自然接地体得到有效利用。

### (二)人工接地网

人工接地网由开关站、前池、进水塔、消力塘、地下厂房、溢洪道、尾水防淤闸等分网组成。人工接地网布置见图 9-2-1。

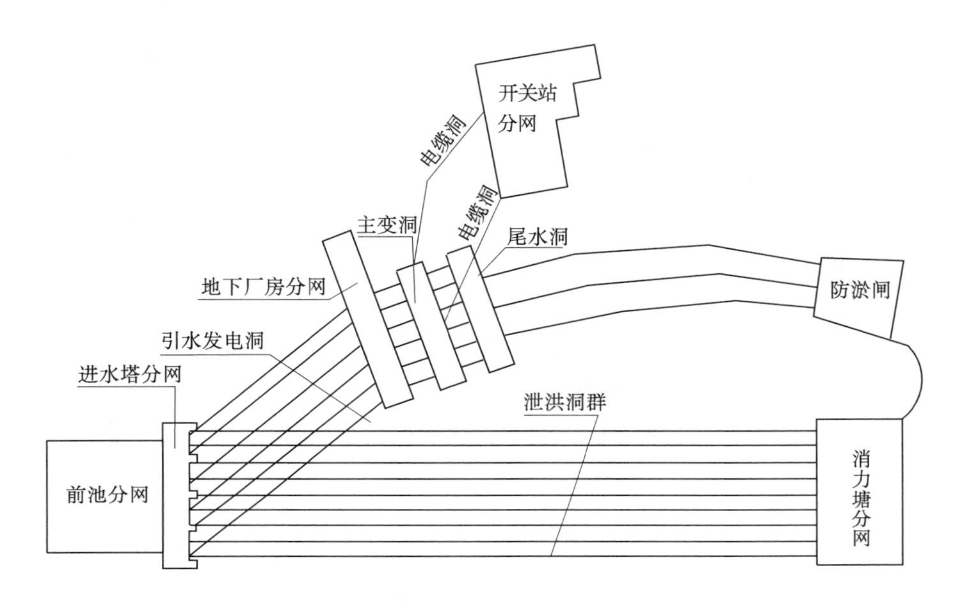


**图 9-2-1　人工接地网布置示意**

1. 开关站分网

开关站接地网处于整个接地系统的核心地位,该站内布置有 220kV 高压配电装置,基础地质结构 20%的区域为基岩,80%的区域为回填弃渣,多为放炮炸碎的块石,属高电阻率结构。为降低接地电阻,要求在距地面深 1.5 ~ 0.8m 处回填黏土层。为减少冲击接地电阻,站内敷设了 130 根 3m 长的垂直接地体,并辅以液态长效降阻剂,改善电极与碎石的接触,扩大散流尺寸。

开关站接地网面积约 25 000$m^2$,按均压设计网布置。

2. 前池分网

前池接地分网为水下接地网,这里有充盈的低电阻率的水源。接地带敷设在岩石表面开挖的沟槽内,为防止水流冲击移位,在水底岩石上钻孔,放入金属固定棒并用混凝土固定,接地带则与固定棒可靠焊接。水下接地网面积约 30 000$m^2$,在指定处与进水塔接地分网连接。

3. 进水塔分网

小浪底工程进水塔是由 10 座不同功能的进水塔群浇筑而成的,呈一字形排列,塔群高 113m,前缘宽度 276.4m,是世界上独一无二的进水建筑物。每座塔内专设人工接地网,浇筑在塔表面混凝土内,各塔间至少有两根接地带互连,塔上金属门槽、轨道、设备外壳就近与人工接地网相连。

4. 消力塘分网

消力塘分网是利用接地带将消力塘各独立的混凝土底板上层钢筋网相互连接而形成的一个整体,面积约 4 000$m^2$。

5.地下厂房分网

地下厂房分网由主厂房、副厂房、母线洞、主变压器洞及尾水闸室人工接地网组成。结合洞室开挖体形,沿四壁及分层楼板敷设接地带,组成纵横交错的立体结构。四壁接地网的固定充分利用了加固岩面的锚杆,并用喷混凝土覆盖。

6.其他分网

在溢洪道进口、尾水渠、地面副厂房等处亦敷设人工接地分网,面积为20 000$m^2$。

上述分网之间至少采用了两根铜母线或钢母线连接,通过这种连接,小浪底水利枢纽形成了一个从地面到地下、自然接地体与人工接地体相结合的完整而巨大的接地网络,所有外露的金属物体和发电机、变压器中性点、设备外壳都与此网络相连,以保证设备正常工作,保护人身安全,防止设备损坏。

**(三)接地导体选择**

国内水电工程通常选用钢材做接地导体,而国外发达国家则多采用铜材。世界银行的咨询专家也建议小浪底工程的接地导体采用铜材。铜导体导电特性好,抗腐蚀性能强,但价格昂贵。结合我国国情,在进行综合经济技术比较后,小浪底工程最终仍采用以钢材为主的接地导体。

据电力部门统计,我国几个大中型变电所发生的接地事故中,除安装质量、运行维护等存在问题外,其中一条重要原因就是设计上导体截面选择过小。因此,小浪底工程的接地导体,在充分考虑了其机械强度、热稳定性和土壤腐蚀速度后,选用了60mm×6mm的扁钢母线和40mm×5mm的镀锌分支母线,预期工作寿命可在30年以上。

在极其重要的场所如地下主变压器洞至地面开关站、进水塔至发电洞等处,也采用了扁铜作为连接母线。

由于接地系统选用了铜、铁两种母材,部分设备接地引线也为铜质,因此铜、铁焊接成了设计与施工部门比较关注的问题,这些连接点虽数量不多,但位置和作用都极其重要。经多次比选及焊接试验,最后选择放热熔法焊接,收到了令人满意的效果。

**(四)均压网设计**

在高压配电装置的地面下埋设具有适当细密度的外缘闭合的接地均压网,是改善地网内部电位分布、减少接触电势和跨步电势的主要措施。常规的等间距均压网,其均压带一般按3m、5m或10m等间距布置。由于尖端和屏蔽效应的作用,各网孔电势分布极不均匀,边角处电势高,中部电势低,各部分网孔安全水平相差悬殊。小浪底电站开关站接地网面积如按等间距布置均压网,条形网孔约为43个,边角网孔电势与中心网孔电势之比约为2.2:1,显然在技术上和经济上均不合理。为此,均压网设计采用了先进的不等间距优化布置方式,借助GPC计算机辅助设计程序,使得均压带间距从地网中部到边缘逐渐缩小,各网孔电势趋于一致,导体流散电流分布较为合理,均压带得到充分利用,条形网孔降为27个,节省均压网钢材及相应接地工程投资近40%。

为提高地表面电阻率,降低人身承受电压,在混凝土路面下、维护通道和设备操作机构四周及金属围栏处铺设厚200mm、粒径为3mm的砾石,进一步提高对人身安全的防护。

**(五)分流及隔离措施**

为降低接地装置电位,对开关站接地网采取分流措施,以减少入地电流。

小浪底电站有6回220kV出线回路，沿全线架设有避雷线，将开关站接地网与所有高压架空线路的避雷线相连，利用“地线—杆塔”接地系统达到分流作用。另外，加强开关站地网与地下主变压器室地网间的联系，采用6条铜带进行电气连接，使一部分短路电流不入地而直接流回主变中性点。

在接地故障时，地网内部和外部各点之间的电位转移往往是通过弱电线路、金属管道等实现的，而且可能以“接触”方式对人身造成威胁，或以反击方式使弱电设备损坏。小浪底电站为防止电位转移所采取的隔离措施有：弱电线路全部采用全塑电缆；通信线路加装用户保安器；引出站外的消防水管采用非金属的ABS塑料管。

**（六）设备接地分支线**

小浪底电站的设备支架多为薄壁钢管和钢筋混凝土杆两种，考虑到通过较大电流时，薄壁钢管和混凝土杆内筋热稳定截面不一定满足要求，为安全起见，未利用薄壁钢管或混凝土杆内筋作设备接地分支线，而一律采用镀锌扁钢分支线，且每组设备接地分支线不少于2根。

## 五、实测接地电阻

1999年11月对小浪底电站接地网电阻进行了现场实测，此间小浪底地区多日无雨，气候干燥，此前几个主要接地分网已连通。测量采用三角形布极法，电压极与电流极呈30°布置，与接地网之间的距离分别为3.6km，实测接地电阻值0.485Ω，满足设计要求。接触电势和跨步电势经计算均在允许值内。

实测结果虽然满足了水利枢纽安全运行要求，但与理论计算值（0.1Ω）相差较大。这与接地网尚未完全贯通、接地电阻率取值偏差等因素有关。根据其他水电站的运行经验，随着接地网的投运，经过几次泄流后可使接地装置接触点更加牢固，接地电阻还会进一步下降。

应当看到，由于地质构造的复杂性，土壤电阻率分布的不均匀性，季节气候变化的多样性，接地故障时电位梯度和接地电阻参数也是不尽相同的。为有效持久地发挥接地系统的作用，有待于加强运行维护，经常进行现场实测，减少盲目性，提高安全性，为今后水电建设积累更多的经验。

## 六、计算机接地

小浪底电站地面副厂房设置有电站计算机监控系统，坝顶控制楼设置有水库调度计算机监控系统和大坝安全监测系统。受地质条件限制，设置单独的计算机接地系统较为困难，因而采用计算机系统与枢纽地网一点共地的方式，即将计算机房的交流工作接地、安全保护接地、直流工作接地和防雷保护接地共用一组接地装置，通过一点引入枢纽主网。这样既能避免多点接地形成的接地回路，防止主网各点间电位差对计算机系统的干扰，又能避免采用独立接地方式所出现的弊病。

对于比较重要的计算机房，为了均衡高频下的电位，在机房地板下面设置高频均压地网，网孔为0.5m。每个机柜接地引线与其下面的高频均压网连接，而高频均压网也用一根引线接到与主网的共地点上。

# 第三节 电气设备布置

## 一、电气设备布置特点

(1)根据地下三洞室(主厂房、主变压器洞、尾水闸室)的布置方案,小浪底水电站主要电气设备按功能和电压等级分区布置,简明清晰。地下按三洞室的布置方案,主变平行于主厂房并与机组对应排列,开关站则布置在地面。发电机主引出线对正 - Y 方向,离相封闭母线不出夹角,出线最短且布置顺畅。由于主变压器放在地下洞室内,缩短了机压母线的送电距离,减少了电能损耗,解决了长距离离相封闭母线散热问题。同时也减少了开关站内设备,从而减少了开关站的占地面积,这对处于深山峡谷地段的水电站而言是十分有益的。

(2)发电机层是运行人员工作和外部人员参观的重要场所,代表着一个电站的形象,在布置上应宽敞、整洁。而水轮机层场所较潮湿,也应尽量减少电气设备布置。因此,主厂房内电气设备集中布置在母线层,发电机层仅在下游侧布置机旁盘,创造整洁、宽敞的工作环境。水轮机层及以下场所除必需的检修配电盘和控制盘外,其他设备均不在此布置。

(3)受枢纽泄水设施总体布置及岩体稳定的影响,布置发电机电压设备的母线洞洞高和洞长均受到限制,设备布置密度大。因此,对母线洞的电气设备采取了紧凑式的布置方式,从总体上达到了安全、集中和节省空间的效果。

(4)主变压器高压侧与 220kV 开关站采用高压电缆连通。为使电缆走径最短,节省电缆投资,分别开挖两条高压电缆洞,每条洞布置 3 台机组电缆,并选取合适的进出口位置,减少价格昂贵的电缆长度。

(5)220kV 配电装置采用技术可靠和运行管理方便的敞开式改进中型布置,比普通中型布置减少投资,节省占地,在设备安全运行和维护检修方面都具有技术优势。

(6)在地面和地下设置 2 个副厂房。中央控制室设在地面副厂房,改善了运行环境,有利于设备运行和人员工作。而继电保护、厂用电等设备布置在地下副厂房,又缩短了动力和控制电缆的长度,有利于节约投资。

(7)小浪底电站厂用电、坝用电负荷多而复杂,布置分散。配电装置采用分设动力中心的方式,按区域集中布置。由于布置场地多为地下洞室,设备布置讲究因地制宜,配电盘、控制盘等设备尽量靠墙放置,干式变压器与配电盘之间采用封闭式插接母线,既提高了安全可靠性,又节省了宝贵的空间。

(8)所有动力电缆和控制电缆一律采用工厂预制的电缆桥架进行敷设。由工厂预制的定型产品比工地现场加工的电缆桥架加工精度高,结构合理,防腐处理好,敷设周期短。电缆桥架在电气设备就位后现场测绘,能够保证走径合理,布置美观。

## 二、电气设备布置方式

### (一)主厂房内电气设备布置

地下主厂房内,顺水流方向而视,自左至右依次布置地下副厂房、安装间、主机室。主厂房内发电机层、母线层和水轮机层均布置有电气设备。机旁屏、发电机主引线和中性点设备布置在主机室。继电保护、直流设备和部分厂用电配电装置布置在地下副厂房内。

主机室发电机层下游侧布置机旁盘。每台机组段机旁盘包括检修动力盘1面、励磁盘4面、电制动控制盘2面、机组现地控制盘4面、测量盘1面、调速器电气盘1面、筒阀控制盘1面、水力测量效率屏1面、直流盘1面、发电机—变压器组保护盘2面、水力机械保护盘1面、备用盘1面,共计20面盘。

母线层布置有发电机主引出线和中性点设备。为使离相封闭母线布置顺畅,主引出线对正-Y方向,封闭母线不出夹角。发电机中性点引出线在第Ⅰ象限,与$X$轴夹角为45°,沿风道壁外侧直接引至中性点消弧线圈柜。第Ⅳ象限下游侧布置7面机组自用电盘。在母线层左端,安装场下面,布置3台干式有载调压照明变压器及9面照明盘。

水轮机层布置有检修配电盘、电动阀门控制柜、压力测量屏、流量温度性能屏。水轮机层安装场下方的回水泵房内布置6面回水泵控制柜,集中并排安装。

**(二)主变压器洞电气设备布置**

主变压器洞在主厂房下游侧,与主厂房平行排列,洞长174.7m、宽13.6m、高17.6m,通过长21.4m、宽6.0m的洞与17号进厂交通洞相接。主变压器洞设2层,局部3层,底层为变压器层,二层(或三层)为220kV干式电缆层,主变压器室与发电机层同高程。6台主变压器与6台发电机一一对应排列,变压器间距与机组间距相同,以使封闭母线走径最短。主变压器洞一层下游侧设宽4.2m的运输通道通向安装场,主变厂内运输在轨道上进行,并可通过变换变压器转轮角度改变行进方向。

6台主变压器分别布置在一层上游侧单独间隔内,主变单独间隔长17.5m、宽9m、高11.5m,6台水冷却器布置在变压器单独间隔一端。在主变压器下方外轮廓1m范围内设置事故油池,其内铺设卵石,并有输油管与储油坑连接。储油坑周围设置水喷雾消防环管。主变压器低、高压侧为上、下游方向放置,发电机离相封闭母线与主变低压套管连接,主变压器高压套管通过$SF_6$管道母线与220kV电缆终端水平连接。为有效利用空间,主变压器室之间的配电装置室分上、下两层,布置有厂用变压器和厂用变电装置。主变压器洞第二层(或三层)高程为156.0m,该层布置6回220kV干式电缆,每回电缆有3个电缆终端,220kV电缆终端通过$SF_6$管道母线与主变压器高压侧套管连接。

**(三)母线洞电气设备布置**

主厂房与主变压器洞之间每一机设一母线洞,洞宽7.0m。母线洞地坪与母线层同高程,为139.0m,洞长33.6m,并在下游侧设置宽2.5m、贯通6条母线洞的交通洞。母线洞采取两阶梯式的布置方式:靠近上游主厂房的12.8m段为一层结构,洞高5.3m,布置封闭母线、发电机励磁变压器、发电机出口电压互感器柜、发电机断路器等设备,6条母线洞布置形式一致;下游靠主变压器室侧的20.8m段,洞高8.3m,为2层结构,上层布置封闭母线,下层布置厂用配电装置等电气设备,层间设置楼板,给电气设备封闭布置创造了条件。每条母线洞内布置的设备不尽相同,其中2号母线洞与5号母线洞内分别布置厂用10kV高压开关柜各12面;1号母线洞内布置有0.4kV厂用自用配电盘计13面;3号母线洞内布置厂用公用配电盘计9面;4号母线洞内布置机组电制动变压器2台;6号母线洞内布置厂用自用配电盘计13面。为充分利用场地,在下游交通洞一侧,母线洞靠主变压器洞的端部,分别布置有 4 台厂用自用变及 2 台厂用公用变。

发电机主引线剖面布置见图 9-3-1。

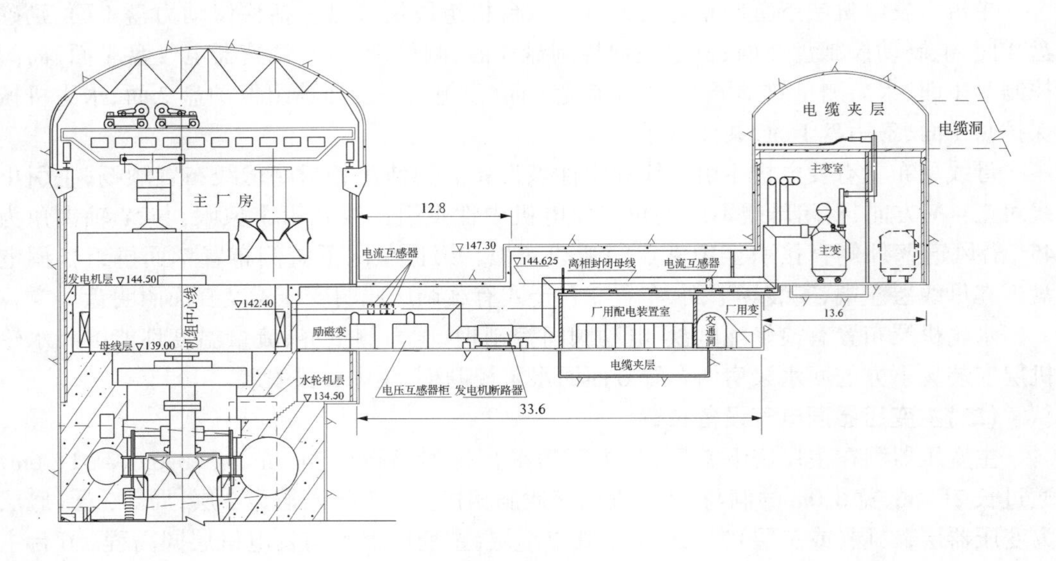


**图 9-3-1　发电机主引线剖面布置**　(单位:m)

**(四)副厂房电气设备布置**

副厂房分设在地下和地面。地下副厂房与主厂房安装间相邻,共 4 层,从下到上依次为厂用配电装置室及高压试验室、电缆夹层及蓄电池室、继电保护室及直流室、参观巡视大厅。

地面副厂房位于地面 220kV 开关站附近,主楼为 5 层结构,有电梯井及竖井可直通地下厂房,是电站的控制调度中心。全站的计算机监控系统、通信系统、工业电视系统、继电保护系统等重要设备均在此布置。

**(五)220kV 高压电缆布置**

220kV 高压电缆共有 6 回,每台机组 1 回,用于传输电能。为敷设电缆,专门开挖 2 条连通地下主变压器洞与地面 220kV 开关站的电缆斜洞。两斜洞的洞宽 4.2m,高 3.5m,坡度均为 37°,电缆落差 76.5m。每洞内敷设 3 回高压电缆,其中两回电缆明敷在地面支架上,水平排列,两回电缆中间设置人行通道,并设有防护栏杆,供巡视和检修电缆之用;另一回电缆明敷在洞一侧墙壁支架上,垂直排列,见图 9-3-2。电缆相间距为 400mm。两条高压电缆洞分别始于主变压器洞端部和主变压器洞中间部位,止于 220kV 开关站电缆隧道的出口处。为留有热胀冷缩的余地,电缆沿支架蛇形敷设。

主变压器洞内的电缆终端选用 GIS 终端,与 $SF_6$ 管道母线水平连接。开关站内的电缆终端选用户外终端,垂直安装于 2.5m 高的电缆终端支架上。

**(六)开关站**

开关站位于黄河北岸,大坝左坝肩下游侧,紧邻地面副厂房,其交通便利,进出线方便。

开关站场地是由挖填方而得，地面基准高程 230m，最大填方深度约 30m，其占地按 500kV 和 220kV 两级电压配电装置考虑约 35 018m²。由于电站接入系统最终确定为 220kV 一级电压，故实际占地 24 659.4m²(长 219m，宽 112.6m)。

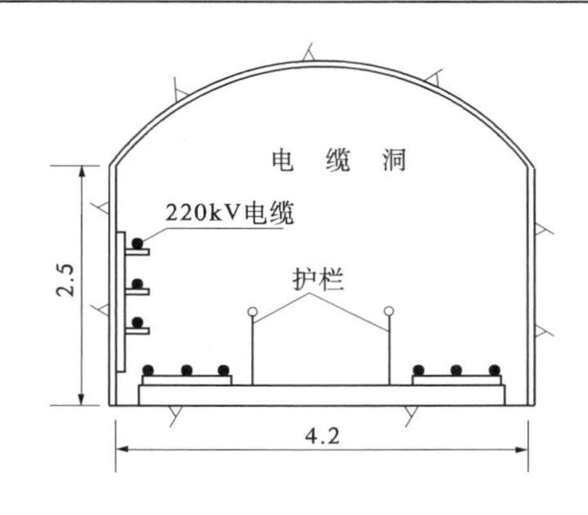

**图 9-3-2　电缆洞布置示意图**　(单位:m)

小浪底电站 220kV 电气设备采用敞开式，布置方案曾比较过普通中型、高型、一倍半接线等，最终确定为技术经济和运行均较优的改进中型，其特点有如下几点：

(1)母线采用山字形布置，断路器双列布置，可在一个间隔内实现进出，压缩了开关站横向尺寸。

(2)采用软母线配臂垂直伸缩式母线隔离开关，以解决不均匀沉陷问题，并压缩了开关站纵向尺寸。

(3)在开关站最笨重设备断路器与电流互感器之间设双环道，以利检修。

(4)利用网状电缆沟形成巡视通道，以利运行巡视。

小浪底电站开关站共有 12 个间隔，母线分段间隔宽 25m，其余均为 15m。母线相间距取 3.5m，弧垂 1.2m；进出线及跨线相间距取 4m，弧垂 2m。主设备相间距除母线隔离开关为 3.15m 和母线分段为 3.5m 外，其他均为 4m。构架有两种型式，母线构架高 10.5m，跨距分别为 14.5m 和 15m；进出线及跨线构架高 15m，跨距 15m。

# 第十章 计算机监控系统

近10多年来,随着计算机控制技术的不断发展与完善,我国大型水电站采用计算机监控系统已十分普遍。从20世纪80年代葛洲坝二江电厂采用计算机监控系统以来,全国新建大型水电站基本都采用了这一先进的控制方式,很多老厂进行了自动化系统改造,有关水电站计算机监控系统设计规范也发布实施,计算机监控日益成为大型甚至中小型水电站的主要控制方式,这是对以往水电站自动化设计的大变革、大进步。

小浪底电站采用了以计算机为主的监控方式,监控系统采用国际招标的形式采购,经过对6家投标厂商方案的综合比选,最终选定奥地利ELIN公司作为系统供货商。监控系统1999年初开始与机组机电设备同时安装,1999年12月中旬具备联合调试条件,经过现场近10天的紧张工作,在计算机监控系统的操纵下,1999年12月28日凌晨6号机组并网发电,进入72h试运行。至2001年12月底,电站计算机监控系统随着全部6台机组安装完毕和并网发电,也完成了全系统安装调试工作,投入正常运行。

## 第一节 系统结构及配置

电站计算机监控系统实施方案为分层分布结构,监控系统由电站控制中心和现地控制单元等组成。整个计算机监控系统采用冗余设计,厂级工作站、操作员工作站、网络及现地控制单元均为冗余方式。控制中心硬件设备采用RISC技术,软件适合开放系统环境下运行,采用分布式数据库,操作系统、用户界面及网络接口均符合开放系统的有关标准。电站受河南省电网调度,执行来自河南省电力调度中心的调度命令。

电站计算机监控系统控制中心设备包括7套工作站及其外围设备,其中厂级工作站2套,操作员工作站2套,培训工作站、工程师工作站和多媒体工作站各1套;由计算机支持的模拟屏(包括模拟屏驱动器)1套;大屏幕投影机1套;3台打印机,4套监视终端及服务器;控制中心设备用UPS电源2套;GPS卫星时钟1套;同电网调度、水库调度系统进行通信的远方计算机接口单元1套。

现地控制单元包括8套,6台机组对应6套现地控制单元,公用设备设1套,220kV开关站设1套。

电站控制中心设备之间及其与现地控制单元之间的通信采用总线式以太网和环网。

4套监视终端通过服务器与监控系统连接。该监视终端仅具有监视功能而作为管理使用,其网络为办公室局域网,该信息管理系统具有独立的操作系统及通信协议,网络介质采用同轴电缆或双绞线。

2套厂级工作站互为热备用,2套操作员工作站同时工作但操作能相互闭锁。电站控制室设有模拟屏,屏上信号除开关站表计直接来自电流互感器(CT)和电压互感器(PT)外,其他均由计算机系统驱动。计算机监控系统结构见图10-1-1。

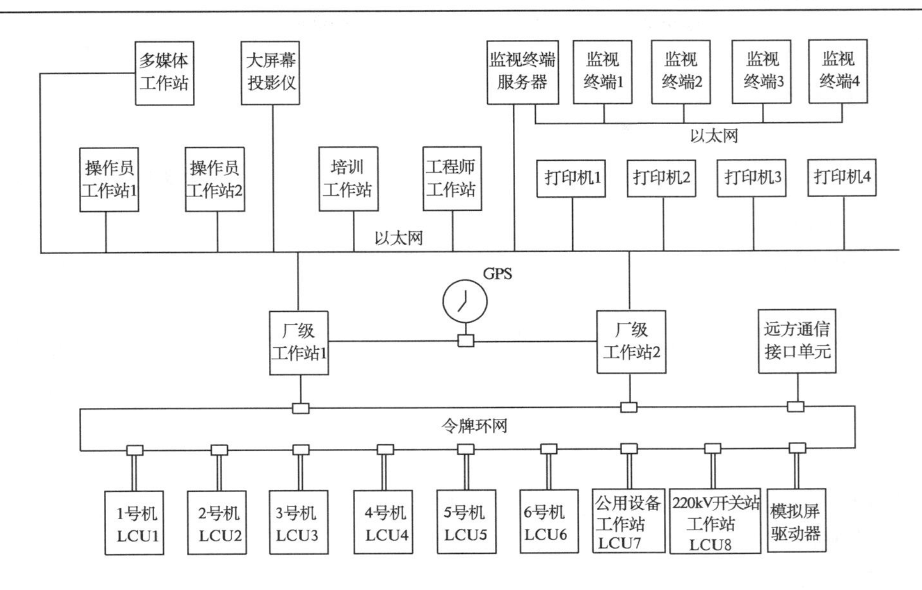


**图 10-1-1　小浪底电站计算机监控系统结构**

现地控制单元包括控制部分和监视部分。控制部分采用冗余设计,正常运行时采用过程计算机进行控制,当该计算机故障时自动切换到冗余部件中进行控制。

电站计算机监控系统的监控对象包括 6 台水轮发电机组、220kV 开关站设备和全厂公用设备,监控系统实际控制和监视点达 6 000 余个。

# 第二节　系统功能

## 一、概述

电站计算机监控系统包括监控与数据采集(SCADA)、自动发电控制(AGC)、自动电压控制(AVC)和事故分析处理、趋势分析处理、运行培训仿真等功能。

电站控制中心由 2 套厂级工作站、2 套操作员工作站、1 套工程师工作站、1 套培训工作站和 1 套多媒体工作站等设备组成。厂级工作站主要完成全厂的运行自动化及其管理,包括历史数据存档、归类、检索和管理,运行报表生成与打印,对外通信管理等。工作方式为 2 套互为热备用。

操作员工作站(2 套),主要完成人机接口功能,即完成设备运行的实时监视与控制,来自现地控制单元 LCU 的实时信息在操作员工作站显示器上显示刷新。工程师工作站作为系统和 LCU 软件开发、编制和修改等工作使用,并作为操作员工作站的备用;培训工作站作为运行人员操作培训使用;多媒体工作站能与全厂工业电视系统联网,以获得现场影像记录。

## 二、电站控制中心功能

电站控制中心设备分别布置在地面副厂房的计算机室、控制室、培训室等,具有以下功能:数据采集与处理,实时控制和调节,监视、记录和报告,运行参数计算,通信控制,系统诊断,系统仿真,软件开发,系统扩充(包括硬件、软件),运行管理和操作指导等。

**(一)数据采集与处理**

1. 数据采集

接收各现地控制单元发送的有关参数,存入数据库,用于显示器画面更新、控制调节、记录检索、操作指导及事故记录和分析。

采样周期满足系统性能的要求,对追忆记录测量值,能提供故障前后5min内的数据组,采样周期1s,起动方式为自动。事故报警信号优先传递,并登录事故发生的时间。

数据采集除周期性进行外,在所有时间内,可由操作员或应用程序发命令采集任何一个单元控制器的过程输入信息。

2. 数据处理

(1)数据变码、校验传递误差、误码分析及数据传输差错控制。

(2)生成各种数据库,供显示、刷新、打印、检索使用。

(3)对数据进行越限比较,越限时发出报警信号(显示、声音等),并打印记录。

(4)全厂事件顺序记录,及时处理生产过程中发生的每一个事件,记录每个事件发生的时间(年、月、日、时、分、秒、毫秒)和性质等。

(5)对重要监视量进行运行变化趋势显示。

**(二)实时控制和调节**

1. 操作员控制

操作员通过操作员工作站的显示器、键盘等,可对监控对象进行下列控制与调节:

(1)机组起动、停机。

(2)同步并网。

(3)机组运行方式选择。

(4)机组有功功率、无功功率增减。

(5)自动发电控制(AGC)的投/切。

(6)自动电压控制(AVC)的投/切。

(7)18kV及以上的隔离开关和10kV及以上的断路器(包括厂用电)合/分及闭锁。

(8)进水口快速闸门紧急关闭操作。

(9)各种整定值和限值的设定。

(10)显示器的显示图形、表格、参数限值、报警信息、状态量变化等画面和表格、报表的选择与调用。

(11)在各个显示器屏间实行主操作屏和画面显示屏的分配。

(12)打印记录。

(13)趋势分析。

(14)计算机系统设备投/切。

(15)报警复归:当电站设备发生事故或事件后,在显示器上自动推出事故或事件画面并发出报警信号,当运行人员已了解事故或事件的情况后,可对报警信号手动复归。

(16)数据库点投入和退出控制:确定数据库点是否参与或部分参与安全监控。

(17)在电站控制中心对监控对象进行操作控制时,在屏幕显示器上能显示整个操作过程中的每一步骤和执行情况。

(18)提供了设备安全标记系统,可由操作员手动或应用程序自动实现禁止对被选中设备的控制。

2. 自动发电控制(AGC)和经济运行

根据操作员或电网给定的全厂总功率,调频、调峰和备用容量的要求,以及设备的实际状况,自动计算出当前水头下电站的最优机组组合和机组间的负荷分配。最优化目标是在满足给定总功率的条件下机组发电耗水量最低,避开气蚀振动区,同时避免频繁起停机组和频繁调整功率的操作。在优化计算时,实时水头值应计入未来时段尾水位由于发电流量改变而产生的变化。

自动发电控制包括三项子功能,即调频、调峰、按给定功率和指定机组台数运行。

1)调频

在规定的调频容量范围内执行电网调频任务(调频容量由电网调度给定)。按照电站给定的调频容量和电网调度传递来的即时指令(每8s下发一次指令),控制6台机组执行频率控制任务。当可提供的调频容量已完全用于调频或电网调度送来的即时指令消失时,均停止执行调频任务,转为按给定功率方式运行。

2)调峰

在规定的调峰容量范围内执行电网调峰任务(最大调峰容量由电网调度给定)。按照电站给定的调峰容量和电网调度给定的负荷曲线,控制电站6台机组执行调峰任务。

3)给定功率

根据操作员或电网给定的有功功率值及指定的机组进行机组的联合有功控制,机组间功率的分配可按等功率或等开度分配。

3. 自动电压控制(AVC)

根据电网调度的要求,进行机组的联合无功控制,以满足下列需要:

(1)满足系统对小浪底电站无功功率的需要。

(2)维持电站220kV母线电压在规定的范围内。

(3)保证机组无功出力及端电压在稳定运行范围内。

运行机组间的无功功率分配方式为按等无功功率分配或按等功率因数分配。

4. 机组低频自动起动

根据系统自动化的要求,设置备用机组低频时自动起动,且自动准同步并网。

**(三)监视、记录和报告**

1. 监视

在控制室装有模拟屏和彩色显示器,在地下主厂房和地面厂长、总工程师办公室及运行分厂设显示器显示终端,用于显示电站的运行情况。主要监视内容有以下方面:

(1)发电机运行工况。

(2)发电机组辅助设备运行情况。

(3)变压器运行工况。

(4)18kV及以上的隔离开关、接地开关和10kV以上的断路器(包括厂用电)位置。

(5)线路运行工况。

(6)公用设备运行工况。

(7)事故快速门位置及水轮机筒阀位置。

(8)厂用电运行方式。

(9)越复限、故障、事故的显示、报警并自动显示有关参数并推出相关画面。

(10)过程监视。监视机组运行工况的转换过程,并在显示器上显示。当发生过程阻滞时,在显示器上给出阻滞原因,并可由操作员改变运行工况,如实行停机。

(11)监控系统异常监视。监控系统的硬件或软件发生事故则立即发出报警信号,并在显示器及打印机上显示记录,指示故障部位。

2. 记录、报告

记录全厂所有监控对象的操作、报警事件及实时参数报表等,并能在显示器上显示,在打印机上打印。打印记录分为定时打印记录、事故故障打印记录、操作打印记录及召唤打印记录等工作方式。记录、报告的主要内容有如下几方面:

(1)操作事件记录。将所有操作自动按其操作顺序记录下来,包括操作对象、操作指令、操作开始时间、执行过程、执行结果及操作完成的时间、操作员的姓名等。

(2)报警事件记录。自动将各种报警事件按时间顺序记录其发生的时间、内容和项目等,生成报警事件汇总表。

(3)报告。按时、日、月生成各种统计报表,也可根据操作员的指令随时生成各种报表。

(4)趋势记录。记录重要监视量的运行变化趋势。

(5)事件顺序记录。在电站发生事故时,由各现地控制单元采集继电保护、自动装置及电站主设备的状态量,并上送电站控制中心,完成事件顺序排列、显示、打印和存档。每个事件的记录和打印包括点名称、状变描述和时标。

(6)事故追忆。记录打印事故发生前后一段时间里重要实时参数的变化情况。追忆量包括220kV线路的有功及无功功率、三相电流、220kV母线电压及频率、机组线电压、三相电流和有功、无功功率等。追忆量除了打印外还可以用曲线在显示器上显示。

(7)相关量记录。自动记录与事故、故障有关的参数。当机组某一参数越限时,监控系统同时显示打印其相关参数的对应数值。

(8)各主设备的运行档案记录打印。

**(四)运行参数计算**

电站控制中心要进行电厂运行工况计算、经济运行计算及建立主辅设备运行档案等。

1. 运行工况计算

运行工况计算包括厂用电耗电量、厂用电率、耗水量、耗水率、发电效率、发电量总和(分时计量)等,每天、月、季、年的工况曲线。

2. 经济运行计算

经济运行计算是根据给定的电厂负荷曲线及流量、水头等实时参数及机组的运行特性,计算开机台数、机组起停顺序、有功功率和无功功率分配等。

3. 主辅设备的运行档案

每台机组的运行小时数、停机小时数、事故小时数、检修小时数和各主辅设备的运行小时数、动作次数、事故和故障次数等的记录。

**(五)通信控制**

电站计算机监控系统通过一路600Bd载波通道、一路1 200Bd光通信系统与河南省电力调度中心的计算机系统通信,接收电网的AGC控制命令。

监控中心与各现地控制单元通信,向各现地控制单元发送指令,并接收各现地控制单元上送的各种信息。

监控中心与水库闸门控制系统的计算机系统进行数据通信,交换相应信息。

**(六)系统诊断**

系统设备硬件故障诊断包括对各工作站计算机及外围设备、通信接口、通道等的运行情况进行在线和离线诊断,故障点诊断到模块。对于冗余的系统设备,当诊断出主用设备故障时,能自动发信号并切换到备用设备。当诊断出外围设备故障时,则自动将其切除并发信号。

软件故障诊断是在软件运行时,若遇故障应能自动给出故障性质及部位。

在系统进行在线诊断时,不影响计算机系统对电站设备的监控功能。

**(七)系统仿真**

1. 运行仿真

为提高系统运行管理水平,在监控系统设计中曾要求系统供货商提供一个与电站平行的实时仿真器。该仿真器提供电站在正常运行时的参考模型,在线监测仿真数据和实际运行数据,以检测任何不正常差异或异常事件,并能给出有关设备故障的诊断结果,以达到对故障或事故早期诊断避免发生的目的。该项功能在监控系统设备招标时作为选件,由于最终选择的系统供货商不能提供较成熟的产品,在合同签订时未采用。

2. 培训仿真

培训仿真是利用培训工作站进行运行人员的操作培训、维护培训、事故处理培训、软件开发培训以及管理培训。

**(八)软件开发**

软件编辑人员可以通过工程师工作站的计算机终端设备,在线或离线方便地对电站控制中心和现地控制单元进行应用软件、显示画面和数据库等的编辑、调试、装入、卸除和修改,在线进行上述工作时能保证计算机监控系统功能的正常运行。

**(九)系统扩充**

监控系统的硬件和软件均留有扩充现地控制装置、外围设备等的接口,便于用户将来扩充。电站控制中心计算机的硬磁盘存储器容量应有40%以上的裕度。

**(十)运行管理及操作指导**

1. 正常操作

正常操作时,监控系统给出操作顺序提示,还包括操作票编辑、显示、打印以及运行报表显示、打印等。

2. 事故处理

在出现故障征兆或发生事故时,由监控系统提出事故处理和恢复运行的指导性意见。

## 三、现地控制单元功能

机组现地控制单元监控范围包括水轮发电机组及其附属设备、主变压器、主变压器高压侧断路器、进口快速闸门紧急关闭等。机组现地控制单元设备布置于机旁。

公用设备现地控制单元布置在地下副厂房，其监控对象包括：全厂公用的油、气、水辅助系统；厂用交流电源系统；地下副厂房直流电源系统；火灾报警消防系统；全厂通风及空调系统；上、下游水位；尾水防淤闸等。

220kV 开关站现地控制单元设备布置在地面副厂房继电保护室，控制对象包括 220kV 断路器、隔离开关、接地开关、地面副厂房直流电源系统等。

机组、公用设备和开关站现地控制单元基本功能相同，只是根据其不同的控制对象设计配置了对应的硬件和软件，以下仅针对机组现地控制单元说明其功能。

### （一）数据采集和处理

机组现地控制单元采集机组各电气量和非电气量，接受机组有功电度脉冲和无功电度脉冲，分时计算求得机组发电量实际值，收集主/辅设备及继电保护装置和自动装置的状态量。机组现地控制单元对输入的数据进行预处理，存入现地数据库，并根据需要上送电站控制中心。

### （二）安全运行监视

机组现地控制单元与机组继电保护装置等协调运行，完成对设备的安全监视，主要包括状变监视、越复限检查、过程监视和现地控制单元异常监视。

#### 1. 状变监视

当各监视对象发生状态变化或继电保护及自动装置动作时，其分项动作信号在现地控制单元上有简明指示，并上送电站控制中心。

#### 2. 越复限检查

对于部分采集到的电量和非电量，现地控制单元做越限或复限检查。当其越限或复限时，除在现地指示报警外，还上送电站控制中心。越复限检查内容包括机组定子电流、电压和功率，转子电流、电压；机组上导、下导、水导、推力轴承的瓦温，油温，冷却水温，转子线圈、定子线圈和铁芯的温度及变压器油温；机组振动和摆度等。

#### 3. 过程监视

过程监视包括机组起动前起动条件监视和开停机过程监视，以保证机组按设定的程序安全运行。

#### 4. 现地控制单元异常监视

现地控制单元的硬件、软件故障时，除在现地报警指示外，同时上送电站控制中心显示和打印。

对机组现地控制单元运行设计要求是在没有控制中心命令或脱离电站控制中心的情况下，能独立完成对所控设备的闭环控制，以保证机组安全运行。现地控制单元上预留了与便携式工作站连接的接口,需要时可将该工作站与之相接,在工作站的屏幕上显示参数、状态或用打印机打印记录。

### (三)控制和调节

1. 自动控制

机组现地控制单元按设定的程序自动或分步自动完成开、停机操作和有功、无功功率的调节,而不需依赖于电站控制中心。机组现地控制单元也能执行与之连接的便携式工作站发出的现场命令。机旁设有控制权切换开关,但其上行信息不受切换开关位置影响,开关置于“远方”时,机组仅受控于电站控制中心,置于“现地”时,仅可由运行人员通过现地控制单元对机组进行控制。

2. 顺序控制

机组控制单元顺序控制包括多种方式:①正常的自动开机(并带负荷到设定值);②自动开机到并网空载运行;③自动开机到同步速度;④正常自动停机;⑤紧急停机,对于事故停机根据事故紧急程度分别作用到不同的自动停机程序,反应主设备事故的继电保护动作信号,除作用于事故停机外,还通过后备控制设备直接作用于断路器和灭磁开关的跳闸回路;⑥卸负荷到空载运行。

3. 机组同步并网方式

发电机出口断路器及220kV侧断路器都是机组的同步点,机组同步并网采用两种方式,即自动准同步和手动准同步,同步方式在机旁选择。电站控制中心仅采用自动准同步方式。每台机组配置一套自动准同步装置,用于机组正常同步并列。手动准同步仅在机旁进行,它借助于装在机组现地控制单元上的同步表由人工实现机组同步并网,为了避免机组任何非同步并网的可能,每台机均设有同步检查继电器,作为机组并网时相角鉴定的外部闭锁。

### (四)事件检测和发送

机组现地控制单元自动检测本单元所属的设备、继电保护和自动装置的动作情况,当发生状态变化时,将事件的性质依次检测、归类存档,并上送电站控制中心。

### (五)事故、故障音响

现地控制单元设有反映所监控对象的事故、故障、越复限等状态的不同频率的音响报警装置。

### (六)数据通信

机组现地控制单元完成与电站控制中心的数据交换,实时上送电站控制中心所需的过程信息,接收电站控制中心的控制和调节命令;接收电站控制中心所用的同步时钟信息,以保持与电站控制中心同步;完成与机组微机励磁调节器、微机调速器及微机继电保护装置等的相关数据通信。

### (七)自诊断

机组现地控制单元可在线或离线自检设备的故障,故障诊断能定位到模块,应用软件运行时,若遇故障能自动给出故障性质及部位。在线运行时,当诊断出故障,能自动闭锁控制出口或切换到备用系统,并将故障信息上送电站控制中心,以便显示、打印和报警。

**(八)冗余和现地后备控制**

现地控制单元设两个与系统网络通信的通道,当一个通道故障时不应中断与系统的通信,并利用其冗余性能,允许 LCU 主要部件故障时不中断正常运行。

机组现地控制单元设置一套现地后备控制系统,当正常的 LCU 功能故障时可利用该系统实现分步开停机和手动同步并网。现地后备控制系统的基本配置包括模拟接线、设备状态指示灯、表计、控制开关及一套简易报警显示装置。

# 第三节　系统操作

对电站计算机监控对象的监视控制、数据采集等,分为下列三个等级的操作。

## 一、调度中心操作

小浪底电站受河南省电力调度中心的调度,远动信息送河南省电力调度中心,接收电力调度中心的 AGC 命令。河南省电网通过调度中心的计算机系统,经载波和光纤通信系统,与电站的计算机系统通信,实现遥测、遥信、遥控、遥调,其主要监视和操作内容如下:

(1)遥测。每台发电机的有功功率、无功功率;全厂总有功功率和总无功功率;220kV 主变高压侧有功功率和无功功率;220kV 线路的有功功率和无功功率;220kV 旁路断路器的有功功率和无功功率;220kV 厂变的有功功率和无功功率;220kV 各段母线电压及频率;220kV 母联、分段的有功功率和无功功率;水库水位;下游水位。

(2)遥信。发电机、线路、变压器(含 220kV 厂变)、母联、分段、旁路断路器的位置信号;220kV 母线刀闸、旁母刀闸、线路接地刀闸的位置信号;主变中性点刀闸的位置信号;220kV 线路两套主保护、两套后备保护、两套收信输出、两套重合闸动作信号;母线保护及元件失灵保护动作信号;发电机—变压器组保护综合信号。

(3)遥控、遥调。自动发电控制(AGC);对于自动电压控制(AVC),电力系统没有要求,但监控系统提供了该项功能。

## 二、电站控制中心操作

电站控制中心操作包括地面副厂房控制室操作员工作站、计算机室工程师工作站、培训室培训工作站以及电站主要领导办公室监视终端的操作。

**(一)控制台操作**

操作员通过装在控制台上的显示器和键盘、鼠标器等进行操作,操作方式简便、安全、灵活,操作员具有舒适的工作环境。人机联系遵循下列规则:

(1)操作采用人机对话形式进行,对话说明清楚、准确,并在整个系统对话运用中保持一致。

(2)对重大操作先在显示器上给出提示,并经操作员确认以后才能执行。

(3)操作员在控制台上进行操作时,电站计算机监控系统将不接受电网调度中心的操作指令,但不影响向调度中心传送信息。

(4)供操作员使用的人机通信接口设备只允许完成对系统的监控操作,而不能修改或测试各种运行软件。

### (二)显示器显示

控制室的每个运行人员操作台上装2台彩色显示器,供人机联系及对主要运行参数、事故和故障状态等以数字、文字、图形、表格的形式组织画面进行动态显示。4台显示器具有完全相同的功能,运行中任一台显示器可由运行人员自行设定用于操作或监视。显示器具有多窗口功能,分区显示时间、画面、对话、报警等。

1. 显示项目

(1)自动状变。

(2)受控状变。

(3)越限报警。

(4)监控系统异常指示并报警。

(5)事件动作顺序动态显示。

(6)事故追忆显示。

(7)主要电气接线。

(8)定时记录表格。

(9)继电保护配置图及整定值表。

(10)设备运行时间记录表。

(11)正常操作指导:根据电站主设备运行状态,提出运行操作和调整的指导性意见画面。

(12)异常状态时的操作控制指导:电站主设备出现异常或事故时,提出对策和操作的指导性意见。

(13)报表格式:显示多种定时打印报表格式,报表的内容可在画面上修改。

(14)被监视量的上、下限值整定表,越限整定值可在画面上修改。

(15)计算机系统软件维护记录。

(16)计算机系统框图。

(17)机组工况转换流程图。

(18)设备操作次数统计表。

(19)全站日负荷曲线。

(20)机组日负荷曲线。

(21)电站事故、故障统计表。

(22)公用设备、辅助设备运行状态显示。

2. 显示方法

对于状变和越限等事件,按时序指示其发生时间、设备名称、事件内容、设备允许运行参数等,凡显示状变或越限的画面能自动推出,其余画面则为召唤显示。

显示器以不同的颜色显示报警信号,事故信号报警为红色,故障信号为黄色,信号复归后为绿色。报警信号显示内容包括报警语句显示和设备标志闪光及颜色改变。

显示报警信号的同时也发音响信号及报警语音,事故音响和故障音响频率不同,声音可自动或手动解除。发生误报警时,操作员能禁止该点报警,消除误报警后,操作人员可恢复该点的报警能力。

3. 模拟屏显示

在控制室设一马赛克模拟屏,由计算机驱动,能显示电站全貌。由于控制室距开关站较近,故模拟屏上的开关站表计信号直接取自 CT 和 PT,这样做的目的是为计算机系统退出运行后的控制室监视提供后备,而除此之外的其他信号均来自计算机。

**(三)工程师工作站**

工程师工作站完成系统软件开发、编制和修改应用软件、建立数据库、建立显示图表和记录、初始化参数、检索历史记录、系统管理、故障诊断等工作。

### 三、电站现地控制单元操作

现地控制单元的操作内容和操作方式应根据功能设计的要求而定,在现地控制单元上进行控制操作时,控制室应有显示且控制中心命令不起作用,但不应影响数据采集及数据往电站控制中心的传送。机组和开关站的现地控制单元配置了后备控制设备,能进行基本的操作,如开停机、断路器的开合、简要的事故及故障信号等,作为计算机监控系统的后备。

## 第四节　系统性能

### 一、实时性

现地控制单元的响应能力满足对生产过程的数据采集和控制命令执行的时间要求。

(1)模拟量采集周期:电量≤1s,非电量≤10s。

(2)数字量采集周期:<1s。

(3)事件顺序记录分辨率:≤5ms。

(4)控制命令响应时间:<1s。

电站控制中心的响应能力满足系统数据采集、人机通信、控制功能和系统通信的时间要求。

(1)电站控制中心对调度系统数据采集和控制的响应时间:≤2s。

(2)人机通信响应时间。调用新画面的响应时间:从运行人员发出一个新的画面调用指令开始到画面完全显示在显示器上为止的时间<1s;在已显示画面上动态数据更新周期从数据库刷新后算起为 1~2s;报警或事件发生到显示器屏幕显示和发出音响的时间<2s;操作员命令发出到现地控制单元接收命令回答响应的时间<3s。

(3)数据采集响应时间:电站控制中心数据采集时间包括现地控制单元数据采集时间和相应数据再采入控制中心数据库的时间,后者应为 1~2s。

(4)电站控制中心控制响应时间:联合控制有功功率和无功功率执行周期为 4s 到 3min,可调;经济运行功能处理周期时间为 5~30min,可调。

(5)双机自动切换时间:热备用且不中断任务。

## 二、CPU 负载率

(1)电站控制中心各工作站计算机的处理能力有充分的裕度,其负载率小于 40%。

(2)现地控制单元 CPU 的负载率小于 60%。

## 三、可靠性

(1)监控系统及其设备能适应电站的工作环境,具有足够高的抗干扰性能,能长期可靠地稳定运行。

(2)系统或设备的可靠性采用平均无故障工作时间(MTBF)来反映,要求系统 MTBF 参数大于 8 000h(电站控制中心工作站)和 16 000h(现地控制单元)。

## 四、可维护性

计算机系统的硬件和软件便于维护、测试和检修。

(1)设备具有自诊断和寻找故障程序,指出具体故障部位,在现场更换故障部件后即恢复正常。

(2)有便于试验和隔离故障的断开点。

(3)配备有合适的专用安装拆卸工具。

(4)预防性维护应使磨损性故障尽量减少。

(5)具有硬件的代换能力。

(6)通过系统工程师工作站可修改和增加软件。

(7)平均故障修复时间(MTTR)一般在 0.5h 以下,最长不超过 1h。

(8)互换件或不可互换件有相应措施保证识别。

## 五、可用率

采用高可靠性元件构成的计算机系统,其实时操作系统具有实际运行经验。软件实用、紧凑,达到较高的系统可用率,整个系统的可用率不小于 99.97%。

## 六、系统安全

### (一)保证操作安全性的措施

(1)对系统每一功能和操作有检查和校核,发现有误时能报警、撤销。

(2)当操作有误时,自动或手动地被禁止并报警。

(3)对任何自动或手动操作可作存储记录或作提示指导。

(4)在人机通信中设操作员控制权口令。

(5)按控制层次实现操作闭锁,其优先权顺序为:现地控制单元级最高,控制室第二,远方调度第三。

(6)系统具有定义控制台不同的使用安全等级的功能,其级数不小于 4 级。

### (二)保证通信安全性的措施

(1)系统设计保证信息传送中的错误不会导致系统关键性故障。

(2)电站控制中心与现地控制单元的通信包括控制信息时,有对是否响应作出明确肯定的指示,当通信失败时,考虑2~5次重复通信并发出报警。

(3)通道设备上提供适当的检查手段,以证实通道正常。

**(三)保证硬件、软件和固件安全的措施**

(1)电源故障保护和自动重新起动。

(2)预置初始状态和重新预置。

(3)有自检能力,检出故障时能自动报警。

(4)设备故障时自动切除或切换并报警。

(5)任何硬件和软件的故障都不危及电力系统的完善和人身的安全。

(6)系统中任何地方单个元件的故障不造成设备误动。

## 七、可扩性

为确定和实现系统的扩充,要求系统制造厂给出系统可扩性的限制。其主要限制包括:电站控制中心或现地控制单元点容量或存储器容量的极限;使用有关例行程序、地址、标志或缓冲器的极限;数据速率极限;增添部件时,接口修改或部件重新定位等设计和运行的限制等。

系统可扩充的范围如下:

(1)备用点不少于使用点设备的20%。

(2)控制中心计算机存储器容量应有40%以上裕度。

(3)留有扩充现地控制装置、外围设备或系统通信的接口。

(4)通道利用率或通道数据率留有足够裕度,期望的通道数据率小于50%。

(5)屏柜内留有可扩充插槽的空间。

## 八、可变性

系统可变性是对系统点参数或结构配置改变时的难易程度的一种度量。

**(一)点的可变性**

(1)可实时由运行人员确定点的说明。

(2)可实时改变模拟点工程单位标度。

(3)可实时改变模拟点限值。

(4)可实时改变模拟点限值死区。

(5)可实时在分布式数据库中为已有的现地控制单元增加初始未提供的点。

(6)可实时在分布式数据库中为已有的现地控制单元重新安排点的分类。

(7)可实时对现地控制单元和终端的通信接口地址、点设备地址等进行再分配并作相应的软件改变。

**(二)系统制造商提供的可变性限制**

(1)变化的点参数在只读存储器之类的永久性存储设备中的限制。

(2)由数据库结构所产生的限制。

(3)对硬件或软件兼容性的限制。

(4)硬件限制。

(5)软件操作系统的限制。

# 第五节　系统硬件

电站监控系统采用技术成熟、可靠性高、性能先进、便于维护、经济合理的硬件设备，控制中心计算机采用 RISC 技术以适应开放系统。由于计算机技术发展很快，在项目实施时均根据当时计算机发展水平进行了调整。

## 一、电站控制中心设备

电站控制中心包括厂级工作站、操作员工作站、工程师工作站、培训工作站、多媒体工作站、模拟屏等，各种部件和设备满足相应的性能要求。

### (一)厂级工作站

电站设置 2 套厂级工作站，设在地面副厂房计算机室内，每套厂级工作站包括 1 台主计算机、1 台显示器、1 台打印机、1 套标准键盘及鼠标器，2 套工作站以互为热备用方式运行。其主计算机性能如下：

(1)主计算机采用 SUN 工作站，中央处理器采用适应开放系统的 RISC 技术，CPU 的字长至少为 32 位，硬件中断能力不小于 16 级。

(2)CPU 主频为 300MHz，主存储器容量为 128MB。辅助存储器用温盘机，其容量为 2GB，并配有 24 倍速 CD－ROM 及网络接口等。

(3)高速浮点运算采用快速浮点处理器硬件。

(4)具有较强的输入/输出能力，输入/输出采用直接存储器存取方式。

(5)有同步接口，以便于与外部设备的实时时钟同步。

### (二)操作员工作站

电站设置 2 套操作员工作站，每套操作员工作站的硬件配置同厂级工作站，装有 1 台工作站计算机、2 台显示器、1 个鼠标器、1 套报警装置及其他必要的设备。2 套工作站布置在 1 个控制台上，彩色显示器布置不妨碍操作员对模拟屏的监视，控制台上的人机接口设备及电缆连接能方便地拆卸更换。

该控制台上除布置两套操作员工作站外，还考虑布置 3 台打印机、1 台打印机服务器、1 套多媒体工作站、3 部电话机和文件、报告等的位置。

操作员工作站计算机包括 1 台字长不少于 32 位的微处理器、1 个硬盘驱动器、1 个软盘驱动器，并有足够的存储器及考虑 40% 的备用容量以供将来扩充。设置 4 套相同的彩色显示器显示系统，分 2 组装在两套操作员工作站上，显示器对角线尺寸为 530mm，分辨率 1 024×1 024，有防爆、防 X 线、防电磁干扰、防无线电干扰的措施，图像显示稳定无闪烁。

控制台上为每套操作员工作站设置 1 套报警装置；该报警装置提供 2 种报警，一是用于事故、故障、不同频率的音响报警装置；二是用于某些设定事故的语言报警装置。

### (三)工程师工作站、培训工作站

电站设置工程师工作站、培训工作站各 1 套，分别布置在地面副厂房计算机室和培训室内,硬件配置及具体要求同操作员工作站。工程师工作站还包括 1 台打印机,并能作为操作员工作站的后备。

**(四)多媒体工作站**

电站设置 1 套多媒体工作站监视器,能接入视频信息且能双屏显示,可提供语音输出,具有与监控系统网络通信的接口,具备视频及音频信息的压缩、还原功能,具备在 POSIX 环境下进行软件开发、数据处理等能力。CPU 主频为 266MHz,Inter Pentium P2,内存为 64MB,硬盘为 4.3GB,32 倍速 CD – ROM。

**(五)模拟屏**

电站控制室设置 1 套直立式的马赛克模拟屏,以显示电站实时状态。模拟屏上的表计除时钟、上下游水位、频率、全厂总有功功率、总无功功率采用数字式仪表外,其余均采用模拟式仪表。除开关站测量表计直接取自现场各监控对象外,屏上其他表计及状态位置由计算机系统驱动。

**(六)大屏幕投影机**

电站设置了 1 套由投影机、大屏幕及图形控制器组成的大屏幕显示系统,并由计算机监控系统驱动。该套装置安装在电站培训室内,一般用于电站员工培训,也可用于电站控制。

**(七)监视终端**

在地下主厂房和地面厂长、总工程师及运行分场主任室各设 1 套监视终端,共 4 套,设监视终端服务器 1 套,并配套局域通信网络 1 套,该监视终端均不参与电站的控制。

**(八)记录打印机**

在地面控制室设置 2 台记录打印机、1 台激光打印机。2 台记录打印机中 1 台供正常运行记录之用,另 1 台供事件记录之用。

**(九)计算机监控系统同步时钟**

电站计算机监控系统设置 1 套 GPS 卫星时钟,用于系统同步,GPS 时钟稳定度为 10E – 7,精度为 ± 1ms。

**(十)不停电电源(UPS)**

电站控制中心设备配置 2 台不停电电源装置,2 台并列工作,平时各带一半负荷,当 1 台UPS 故障时,另 1 台 UPS 应能承担全部负荷。每台 UPS 按电站控制中心全部设备最大负荷总和考虑,UPS 装置供电电源取自站内交流电源和直流电源,并具有冲击电压保护、短路保护、冲击电流保护等必要的保护措施及恒频恒压特性。

**(十一)控制室、计算机室和培训室的布置**

控制室的布置从人机工程学的角度,为值班人员创造良好的工作环境,使值班员能保持清醒的头脑,集中精力地工作。设备的布置适应设备的运行要求,便于值班人员进行人工监视、控制和维护,同时考虑了设备安装工作环境、电缆敷设方式、照明等具体要求。

## 二、现地控制单元设备

**(一)概况**

(1)现地控制单元以标准模块构成的工业计算机为基础,包括顺控、调节、过程输入/

输出、数据处理和外部通信功能。电站内各现地控制单元由相同类型的硬件构成，现地控制单元的制造使用成熟且属最新工艺水平的集成电路。

(2)现地控制单元的软件固化于非易失性存储器中，随设备配置程序支持工具或手段，以对程序进行检查、维护和修改，程序编制采用面向生产过程的高级语言进行。

(3)现地控制单元具有自检功能，对硬件和软件进行经常监视。对于机组 LCU 采用冗余配置的系统。任一现地控制单元故障，不影响其他现地控制单元及整个计算机监控系统正常工作。

(4)现地控制单元在完成所要求的功能外，还有 20%以上的硬件裕量，包括过程信号输入/输出容量、内存容量等。

(5)现地控制单元的外部供电电源从电站内的交、直流电源取得，平时交、直流电源同时供电。电源消失时，现地控制单元收集的信息或内部运行的数据不因此而丢失，电站设备维持断电前的运行状态，并向电站控制中心发出故障信号，电源消失或重新恢复都不引起电站设备的误动作。

(6)现地控制单元的设备能工作在无空调、无净化设施和无专门屏蔽措施的电站主副厂房、地面副厂房。

(7)机组现地控制单元设有供控制调节所需的操作开关、按钮及其返回信号，屏上设有相应的表计及机组事故、故障指示信号，配有 1 套自动准同步装置，与现地控制单元联合工作，在机组同步并网过程中，自动调节机组的频率和电压满足同步条件时，自动发出合闸脉冲。机组现地控制单元能实现机组自动准同步并网方式。此外，在每台现地控制单元上设有电压差表、频率差表、同步表、同步检查继电器，可实现机组手动准同步并网。每台机组的主变压器 220kV 侧断路器为同步点，发电机出口断路器也为同步点。

(8)全厂公用设备现地控制单元(LCU7)对所属设备进行监视及控制。

(9)开关站现地控制单元配有供现地后备控制方式时操作的控制按钮和开关，并有相应的简易模拟接线和返回信号。现地控制单元设 1 套自动准同步装置。

(10)现地控制单元配置有数字量输入信号(状态信息、故障和事件信息)、脉冲量输入信号(有功电度和无功电度脉冲)、BCD 码输入/输出、模拟量输入信号、模拟量输出信号、数字量输出信号(操作命令及状态指示等)、RTD 输入信号(测温电阻)等过程信号接口。机组进口快速闸门、尾水防淤闸门等设备距现地控制单元较远，实施中采用了远方 I/O 接口单元，并单独设置于现场控制设备附近，以一个高速接口与现地控制单元连接。

(11)现地控制单元设有输出闭锁的功能。在维修、调试时，可将输出全部闭锁，而不作用于外部设备，当处于输出闭锁状态时，有相应信息上送电站控制中心，以反映现地控制单元的工作状态。

(12)现地控制单元配置与双总线网相连接的通信接口，并留有与便携式工作站相连接的通信接口。机组现地控制单元还设置与微机励磁调节器、微机调速器和机组微机保护装置之间的通信接口，开关站现地控制单元还设置与微机保护装置之间的通信接口，并实现计算机通信。

**(二)现地控制单元的中央处理单元(CPU)**

现地控制单元采用具有高抗干扰、低功耗性能、字长为 32 位的中央处理器。

1.CPU 性能

当外部电源消失时,不会引起数据丢失或工作状态紊乱,电源恢复时,由 ROM 的自恢复程序自动将系统重新起动,主振工作频率满足监控系统工作要求,能实现时钟同步校正,其精度与事件分辨率配合。

2. 存储器特性

主存储器为固态 CMOS 型或与其相当的型式,存储量满足监控系统工作要求,并有20%以上的裕量,主要的执行程序和应用程序以固态方式驻留。RAM 存储器有内部电池支持,保证 RAM 中数据不因工作电源消失而丢失,其电池工作寿命不少于 5 年。

**(三)便携式工作站**

监控系统配置 2 套能与现地控制单元接口的笔记本电脑作为便携式工作站,用于现地调试、维修、编程、诊断等。

**(四)机旁后备控制**

每台机组均配备简易常规接线作为计算机控制的后备。机旁后备控制配备包括以下设备:

(1)测量表计。包括有功功率表、无功功率表、频率表、电流表、电压表、有功脉冲电度表、无功脉冲电度表。

(2)机组故障音响信号显示系统。其引入接点与 LCU 输入/输出点相同。

(3)发电机同步装置。装设手动准同步装置,作为现地控制单元自动准同步的备用。手动准同步装置包括同步点选择开关、电压差表、频率差表、同步表、并网合闸开关以及防止非同步合闸的同步检查继电器。同步检查继电器有相角差 0~ ±30°及在满足相角差条件下合闸时间 0~15s 连续可调功能。

(4)机组模拟接线。设置 18kV 及 220kV 电压级的浅绿色及紫色塑料模拟线。断路器的模拟器由双灯式构成,红灯表示合闸,绿灯表示跳闸,灯的供电为 DC220V。发电机运行的模拟器由三灯式构成,红色表示“发电”、绿色表示“停机”、黄色表示“开机准备”状态。

(5)控制开关。装设发电机断路器控制开关、控制权选择开关(手动—计算机)、准同步装置转换开关(手动—自动—切除)、同步检查继电器转换开关(投入—切除)、紧急停机按钮及复归按钮、快速闸门紧急关闭按钮等。

(6)配置足够使用的指示灯,以反映各信号状态。

**(五)开关站后备控制**

地面副厂房继电保护室内设置 1 套开关站的后备控制装置,该装置作为计算机控制的后备,并与开关站现地控制单元合并组屏。开关站后备控制包括下列设备:

(1)测量表计。每条 220kV 线路有功功率表、无功功率表、有功脉冲电度表、无功脉冲电度表、单相电流表,220kV 母线电压频率表。

(2)线路手动准同步装置。装设手动准同步装置作为现地控制单元自动准同步的备用。手动准同步包括同步点选择开关、电压差表、频率差表、同步表、并网合闸开关以及防止非同步合闸的同步检查继电器。

(3)设置 35kV 和 220kV 电压级的模拟线,所有 35kV 和 220kV 断路器的模拟器由双灯式组成,红灯表示合闸,绿灯表示跳闸。

(4)控制开关。装设220kV各线路的断路器跳合闸开关6个、220kV母线设备的断路器跳合闸开关5个。

(5)配置足够使用的指示灯,以反映各信号状态。

**(六)电量变换器**

计算机监控系统各机组现地控制单元和开关站现地控制单元设置用于电量测量所需的电量变换器。通过变换器采集的电气量包括以下两部分:

(1)机组LCU(LCU1~LCU6):电流、电压、有功功率、无功功率、频率。

(2)开关站LCU(LCU8):线路及旁路有功功率、无功功率、三相电流、母联三相电流、220kV母线电压、频率。

**(七)计费用电度表及电表处理器**

根据河南省电力调度中心要求,每条线路装设计费用电度表。该电度表采用Z.U200有功无功双向组合式0.2级,电度表输出接入电表处理器,其型号为FAG12.3。电度表及电表处理器均为瑞士Landis & GYR公司的产品。

**(八)通信系统**

1. 远方计算机接口单元

远方计算机接口单元允许电站计算机监控系统与河南省电力调度中心和水库闸门控制系统计算机系统进行连接和数据交换。远方计算机接口单元具备完善的自起动、自诊断及远方诊断、数据通信通道监视、可扩充性和可维护性等功能。

2. 通信网

设置冗余配置的通信网络与各个节点的通信接口(包括连接器、发送器、接收器、组合/交汇网、通信处理器和控制器等),以及与模拟屏间的通信接口和驱动器等设备,并根据需要确定调制解调器或中继器的数量。电站控制中心与现地控制单元间的通信介质采用光纤,传送速率为16Mbps。

**(九)输入、输出过程接口设备**

现地控制单元、模拟屏控制单元等的输入、输出过程接口设备的数量按满足电站运行的需要,并留有20%备用裕量配置,I/O硬件分组制成标准单元插件式,同类插件具有互换性。现地控制单元支架上留有20%以上的I/O插件的备用位置,以便将来扩展,所有I/O接口(包括备用)端都接到端子排上。

1. 数字量输入(DI)和事件顺序记录输入(SOE)

(1)数字输入信息由独立的常开或常闭接点提供。数字输入包括状态量输入和事件顺序(SOE)开关量输入。

(2)设接点抖动滤波措施,接点状态改变后,其持续时间为6ms以上者,视为有效信息。

(3)信号输入经光电隔离,光电隔离器能承受1 500V(RMS)、1min的绝缘水平,必要时对从高压设备引入的信号加设中间继电器。

(4)每个DI点有一个LED指示器,当输入接点闭合时,即有指示。

(5)所有的接点状态改变均有时间定标,其分辨率符合实时性要求。

2. 脉冲量输入(PI)

(1)现地控制单元能接收由有功或无功脉冲电度表发来的电度脉冲或接点信号,进行计数和储存,并定期或按要求发送;在开关站现地控制单元上能读出电度的实际值,同时在电站控制中心显示器上也能读出。电度脉冲寄存器的内容可在现地或利用适当的试验显示设备进行显示或检查。

(2)每一脉冲量信号输入有独立的计数器。

(3)如果脉冲量输入为接点信号,则输入接点的电源按数字量输入供电方式供电,如果为电脉冲输入,则经光电隔离,并与电度脉冲发生器匹配。

(4)电站控制中心发出的"冻结指令"能冻结当时的计数值,发出的"清除指令"能清除各自的计数器。

3. BCD 码输入

BCD 码输入的位数满足被测对象的精度要求。

4. 模拟量输入(AI)

(1)一般电气模拟量为 4 ~ 20mA,接口的输入阻抗小于 500Ω。对于有功功率等电量有双方向要求时零点取为 12mA,接口的输入阻抗小于 250Ω。

(2)测温电阻(RTD)输入接口能直接与三线引入的 Pt100 测温电阻相连接。

(3)现地控制单元带有高精度的内部参考值,以校验 A/D 转换器在零值和满刻度的读数,并对 A/D 转换精度自动检验或校正。

(4)模拟输入接口参数还满足下列要求:①A/D 分辨率不低于 11 位加 1 位符号位;②转换精度,包括接口和 A/D 转换,误差小于满量程的 ±0.1%;③共模抑制 > 90dB;④常模抑制 > 60dB;⑤绝缘耐压为 500V(RMS),1min;⑥冲击耐压按 IEEE SWC 试验标准;⑦转换时间 < 250μs。

5. 数字量输出(DO)

(1)数字量输出通过中间继电器接点,接点容量和电压满足所接负荷的要求,并留有充分的裕度。

(2)输出继电器为插入式,带防尘罩,继电器耐压水平:1 500V(RMS),1min。

(3)每一数字输出有 LED 指示器反映其状态。

(4)瞬时的数字量输出信号持续时间为可调。

6. 模拟量输出(AO)

模拟量输出信号为 4 ~ 20mA,负载能力 > 500Ω。从数据库到输出,其转换误差不大于满刻度的 ±0.5%,模拟输出口的耐压水平为 500V(RMS),1min;每个模拟输出都有一路单独的 12 位以上的 D/A 转换器。

7. BCD 码输出

用于机组现地控制单元输出到调速器或励磁调节器的数值给定以及控制室模拟屏上的数字显示仪表等采用 4 位 BCD 码输出。

小浪底电站各现地控制单元 I /O 数量见表 10-5-1。

表 10-5-1　小浪底电站各现地控制单元 I /O 数量

| 项　目 | 每台机组 LCU1 ~ LCU6 | 公用设备 LCU7 | 220kV 开关站 LCU8 | 模拟屏驱动器 |
|---|---|---|---|---|
| DI | 360 | 151 | 394 | 0 |
| SOE | 35 | 49 | 212 | 0 |
| PI | 3 | | 24 | 0 |
| AI | 44 | 37 | 16 | 0 |
| DO | 138 | 89 | 134 | 358 |
| AO | 5 | 0 | 0 | 48 |
| RTD | 144 | 14 | 2 | 0 |
| CT、PT | 6 | | 66 | |

# 第六节　系统软件

监控系统软件适合于在开放系统环境下运行，整个系统采用分布式数据库，操作系统采用 POSIX 标准，用户接口支持多窗口操作，具有友善的用户界面，采用 OSF/MOTIF 或 X－WINDOWS，网络接口采用符合国际标准化组织 ISO 的开放系统互连模型 OSI，采用 TCP/IP 协议组，执行 IEEE802 标准。

## 一、基本软件

为监控系统设置最佳的软件配置，以保证实现系统功能要求、操作要求和性能要求，基本软件主要包括操作系统、支持程序和实用程序、数据库、人机通信软件、系统通信软件、自诊断软件等。

**（一）操作系统**

监控系统采用成熟的实时多任务操作系统，并满足以下基本要求：

（1）系统资源的管理。

（2）具有直接控制输入、输出设备的能力。

（3）能有效地执行高级语言程序。

（4）能执行诊断检查、故障自动切除和自动重新起动。

（5）对系统的起动、终止、监视和其他联机活动有交互式语言、命令程序支持。

（6）能通过任务名称、数据名称和操作标号实现软件相互连接。

（7）为开发系统应用软件提供有效的方法。

（8）具有以优先权为基础的任务调度执行、资源管理分配以及任务间通信和控制的手段。

**(二)支持程序和实用程序**

(1)具备有效的编译软件,以进行应用软件的开发。编译软件包括标准的汇编语言、高级语言编译程序,交互式数据库编译程序,交互式图像编译程序,交互式报告编译程序等。

(2)具有容易使用和代码汇编的连接装配程序。

(3)具有通过终端设备对应用软件进行检验和修改的实用程序。

(4)具有存储器转储的实用程序。

**(三)数据库**

(1)数据库的结构定义包括电厂监控和管理所需要的全部数据项。

(2)支持快速存取和实时处理。

(3)保证控制数据的完整性和统一性。

(4)能在线设定或修改数据。

(5)有专门软件支持数据库建立和维护。

**(四)人机通信软件**

人机通信软件的设计满足系统功能要求和操作要求,有交互式图像编译程序、交互式数据库编译程序、交互式报告编译程序、键盘和命令解释程序等支持。采用"面向对象"的方法,使操作员能按照使用手册增加或修改显示画面、报表和系统配置。

**(五)系统通信软件**

(1)执行 OSI 七层协议模型的数据链路层协议。

(2)报文的长度、格式、纠错等应该被优化。

(3)能监视通信通道故障,并进行故障切除(停止通信)和报警。

(4)局域网通信交换数据量及其频度满足功能要求和系统性能要求。

(5)具备 GPS 时钟信号传送及同步校正功能。

**(六)自诊断软件**

自诊断软件用于方便地寻找故障位置、消除故障以及软、硬件的日常维护。自诊断软件能准确地将故障定位到模块,能估价整个系统的"健康"状况,包括通信线路、过程控制器、过程输入/输出接口以及所有外围设备。系统故障包括故障定位和描述,并能在工程师工作站上显示。

## 二、应用软件

应用软件用于完成电站监控系统功能操作及其开发和维护。要求应用软件具备高效性、高可靠性和可维护性,电站控制中心所有的执行程序装在硬盘中,在系统起动时调入计算机的主存储器内,以提高系统可用性和响应速度。现地控制单元的固定程序固化驻留在 EPROM 或 EEPROM 里,顺控软件和数据库存放在带后备电池的 RAM 中。

应用软件采用模块化设计方法,便于扩展和修改,并采用"面向对象"的程序技术,所有软件均使用软磁盘或其他媒介做可靠备份。

# 第七节　经验教训

小浪底电站计算机监控系统从可行性研究、初步设计、优化设计到招标设计，历时 10 多年。这个时期也正是计算机控制技术大发展的时期，从巡检、单功能监控装置、常规设备与计算机监控并存、监控系统为主加简化常规设备直到完全采用计算机监控，小浪底电站监控系统的设计和运用，从一个侧面反映了我国水电站计算机控制技术从起步、发展到成熟的过程。

小浪底电站监控系统从首台机组发电开始投入运用至今已有 5 个年头，运行效果表明，系统安全稳定，达到设计要求。其监控系统设计和运用在大型水电站取消常规控制设备、地下厂房中央控制室设在地面、采用远方 I/O 接口等方面进行了有益的探索和实践，其经验可为同类工程借鉴。

## 一、系统结构及开放性

采用什么样的系统结构，这是监控系统设计首先要遇到的问题，同行对此争论也比较多。实际运用中主要有全分布和分层分布之说。水电站控制一般应按每个机组为一个控制单元，相对独立，其他为公用设备、开关站等各自组成的相对独立的控制单元，而中央控制室设置厂级工作站、操作员工作站等控制设备，每个控制单元、每个控制工作站都是监控网络上的一个节点。这种控制模式是由其控制对象性质决定的，并已被广泛接受，这就是所谓的分布。监控系统网络可以是以太网、总线网、令牌环网等或其组合，可以是单网或双网。全分布和分层分布最关键的差别在于从操作员工作站发出的指令能否直接到达现场控制单元，而不需通过厂级工作站，网络上的每个节点是否平等，各节点间是否都能通信，即各节点无主从关系的为全分布结构，节点间部分有主从关系的为分层分布结构。

小浪底电站监控系统在招标设计时对系统结构要求是全分布，在招标过程中经过对世界知名的 6 个投标厂商方案的研究分析，发现有成熟运行经验的系统还是分层分布结构，也是大多数系统供货商的定型产品。小浪底电站最终选定奥地利 ELIN 公司为中标供货商，其方案网络结构为 2 层，上层为以太网，连接控制中心设备，下层为令牌环网，连接现地控制单元，上下层网络通过厂级工作站连接。

这种网络结构看起来厂级工作站的负担较重，增加了系统风险，似乎没有全分布结构先进，但作为实际运用的水电站监控系统首先应强调安全、可靠，从这方面来讲，分层分布结构清晰，功能关系明确，对硬件设备性能要求低，软件设计相对简化，同时能满足监控系统实时性等性能要求，不失为水电站监控系统网络结构的一种较好方案。

另外一个问题是开放性。现在监控系统设计中强调系统开放比较多，但什么是开放，水电站监控需不需要开放，反而讨论得比较少。据对已建水电站调研和小浪底工程实践，实施的监控系统通常有一个主要供货商，系统开放主要解决与其他供货商提供设备的连接问题，即接口通信问题。即使双方都遵守某个通信协议，但得不到对方的接口通信文本，也做不到互联互通，解决这类问题只能通过合同条款规定来约束供货商，然而在运行若干年后系统要扩充，如果请另外任何一家供货商做都是很难的。这就是强调开放性容易遇到的尴尬，说是开放，实际不开放。那么，水电站监控系统要不要开放呢？一个水电站，其控制对象是设计好的，相对固定的，如果将来有扩建的可能，设计也应该预留相应接口，而系统硬件、软件都是针对这个水电站的实际情况和功能要求配置的，基本不变，水电站监控系统就是一个产品，开发的时候就有固定的用途和固定的使用对象，哪个供货商都认为自己是开放系统，实际上也只能对自己的产品开放，基本都是如此。因此，从这个层面上说，水电站监控系统没有必要强调开放性。

## 二、取消常规控制设备

小浪底电站控制系统基本取消了常规的控制设备，机旁没有自动化屏，中控室没有中央音响信号系统，机组继电保护是微机型的并布置在机旁，厂用电系统控制保护采用单元控制模块放在开关柜内，公用设备控制大量采用 PLC(可编程逻辑控制器)，机组自动化元件从国外进口。在扎实的基础工作做好之后，取消传统意义的常规控制设备成为可能，也简化了电气二次设计，给安装、调试、运行和维护提供了极大的便利条件，受到广泛欢迎。

伴随着计算机监控系统的采用，使得地下厂房中控室设在地面成为可能。小浪底电站地下厂房与地面副厂房中控室高程相差 90m，电站控制按"无人值班、少人值守"设计，地下厂房机旁控制设备正常情况下不需人员操作，全部由中控室运行值班人员通过操作员工作站进行监视和控制。

## 三、控制模块分散布置

小浪底电站按机组划分控制单元，其进口事故快速闸门和尾水防淤闸门距机旁 1 000m左右，按常规接线方式难以保证其可靠性。为此，采用了远方 I/O 接口技术，将机旁控制柜内的输入/输出模块直接放置到被控设备现场，控制柜内总线也随之延伸，实施中收到了很好的效果，既保证了操作可靠性，又节省了电缆。

控制模块分散布置应该在今后的设计中推广，对于机组控制模块分散，可将模块分别放置在水轮机、发电机、调速器、励磁装置等处；对于开关站控制模块分散，可将模块直接放置在开关操作箱、互感器端子箱内，大大地简化设计，节约电缆，提高系统可靠性。

小浪底水电站厂用电系统的监控采用模块直接设置在开关柜内的方式，通过一台管理机集中采集信息，并与监控系统公用设备控制单元进行串行通信，使原来 300 多个监控点并行传输变成一根电缆传输，大大节约了投资，而可靠性并未降低。

为满足不通过计算机也能紧急关闭进口快速闸门的要求，设计中采用了机旁输出有源接点、起动闸门控制屏内继电器的做法，解决了长距离常规接线可靠性差的问题。

## 四、交流采样

交流采样的目的是将电流互感器、电压互感器的二次侧电流、电压信号转换为计算机能接收的 0～5V 或 4～20mA 标准信号，通常采用电量变送器，每个需要的信号都配置1 个变送器，如电流变送器、电压变送器、功率变送器、频率变送器等，往往 1 台机组所用的变送器就需占用 1 面屏。小浪底工程在设计时根据当时技术发展水平，提出了采用电量变换装置的要求，1 个变换器输入端为电流互感器、电压互感器的二次侧信号，输出端为电流、电压、频率、有功功率、无功功率、电能等标准信号,可直接与控制装置连接。实际工程中 ELIN 公司提供了交流采样模块,节约了工程投资,提高了可靠性。

## 五、屏柜布置及开孔

水电站采用计算机监控系统,尤其是取消了常规控制设备以后,机旁布置的控制屏数量减少,几乎可比常规控制设备减少 50% 的机旁屏,这给机旁设备布置提供了很大的余地,但随之而来的问题是单个监控屏内所需接纳的输入和输出点数大大增加。监控屏内元器件布置与常规继电器屏布置完全不同,继电器屏一般将端子排放在屏内两侧,相应土建预留电缆进出孔位置也与屏对应为屏底两侧留孔,监控屏则不同,通常将端子排放在屏内底部,要求土建预留电缆进出孔位置为屏底通敞式。另外,由于单个监控屏内 I/O 点的数量多,相应进出电缆也多,往往一面屏需容纳 200 ~ 300 根控制电缆,要求开孔尺寸加大。这些问题在设计时容易被忽视,经常在施工安装时才显露出来,采取的补救措施只能是增设端子转接屏、加大土建预留孔口等,造成现场施工安装的被动局面,并可能对土建结构造成不良影响。

解决上述问题的方案有两个:一是精心设计,合理布局,详细统计每个屏进出电缆根数,与土建配合,提出预留孔口位置和尺寸;二是监控系统控制模块分散布置,彻底解决此类问题。

# 第十一章 水库闸门控制系统

小浪底水利枢纽是一个重要而复杂的特大型水利工程,枢纽闸门控制系统主要完成对全部枢纽闸门的监控功能。该工程中共有泄洪排沙洞、灌溉洞和溢洪道内的17扇平面事故闸门、15扇弧形工作闸门以及90个充水平压阀门,闸门监控系统不仅要进行现地和远方启闭控制,同时还要对这些闸门和阀门的工作状态以及其他参数进行监视,并与电站计算机监控系统、水库调度系统进行信息交换。

小浪底水利枢纽在黄河水量调度、保证下游不断流、河床不抬高等方面的作用十分重要,调水调沙是小浪底水库的主要运用方式,这就决定了枢纽运用以水调为主、电调为辅,正常运行时以发电流量保证下游供水,当出现缺额时开启相应闸门泄水补充水量。为了更好地发挥小浪底水利枢纽的作用,枢纽闸门控制采用了计算机控制系统,并于1998年开始安装,1999年9月水库下闸蓄水后现地控制设备投入运行,2000年整个系统投入正常运行。

## 一、设计过程

小浪底水利枢纽闸门控制系统设计经历了两个过程,即采用常规继电器逻辑控制和采用可编程逻辑控制器(PLC)控制。设计过程中曾按常规继电器控制设计了全套施工图,以孔板洞工作门控制为例,仅现地控制就用了72个继电器构成控制回路,布线十分复杂,远方控制更是难以解决长线路电压降带来的操作可靠性差的问题。1995年以前由于PLC对电源、控制对象等要求较高,联网困难,在水利工程中主要用于单机控制,对于像小浪底电站这样被控对象分散的系统,采用PLC作为控制核心投入大,可靠性无法保证。

随着微电子技术的飞速发展,计算机越来越多地运用于工业控制,PLC也逐渐开发出开放的上网产品,使得我们在1995年以后的一年多时间内着重研究采用PLC取代常规继电器控制逻辑的方案,并就此展开设备招标及施工详图设计。1997年小浪底水利枢纽闸门控制系统招标采购,1998年开始陆续供货并安装。

## 二、设计特点

小浪底水利枢纽闸门控制系统设计适应了水库运用的特点,操作方便,运行安全可靠。主要设计特点如下:

(1)枢纽洞群系统复杂,各类闸门众多,闸门操作运行可靠性直接关系到水库运用的安全和效益的发挥,在闸门控制系统的设计中充分考虑技术先进性和操作安全可靠性。

(2)黄河水沙条件复杂,为保证泄水洞不被淤堵,平时泄洪排沙洞经常由进水塔内事故闸门下闸挡水,泄水时须先在事故门后充水平压,然后提事故门,再开工作门,在布置上有一洞两门、一门两(启闭)机等形式及其组合,操作程序相对复杂。

(3)设备布置分散,环境条件差,大尺寸、高水头闸门分别布置在进口、中部和出口,由设在坝顶控制楼的控制室进行集中控制，控制范围 2km，高差 100 多米。闸门启闭机有些置于洞内，有些露天布置，要求现地控制装置有良好的防护性能。

(4)设置了充水平压控制系统，对进水塔内上下左右贯通的充水平压管路中 18 个进水电动闸阀和 72 个分水电动蝶阀进行集中操作。

(5)闸门控制系统是包括 1 个控制中心、25 套现地控制装置，集中控制 32 扇闸门和 90 个电动阀门，采用计算机、可编程逻辑控制器、通信网络、自动化元件等组成的完整控制系统。闸门监控系统不仅要进行现地和远方启闭控制，同时还要对这些闸门和阀门的工作状态以及其他参数进行监视，并与电站计算机监控系统、水库调度系统进行信息交换。

(6)闸门开度采集采用德国 IFM 公司的绝对型多转光电编码器。该编码器由绝对型编码器和 SSI 接口模块组成，SSI 与编码器之间通过 RS－422 总线进行通信，采用差分信号传输，数据转换可靠。SSI 接口模块连续地从编码器读取串行同步的格雷编码值，然后将它们转换为并行二进制或 BCD 编码值传送到 PLC，为控制系统提供了准确的闸门位置信息，使远方控制成为可能，大大提高了闸门运行的安全性和可靠性。

(7)在系统应用程序开发方面，上位机应用 UNIX 操作系统下的 C 语言程序，现地控制单元采用 PLC 梯形图语言。梯形图语言具有简单易用、方便直观的优点，既可进行离线的程序开发，也可进行在线的显示和更改。

## 三、监控对象

闸门控制系统监控对象包括 10 座进水塔、孔板洞中间闸室、排沙洞出口闸室、溢洪道工作闸门及事故闸门共计 32 扇以及闸门充水平压系统电动阀门 90 个。具体分述如下。

### (一)进水塔

(1)明流洞事故闸门：4 台卷扬启闭机，分别控制 1 号明流洞 2 扇平面闸门和 2 号、3 号明流洞各 1 扇平面闸门。

(2)孔板洞事故闸门：6 台卷扬启闭机，分别控制 3 条孔板洞 6 扇平面闸门。

(3)排沙洞事故闸门：6 台卷扬启闭机，分别控制 3 条排沙洞 6 扇平面闸门。

(4)明流洞工作闸门：3 台液压启闭机，分别控制 3 条明流洞 3 扇弧形闸门。

(5)灌溉洞事故闸门：1 台卷扬启闭机，控制 1 扇灌溉洞平面闸门。

### (二)孔板洞中间闸室

孔板洞工作闸门为偏心铰弧形闸门，每扇闸门配 2 台液压启闭机，分为主机和副机，主机用以操作闸门的升降，副机用以操作偏心铰带动闸门前进或后撤，2 台液压启闭机共用 1 套蓄能器。共有 3 个孔板洞中间闸室，每个中间闸室布置 2 套液压启闭机，控制 2 扇工作闸门。

### (三)排沙洞出口闸室

排沙洞工作门布置在排沙洞出口闸室，共有 3 个，每个出口闸室布置 1 套液压启闭机，控制 1 扇工作闸门。排沙洞工作闸门也为偏心铰弧形闸门，型式与孔板洞工作闸门相同。

### (四)溢洪道

有 3 条溢洪道，分别设置 3 扇弧形闸门，每扇闸门配置 1 套液压启闭机。

### (五)充水平压系统

平面闸门在运行时要求在静水中开启,为此,设置了1套充水平压系统,即在开启事故门或检修门之前需向门后洞内充水,待闸门前后水位差达到设计允许值时才能开启闸门。该系统在除灌溉塔外的9个进水塔内均设置了阀门室,除发电塔分别在两个高程设置阀门室外,其余均为1个阀门室,共计12个阀门室。每个发电塔阀门室有2个进水口,其他为1个进水口,进水管采用电动闸阀控制,对于每扇平面闸门后均配置1个出水口,出水管采用电动蝶阀控制。为了防止进水口淤堵,在相邻阀门室间配置了旁通管及旁通阀。

充水平压系统需要监控的电动闸阀为18个,电动蝶阀为72个。

为便于了解小浪底水利枢纽各闸门及启闭机的规模和型式,将其基本情况列于表11-1。

**表11-1　小浪底水库各闸门及启闭机特征**

| 序号 | 位置 | 设备名称 | 孔口尺寸(m×m) | 设计水头(m) | 闸门数量 | 电机容量(单洞kW) | 设备所在位置 | 运行条件 |
|---|---|---|---|---|---|---|---|---|
| 1 | 进水塔 | 孔板洞事故门 | 3.5×12 | 100.0 | 3×2 | 4×132 | 进口 | 动水闭门,静水启门 |
| 2 | | 1号明流洞工作门 | 8×10 | 80.0 | 1 | 2×90+1×5.5 | 进口 | 动水启门 |
| 3 | | 1号明流洞事故门 | 4×14 | 80.0 | 2 | 4×132 | 进口 | 动水闭门,静水启门 |
| 4 | | 2号明流洞工作门 | 8×9 | 66.0 | 1 | 2×90+1×5.5 | 进口 | 动水启门 |
| 5 | | 2号明流洞事故门 | 8×11 | 66.0 | 1 | 2×132 | 进口 | 动水闭门,静水启门 |
| 6 | | 3号明流洞工作门 | 8×9 | 50.0 | 1 | 2×90+1×5.5 | 进口 | 动水启门 |
| 7 | | 3号明流洞事故门 | 8×11 | 50.0 | 1 | 2×132 | 进口 | 动水闭门,静水启门 |
| 8 | | 排沙洞事故门 | 3.7×5 | 100.0 | 3×2 | 2×132 | 进口 | 动水闭门,静水启门 |
| 9 | | 灌溉洞事故门 | 3×3.5 | 52.0 | 1 | 2×85 | 进口 | 动水闭门,静水启门 |
| 10 | 孔板洞 | 1号孔板洞工作门 | 4.8×5.4 | 139.4 | 2 | 4×90+2×5.5 | 中部 | 动水启闭 |
| 11 | | 2号、3号孔板洞工作门 | 4.8×4.8 | 129.9 | 2×2 | 4×90+2×5.5 | 中部 | 动水启闭 |
| 12 | 排沙洞 | 排沙洞工作门 | 4.4×4.5 | 122.0 | 3×1 | 2×75+1×5.5 | 出口 | 动水启闭,局部开启 |
| 13 | 溢洪道 | 溢洪道工作门 | 11.5×17 | 17.0 | 3×1 | 2×55 | 进口 | 动水启闭 |
| | | 合计 | | | 32 | | | |

## 四、系统结构及功能

### (一)系统结构

1. 闸门类型和布置

闸门的启闭设备根据闸门的类型、工作性质分别采用不同的设备,如卷扬启闭机、液压启闭机和门式起重机,除各检修闸门由门式起重机启闭,目前尚无法接入计算机监控系统外,其余水库闸门均由控制系统操作。

枢纽泄洪、排沙、发电、灌溉进水口建筑物集中布置,进水塔呈直线形排列。从进水口看,由右至左依次为1号明流塔、1号孔板塔、1号发电塔、2号孔板塔、2号发电塔、2号明流塔、3号孔板塔、3号发电塔、3号明流塔、灌溉塔。各泄洪排沙洞进水口均设置有检修闸门、事故闸门及工作闸门。各泄洪洞的检修闸门均布置在各洞进水口的上游侧，闸门启闭设备为专用门机，布置在进水塔顶。各泄洪洞的事故闸门均在本洞检修门之后。明流洞事故闸门和孔板洞事故闸门的卷扬启闭机分别布置在明流塔和孔板塔的塔顶。排沙洞事故闸门的卷扬启闭机布置在闸门室内。各泄洪洞的工作闸门均在本洞事故闸门的下游侧。明流洞弧形工作闸门的油压启闭机布置在明流塔内的闸门室内。孔板洞弧形工作闸门油压启闭机布置在孔板洞中间闸室。排沙洞弧形工作闸门油压启闭机布置在排沙洞出口工作闸室。溢洪道工作闸门油压启闭机布置在溢洪道工作闸室。

2. 控制系统结构

由于枢纽的闸门布置比较分散，且距离较远，为了能够减轻运行人员的劳动强度和实现电站无人值班，闸门控制系统的设计使得运行人员能够在闸门控制室对现场各个闸门进行远方监控，同时还能监视各闸门的位置以及运行情况，当出现闸门故障时系统能及时报警。系统除了能在远方进行监控外，还能就地对闸门进行控制，以便于现场的调试、维护和紧急情况处理。现地控制单元上设有切换开关，以实现远方控制与现地控制之间的相互闭锁。

闸门控制系统采用由上位机系统（主控级）及现地控制单元（LCU）组成的分层分布式控制系统。主控级采用双机互为热备用方式，通信网络采用单总线以太网，真正做到了“控制分散，信息集中”，其中某处设备出现故障时，并不影响其他设备的正常运行，在硬件上确保整个系统简单、安全、可靠。系统的结构如图11-1所示。

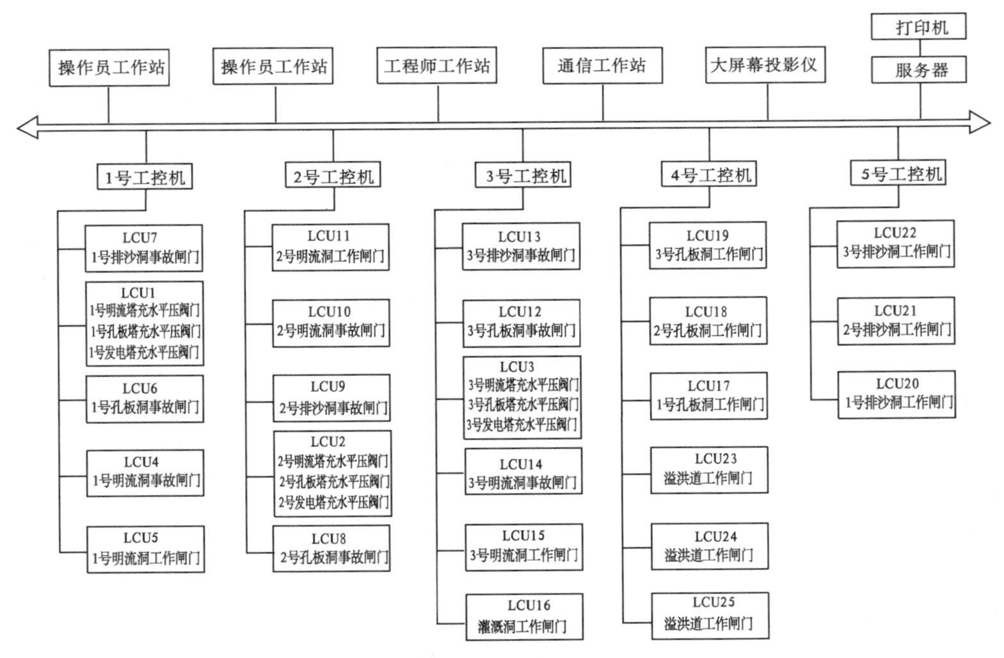


**图 11-1　小浪底水利枢纽闸门控制系统**

主控级设有两套操作员工作站，每套操作员工作站由计算机、外围设备以及不间断电源(UPS)等组成。操作员可通过操作员工作站上的显示器、标准键盘和鼠标等,对监控对象进行控制。主控级采用双计算机系统,以主、备方式运行,能够实现无间隔切换。主控级所有的设备均布置在坝顶控制楼内的闸门控制室。

现地控制单元(LCU)采用以可编程逻辑控制器为基础的控制装置,并布置在启闭机旁。由于水库闸门的控制要求,对于1条洞有2扇事故门或2扇工作门的,在动水中2扇门必须同时启闭,故闸门现地控制装置按1条洞的事故门和工作门分别配置1套控制装置,即孔板洞、排沙洞、明流洞各设2套控制装置,共计18套,溢洪道3套,灌溉洞1套,充水平压系统3套,整个现地控制层设置25套控制装置。这些LCU根据闸门的不同地理位置分成5组,每组LCU通过工控机与通信网相连,实现与主控级的通信。闸门控制系统主控级与现地控制单元之间通过单总线网络进行通信,另外还设有与电站计算机监控系统以及水库调度系统之间的通信接口,以便与这两个系统进行数据交换。现地控制装置与闸门启闭机同时安装、调试和投运。

3. 数据通信

现地控制装置PLC与工控机通过RS-485总线相连,多个控制单元的PLC通过RS-485总线挂接在同一台工控机上,构成一对多的通信结构。每一台PLC可以向工控机发送数据,但同一时刻只能有一台PLC向工控机传送数据,这需要有通信程序和通信规约来实现;工控机也可向每一台PLC传送数据,数据的传送目标PLC则由每台PLC特有的地址码来区分,PLC通信模块会自动识别这一地址码。

**(二)基本功能**

1. 上位机层

(1)数据采集和处理。事故闸门、工作闸门的位置;闸门上升或下降接触器状态;充水平压阀门开启或关闭状态;闸门启闭机机械和电气保护装置状态;主电源和控制电源状态;有关操作状态。

(2)实时控制。所有被控对象均可在现地控制屏上进行现场控制或通过闸门控制室操作台上的计算机进行远程操作,而对充水阀门还可在相应阀门室控制箱上操作。现地与远程操作互为闭锁,在现地切换,以距操作对象最近的控制点为最高优先级。控制内容包括:闸门提升或下降;充水阀门开启或关闭;远程成组工作闸门、充水平压阀门、事故闸门控制。

(3)运行监视。运行监视包括状变监视、过程监视、控制系统异常监视。①状变监视:电源断路器事故跳闸、运行接触器失电、保护动作等;②过程监视:在控制台显示器上,动态显示闸门升降过程和开度;③控制系统异常监视:控制系统任一硬件或软件故障立即发出报警信号,并在显示器及打印机上显示记录,指示报警部位。

(4)运行管理。运行管理包括报表打印、画面显示、人机对话等。①报表打印:闸门升降、阀门开闭情况表,事故、故障记录表等;②画面显示:以数字、文字、图形、表格等形式组织画面进行动态显示,包括闸门控制系统框图、充水平压系统图、进水塔上游侧立视图、坝区供电接线图、闸门操作流程图、上下游水位显示、各闸门开度模拟显示、各种事故和故障统计表、闸门操作次数统计表、各种监视点上下限值整定表等;③人机对话:闸门控制系统在坝顶控制楼闸门控制室设2个互为备用的操作计算机工作台,通过键盘、鼠标、显示器可输入各种数据，更新修改各种文件，人工置入各类缺漏数据，输入控制命令等，以监视和控制各闸门、阀门的运行。

(5)数据通信。闸门控制系统各设备间通信采用单总线结构，由于各现地控制单元布置分散，组网时按现地单元相对集中组合成5组，通过各组某一控制屏上设置的工控机作为通信接口与控制总线连接。系统还提供了与水库调度计算机、电站计算机监控系统的通信接口。

(6)系统诊断。系统诊断包括硬件故障和软件故障诊断，可在线或离线自检计算机和外围设备故障、各类基本软件和应用软件故障。

(7)软件开发。能方便地进行系统应用软件的编辑、调试和修改。

2. 现地控制层

现地控制层由25套现地控制单元(LCU)组成，LCU的核心采用GE－90/30系列可编程逻辑控制器(PLC)，PLC装置由CPU模块、输入/输出(I/O)模块、通信模块和底座等组成，各模块都采用标准化的接口和通信格式，便于扩展和维护。现地控制屏采用IP55防护等级和加热驱潮装置，适合现场高湿度运行环境，并要求在闸门控制系统形成之前，能独立完成对相应闸门、阀门的控制。现地控制层主要完成下列功能：

(1)数据采集和处理。闸门位置、开度；闸门行程开关位置；闸门上升或下降接触器状态；充水平压阀门开启或关闭状态；启闭机械、电气保护装置状态；主电源、控制电源状态；有关操作按钮、开关状态。

(2)实时控制。现场操作人员能根据控制屏上触摸屏的信号显示、闸门位置指示、按钮及开关等对控制对象进行闸门提升或下降、中途停机、充水阀门的开启或关闭等操作。当现地控制屏上控制权切换开关打到远方位置时，LCU接收上位机的控制命令，自动完成闸门的提升或下降、阀门的开启或关闭。

(3)信号显示。对于现场控制对象的各种状态信号，在现地控制屏上设置了闸门(阀门)位置、启闭机(电动装置)电气故障、机械故障、系统故障及有关操作电源状态等信号灯、光学牌等信号指示。各输入状态和输出控制状态均可通过PLC输入/输出模块状态指示灯指示。

(4)数据传输。现地控制装置PLC与工控机通过RS－485总线相连，多个控制单元的PLC通过RS－485总线挂接在同一台工控机上，构成一对多的通信结构。每一台PLC可以向工控机发送数据，但同一时刻只能有一台PLC向工控机传送数据，采用通信程序和通信规约来实现。工控机也可向每一台PLC传送数据，数据的传送目标PLC则由每台PLC特有的地址码来区分，PLC通信模块会自动识别这一地址码。LCU通过通信接口及网络将有关操作信息传送至上位机，上送信息不受控制权切换开关位置的影响。

(5)现地编程。LCU留有与笔记本电脑连接的接口，可在现场对LCU控制程序进行编辑或修改。

3. 闸门开度传感器

闸门控制系统设计要适应高扬程、室外布置和远方操作，闸门位置检测元件选择是关键之一，没有运行可靠、测量准确的检测元件，构不成好的系统。为此，经过多方调研和收集资料，选择了德国IFM公司的绝对型多转光电编码器。

此种编码器由绝对型编码器和SSI接口模块组成,SSI与编码器之间通过RS－422总线进行通信,采用差分信号传输,数据的转换相当可靠。SSI接口模块具有较高的抗噪声能力,减少了噪声对信号的影响。SSI接口模块连续地从编码器读取串行同步的格雷编码值,然后将它们转换为并行二进制或BCD编码值传送到PLC。通过SSI接口模块的中间连接,可以期望的二进制或BCD编码输出信号也可通过SSI接口模块上的开关进行编码旋转方向(顺时针或逆时针)的调整和零位的随意选择。编码器的转化系数也可因单圈或多圈通过SSI接口模块进行设置。另外,SSI接口模块本身具有完善的自我检测功能,比如进行数据转换错误的误差显示等。

该编码器的选择和应用为闸门控制系统安全可靠运行提供了基础保障。

## 五、系统操作

控制系统对所有闸门和阀门均可在现地控制或在集中控制室远程控制,控制权在现地控制屏上切换。对于1条洞有2扇闸门的远程控制不允许单门操作。水库闸门及其启闭机主要有两类,平面闸门采用卷扬启闭机,弧形闸门采用液压启闭机。下面以孔板洞为例说明一洞双门的事故门和工作门的操作程序。

### (一)孔板洞事故门

孔板洞事故门为平面闸门,配卷扬启闭机,每台启闭机由2台绕线式电动机拖动,电动机容量为132kW,起动方式为转子回路串接四级起动电阻起动,基本操作步骤如下:

(1)闸门提升或下降操作之前,先按操作要求把控制开关打到相应位置。闸门操作分为现地操作与远方操作,远方操作通过位于闸门控制室的上位计算机系统及现地控制装置实现。现地操作与远方操作互为闭锁,并在现地切换。闸门有3个操作位置,即全关位置、全开位置和检修位置,检修位置仅在现地操作可以实现。单门操作仅在现地实现,但闸门动水关闭不允许单门操作。

(2)闸门在提升前必须充水平压,通过充水平压系统,打开相应进水阀门和出水阀门,向闸门后洞内充水,待闸门前后水位差满足开门条件时,由充水平压控制装置发出允许提门信号,提升回路自动接通。

(3)闸门提升时,上升接触器通电后经一定时间延时,依次接通起动电阻短接接触器,将四级起动电阻逐级切除,当闸门提升至设定位置时自动停机。闸门在上升过程中,若机械过载或电气过负荷保护动作时作用于停机。

(4)闸门下降时,下降接触器通电后经一定时间延时,依次接通起动电阻短接接触器,将四级起动电阻逐级切除,当闸门下降至全关位置时自动停机。

### (二)孔板洞工作门

孔板洞工作门为偏心铰弧形闸门,配2台液压启闭机,其中1台为启闭闸门液压机(主机),另1台为回转铰轴液压机(副机),每扇闸门的主机、副机共用2台油泵电动机,互为备用,电动机为鼠笼式,功率90kW,起动方式为直接起动。2台启闭机共用蓄能器电动机1台,功率5.5kW。

(1)在闸门操作前,先按操作要求把控制开关打到相应位置。现地操作与远方操作互为闭锁,并在现地切换;单门操作仅在现地实现。

(2)起动。无论主机或副机操作时均需先按“起动”按钮,使溢流电磁阀通电,溢流阀卸荷口打开,油泵电机空载起动。

(3)启门(全开或部分开启)。①闸门后撤,按下“后撤”按钮,偏心铰逆时针回转,闸门后撤脱离水封,至规定行程后,泵组停机;②闸门提升,按下“启门”按钮,闸门升起,达到全开位置时切断电源;部分开启时,闸门上升至所需位置后按下“停止”按钮,泵组停机;③闸门前移,按下“前移”按钮,偏心铰顺时针回转,闸门前移压紧水封,至规定行程后切断电源,泵组停机(部分开启时不操作此步)。

(4)闭门。①闸门后撤,脱开水封;②闸门下降,按下“闭门”按钮,闸门下降(部分开启时,闸门下降至所需位置时按下“停止”按钮,切断电源,全关时,闸门下降至全关位置时切断电源,泵组停机);③闸门前移,压紧水封(部分开启时不操作此步)。

(5)蓄能器保压。为防止由于重力以及油液泄漏引起活塞杆下沉,主、副油缸下腔的油路装有气囊式蓄能器。当主机蓄能器压力低于调定压力时,接通蓄能泵组进行充压,当压力达到规定值时,泵组自动停机;当副机蓄能器压力低于调定压力时,通过电磁换向阀动作,接通蓄能泵组进行充压,当压力达到规定值时,泵组及电磁换向阀断电复位。蓄能器专用泵组的投入条件为:①只有在工作和备用泵组处于停机状态时,才能投入运行;②专用泵组空载起动;③当主、副机压力同时低于调定压力时,先向主机蓄能器充压,后向副机蓄能器充压。

(6)下沉复位。①闸门开启一段时间后,由于重力或漏油使活塞杆下沉,当主机活塞杆下沉 200mm 时,主令控制器动作,工作泵组投入,闸门上升到位;②当副机活塞杆下沉 200mm 时,工作泵组投入,使偏心铰顺时针回转压紧水封;③当主机或副机活塞杆下沉 200mm,工作泵组未起动,活塞杆继续下沉至 300mm 时,备用泵组投入,同时接通活塞杆上升油路,压力油进入主机或副机油缸下腔,活塞杆上升,使闸门回升到位。

(7)操作保护。当出现下列情况时,控制系统切断电源,电机停止运行:①主机提门时,油缸下腔的油压超过设计油压的 10%;②主机下门时,油缸上腔的油压超过设计油压的 10%;③副机提升时,油缸下腔的油压超过设计油压的 10%;④副机下压时,油缸上腔的油压超过设计油压的 10%;⑤主机和副机在运行过程中,系统油压超过最大油压的 10%。

## 六、实施情况

小浪底水利枢纽闸门控制系统 1998 年开始安装,1999 年 9 月水库下闸蓄水后现地控制设备投入运行,2000 年整个系统投入正常运行。

近年来黄河遭遇有记载以来的特枯年,2001 年 6 月份小浪底水库最小入库流量不足 $10m^3/s$,而出库流量均保持在 $400m^3/s$ 左右,水库全年调节补水达 4 亿多 $m^3$,特枯之年保证黄河没有断流,取得了巨大的社会效益和经济效益,这其中闸门控制系统在水库调水调沙运用中发挥了应有的作用。

小浪底水利枢纽闸门控制系统是一个较复杂的系统,闸门多且分布范围广,对于系统的设计和控制方案的确定提出了很高的要求,控制对象的数量和复杂程度更是控制设计的难点。经过长时间的研究、设计和安装调试后,闸门控制系统投入使用,运行状况良好,操作成功率 100%。系统具有国内同行业技术的领先水平,对于水利枢纽工程的闸门控制系统设计具有重要的借鉴意义。

在 2002 年 7 月 4 日开始的黄河首次调水调沙试验中,闸门控制系统充分发挥了它应有的作用。中央电视台当天的报道这样说道:“上午九点,黄河水利委员会主任、黄河调水调沙试验总指挥李国英在河南郑州,通过异地会商系统向 100 多公里外的小浪底水库前线指挥部下达起动命令。随着命令下达,黄河下游最重要的控制性工程——小浪底水库多个泄水闸门徐徐开启,由于已经全部实现了自动化远程控制,只需要轻轻点击鼠标就完成了操作,整个过程仅用了十几秒钟。”

# 第十二章　工程安全监测数据采集系统

小浪底水利枢纽工程规模大，地下洞室多，地质条件复杂，枢纽的安全运行是工程设计、建设、施工和管理各方面十分关注的问题。因此，在做好原型观测设计和施工期、运行期观测数据分析、评判的同时，设计一套适合枢纽布置特点、运行安全可靠的数据采集系统是实现枢纽安全监测自动化环节中不可缺少的组成部分。

在工程设计过程中，曾对数据自动采集设备在国内外有代表性的工程和设备制造厂家进行了调研，包括东风水电站、水口水电站、新安江水电站和南京电力自动化研究院、南京水利水文自动化研究所等国内运行单位和设备研制单位以及美国 Rampart 水库、Eastside 水库、Hoover 坝、Wanapum 坝、Grand Coulee 坝和 GEOMATION 公司、SINCO 公司等国外工程和设备生产商。通过实地考察，对数据采集设备及其运行情况加深了了解，为小浪底工程安全监测数据采集系统设计和招标采购奠定了基础。在 1998 年进行的设备招标中，有 6 家公司参与竞标，通过多方面比较，选取了美国 GEOMATION 公司的 2380 系统作为中标方案。

## 一、系统结构及配置

小浪底工程安全监测数据采集系统采用分布式智能节点控制开放型网络结构。监测系统由监控中心和现场测控单元(MCU)等组成。

监控中心设备安装在坝顶控制楼中心控制室。现场测控单元按每个观测站配置 1 套，共计 35 套，分别对设在大坝、北岸山体、泄水建筑物和电站的传感器(共计 858 支)进行监测。监控中心设备与 MCU 之间通过通信网络进行连接。

### (一)仪器类型及测站布置

#### 1. 仪器类型

小浪底工程安全监测设有变形观测(外部变形、内部变形)、渗流观测、结构应力应变观测等。数据采集系统采用具有高度适应性和灵活性的设备，以便与小浪底工程中安装的下列各类不同性质的传感器相匹配。

(1)振弦式仪器：渗压计、沉降计、测缝计、测压管配渗压计、量水堰配微压计、锚杆测力计、锚索测力计、界面变位计、钢筋计、钢板计、总压力盒等。

(2)差动变压器仪器：静力水准仪、多点位移计。

(3)差动电容器式仪器：垂线坐标仪、引张线仪。

(4)卡尔逊仪器：堤应变计、多点位移计、锚索测力计。

上述观测仪器有一个仪器含一个传感器的，如渗压计、变位计、沉降计、钢板计、测缝计、钢筋计等，也有一个仪器含多个传感器的，如两向引张线仪含 2 个传感器，三向垂线坐标仪含 3 个传感器。多点位移计有 4 点、5 点、6 点的，含 4 个、5 个、6 个传感器。小浪底工程共设置 2 960 多支传感器，其中 858 支接入自动化监测系统。

2. 测站布置

为了便于观测管理和减少电缆长度,所有传感器电缆在施工时已引至观测站内,从观测站内引出电缆接入数据采集系统通信网络。

观测站及传感器数量如下。

(1)大坝:地面观测站 8 个,传感器 81 个;地下观测站 7 个,传感器 173 个。

(2)北岸山体:地面观测站 3 个,传感器 50 个。

(3)泄水建筑物:地面观测站 5 个,传感器 183 个;地下观测站 6 个,传感器 120 个。

(4)电站地下厂房:地下观测站 6 个,传感器 251 个。

**(二)网络连接方式**

根据小浪底工程建筑物布置的特点,网络的连接方式主要采用有线连接,为适应施工期临时组网需要和保证系统不间断运行,采用超短波无线电作为后备通信手段,一旦有线通信故障,系统能自动起动后备通信方式工作。

数据采集系统网络结构见图 12-1,其中 TS 为地下观测站,TH 为地面观测站。

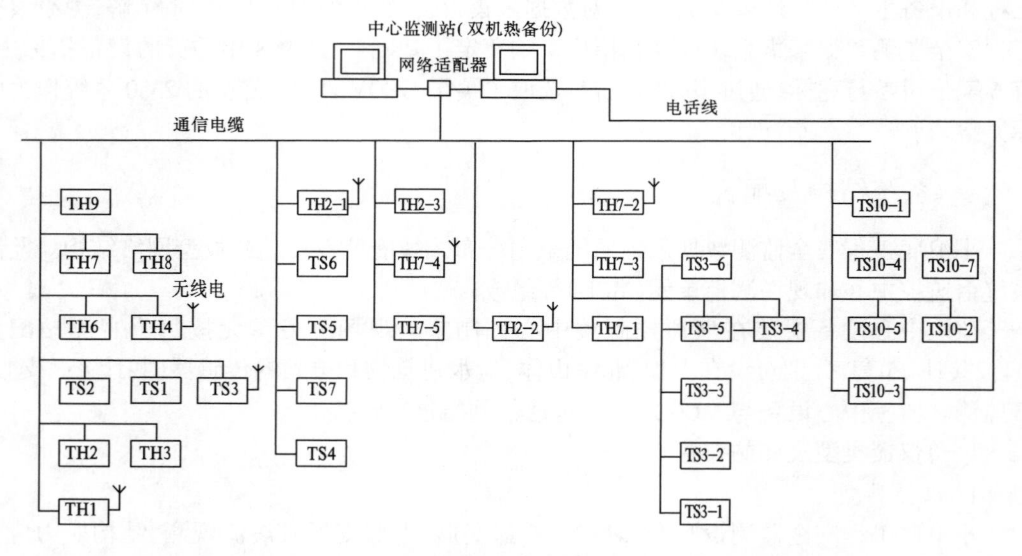


**图 12-1　小浪底工程安全监测数据采集系统结构**

## 二、系统功能

小浪底工程安全监测数据采集系统包括数据采集、数据检查、数据存储记录、数据信息传输等功能。监控中心由微型计算机组成的操作员工作站 1 套、数据输入输出设备、网络中继器单元等设备组成,主要完成系统数据信息处理,包括历史数据存档、归类、检索和管理,报表制作与打印,数据计算分析,对外通信管理等。来自现场测控单元 MCU 的测量信息通过现场通信网络送入操作员工作站。

**(一)监控中心功能**

监控中心设备布置在坝顶控制楼中心控制室,监控中心承担整个小浪底工程安全监测网络的管理,可直接对全网络仪器及 MCU 进行监测、控制、通信、诊断检查,具有系统自动启动、数据采集、监测数据检查校核、显示和打印、数据存储和记录、越限报警、数据传输与通信等功能。

### (二)现场测控单元功能

现场测控单元共有35套,监测范围包括大坝、北岸山体、泄水建筑物及电站的858个传感器,数据采集单元布置在35个观测站内。现场测控单元主要功能包括数据采集和处理、安全监视、数据通信、电能管理、自诊断等。

## 三、系统操作

对工程安全监测数据采集系统监测对象的监视控制、数据采集等,有下列两个等级的操作。

### (一)监控中心操作

监控中心操作是指坝顶控制楼中心控制室的操作。操作员可通过显示器和键盘等进行操作,中心控制室的每个操作员工作站上装设1台彩色显示器,供人机联系及以数字、文字、图形、表格的形式动态显示主要设备参数、工作状态、故障信息等。显示器具有多窗口功能,能分区显示时间、画面、对话、报警等。

### (二)现场测控单元操作

现场测控单元的操作内容和操作方式根据功能设计的要求设置,在现场测控单元上设有人工读数的接口,以便进行人工数据采集。设有与便携式微机的接口,以便操作人员进行现场检查、率定和诊断。现场的各项操作以安全、可靠、简便为原则。

## 四、系统硬件

数据采集系统采用技术先进、可靠性高、便于维护、经济合理又具有成熟运行经验的设备构成。

### (一)监控中心设备

监控中心设备包括2台微型计算机(含显示器、标准键盘和鼠标器)、1台便携式计算机、2套操作员工作台等。

### (二)现场测控单元设备

现场测控单元由标准模块构成,包括测量、工程单位转换、数据处理和外部通信等功能,系统内各现场测控单元由相同类型的硬件构成。现场测控单元具有自检功能,对硬件和软件进行经常监视,任一现场测控单元故障,不影响其他现场测控单元及整个监测自动化系统正常工作。

当电源消失时,现场测控单元能维持连续工作时间不少于3天,其收集的信息或内部设置的参数不因此而丢失,设备维持断电前的运行状态,同时向监控中心发出故障信号,电源消失或重新恢复都将保持设备原来的运行状态,并允许用户使用便携机等工具把存储在MCU中的数据安全取出。

现场测控单元包括模拟测量输入信号、振弦测量输入信号和电阻测量输入信号的接口,与现场通信网络相连接的通信接口,与便携式计算机相连接的通信接口及人工观测接口等。

## 五、系统软件

数据采集系统软件适用于数据采集网络运行,并具有成熟的运行经验,配置数据库管理及高级用户与仪器网络的接口软件,用户接口支持多窗口操作,具有友善的用户界面。

### (一)基本软件

数据采集系统配置相应的软件,以满足系统功能、操作要求和性能要求,基本软件包括操作系统、支持程序和实用程序、数据库、人机通信接口软件、系统通信软件、自诊断软件等。

### (二)应用软件

系统配置用于完成工程安全监测数据采集功能的各种应用软件及开发、维护工具,应用软件具有高效性、高可靠性和可维护性。监控中心所有的执行程序装在硬盘中,在系统起动时调入计算机的主存储器内,以便提高系统可用性和响应速度,现场测控单元的数据库存放在带后备电池的存储器中。应用软件采用模块化设计方法,便于扩展和修改,其功能软件模块或任务模块具有一定的完整性和独立性。

### (三)网络监控软件

系统基本软件和应用软件被集成在 Geonet 网络监控软件中,它为用户提供了一个完全友好的界面,以便用户建立、编制和管理系统结构设置、仪器数据库和测值数据库,并进行数据采集和提供报表。网络监控软件能运行于多种操作平台上,还可很方便地纳入其他网络系统,实现与异种网络的连接与通信,能自动采集用户规定的数据,并存于计算机的硬盘内,其数据、系统特性和维护诊断均能以图表的形式呈现。网络监控站的数据库采用 Sybase 数据库,能被数据分析软件动态调用。网络监控软件具有开放式数据管理、系统工作状态的报警显示和确认、数据显示、标准报告、图形开发、趋势显示等功能。

## 六、系统实施

小浪底工程安全监测数据采集系统设计充分考虑了施工周期长、地形地貌变化大、施工期观测数据对工程安全的重要性等多方面因素,实施中制定了详细的分期实施计划。1999 年开始设备安装,并于 1999 年 9 月水库下闸蓄水前部分投入运行,为大坝等水工建筑物的安全提供了保障,2001 年监测数据采集系统投入使用,运行情况良好。2003 年枢纽安全监测自动化系统正式投运。

# 第十三章　继电保护

## 第一节　概　述

电力规划设计总院曾于1993年7月对小浪底电站接入系统设计电气一次部分进行了审查,确定了电站为发电机变压器组单元接线、分别出500kV和220kV两级电压送入系统的主接线方案。但鉴于小浪底电站外送电力增加和系统条件的变化,中南电力设计院和河南电力勘测设计院于1997年3月完成了小浪底电站接入系统设计修改报告电气一次部分,并于同年5月通过了电力规划设计总院主持的审查,确定了小浪底电站在系统中的地位、作用及接入系统方案。即小浪底电站为调峰电站,主要供电对象为河南省,担任河南主网的调峰任务,为区域性电站;为简化电站接线,提高安全可靠性和运行灵活性,节省电站升压站和电网总体投资,并兼顾河南500kV网架的发展,决定电站只出220kV一级电压,在洛阳北部建设500kV升压站,电站6台机组为发变组单元接线,全部接入220kV母线,电站220kV母线采用双母线双分段带旁路接线,出线6回,其中4回至洛北升压站,1回至豫北,1回备用。为配合小浪底电站电气一次接入系统设计,电气二次接入系统曾在1988年12月提出设计文件,后又在1991年6月做过修改与补充,为配合1997年最终主接线方案,中南电力设计院和河南电力勘测设计院于1997年9月共同完成了小浪底电站接入系统设计电气二次部分,确定了继电保护、调度自动化和系统通信的总体配置和实施方案。

## 第二节　系统继电保护

### 一、基本要求

小浪底电站220kV出线继电保护的设计原则为采用微机式保护,每条线路配置2套完全独立的全线速动主保护,要求2套主保护原理不同,每套保护都应有独立的选相及后备保护功能,并分别使用独立的远方信号传输通道。

220kV至洛阳线路为20km,第一套主保护采用分相电流差动,多段式相间距离、接地距离及零序保护作后备保护。第二套主保护采用纵联相间距离、接地距离及零序方向保护,采用多段式相间距离、接地距离及零序保护作后备保护。装设断路器失灵保护及三相不一致保护,失灵保护的出口按与母线保护共用的方式。采用综合重合闸,当4回线路同时投入运行时,可投同期检定三相重合闸方式,当少于4回线运行时,投单相重合闸方式。

220kV 至吉利线路约 25km，第一套主保护采用高频方向保护，多段式相间距离、接地距离及零序保护作后备保护。第二套主保护采用高频相间距离、接地距离及零序方向保护，采用多段式相间距离、接地距离及零序保护作后备保护。

220kV 母线采用带比率制动的电流差动保护。选用引进的 RADSS 型高速比率制动母线差动保护。该保护装置动作速度快，可靠性高，在电力系统中应用较广。

电站设 2 台故障录波装置，自动记录元件故障情况下各电气量的波形，为电力系统继电保护事故分析提供依据。

## 二、保护装置技术要求

### （一）线路保护技术要求

在保护范围内发生金属性或非金属性各种故障，包括单相接地、两相接地、两相短路、三相短路及转换性故障，保护能正确、快速动作，非全相运行线路再发生故障，也能正确地瞬时三相跳闸；在保护范围外部发生金属性或非金属性故障以及外部故障切除、外部故障转换、故障功率突然倒向及系统操作等情况下，保证不误动作。

手动合闸或自动重合闸于故障线路上，保护装置应可靠瞬时三相跳闸；手动合闸或自动重合闸于无故障线路上，保护装置应可靠不动作。

当本线路在全相或非全相运行时发生振荡，且振荡周期大于 200ms 时，应可靠闭锁保护装置；系统振荡时如在本线路发生故障，应以允许的短延时可靠切除故障；如发生区外故障或系统操作，装置应可靠不误动。在全相或非全相振荡时，单相或三相重合闸于永久性故障线路，装置应可靠切除故障。

保护装置应有容许较大故障电阻的能力，220kV 线路故障电阻为 100Ω，在发生较大电阻接地故障时，能正确选出故障相。在由分布电容、并联电抗器、变压器励磁涌流等稳态和暂态所产生的谐波分量和直流分量的影响下，保护装置不应误动或拒动。

要求整组保护装置最大动作和返回时间不大于 30ms。

### （二）自动重合闸

重合闸装置由线路保护或操作开关和断路器位置不对应起动，重合闸装置在收到起动脉冲后，应能使起动脉冲自保持。重合闸装置能实现单相重合闸、三相重合闸、综合重合闸等方式。单相重合闸时间和三相重合闸时间可分别调整，时间范围为 0.3～5s。级差为 0.1s。单相重合闸时间元件起动后应闭锁三相重合闸时间元件，反之，三相重合闸时间元件起动后应闭锁单相重合闸时间元件。重合闸起动后，经一定延时能整组自动复归，整组复归时间为可调。

重合闸装置中任意一个元件损坏或有异常时，保证不发生下列情况：

(1)单相重合闸方式下，不允许发生三相重合闸。

(2)任何情况下不应发生二次重合闸。

重合闸装置能提供足够的输出接点，在下列情况下加速保护，并使各套保护实现三相跳闸：

(1)重合于故障线路上。

(2)手动合闸(合闸脉冲经重合闸装置发出)。

(3)“重合闸闭锁”、“重合闸停用”或“三重方式”各套保护均直接三相跳闸。

**(三)母线保护**

母线保护应有制动特性，在区外故障穿越电流为30倍一次额定电流时，保护不应误动作。保护装置对CT应无特殊要求，并允许使用不同变比的CT。

双母线同时故障或相继故障时，能不带延时地可靠切除故障，母线上各元件进行倒闸操作时，应保证母线保护动作接线的正确性。当二次回路中隔离刀闸辅助接点切换不正常时，应闭锁母线保护，并发出报警信号。

母线保护整组动作时间不大于20ms，并装设电压闭锁元件。

**(四)失灵保护**

失灵保护采用分相起动回路，每相起动回路由保护接点与相电流元件接点串联构成，相电流元件应保证在保护元件范围内故障时有足够的灵敏度。失灵保护出口跳闸回路中串有电压闭锁接点，以提高动作的安全性，电压闭锁元件的整定值应保证线路末端故障时有足够的灵敏度。

失灵保护的动作顺序如下：

(1)瞬时或经短延时起动失灵断路器的两组跳闸线圈。

(2)经较长延时起动其他有关断路器。

(3)三相跳闸的同时闭锁其重合闸。

**(五)故障录波器**

故障录波器采用微机型，能记录和保存从故障前至少150ms到停止记录时的电气量波形，能清楚记录5次谐波的波形并明确分辨故障类型、相别、故障电流、电压量的量值及变化规律、跳合闸的时间等，事件量记录元件的分辨率应小于1.5ms。

故障录波器应具有故障测距功能，测量误差小于线路全长的3%。

## 三、保护配置方式

**(一)220kV线路保护**

根据《小浪底水电站接入系统设计修改报告》(二次部分)的要求，小浪底电站至洛西500kV变电所4回220kV线路，每回线第一套主保护采用光纤分相电流差动保护，第二套主保护采用光纤距离零序方向保护；电站到吉利变电站线路第一套主保护采用微机高频方向保护，第二套主保护采用微机高频闭锁距离保护，均配置综合重合闸。

**(二)母线保护**

220kV为双母线接线方式，母线保护采用RADSS型中阻抗保护，母线保护的交流电流、电压、直流跳闸回路均通过隔离刀闸的辅助接点进行切换。220kV断路器失灵保护采用和母线保护共用出口跳闸回路的方式，并装设在母线保护屏内。

### (三)故障录波器

故障录波器每回线路记录 4 个电流量,每段母线记录 4 个电压量。

## 第三节 发电机变压器组继电保护

### 一、设计原则

小浪底电站单机容量 300MW,为大型水电机组。如何确定继电保护系统的设计原则是一个非常重要的问题。在调研国内各大水电厂继电保护系统运行经验的基础上,结合目前我国的规程规范及继电保护系统的技术水平,本着既要具有国内国际较高的技术水平,又要保证系统运行可靠的原则,在此基础上确定了发电机和主变压器分别装设差动保护、两套差动保护区域部分重叠的设计方案。由于小浪底工程发电机出口装有高分断能力的断路器,当发电机故障时仅可跳开该断路器,主变压器仍可空载运行或带厂变运行,这样停机的区域有所减少,下次开机仅投入主变压器即可。

### 二、设计方案

根据以上设计原则,确定发电机变压器组保护配置方案。现将保护配置情况分述如下:

(1)发电机纵差保护一。发电机纵差保护要求采用突变量原理、比率制动特性,作为发电机内部相间短路的故障保护。当电流回路断线时应发出信号,保护动作于停机。动作时间在 2 倍动作电流下应不大于 25ms。

(2)发电机纵差保护二。发电机纵差保护用于保护发电机内部相间短路故障,保护应采用稳态量原理、比率制动差动特性,带有电流回路断线闭锁装置,保护动作于停机。整定范围为 10% ~ 30% 发电机额定电流,制动系数为 0.2 ~ 0.4。动作时间在 2 倍动作电流下不大于 25ms。

(3)变压器纵差保护一。变压器纵差保护用于保护变压器内部相间短路故障,保护要求采用突变量、二次谐波制动、比率制动差动原理,保护应带有电流回路断线闭锁装置,保护动作于解列。整定范围为 10% ~ 30% 变压器额定电流,制动系数为 0.2 ~ 0.4。动作时间在 2 倍动作电流下不大于 25ms。

(4)变压器纵差保护二。变压器纵差保护用于保护变压器内部相间短路故障,保护采用稳态量差动、二次谐波制动、比率制动原理构成,瞬时动作于解列。

(5)发电机匝间短路保护。为保护发电机同相同分支和同相异分支的短路故障,应装设匝间短路保护。保护采用零序电压原理,保护应装设具有高滤过比且对频率变化不敏感的三次谐波滤过器、断相闭锁装置和突变量负序功率方向闭锁元件。断相时应发出断相信号,保护不带延时,瞬时动作于停机。

(6)发电机定子一点接地保护。由基波零序电压和三次谐波电压合起来构成 100% 定子接地保护。定子一点接地保护延时动作于停机或发信号。

(7)发电机负序过流保护(转子表层过负荷保护)。负序过流保护用于保护转子过热，保护装置应能模拟转子承受负序电流的能力。负序过流保护分定时限延时部分和反时限延时部分,定时限动作于信号,反时限动作于解列。

(8)发电机励磁回路一点接地保护。该保护装置应能消除保护的动作死区及励磁回路对地电容对保护的影响。当励磁回路对地绝缘电阻降至整定值时,延时动作于信号报警。其动作延时范围为 0.5 ~ 10s。

(9)发电机失磁保护。失磁保护由阻抗元件、低电压元件和闭锁元件构成。阻抗元件用于检出失磁故障,低压元件用于监视发电机出口电压,闭锁元件应能在外部短路、系统振荡以及电压回路断线等情况下防止保护装置误动作。保护装置宜带时限动作于解列。

(10)发电机过负荷保护。发电机过负荷保护定时限动作于信号。

(11)发电机过电压保护。发电机过电压保护取自机端电压,延时动作于解列并灭磁。

(12)发电机轴电流保护。为防止推力轴承或导轴承绝缘损坏时在轴电感作用下产生轴电流,导致轴瓦过热烧坏,设置轴电流保护。保护瞬时动作于信号,或经延时动作于解列灭磁。

(13)发电机失步保护。在系统振荡时,振荡中心有可能落在发电机端,故配置发电机失步保护。失步保护应能区分稳定振荡、非稳定振荡及短路故障,当故障或非稳定振荡时跳开机组,以同系统隔离。

(14)发电机过激磁。发电机应装设过激磁保护。低定值动作于信号,高定值动作于解列灭磁。

(15)变压器阻抗保护。主变压器阻抗保护用于保护主变高压侧及母线故障,保护分三个时限,第一时限跳双分段断路器,第二时限跳母联断路器,第三时限跳主变高压侧断路器。保护装于高压侧。

(16)变压器零序电流电压保护。装设两段零序电流保护作为中性点接地运行时的保护,并增设反应零序电压和间隙放电电流的零序电流保护,作为中性点不接地运行时的保护。

(17)主变瓦斯保护。瓦斯保护分为重瓦斯和轻瓦斯，重瓦斯瞬时动作于停机，轻瓦斯瞬时动作于信号。

(18)主变温度升高保护。当主变温度升高到第一限值时瞬时发信号，升高到第二限值时动作于停机。

(19)主变油位异常保护。当冷却器发生油流堵塞等故障,油位下降到某种程度时,瞬时动作于信号。

(20)主变冷却器全停。主变冷却器全停时应瞬时发信号，并根据负荷电流大小延时动作于解列。

(21)发电机出口电压互感器断线闭锁。此保护用于当发电机出口电压互感器断线时发出信号，并同时闭锁阻抗继电器，以防止保护误动。

(22)非全相保护。主变高压侧装设非全相保护，以作为分相操作的断路器异常工况的保护，保护延时动作于断路器跳闸。

(23)高压侧过电流保护。对于3号机和6号机，为防止机组停运时主变压器及厂用变压器主保护拒动，在主变压器高压侧设过电流保护，作为系统倒送厂用电时的保护。该保护仅在停机后起动。

(24)主变低压侧接地保护。对于3号机和6号机，为防止主变低压侧及厂用变压器单相接地故障，装设该保护。保护接入主变低压侧零序电压，并应经三次谐波滤波器，滤波比不小于50，保护动作于跳闸。整定范围为5~40V，动作时间为0.5~5s。

(25)断路器失灵保护。配置断路器失灵保护出口。

(26)低电压保持的过电流保护。对发电机外部相间短路故障和作为发电机主保护的后备，装设低电压保持的过电流保护，延时动作于停机。

(27)压力释放保护。油箱内压力释放阀动作时应瞬时动作于信号或跳闸。

## 三、设计技术要求

小浪底电站发电机变压器组保护系统经过招标采用奥地利ELIN公司产品，以满足以上保护配置要求。ELIN公司选用数字保护继电器系统(DRS - Compact)，DRS - Compact是多功能微机保护系统，采用19英寸机箱，根据工程设计要求，完整的保护系统应由相互独立的2面屏组成，2面屏构成主保护双重化。在每面屏中均配有3套DRS - Compact插箱，每套插箱保护配置如表13-3-1、表13-3-2所示。

**表13-3-1 主变保护配用DRS - Compact数字继电器列表(保护屏1)**

| 插箱编号 | 保护编号 | 功能 |
|---|---|---|
| XL1 | 87T1<br>51N1T<br>51N2T<br>64NT<br>64NG | 变压器差动<br>零序过流<br>零序过流<br>零序过压220kV<br>零序过压18kV<br>非全相运行(数字输入)<br>变压器机械保护(数字输入) |
| XL2 | 87T2<br>50/51T<br>51Vent | 变压器差动<br>过流：两段，220kV侧<br>过流；冷却起动<br>变压器机械保护(数字输入) |
| XL3 | 21 -(67/27)<br>27 | 阻抗(方向过流组合低电压)三段时间段<br>PT断线；低电压 |

表 13-3-2　　发电机保护配用 DRS – Compact 数字继电器列表(保护屏 2)

| 插箱编号 | 保护编号 | 功　能 |
| --- | --- | --- |
| XL4 | 87G1<br>59.1<br>49<br>46.1,2<br>46.3<br>64G 80%<br>59/81<br>64R<br>SC | 发电机差动<br>发电机过电压一段<br>过负荷<br>负序定时限:两段<br>负序反时限<br>定子接地 80%<br>过激磁:两段<br>转子接地故障<br>轴流保护(数字输入) |
| XL5 | 87G2<br>59.2<br>59IT<br>40<br>78<br>64G – 100% | 发电机差动<br>发电机过电压:两段<br>匝间保护<br>失磁保护<br>失步保护<br>定子接地 100%(数字输入) |
| XL6 | 50/51ET | 励磁变速断、过流 |

每个保护系统均有自己的电源,硬件设计能保证任何一个子系统因故障或其他原因退出时不影响其他子系统的正常工作,从而有效地提高系统的可靠性。保护系统包括逻辑跳闸电路、闭锁电路、监视和测试设备,每套保护装置内配有规定的保护装置、跳闸逻辑回路、测试装置等,对于作用于跳闸的继电器保护出口具备特定的装置用于投入和退出保护。设计要求保护装置在其被保护设备发生任何故障时都能起到保护作用。保护装置不会因任一元件损坏而误动,但应能发出相应的信号或指示,同时设计要求保护装置在下列任何情况下均不应发生误动作:系统振荡、交流电压回路断线或短路、交流电流回路开路、保护区外发生故障、系统交直流操作、直流电源回路一点接地、大气过电压、电磁波干扰、分布电容、变压器励磁涌流等稳态或暂态所产生的谐波分量和直流分量的影响。

根据国内各水电厂的运行经验,保护装置内的插件应插拔方便以利于运行,带电插拔时,应保证使交流电流回路不开路,交流电压回路不短路,直流回路不短路,插件应有锁紧装置。如果保护动作跳闸,动作指示继电器应自保持并通过按钮或其他手动复归,设备主回路应被连续监视,回路不正常时应报警,设备应有在线自检功能及事故追忆功能。为满足厂内其他设备可靠运行,设计要求保护装置的跳合闸接点在电压不大于 250V、电流不大于 1A 的直流有感电路中,其断开容量不小于 50W。

为方便运行,设计要求保护的主要整定值和整定曲线应能在面板上方便地进行调整,但应有密码锁定装置,只有具有操作权力的运行人员才能进行操作。保护装置可与电厂计算机监控系统进行通信,其通信方式和通信规约应满足计算机监控系统 IEC870 系列的要求。

小浪底水利枢纽为现代化的大型水利工程，为保证继电保护设备布置的美观合理，设计要求继电保护屏应为户内安装，金属外壳封闭结构。外壳应由符合 IEC 及国家有关标准的材料制成，前后有门，前门上应带透明窗，可监视内部的指示和信号。每套发电机变压器组保护设 2 面保护屏，为保证整体美观，设计要求保护屏的尺寸应与机旁其他屏柜一致。

# 第十四章　枢纽视频监视系统

水利水电工程尤其是大型水利枢纽的视频监视系统，具有规模大、监视点分散、距离远、功能要求多等特点，在设计中经常遇到设计标准、系统结构、监视范围等现有设计规范不明确的问题，按常规的设计思路往往达不到理想的效果。小浪底工程设计在总结以往大型水利枢纽视频监视系统设计经验的基础上，根据枢纽的规模和重要性，并与工程运行管理水平相适应，提出了新的设计思路，解决了工程实际问题。

## 第一节　设计问题和解决方案

### 一、问题探讨

#### （一）系统名称

国标《工业电视系统工程设计规范》(GBJ115—87)对工业电视系统的定义是："应用于工业生产过程监视、调度管理等方面，从摄像到图像显示独立完整的电视系统。"这里的关键词应该是"工业生产过程监视"。在实际应用中，监视范围常扩大到保安监视等方面，尤其是水利枢纽，一套电视系统往往包含了电站设备监视、水工建筑物及闸门运行监视、保安监视等，成为综合性的电视监视系统。为此，在小浪底工程设计中将"工业电视系统"名称改为"视频监视系统"，以避免名不副实。

#### （二）设计标准

目前尚无水利水电工程视频监视系统的设计规范，仅有的《工业电视系统工程设计规范》也是 1987 年版。10 多年来，电子技术发展很快，设备也已更新换代，进入计算机时代。现在新建或改造的大中型水电厂基本都要求设置视频监视系统，但系统规模、监视范围、技术要求、设备选择、运行方式等差异很大，实际使用中效果并不理想，造成资源的闲置和浪费。因此，出台针对水利水电工程的视频监视系统工程设计规范，对设计、安装、运行各方面提出指导性意见是十分必要的。

#### （三）系统结构

水利工程中近期设计或安装的视频监视系统基本采用两类结构：一类是矩阵切换外挂多媒体监控系统，其视频信号的控制和切换采用矩阵切换装置，输出一路视频信号至多媒体计算机，系统核心设备为矩阵切换系统；另一类是计算机多媒体监控系统，它则完全基于计算机，没有矩阵系统，实现了视/音频数字化、系统网络化、应用多媒体化和管理智能化，系统结构简洁，便于联网和扩充。第二类技术先进，方便灵活，但运行实例较少；第一类有较成熟的运行经验，实际使用较多，但可以预言它只是传统的矩阵切换系统向全计算机多媒体系统发展进程中的过渡产品。

在图像传输环节设计方面有同轴电缆、综合布线、光缆等，传输方式有同轴电缆传输视频信号的视频传输、同轴电缆传输射频调制信号的射频传输、传输光调制信号的光缆传输方式等。工程设计中应根据现场条件选择经济合理的信号传输方式。

**(四)监视范围**

由于没有针对水利水电工程的视频监视系统设计规范,具体工程设计中监视范围的确定随意性很大,若按功能要求组成多个监视系统,似乎不经济,也不合理,但将不同功能要求的监视点混合组成综合监视系统,则在实际运行中与目前水电厂运行体制不适应。发电分厂负责电站设备运行,水工分厂负责闸门运行,保安部门监视枢纽区人员活动情况,而一般监控中心都布置在水电站中央控制室,造成发电分厂运行人员要兼顾其他部门的相应职责,在实际工作中缺乏可操作性。

## 二、解决方案

**(一)前端设计**

前端部分与常规视频监视系统差别不大,完全可以参照民用建筑视频监视系统的前端布局,选择相应的设备。水利水电工程监视点分散,监视对象特殊,有些监视范围较宽阔,为了美观和隐蔽性,可选用全方位球形摄像机;有些监视对象在平时只有灯光照明的廊道内,光线较弱,应选用黑白摄像机;有些要求监视大场面的部位,可选用彩色全方位带云台和变焦镜头的摄像机,以便看得更清晰、更远;有些是监视单一设备,可根据生产运行要求,选择彩色或黑白固定摄像机。另外,水电工程现场存在一定的电磁干扰,但就实际使用情况看,对前端设备的影响不大,不需要选用特殊的设备和防护。

**(二)传输网络**

传输网络设计是水利水电工程视频监视系统设计的关键,大多数系统运行效果不理想的主要问题出自传输网络,其现象是系统不稳定、图像闪烁或变形、信号传输及反映迟缓等。

水利水电工程一般都规模较大,监视范围广,可能的干扰源多,而视频信号的传输线路走向不可能与强电线路分开,往往敷设在同一个电缆沟或电缆架上。因此,传输线路要求采用屏蔽电缆或光缆。为解决长距离传输的信号衰减问题,对传输距离超过 500m 的线路建议采用光缆。

监视点分散是水利水电工程的又一个特点,在视频监视系统设计中可采用根据监视点实际位置相对集中,将控制设备或光端机分散布置到现场,然后联网或通过光缆传输到主机的方法。这是将计算机控制网络中分布分散概念引入到视频监视系统设计的一种尝试,在实际工程应用中取得了很好的效果。需要说明的是,采用这种方法应根据工程实际情况,在经过详细技术经济比较后确定。

**(三)控制中心设备**

为解决综合监视系统与各部门管理的矛盾,系统设计可采用设置分控站的方法解决,即在电站中央控制室设置主控站,在水工分厂值班室、保安值班室等处设置分控站,而系统的运行维护则应统一由专业技术部门负责。

随着全计算机多媒体视频监视系统的开发,通过软件设置使综合系统中多个分站监视不同范围将成为现实,这是大中型水利水电工程视频监视系统的发展方向。

# 第二节　视频监视系统设计

小浪底工程视频监视系统的主要任务定义为实时监视电站及枢纽主要设备运行、建筑物、交通洞等现场情况，记录事故、故障状态及异常情况发生的位置和时间，并报警，以便加快事故、故障处理，便于设备安全运行、维护和检修，为事后分析事故、故障原因提供实时资料，为电站实现“无人值班、少人值守”创造条件。

视频监视系统主要由控制中心设备、信号传输系统及前端设备组成(详见图 14-2-1)，属矩阵切换外挂多媒体监控系统。由于小浪底工程规模大，地下洞室多，而监控中心设在地面副厂房，故在设计中采用了按监视点分布相对集中，组成多个监控点并联网的方案，方案实施中在信号传输质量、电缆敷设等方面显示出明显的优势。

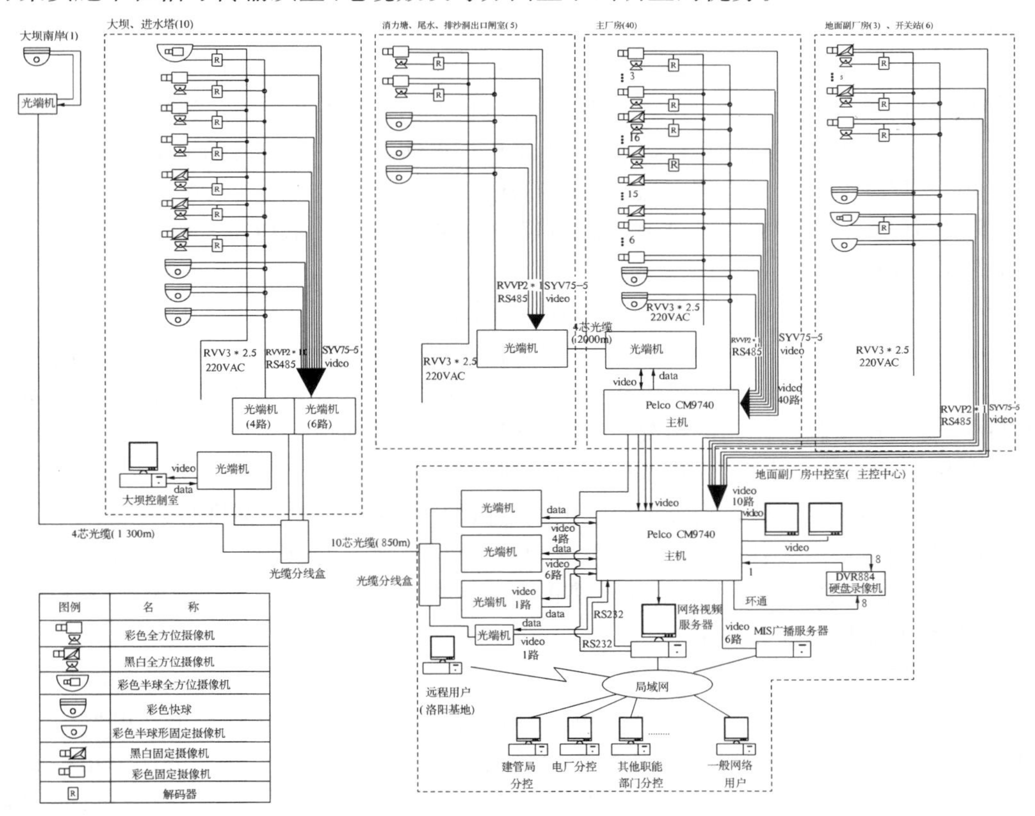


**图 14-2-1　小浪底工程视频监视系统**

## 一、前端配置

前端配置按地理位置分为四部分。

### (一)大坝、进水塔

大坝、进水塔共设 11 个摄像点，其中 3 个为全方位摄像机，用于监视进水塔 EL189m 廊道。由于廊道内仅有灯光照明，光线较弱，选用黑白摄像机。对于大坝北岸及进水塔

1 号桥头和 7 号桥头，由于监视的范围较宽阔，为了美观和隐蔽性，选用全方位球形摄像机。在坝顶控制楼顶安装 1 台彩色全方位带云台的摄像机，选用 7.5 ~ 120mm 的镜头，以便看得更清晰、更远。对于 3 个明流洞工作闸门室各安装 1 台彩色快球，监视明流洞弧形工作门的运行情况。

这 10 路图像利用 2 对光端机传输，送到监控中心的 CM9740 监控主机。

大坝南岸岗哨路口安装 1 台全方位摄像机，监控南岸周围的环境。利用 1 对光端机传输，送到监控中心的 CM9740 监控主机。

**(二)消力塘、尾水、排沙洞出口闸室**

在消力塘北侧、尾水渠南侧各安装 1 台带云台的彩色摄像机，用于监视其周边的环境。在 3 个排沙洞出口闸室各安装 1 台彩色快球，监视排沙洞弧形工作门运行情况。这 5 路图像经过 1 对光端机远传到地下副厂房继保室 CM9740 主机。

**(三)地下主厂房**

地下主厂房共布置 40 个摄像机。

地下厂房发电机层安装 6 台彩色固定摄像机，专门监视 6 个机组段的情况。

母线层安装 6 台黑白带云台摄像机，用于监视母线层各个机组段的情况。

水轮机层安装 6 台黑白固定摄像机，专门监视 6 台水轮机的运转情况。

安装间段安装 2 台摄像机，1 台带云台黑白摄像机监视高、低压空压机，1 台带云台黑白摄像机监视中压空压机。

在回水泵房和电缆廊道各安装 1 台黑白摄像机，地下副厂房电缆夹层安装 1 台黑白固定摄像机，地下厂房主变压器洞安装 6 台黑白固定摄像机用于监视 6 台主变压器；主变电缆室安装 2 台彩色活动摄像机用于监视 220kV 干式电缆；尾水洞安装 1 台黑白活动摄像机用于监视尾水检修闸门的情况；104m 高程廊道、30 号排水洞安装 4 台黑白活动的摄像机，分别监视检修排水泵房、排水管廊道和排水洞。

在 2 个渗漏排水泵房各安装 1 台彩色固定摄像机，用于监视渗漏排水泵运行情况。

在进厂交通洞内外各安装 1 台彩色活动摄像机，监视进出地下厂房人员情况。

上述 40 个摄像机信号全部由同轴视频线送到地下副厂房继保室的 CM9740 主机。

**(四)地面副厂房和开关站**

地面副厂房和开关站共布置 9 个摄像点。

地面副厂房广场上安装 1 台 SD5TAC – PG 彩色快球；在中控室安装 1 台可变固定半球形摄像机；展示厅的电梯口安装 1 台彩色活动半球形摄像机；在开关站的四个角各安装 1 台 SD5BC22 – PG 彩色快球；19 号、20 号高压电缆洞各安装 1 台黑白活动摄像机，通过同轴电缆送到地面副厂房的 CM9740 矩阵主机。

## 二、监控中心

监控中心设在地面副厂房，主要设备有 CM9740 矩阵、CM9740 – ALM 报警主机、硬盘录像机、MIS 广播服务器、4 台光端机等。上述设备集成在 1 面多媒体监控系统控制屏内，控制屏布置在继电保护室。

在中控室控制台上安装 2 台监视器、1 套视频网络服务器，由视频网络服务器的键盘控制 2 台监视器的图像。

在地下副厂房继电保护室内安装 1 台 CM9740 主机和 1 台光端机。

上述设备集成在 1 面多媒体监控系统控制屏内,由地下副厂房通过同轴电缆送 4 路视频、1 路数据到地面副厂房。

坝顶控制楼安装 3 台光端机、1 个光纤分线盒、电源分线箱,并集成在 1 面多媒体监控系统控制屏内。坝顶控制楼设置 1 套多媒体分控站。

另外,设置管理局办公楼和洛阳基地远方终端,其视频信号和控制信号用光缆从中控室传至管理局办公楼,然后经数字微波电路送至洛阳基地。

## 三、传输系统

对于传输距离小于 500m 的监视点,采用同轴电缆传输,超过 500m 的采用光缆传输。

大坝南岸(1 路)、进水塔(10 路)由 2 对光端机将信号传输到地面副厂房的 CM9740 主机。

用 1 对光端机将地面副厂房 CM9740 监控主机的信号传输到坝顶控制楼多媒体分控站。

尾水部分(5 路)由 1 对光端机将信号传输到地下副厂房的 CM9740 主机。

## 四、设备选择及主要参数

### (一)摄像机

选用日本松下公司的第三代数字信号处理 DSP 产品,彩色摄像机选用 WV - CP460,黑白摄像机选用 WV - BP330。其主要技术参数如下。

(1)制式:D 制(黑白)或 PAL - D 制(彩色)。

(2)扫描方式:2:1 隔行扫描。

(3)每帧行数:625 行。

(4)行频:15 626Hz。

(5)场频:50Hz。

(6)同步方式:内同步。

(7)水平清晰度:黑白≥500 线,彩色≥450 线。

(8)垂直清晰度:黑白≥450 线,彩色≥400 线。

(9)灰度:≥77 级。

(10)扫描非线性:≤15%。

(11)信噪比:≥40dB。

(12)图像质量:≥4 级。

(13)视频阻抗:75Ω。

### (二)快球摄像机

其主要技术参数如下:

(1)高分辨率摄像机,460 线。

(2)自动焦距,手动优先。

(3)99 个预置位。

(4)彩色(NTSC/PAL)摄像机,灵敏度为 1 个 lx。

(5)5.9 英寸聚丙烯球。

(6)可巡视速度(0.5°~250°)/s。

(7)球转动“自动翻转”。

(8)360°持续水平转动。

(9)一体化多协议解码器。

(10)快速分离球驱动。

(11)内置电源线性浪涌及防雷击保护装置。

**(三)镜头**

选用日本 Computer 镜头,分为定焦镜头和变焦镜头两种。变焦镜头受控于解码器,随着解码器发出变倍/聚焦/变光圈的电压信号而动作。

**(四)防护罩**

选用美国 PELCO 公司的室内和室外防护罩,能够抗腐蚀气体、强氧化剂、盐水、危险环境等,防粉尘,内置加热器、除霜器、抽风机,外置雨刷,保证了摄像机及镜头的寿命,且外表美观。

**(五)云台**

云台选用美国 PELCO 公司的产品。

旋转角度:水平 355°,垂直 90°。

旋转速度:水平 15°/s,垂直 10°/s。

最大负重:18.16kg。

**(六)解码器**

解码器选用美国 PELCOERD97P21 系列解码器,防潮、防水。解码器的作用是将矩阵主机发出的控制指令(RS485 接口)翻译成操纵云台和镜头动作的电压/电流信号。这些动作包括:云台上/下/左/右/自动巡视,镜头变倍/聚焦/变光圈。解码器安装于各个云台附近。

**(七)主控矩阵 CM9740**

配置:CPU 模块 CCI×1,矩阵控制箱 MXB×1,视频输入模块 VCC×6,视频输出模块 VCMC-16×1,视频输入连接模块 RPC×6,视频输出连接模块 RPM×1。

**(八)报警接口**

CM9740 主机的报警接口 CM9740-ALM 提供 64 个干接点的报警输入接口。

**(九)视频/音频/数据复用光端机**

采用澳大利亚 OSD 公司的 OSD 光端机。

**(十)硬盘录像部分**

采用韩国 DVR 数字录像系统及软件,用于硬盘录像,一旦接收到报警信号,硬盘录像自动起动。

**(十一)多媒体监控主机**

主要功能包括多分屏、定时切换、视频捕捉、云台控制、镜头控制、遥控开关、冻结视频、行动输出、视频报警、布防、检索、分控、电视墙、多媒体电子地图、报表打印、定时起动、锁定及解锁、自诊断自保护等,并可接入局域网。

**(十二)监视器**

采用屏幕对角线为 54cm 的彩色监视器 2 台。

**(十三)水下电视监视装置**

设置了 2 套水下电视监视设备,用于监视进水口检修闸门关闭和自动抓梁的运行情况。每套设备包括摄像头、监视器、电源、照明装置等,使用时将摄像头、照明装置固定在检修闸门抓梁的适当部位,由塔顶门机吊钩放入水下监视部位,图像信号在监视器上显示,监视的水下部位深度在 0 ~ 100m 范围内。

## 五、实施情况

小浪底工程视频监视系统设计随着其技术的发展而不断更新完善,最终设计在主体工程即将完工的 2001 年完成,并进行了系统采购招标。2002 年 8 月完成安装调试并投入使用,从实施效果看基本达到设计要求。

# 第十五章 枢纽消防

枢纽消防设计包括各生产建筑物、生产场所(区)及机电设备的消防,其设计范围有以下三部分:第一部分为泄水建筑物,如进水塔、坝顶控制楼、溢洪道闸室、中间闸室及出口闸室等;第二部分为电站厂房及其附属建筑物,如地下主副厂房、主变压器洞、尾水闸门室、地面副厂房及开关站、透平及绝缘油库、机修厂等;第三部分为电站机电设备。其中第二部分、第三部分是消防设计的重点。

对以上各消防对象设计上从防火、监测、报警、控制、灭火、排烟、救生等几个方面进行设计,力争做到防患于未然,一旦发生火灾,能确保在短时间内予以扑灭,使火灾损失减小到最低程度。

## 第一节 消防设计的原则

小浪底工程属大型水利枢纽,电站装机 1 800MW,在河南电力系统中承担调频、调峰任务,故对其消防设计予以了高度重视。在整个施工设计中贯彻“预防为主,防消结合”的工作方针,坚持“全面防范、加强重点、确保安全”的原则,对火灾危险性严重的场所加以重点防范,配备必要的消火栓、水喷雾灭火设备,安装防雷、防爆、防静电、火灾自动报警装置等,布置必要的防排烟系统及疏散通道。

小浪底水利枢纽距河南省洛阳市 40km,与大多数水利工程一样,远离城市,工程自身的火灾发生概率及危险程度相对较低,但火灾造成的财产损失较大。为此,在消防设计时遵循“自防自救为主、外援为辅”的原则,采取积极可靠的措施预防火灾的发生,一旦发生火灾则尽量限制火灾的范围,尽快扑灭,减少人员伤亡和财产损失。

消防设计政策性强,主管部门把关严,相对而言,设计规程要求还不完善,现有针对性规范为《水利水电工程设计防火规范》。由于水利工程具体情况千差万别,一个规范不可能包含全部要求,故在小浪底工程消防设计中还参照了其他相应规范,如《建筑设计防火规范》、《建筑内部装修设计防火规范》、《自动喷水灭火系统施工及验收规范》、《火灾自动报警设计规范》、《水喷雾灭火系统设计规范》、《气体灭火系统施工及验收规范》、《建筑灭火器配置设计规范》、《水力发电厂采暖通风和空气调节设计规范》等,力求做到安全、可靠、实用。

## 第二节 泄水建筑物消防

### 一、泄水建筑物

泄水建筑物主要包括进水塔及闸门室、孔板洞中间闸室、排沙洞出口闸室、溢洪道等。

进水塔内布置有固定式卷扬启闭机、液压启闭机以及相应的控制设备，在塔顶设有两台400t门式起重机，在1~3号发电塔塔顶布置有3个配电中心及3部电梯，并在276.5m廊道各布置有一个控制室。

在1~3号孔板洞中间闸室内布置有液压启闭机及控制室，其中2号孔板洞中间闸室164.1m高程布置有配电中心，1号、3号孔板洞中间闸室有2部电梯。排沙洞出口闸室布置有液压启闭机及控制室，1号、3号孔板洞出口闸室168.0m高程布置有配电中心。

## 二、主要消防措施

小浪底工程的各类启闭机械共有68台，设置在机房内的启闭机和动力控制站室，装有电动机、油泵、透平油箱、液压阀组和电气控制柜等设备，机房内均设有必要的消防设施。塔顶门式启闭机起重小车的机房和驾驶室采取了消防措施。

变压器室及配电室均设安全出口及防火门，塔内各交通廊道直通塔顶的安全疏散通道不少于2个。控制室耐火等级按二级考虑，变压器室、配电室、机房及重要部位均配置有移动式MFA4磷酸铵盐干粉灭火器。在进水塔、中间闸室、泄水建筑物的出口、消力塘内泵房、大坝各廊道内需重点防火的部位均配置有移动式灭火器。

## 三、电缆防火

枢纽建筑物分布广，电缆敷设范围大，其敷设方式有电缆沟、电缆夹层、电缆廊道、电缆桥架、电缆浅槽等，电缆防火较为复杂。对电缆较为集中的场所，采取的消防措施如下：

(1)所有进出建筑物的电缆沟、电缆廊道以及其他电缆通道的电缆孔洞均采用了耐火材料封堵。

(2)在电缆沟与电缆沟交叉处、电缆沟与电缆廊道交叉处及在长距离的电缆沟内每隔120m左右设置了一道防火隔墙。

(3)在电缆廊道出入口处设有MFA4移动式磷酸铵盐干粉灭火器。

(4)楼梯井内的电缆浅槽每隔6~7m采用耐火材料分隔。

(5)进水塔交通洞内的电缆通道相邻两塔处采用防火材料封堵。

## 四、坝顶控制楼

坝顶控制楼位于进水塔东侧，地面高程284.2m，建筑面积3 942.17m$^2$，建筑物周围设计有消防通道。主楼为四层钢筋混凝土现浇框架结构，240mm实心砖或加气混凝土砌块填充墙围护。配楼为二层钢筋混凝土现浇框架结构，240mm实心砖或加气混凝土砌块填充墙围护。火灾危险类别为丙类或丁类，耐火等级为(建筑设计防火规范)二级以上。

坝顶控制楼及配楼内分别设有高、低压配电室及变压器室、展览厅、接待室等，一、二、三层设有控制室、调度室、安全监测室、计算机室、通信室、试验测试室等，四层均为办公用房。

### (一)防火分区及安全疏散

根据《建筑设计防火规范》有关规定，坝顶控制楼的主楼与配楼各为一个防火分区，主楼有两个疏散楼梯与走廊相连，每个房间距疏散楼梯均小于20m。面积超过60m$^2$并能容纳 50 人以上的展示厅、展览厅均设置了 2 个疏散门。配楼每层面积不超过 300m$^2$,人数不超过 30 人,所以只设一个楼梯间。

进出各房间的电缆均采用防火涂料封堵,管道井每层用混凝土板封闭、防火材料封堵。

### (二)消防供水

室外水泵房设 2 台 IS80 - 50 - 200 型消火栓给水泵($Q = 15L/s$, $H = 49m$, $N = 15kW$),一主一备。水泵房设 15m$^3$ 水箱,水源来自 2 000m$^3$ 水池,水泵从水箱吸水,由 2 条出水管与坝顶控制楼室内消火栓管网相连。

主楼一层设 4 个 SN65 消火栓,二 ~ 四层每层设 3 个 SN65 消火栓,屋顶设 1 个 SN65 试验用消火栓。配楼每层设 1 个 SN65 消火栓。室内消火栓管网连成环状。每个消火栓箱内设自动起泵按钮。屋顶设 24m$^3$ 水箱,其中消防用水 12m$^3$。屋顶水箱间设 2 台增压泵,一主一备。

楼内配置移动式 MFA4 磷酸铵盐干粉灭火器数量如下:主楼每个消火栓箱下各设 2 个,二层中控室及三层主机室、终端室各设 2 个;配楼一层配电变压器室、照明变压器室各设 2 个,高压配电室设 8 个,二层低压配电室设 4 个,二层消火栓箱下设 2 个。磷酸铵盐干粉灭火器均装于灭火器箱内。

### (三)消防电气

坝顶控制楼在主要房间和疏散走廊设置有事故照明和疏散指示照明,其电源均为由双电源切换的事故照明配电箱直接供电,同时疏散指示灯还自带蓄电池,应急时间不小于 30min。

### (四)火灾自动报警

楼内设置火灾自动报警和消防联动控制系统,在主楼一层消防控制室内设置区域火灾报警控制器,通过电缆与设在地下厂房的集中火灾报警控制器相连。

系统的主电源由消防电源的专用回路供给,直流备用电源采用火灾报警控制器内的专用蓄电池。

楼内采用两总线环状系统,在楼内分别设置感烟探测器、感温探测器、手动报警按钮、消火栓报警按钮、消防广播、消防电话等消防报警设备,并通过输入输出模块和多线联动线路进行相应的消防联动控制。

楼内探测器或按钮报警后,区域火灾报警控制器能接受报警信号并向集中火灾报警控制器发送信号,同时按国家相应的规范进行消防广播和消防电话的消防报警、切断非消防电源、起动消防泵并返回信号、使电梯迫降并返回信号等一系列联动操作。

## 第三节　电站消防

电站是整个枢纽的重点防火部位,因而对其消防设计给予了高度重视,在电站电气设备选型中大量采用封闭式组合电器、无油化设备、阻燃电缆等,降低了火灾危险程度。

## 一、电站厂房及其附属建筑物布置

### (一)地下主、副厂房

主厂房及安装间全长220m,净宽23.5m,通过6条母线洞与主变压器洞相连。其发电机层高程为144.5m,下游侧布置有励磁盘、机组保护屏等;母线层高程为139.0m,上游侧布置有调速器、油压装置及发电机中性点设备,下游侧布置机旁动力盘、机械柜等,安装间下布置有高低压空压机室;水轮机层高程为134.5m,机组间布置有技术供水设备,安装场下布置有厂内中间油罐、回水泵房、中压空压机室等;机组中心线高程为129.0m;交通廊道层高程为120.2m,布置有渗漏集水泵房及尾水操作盘阀等;检修廊道层高程为104.85m,布置有机组检修排水泵房等。

在主厂房发电机层、母线层、水轮机层各机组段上游侧墙各设置1个SNJ65型减压稳压消火栓(消火栓栓口出水压力为30~50m水柱,水枪口径19mm、麻质水龙带长25m);在安装间发电机层上游侧设置3个,在母线层、水轮机层各设置2个SNJ65型减压稳压消火栓,以保证主厂房桥机以下部位起火时均有2股充实水柱同时到达;在发电机层、母线层、水轮机层布置机电设备较多,有可能发生电气或油类火灾。为此,在这些部位均配置一定数量推车式及手提式磷酸铵盐干粉灭火器。

主厂房设有2台250t+250t双小车桥式起重机,是机电设备安装、检修的主要起吊工具。根据桥式起重机行走的特点,在每台桥机上配置2台MT7手提式二氧化碳灭火器,可在司机室直接操作灭火,以保证桥机设备和厂房拱顶的安全。

主厂房火灾延续时间按120min设计,其消防用水量为180m$^3$。

地下副厂房全长30.55m,净宽24.6m,布置在主厂房安装间的左侧,共分4层:一层(144.75m)布置有10kV高低压配电室、地下厂房配电中心、高压试验室等;二层(149.0m)布置有蓄电池室、电气试验室、电缆夹层;三层(152.50m)布置有继电保护屏及直流屏室、仪表室、值班室、休息室等;四层(156.0m)布置有巡视大厅等。在副厂房各层设置2只SNJ65型减压稳压消火栓,每层除设消火栓外,还分别设置一定数量的手提式磷酸铵盐干粉灭火器。

### (二)主变压器洞

主变压器洞与主厂房平行布置在主厂房下游侧32.8m处,全长171.5m,洞高17.6m,净宽13.6m,分两层。底层与厂房发电机层同高程,对应每台机组设有1台360MVA的三相变压器,靠上游侧布置。另外在主变压器之间还布置有2台机端变压器及1台厂用变压器,主变压器洞下游侧为主变压器运输检修通道。各变压器之间均设有防火隔墙,按一级耐火等级设计,并考虑防爆要求设计为240mm砖墙配筋砖砌体,实际厚度为370mm。在每台变压器与检修通道之间设有防火卷帘门,并在其侧面设置有水幕系统。

另外,在主变压器室外的运输廊道内,分机组段设置了6套SNJ65型减压稳压消火栓和一定数量的推车式、手提式磷酸铵盐干粉灭火器,用以扑灭局部火焰。

主变压器洞上层为高压电缆层,高6m,6台主变压器的出线均采用220kV高压干式电缆,由2条高压电缆斜井(19号、20号)引至地面开关站。主变压器洞右端底层可经过44号交通洞与主厂房相连,左端底层可从33号交通洞经17号交通洞与主厂房安装间相连,并可由 17 号交通洞直达洞外。

**(三)母线洞**

6 条母线洞连接主厂房与主变压器洞,宽 7m,高 8.9m,母线洞地坪高程为 139.0m,布置有发电机母线、机压母线设备、0.4kV 低压配电装置、10kV 高压配电装置、机组自用变及公用变等。各母线洞之间设有联络通道,其中 1 号、4 号母线洞可作为主厂房、主变压器洞的紧急疏散通道,母线洞与主变压器洞连接处均设有甲级防火门。

各母线洞灭火可起用主厂房上游侧墙或主变压器洞中消火栓,火灾初期可用配置的手提式和推车式灭火器。

**(四)尾水闸门室**

尾水闸门室与主厂房、主变压器洞平行,布置在其下游侧 24.3m 处,其宽度为 10.6m,布置了 6 台尾水检修闸门及 1 台 250t 台车式启闭机。尾水闸门室可通过 34 号洞、17 号交通洞与主变压器洞及主厂房相通,亦可由 17 号交通洞直达洞外。

## 二、电站厂房各生产场所火灾危险性分类

按《水利水电工程设计防火规范》进行分类,电站各生产场所的火灾危险性无甲类和乙类。各生产场所的火灾危险性分类、最低耐火等级划分见表 15-3-1。

**表 15-3-1　电站主要生产场所火灾危险性分类及耐火等级**

| 序号 | 生产场所名称 | 高程(m) | 火灾危险类别 | 最低耐火极限 |
|---|---|---|---|---|
| 一 | 地下主厂房 | | | |
| 1 | 发电机层 | 144.5 | 丁 | 二 |
| | 6 台发电机 | | | |
| 2 | 母线层 | 139.0 | 丁 | 二 |
| | 1 号、2 号、3 号照明变压器室 | 139.0 | 丁 | 二 |
| | 照明配电室 | 139.0 | 丁 | 二 |
| | 电缆前室 | 139.0 | 丙 | 二 |
| | 空压机室 | 139.0 | 丁 | 二 |
| 3 | 水轮机层 | 134.5 | 丁 | 二 |
| | 厂内油压装置室 | 134.5 | 丁 | 二 |
| | 油库 | 134.5 | 丙 | 二 |
| | 供排油泵室 | 134.5 | 丁 | 三 |
| | 供油泵房 | 134.5 | 戊 | 二 |
| | 水泵开关室 | 134.5 | 丁 | 三 |
| | 厂内机修间 | 134.5 | 丁 | 三 |
| 4 | 母线洞 | 139.0 | 丁 | 二 |
| | 36 号母线交通洞 | 139.0 | 戊 | 二 |
| 二 | 主变压器洞 | 144.5 | | |

**续表 15-3-1**

| 序号 | 生产场所名称 | 高程(m) | 火灾危险类别 | 最低耐火极限 |
|---|---|---|---|---|
| | 1～6号主变压器室 | 144.5 | 丙 | 一 |
| | 35kV 厂变 1 台 | 144.5 | 丙 | 一 |
| | 3～6号机端厂变 | 144.5 | 丙 | 一 |
| | 油库 | 144.5 | 丙 | 二 |
| | 油设备室 | 144.5 | 丙 | 二 |
| | 高压电缆层 | 156.0 | 丁 | 二 |
| | 19号电缆廊道 | 156.0～230.0 | 丁 | 二 |
| | 20号电缆廊道 | 156.0～230.0 | 丁 | 二 |
| 三 | 4号电梯竖井 | 144.5～236.1 | 丙 | 二 |
| 四 | 尾水闸门室 | 142.0～155.2 | 戊 | 二 |
| 五 | 室外油库 | 173.0 | 丙 | 二 |
| | 透平油库(室外) | 173.2 | 丙 | 二 |
| | 绝缘油库(室外) | 173.2 | 丙 | 二 |
| | 油处理室 | 173.3 | 丙 | 二 |
| | 烘干机室 | 173.3 | 丁 | 二 |
| 六 | 地下副厂房 | | | |
| 1 | 10kV 高压配电室 | 144.75 | 丙 | 二 |
| | 地下厂房配电中心 | 144.75 | 丙 | 二 |
| | 高压试验室 | 144.75 | 丁 | 二 |
| 2 | 蓄电池室 | 149.0 | 丙 | 二 |
| | 电缆夹层 | 149.0 | 丁 | 二 |
| | 电气试验室 | 149.0 | 丁 | 二 |
| 3 | 继电室屏及直流屏室 | 152.5 | 丁 | 二 |
| | 仪表室 | 152.5 | 丁 | 二 |
| 七 | 地面副厂房 | 235.2 | | |
| 1 | 中央控制室 | 235.65 | 丙 | 二 |
| | 继电器保护室 | 235.65 | 丙 | 二 |
| | 公用变压器室 | 235.65 | 丁 | 二 |
| | 公用配电室 | 235.65 | 丙 | 二 |
| | 蓄电池室 | 231.65 | 丙 | 二 |
| | 电缆夹层 | 227.65 | 丙 | 二 |
| 2 | 交换机室 | 240.15 | 丁 | 二 |
| | 通信电源室 | 240.15 | 丁 | 二 |
| | 油化验室 | 240.15 | 丁 | 二 |
| | 交换机室 | 240.15 | 丁 | 二 |
| | 载波机室 | 239.90 | 丙 | 二 |
| 3 | 继电保护试验室 | 243.45 | 丙 | 二 |
| | 光端机室 | 243.45 | 丙 | 二 |
| | 通信仪表室 | 243.45 | 丁 | 二 |
| | 仪表试验室 | 243.45 | 丁 | |

## 三、地下厂房防火分区及安全疏散

### (一)防火分区划分

根据《水利水电工程防火设计规范》中“主厂房、泵房和高度在24m以下的副厂房,其防火分区最大允许占地面积不限”的原则进行划分。地下厂房防火分区划分为主、副厂房区(包括母线洞)和主变压器洞区。

### (二)防火分区的安全出口

《水利水电工程防火设计规范》指出:“地下厂房发电机层应设两个通至屋外地面的安全出口,并至少有一个直通屋外地面。进厂交通洞可作为直通屋外地面的安全出口,厂房出线或通风用的隧道可作为通至屋外地面的安全出口。”基于以上规定,地下厂房各防火分区的安全出口如下:

(1)地下主、副厂房在发电机层设有3个出口:第一个出口为主厂房安装间通往17号交通洞的出口,可直通屋外地面;第二个出口为主厂房右端,经21号交通洞通过3号孔板洞中间闸室通达地面;第三个出口为主厂房左端,可通过地下副厂房及8号交通洞通向地面。

(2)主变压器洞区:第一个出口为33号交通洞,经17号交通洞直通屋外地面;另一个出口为44号洞通往主厂房。1号和4号母线洞直通到主厂房作为另两个辅助安全出口。

### (三)防火分区的分隔措施

主厂房安装间通往17号交通洞的出口处设有防火卷帘门。

主厂房与21号、44号交通洞之间的接口处各设有一道防火门,副厂房与8号施工支洞接口处也设一道防火门,以保证安全疏散。

主变压器洞与17号交通洞接口处设有防火卷帘门,以保证各防火分区和重要疏散通道的安全。

主变压器洞与各母线洞接口处均设防火门分隔。

### (四)防火分区内部交通

主厂房内有6处楼梯从蜗壳层经过以上各层直通发电机层,楼梯净宽大于1m,坡度小于35°。副厂房两端各设一处楼梯自上而下贯穿顶层至底层。

主变压器洞设有2处楼梯贯穿上下层。

### (五)厂房对外安全疏散通道

电站地下厂房设有3个直通地面的交通出口,分别是17号交通洞、8号交通洞和21号交通洞。

(1)17号交通洞:布置在主厂房的安装间段,出口与14号公路相接,断面尺寸为9.2m×8.0m,是厂内主要对外通道,全长540m,距主厂房不远是18号交通洞,有电梯及楼梯与室外地面通道。

(2)8号交通洞:断面尺寸为9m×7m,位于地下副厂房端部156.0m高程,出口与14号公路相连。

(3)21 号交通洞:由主厂房发电机层通至中间闸室电梯井,乘电梯或楼梯可直达坝顶。

(4)4 号电梯井:布置在 17 号交通洞中,可快速通往地面副厂房内。

## 四、地面副厂房

地面副厂房位于 235.0m 高程,为 4 层钢筋混凝土框架结构,200mm 加气混凝土砌块填充墙,总建筑面积 3 550$m^2$,属二类建筑物,耐火等级为二级及二级以上,周围设有环形消防车道。

### (一)防火分区及安全疏散

地面副厂房底层面积 1 600$m^2$,各层走道净宽大于 1.8m,底层层高 4.2m,其余层高 3.6m。各房间距疏散楼梯均小于 20m,设有 2 个楼梯及 2 部电梯,其中一个楼梯自顶层屋面经各层直通底层,另一楼梯通三层经走道可上屋顶平台。电梯下至 17 号交通洞、上至四层。

一层设置中央控制室、继电保护室、公用变压器室、公用配电室、蓄电池室等丙类危险类别的房间及其他丁、戊类危险类别房间;二 ~ 四层为丁、戊类危险类别房间的试验室及办公室。

### (二)消防措施

中央控制室、继电保护室设有火灾自动报警系统及"烟烙尽"固定式气体灭火系统,其他各层设有手提式磷酸铵盐干粉灭火器。

根据各层面积大小不同,一层设有 5 个消火栓,二层设有 3 个消火栓,三层、四层各设有 2 个消火栓,以满足各处均有两股水柱同时到达的要求。消火栓均选用 SNJ65 型减压稳压消火栓。

中央控制室、继电保护室下电缆夹层设置固定式水喷雾灭火系统。消防水来自室外 290.0m 清水池。

电缆进出各房间的孔洞均采用防火材料封堵。电缆竖井穿越各层楼板处采用防火材料封堵。

在地面副厂房外围设大于 4m 宽环形车道,设置 2 个 SS - 100 型室外消火栓。

## 五、机修厂

机修厂是电站进行机械设备检修、加工零部件的场所。小浪底电站机修厂设置了转轮检修车间及机加工车间,其转轮检修车间建筑面积 1 010$m^2$,机加工车间建筑面积 2 800$m^2$,其火灾危险性类别为丁类,建筑物耐火等级为三级。机修厂位于蓼坞生活区内,消防设计考虑如下措施:

(1)建筑物及其相邻建筑物防火间距满足《建筑设计防火规范》有关规定。

(2)设置一定数量的手提式 MFA4 磷酸铵盐干粉灭火器和 4 个 SS - 100 型室外消火栓。

(3)建筑物周围设置环形道路,以便消防车通行。

## 第四节 机电设备消防

### 一、水轮发电机

主厂房内布置 6 台 300MW 混流式水轮发电机组，6 台发电机中 3 台为哈尔滨电机厂制造、3 台为东方电机厂制造，水轮机均为美国 VOITH 公司制造。目前国内对发电机采取的消防措施一般有两种：首先改进发电机内部结构，提高绝缘等级，小浪底电站发电机均采用 F 级绝缘，可有效防止电气事故的发生，以减小火灾危险性；其次是对于单机容量大于 12.5MVA 的发电机设置水喷雾、$CO_2$ 或卤代烷固定式灭火装置。采用水灭火方式不仅经济、可靠，而且有成熟的使用经验，我国水电站广泛采用，故电站 6 台发电机均采用了固定式水喷雾灭火方式。

为保证发电机水喷雾灭火的需要，在发电机风罩内布置有上、下两层灭火环管，环管上设有水喷雾头。上、下灭火环管及水喷雾头均由发电机厂家设计并配套供货。每台发电机均设有发电机灭火控制箱，内配置 1 套 ZSFM－L100 型雨淋阀，控制箱布置在主厂房发电机层上游侧。

发电机消防用水流量为 $198m^3/h$，水喷雾出口压力为 0.29～0.59MPa，灭火延续时间按 20min 计算，得出发电机一次灭火用水量为 $66m^3$。

6 台发电机中均设有火灾自动报警装置，为确保发电机安全可靠地运行，水轮发电机的水喷雾灭火采用手动和自动操作两种方式。

### 二、主变压器

6 台型号为 SSP10－360000/220(220kV、360MVA)的三相双卷油浸水冷却变压器，布置在地下主变压器洞内，2 台 18kV 机端厂用变压器与 1 台 35kV 高压厂用变压器布置在相邻主变压器之间。因变压器之间不满足防火间距要求，故在其间均采用防火隔墙分隔，另外在每台变压器与检修通道之间均设有防火卷帘门。

在 6 台主变压器周围及防火卷帘处均设置水喷雾灭火系统及水幕灭火系统。主变压器消防水量按变压器本体除底面积以外的全部表面积和周围集油坑的面积之和、灭火延续时间为 24min、水喷雾出口压力为 0.59MPa 计算，1 台主变压器一次灭火用水量为 $110m^3$。

消防水来自主变压器消防供水干管，经 2 个 DN150 的雨淋阀组，然后合并成 DN200 的消防水管，供每台主变压器水喷雾消防用水。每台主变均设有上、中、下 3 层环管，其上布置有 ZSTWB－100－90 型水喷雾头 34 个、ZSTWB－60－120 型水喷雾头 10 个。另外，在主变压器室入口防火卷帘门上方设有 DN80 防火卷帘水幕管道，布置有 ZSTM－80－90 型水幕喷头 5 个。在每个主变压器室内布置有点式烟感和红外对射探测器，当两种探测器同时报警后自动打开雨淋阀组进行水喷雾灭火，并关闭防火卷帘。其灭火方式有全自动、手动两种方式。

为防止变压器着火造成油火蔓延危及主厂房及交通洞，造成环境污染，在每台变压器底部基础下设有储油坑，其容积不小于单台变压器20%的油量，坑内铺设厚度不小于250mm、粒径为50～80mm的卵石层。另外，在主变压器洞中设有供主变事故排油用的排油涵管，与各储油坑相连，在6号主变压器端部设有1个公共集油井，其容积大小按1台主变压器储油量和水喷雾灭火水量之和200m³考虑。事故时可将油经储油坑、排油涵管排至公共集油井，以防事故扩大。集油井中油水进行分离后，可由油罐车将油运走。

## 三、开关站

开关站中露天布置有高压断路器，高压断路器选用$SF_6$型，$SF_6$属于不可燃气体，它在常温下理化性能十分稳定；开关站中充油设备仅有电流互感器、电压互感器，故在它们周围配置一定数量的手提式和推车式磷酸铵盐干粉灭火器，一旦发现火情，由人工进行灭火。

另外，在开关站进口处设置有砂箱，并设有4m宽的可供消防车通行的环形道路。

## 四、透平油库及绝缘油库

透平油库及绝缘油库布置在黄河北岸消力塘附近，与14号公路相邻，地面高程为173.0m，占地面积约2 500m²，离地下主厂房约1km。油库由生产区和辅助生产区组成。生产区包括透平油库和绝缘油库、油处理室、值班室、工具间和事故油池。其中透平油库和绝缘油库为露天平行布置，两油库各长22m、宽7.6m，两油库之间为油处理室，油处理室长22m、宽7m。油处理设备分两侧布置，一侧为透平油处理区，另一侧为绝缘油处理区。工具间、烘箱室、值班室等附属生产设施与透平油库和绝缘油库相邻。

透平油库和绝缘油库各布置3只容积为60m³的立式油罐（直径$D=4\ 300$mm，高度$H=4\ 500$mm），储油量均为50m³，总储油量为100m³。油罐不设固定水喷雾灭火装置，在油库周围设有4个室外地下式消火栓，型号为SX65－1.6，其消防水来自290m高程清水池，经地面副厂房和开关站引至油库，引水DN150干管在进油库前需减压，在油库区敷设成环状DN100管网。

为满足消防需要，透平及绝缘油库周围均设有150～200cm高的防火墙，设有1个100m³的事故油池，油库发生火灾时，迅速打开油罐的事故排油阀，将油排至事故油池，以防火势蔓延。为了防止静电产生的危害，油罐均采取接地措施，油罐与油处理室、油处理室与其他房间均采用防火墙分隔，在油罐附近及有关房间设置手提式和推车式泡沫及磷酸铵盐干粉灭火器及砂箱等，用以扑灭局部火焰和冷却油罐。

对于主厂房安装地下的透平油中间油罐（容积15m³，2个），主变压器洞中绝缘中间油罐（容积10m³，2个），设置防火墙、防火门及配备移动式泡沫灭火器等。

## 五、电缆

电站共敷设220kV高压干式电缆约6km，中低压电力电缆、控制电缆、通信电缆约500km。由于电缆火灾事故危害极大，如果在电缆布置集中的夹层、竖井、沟道或廊道内发生火灾，则电缆燃烧产生的浓烟和有毒气体会弥漫。因此，除选用阻燃型电缆外，还采取了一系列防火措施。

**(一)220kV 高压电缆防火**

220kV 高压电缆共计 18 根,单根长度 300～360m。这些电缆直径较大,布置在主变压器洞上层 156.0m 高程的高压电缆层及 19 号、20 号电缆斜井内,每个廊道布置 9 根电缆。高压电缆斜井为丁类危险场所,耐火等级为二级。高压电缆选用干式电缆,在电缆廊道与电缆夹层接口处、电缆斜井上部及电缆斜井中部用防火隔墙分隔。在高压电缆层设有手提式及悬挂式磷酸铵盐干粉灭火器。

**(二)中、低压电缆的防火**

中、低压电缆包括电力电缆、控制电缆、通信电缆。这些电缆数量大,一旦着火,火势将特别凶猛,延燃快,扑救困难。

1.地面副厂房内电缆夹层防火

为确保中央控制室、继电保护室与计算机房的安全运行,在此电缆夹层电缆引入引出孔洞处均用防火堵料进行了封堵,在电缆夹层内设置火灾报警装置及固定式水喷雾灭火装置。

2.电缆廊道、电缆沟防火

电缆廊道、电缆沟主要采用阻火墙的方式将廊道及沟分成若干阻火段,按照规范要求,每隔 120m 左右设一防火隔墙,用来缩小事故范围、减少损失。电缆廊道阻火墙采用了阻火包与有机堵料相结合的方式封堵,而电缆沟内阻火墙采用了成型的电缆沟阻火墙与有机堵料相结合的方式封堵。

3.主厂房内电缆防火

主厂房电缆布置以吊架为主,电缆防火比较困难,电缆按机组段采取了防火分隔的措施,对电缆吊架的分支亦进行了防火分隔。防火分隔采用了阻火包与有机堵料结合的方式,引至电气设备的电缆用涂刷防火涂料或缠绕防火包带的方式防火,当电缆发生火灾时,阻燃材料膨胀阻断火势的蔓延。另外,沿阻燃桥架敷设火灾探测线,报警时可报出火灾发生的地点,以便人工灭火。

4.电缆竖井防火

4 号电梯井内的电缆竖井为主厂房与地面副厂房相互联系的必经之路,该处电缆多且重要。为此,电缆防火采取了装设火灾探测装置及采用防火材料封堵、在封堵层上侧各 1m 范围内涂刷防火涂料等措施。

5.其他部位电缆防火

电缆孔洞的封堵要根据孔洞的大小选择不同的防火材料,比较大的孔洞选用耐火隔板、阻火包和有机防火堵料封堵,小孔洞用有机防火堵料封堵。

当重要电缆采用其他防火方式有困难时,选用了防火包带或防火涂料进行防火。当发生火灾时,就近利用消火栓、灭火器及砂箱等工具灭火。

## 六、机端变压器及厂用配电装置

**(一)发电机电压配电装置防火**

发电机电压配电装置布置在主厂房与主变压器洞之间的母线洞内,高程为 139.0m,电压互感器采用干式并封装在有金属外壳的互感器柜内,电流互感器装于封闭母线内,着火的可能性大为降低，为丁类火灾危险性场所，该设备灭火主要靠移动式灭火器灭火。

**（二）厂用变压器及配电装置防火**

1 台 35kV 高压厂用变压器布置在主变压器洞内 6 号主变压器一侧，为干式变压器，采用移动式灭火装置。

低压厂用变压器均采用干式变压器，分别布置在副厂房、母线洞、安装间下层及尾水防淤闸门室内；10kV、0.4kV 厂用配电装置主要布置在母线洞、副厂房及尾水防淤闸门室专用房间内；10kV 开关选用无油的真空断路器，以减小火灾危险。火灾危险性分类为丁类，采用手提式灭火器或悬挂式灭火器灭火。

# 第五节　消防供排水及气体灭火

## 一、消防供水系统

电站的消防供水系统分两部分：机电设备消防水系统和建筑物消防水系统。机电设备消防用水包括 6 台水轮发电机、6 台主变压器和地面副厂房电缆夹层的水喷雾灭火系统；建筑物消防用水主要包括地面副厂房、坝顶控制楼、油库、地下副厂房、地下主厂房及主变廊道等部位的消火栓灭火系统。

**（一）消防水源及消防用水量**

电站消防水源来自坝顶控制楼附近 290.0m 高程的 2 000$m^3$ 清水池，此清水池作为工程施工期间的施工用水水源，其补充水源来自大坝下游黄河滩地的地下水，经三级泵站进行加压后供给，工程竣工后该水池作为电站的生活、消防用水水源。清水池由 2 个1 000 $m^3$ 水池组成，可互为备用，能满足最大一次消防用水量的要求。各个消防用户消防用水量见表 15-5-1 及表 15-5-2。

**表 15-5-1　　机电设备消防用水量**

| 消防部位 | 水喷雾头型号 | 水喷雾头流量（L/min） | 同时使用水喷雾头数量（个） | 火灾延续时间（min） | 一次灭火总用水量（$m^3$） |
|---|---|---|---|---|---|
| 地面副厂房电缆夹层 | ZSTWB－30－90 | 30 | 82 | 24 | 60 |
| 主变压器（每台） | ZSTWB－100－90 | 100 | 34 | 24 | 110 |
| | ZSTWB－60－120 | 60 | 10 | 24 | |
| | ZSTM－80－90 | 80 | 5 | 24 | |
| 发电机（每台） | 机组配套 | 机组配套 | 20 | 20 | 66 |

**（二）消防供水管道**

消防供水干管采用双路供水，2 根 DN250 主干管从 290.0m 高程的清水池自流引出后，在清水池出口处分叉引出 2 根 DN100 的水管，供坝顶控制楼消防、生活用水；2 根主干管在经过 16 号公路时，又引出 2 根 DN150 的水管，供坝顶冲淤用水。之后，2 根消防主干管变为 DN200 且继续并行敷设，经溢洪道下方的便桥到达地面副厂房，在此引出2根 DN200 的水管，在地面副厂房外围形成环管，供地面副厂房消防、生活及绿化用水。紧邻地面副厂房的开关站的绿化用水也从地面副厂房厂区环管取得。2根消防主干管再由地面副厂房并行敷设至8号交通洞。在洞口处引出1根 DN150 的水管，沿着14号公路路边敷设，一直到达厂外油库，供其消防及生活用水。2根并行的消防主干管继续沿8号交通洞进入地下副厂房管道井，再顺着地下副厂房管道沟到达地下主厂房安装间。至此，2根并行的消防主干管分开布置，第一根在安装间下层空压机室通过过滤器、减压阀减压至0.79MPa 后，沿主厂房水轮机层上游敷设；另一根在主厂房水轮机层6号机组端头通过过滤器、减压阀减压至0.79MPa 后，沿着6号母线洞进入主变压器洞，在主变压器洞内形成主变消防供水干管，并贯穿1～6号主变压器室。该干管再经2号母线洞并联的支管进入到主厂房水轮机层1号机组端头，与主厂房内的另一根消防供水主干管交会，使整个消防系统形成环状管网，满足消防供水的要求。而地下主厂房、地下副厂房、发电机、主变压器室等消防用户均直接从此环状管网取水。

表 15-5-2 建筑物消防用水量

| 消防部位 | 同时使用水枪数量(支) | 每支水枪最小流量(L/s) | 火灾延续时间(min) | 消火栓总数(个) | 消火栓型号 | 一次灭火总用水量($m^3$) |
|---|---|---|---|---|---|---|
| 地面副厂房 | 2 | 5 | 120 | 12 | SNJ65 | 72 |
| 地面副厂房 | 2 | 10 | 120 | 2 | SS100－1.0 | 144 |
| 油库(室外) | 2 | 5 | 120 | 4 | SX65－1.6 | 72 |
| 地下副厂房 | 2 | 5 | 120 | 8 | SNJ65 | 72 |
| 地下主厂房 | 5 | 5 | 120 | 25 | SNJ65 | 180 |
| 主变廊道 | 2 | 5 | 120 | 6 | SNJ65 | 72 |

**(三)坝顶控制楼消防供水**

供坝顶控制楼消防、生活用水的2根 DN100 供水管，进入设在清水池旁边的水泵房，其内布置有2台生活泵、2台消防泵。2台消防泵为 IS80－50－200 型消火栓给水泵，一主一备。水泵的2条出水管与坝顶控制楼室内消火栓管网相连，构成临时高压给水系统。

主楼一层设4个 SN65 消火栓，二～四层每层设3个 SN65 消火栓，屋顶设1个 SN65 试验用消火栓。配楼每层设1个 SN65 消火栓。室内消火栓管网连成环状。每个消火栓箱内设自动起泵按钮。屋顶设 24$m^3$ 水箱，其中消防用水 12$m^3$。屋顶水箱间设2台增压泵，一主一备。

**(四)地面副厂房消防供水**

地面副厂房是电站的控制中心，从消防的角度考虑，是工程应重点设防的部位。地面副厂房所处位置地面高程为235.20m，共有4层，其顶层楼面高程为246.60m，一层设有电站中控室、继电保护室等重要房间，地下一层231.20m 高程为电缆夹层。地面副厂房消防给水系统包括室内消火栓系统、室外消火栓系统、电缆夹层水喷雾灭火系统，采用自流供水满足消防水压及水量的要求。

1. 电缆夹层水喷雾灭火系统

从 DN200 的厂区消防环管取水后，通过预埋套管进入电缆夹层，经过闸阀、GYC 型过滤器、隔膜卧式雨淋阀组及闸阀之后，在室内形成 DN125 的环状管路，其上布置有 82 个 ZSTWB－30－90 型水喷雾头，单个喷头所需水量为 30L/min。在电缆夹层内布置有感温、感烟火灾探测器，使灭火系统具有自动报警功能，并且可选择自动、手动两种控制方式。

2. 室内消火栓系统

从 DN200 的厂区消防环管引 5 路水管供给室内消火栓系统。根据各层面积大小不同，一层设有 5 个消火栓，二层设有 3 个消火栓，三层、四层各设有 2 个消火栓，以满足各处均有两股水柱同时到达的要求。因一层与四层消防水压相差较大，而系统为常高压给水系统，所以消火栓均选用 SNJ65 型减压稳压消火栓。

3. 室外消火栓系统

地面副厂房厂区设 2 个室外地上式消火栓，型号为 SS100－1.0。

**（五）厂外油库消防供水**

厂外油库内储油罐的最大容积为 $60m^3$，可以不设水喷雾灭火系统。油库所处位置地面高程为 173.0m，从 DN150 的消防水管取水减压后，在厂区敷设成环状 DN100 管网，供给油库室外消火栓系统。油库库区共设有 4 个室外地下式消火栓，型号为SX65－1。

**（六）地下厂房及主变压器室消防供水**

地下主厂房消防给水系统主要包括室内消火栓系统、发电机水喷雾灭火系统和主变压器水喷雾灭火系统。地下副厂房紧邻地下主厂房安装间，其消防给水系统仅为室内消火栓系统。

1. 地下主厂房

在地下主厂房发电机层、母线层、水轮机层的每个机组段均布置 1 个 SNJ65 型减压稳压消火栓，各机组段均设有 DN100 的消防立管，布置在主厂房上游夹墙内，消火栓从此立管引出。为了发电机水喷雾灭火的需要，发电机风罩内布置有上、下两层灭火环管，环管上设有水喷雾头。上、下灭火环管及水喷雾头均由发电机厂家设计并配套供货。每台发电机设有发电机灭火控制箱，内配置 1 套 ZSFM－L100 型雨淋阀，控制箱布置在主厂房发电机层上游侧墙，雨淋阀水源也自消防立管引入。为确保发电机安全可靠地运行，水轮发电机的水喷雾灭火采用手动和自动两种操作方式。

地下厂房安装间段在发电机层设置了 SNJ65 型减压稳压消火栓 3 个，在安装间段母线层及水轮机层各设置了 SNJ65 型减压稳压消火栓 2 个。

2. 地下副厂房

地下副厂房共有 4 层，其一层地面高程为 145.25m，四层楼面高层为 156.00m，从经减压后的消防主干管引水至地下副厂房室内消火栓系统，每层均设有 2 个 SNJ65 型减压稳压消火栓。

3. 主变压器室

从主变消防供水干管取水，经 2 个 DN150 的雨淋阀组，然后合并成 DN200 的消防水管，供每台主变压器水喷雾消防用水。每台主变均设有上、中、下 3 层环管，其上布置有 ZSTWB－100－90 型水喷雾头 34 个、ZSTWB－60－120 型水喷雾头 10 个。另外，在主变压器室入口防火卷帘门上方设有 DN80 防火卷帘水幕管道，布置有 ZSTM－80－90 型水幕喷头 5 个。在每个主变压器室内布置有点式烟感和红外对射探测器，当两种探测器同时报警后自动打开雨淋阀组进行水喷雾灭火，并关闭防火卷帘。其灭火方式可选择自动、手动两种控制方式。

在主变压器室外的运输廊道内，分机组段设置了 6 套 SNJ65 型减压稳压消火栓。

## 二、消防排水系统

### （一）水喷雾排水

设有固定式水喷雾（水幕）灭火装置的场所，其消防用水量较大，容易积水并造成淹没损失，故采取以下排水措施：主变压器消防用水排至事故集油井中，发电机水喷雾灭火用水通过水轮机层排水沟排至主厂房渗漏集水井或至水轮机尾水管中，地面副厂房中央控制室、继电保护室下部电缆夹层灭火用水通过排水泵排至厂外排水系统中等。

### （二）消火栓排水

设有消火栓场所，其排水措施如下：

（1）地下主、副厂房和母线洞灭火用水可通过水轮机层排水沟排至渗漏集水井。

（2）地面副厂房灭火用水可排至厂外排水系统中。

（3）主变压器洞灭火用水可排至事故集油井中。

## 三、固定气体灭火系统

设计考虑地面副厂房中央控制室及继电保护室的重要性和消防对象的性质，经论证，在中控室及继保室设置了能替代卤代烷的烟烙尽气体灭火系统，烟烙尽是由 3 种惰性气体组成的灭火剂，对大气无污染，其灭火及报警设备均为美国进口产品。

烟烙尽气体灭火系统的最小设计浓度为 37.5%（160℃时），最大设计浓度为 42.8%（320℃时），系统采用全淹没设计，经计算，灭火剂的设计浓度为 39%，灭火剂的用量为 834$m^3$。中控室与继保室之间有轻型隔断分隔，总建筑面积 315$m^2$。作为一个保护区，因布置有吊顶，故中控室需布置 4 个带挡流板的喷头，配 435 号钢瓶（$V = 12.3m^3$）20 个；继保室需布置喷头 8 个，分上、下两层布置，其中下层 4 个为边墙型喷头，配 435 号钢瓶 48 个。钢瓶室布置在地面副厂房中控室附近一个 27$m^2$ 的房间内，布置 3 组共 68 个钢瓶。

中控室及继保室均布置有感烟和感温探测器，分成 2 个独立的报警区域，可以完成整个灭火过程，控制系统设有自动、手动和应急操作 3 种控制方式。

## 四、移动式灭火器的配置

移动式灭火器是在各建筑物内所设置的消火栓灭火系统、水喷雾灭火系统及气体灭火系统的基础上，参照《建筑灭火器配置设计规范》的有关要求进行配置。主体工程灭火器的配置分为两部分：一是电站部分，主要包括地面副厂房、地下副厂房、地下主厂房、主变压器室及其运输廊道、1～6 号母线洞、油库、开关站、220kV 高压电缆洞等；二是泄水建筑物及消力塘部分，有进水塔、中闸室、泄水建筑物的出口、消力塘内泵房、大坝各廊道内需重点防火的部位等。

# 第六节 电站厂房事故排烟

## 一、主厂房事故排烟

**(一)机械排烟**

电站地下主厂房由水轮机层、母线层、发电机层等共同构成一个主厂房防火分区,与外区域相通之处均设有防火措施,通风系统则设有防火阀。在发电机层5号机组上方拱顶设有一个直径3m、高105m的1号通风竖井,在竖井顶端的风机室内布置有2台总排风量为170 000$m^3$/h的通风排烟机,主要作为主厂房的通风使用,火灾时作为主厂房的排烟使用,气流组织为自下而上(自水轮机层、母线层到发电机层),单台机组最大排烟量为273$m^3$/($m^2$·h),《水力发电厂厂房采暖通风与空气调节设计规范》要求单台机组为120$m^3$/($m^2$·h)。

除此之外,该区域还设置有用于增加气流扰动的轴流通风机7台(设备布置在水轮机层)、通过操作廊道向水轮机层送风的通风机1台(60 000$m^3$/h)、通过技术供水管井向安装间下层送风的通风机2台(60 000$m^3$/h)。每个送风口均设置有防火阀(70℃自动关闭),主厂房无论何处一旦发生灾情,均可通过消防监控系统迅速关闭通风设备的运行,避免灾情因通风系统而进一步扩大。该系统内的几个照明变配电设备室为区内重点防护对象,为此将照明变配电设备室分割为几个独立的防护分割,进风口设置有防火阀(70℃自动关闭),排风均为独立的排风系统通过夹墙风道和1号竖井直接排出厂外。同时受控于火灾报警系统的还有空压机室、回水泵室的通风机,在接到火灾报警信号后也关闭运行。

用于热风采暖的发电机取风口处设置有电控风阀,依据火灾状况可通过控制信号直接关闭,以保证发电机设备的安全。

发电机层拱顶设置有280℃可自动关闭的排风排烟风口42个,并联控1号风机室排风机关闭运行。如果在自然通风状态下运行,还可通过火灾报警信号关闭1号风机室自然通风风阀,起动风机进行机械排烟。

**(二)自然排烟**

在厂内发生火灾的同时又发生全厂性停电事故或由其他原因造成排烟风机不能投入运行时,主厂房内的自然排烟将起主要作用。因主厂房的排烟竖井无论冬季还是夏季只能产生正热压而不会产生反热压。其原因是在最不利的夏季室外气温虽高,但是室外高温空气流经进厂交通洞进入厂内后的温度将降至26℃以下,而室内烟气温度一般不会低于60℃(火灾初期烟气温度),在最不利条件下竖井内烟气平均温度也不会低于50℃。即不管在何种情况下,进入厂内的空气温度绝不会高于竖井内的烟气温度,也就是说,小浪底电站地下厂房内不会出现一般高层建筑中的反热压作用。

## 二、主变压器洞事故排烟

**(一)机械排烟**

主变压器洞是小浪底电站重要的防火区域之一,该洞共设有6台主变压器、1台厂用变压器和2台机端变压器,集中了全厂绝大多数的易燃电气设备。因此,做好对主变压器洞的火灾防范及事故排烟尤其重要。

该洞右端顶部设有1个直径3m、高91m的通风排烟竖井，在竖井顶端地面上设有风机室，室内布置有总排风量为438 000$m^3$/h的排烟风机3台，竖井底部直接与主变压器洞排风排烟道相接。该系统以正常通风为主，并兼顾排烟功能，排烟时，单个区域单位面积排风排烟量为254$m^3$/($m^2$·h)，换气次数为21次。主变压器洞内每台设备均单独放置在一个房间，形成一个单独的防火分隔。该变压器室外墙下部设有防火进风口，顶部有排风排烟管与主变压器洞拱顶的排烟道直接相连，排风管上设置有排风排烟阀(280℃可自动关闭)。因每个设备均为一独立的防火分隔，无论主变压器洞何处有火情，均不会危及其他设备的安全运行。如果在自然通风状态下运行，还可通过火灾报警信号关闭3号风机室通风风阀，起动风机进行机械排烟。

主变压器室上部设有一电缆层，与电缆层相通的两条电缆洞口均设有防火阀、防火门，该层顶部设有排烟风阀，与主变压器洞吊顶排风排烟道相连，以便排除该层的烟雾。设置在该层的回风机，无论该层何处发生火灾，均可通过消防监控系统随时关闭通风设备及其装置的运行。

19号、20号高压电缆洞按自然通风设计，但考虑夏季极端情况下可能出现通风状况恶劣的现象，因而在主变压器洞电缆层与2条电缆洞交叉口处均设有通风防火阀及轴流通风机，风机作为夏季工况的通风备用。

**(二)自然排烟**

在主变压器室着火的同时，排烟风机也因某种故障无法投入运行的极特殊情况下，自然排烟将成为主要的排烟方式。自然排烟的效果虽然不如机械排烟，但是自然排烟比机械排烟的可靠性高。由于主变压器洞右端设有一个高为91m的通风竖井，剧烈燃烧产生的高温烟气沿排风烟道进入竖井后产生巨大的抽吸作用，因而可实现自然排烟的功能。

## 三、地下副厂房事故排烟

地下副厂房采用机械送风、自然排风及机械排烟的方式。整个地下副厂房共设有送风机1台、排烟风机1台(排烟量为60 000$m^3$/h)、轴流通风机10台、换气扇1台。除各层廊道和易燃场所变、配电室，电缆夹层、继保室以及参观大厅设有机械排烟设施外，其他场所均为一般通风换气。送风系统涉及到上述场所的支风管上均安装有防火调节阀，以防事故通过风管扩散。当灾情发生时，通过消防监控系统关闭所有正在运行的通风设备，开启排烟风机及相应部位的排烟防火阀和风口，进行事故排烟。当烟温达到280℃时，排烟防火阀自行关闭，同时连锁排烟风机停止运行，待火灾扑灭后再起动排烟风机及相应风口风阀，排除室内残留烟雾。

蓄电池室采用免维护阀控式密封铅酸蓄电池，送风口为防火风口，用于室内通风换气的轴流风机为防爆型设备，换气次数为9次/h，满足《水力发电厂厂房采暖通风和空气调节设计技术规定》6次/h的要求，室内空气通过夹墙风道排至拱顶经1号通风竖井直接排出厂外。同时风机作为非消防电源控制，火灾时停止通风机运转。

## 四、地面副厂房及室外油库事故排烟

地面副厂房各房间均采用自然排烟方式，室外油库的油处理室烘干机室等均采用机械排烟设备排除由于火灾引起的烟气。

主厂房内中间油库及油处理室设置有专用的防爆型排烟风机，换气次数为 10 次/h。系统进风口为防火风口，室内空气通过夹墙及竖井直接排出厂外。

# 第七节　消防电源及疏散标志

## 一、泄水建筑物消防电源及疏散标志

### (一)消防电源及配电系统

枢纽供电共有 4 个电源，其中 2 回分别来自东河清变电站两段 10kV 母线，作为主供电源；另 2 回分别来自厂用电 10kV 两段母线，作为备用电源。该 4 个回路均引至坝顶控制楼配电楼后，分别引至各配电中心。

枢纽各建筑物消防电源均就近取自各建筑物的配电中心，各配电中心均采用双电源单母线分段接线供电，段与段之间互为备用，并设有备用电源的自动投切装置，即使某一段失电，通过自动投切装置仍能保证连续供电。

### (二)应急照明与安全疏散指示标志

枢纽建筑群设工作照明和应急照明，均由交流电源供电，除坝顶控制楼外，照明系统的交流电源均取自各建筑物的配电中心。坝顶控制楼配电楼内设 1 台带负荷自动调压的变压器供电。

坝顶控制楼内和进水塔塔顶配电中心均设置工作照明和应急照明灯具。坝顶控制楼内还设有疏散指示标志照明。应急照明灯具及疏散指示标志灯具均自带应急电源，其应急照明时间大于 30min。

## 二、电站消防电源及疏散标志

### (一)消防电源及配电系统

电源取自电站 400V 全厂公用电系统，有 4 个电源供电，即由本电站 3 号、6 号机端厂变、220kV 厂用变压器及由蓼坞变电站引来的 35kV 厂变供电，即使全厂停机时仍有两电源供电，保证了消防供电的可靠。消防用电设备均按一类负荷供电，分别接至各段低压母线上。因为厂用母线间均互为备用，并设有备用电源自动投入装置，即使某一段母线失电，通过自动投切装置仍能保证连续供电。

### (二)备用照明与安全疏散指示标志

电站设工作照明、备用照明和应急照明，正常情况下均由交流电源供电，照明系统的交流电源采用 3 台有载调压变压器供电，互为备用，保证供电可靠与供电电压的稳定。工作照明系统交流电源一旦失电，备用照明可通过直流蓄电池组及交直流逆变器得到交流电源，为重要工作场所提供不间断照明。

在较重要的工作场所、火灾疏散通道、公共楼梯出入口及转弯等处设置交直流两用应急照明灯具及疏散指示标志灯具，灯具自带应急电源，其应急照明时间大于 30min。

# 第八节　火灾自动报警及消防联动控制

小浪底工程火灾自动报警及消防联动控制根据《火灾自动报警系统设计规范》和《水利水电工程设计防火规范》的要求,以及各建筑物布置、火灾探测保护的不同对象等进行设计。

系统设备选用美国 HONEYWELL(霍尼威尔)公司火灾报警消防控制系统 XLS1000 型,XLS1000 型火灾报警控制器回路采用二总线连接方式,其回路可连接成环形回路,亦可连接成非环形回路。每台控制器可连接 5 个回路,每回路可连接 125 个探测器和 125 个模块及手动报警按钮。各控制器之间采用 R485 通信接口组成令牌环网,控制器之间最远距离可达 1 500m。总线和通信线采用双绞线。每个探测器、模块、手报均带有 CPU 微处理器,智能探测器可实时连续探测、自动补偿、自诊断。

## 一、区域划分

系统按地域分为两部分:电站部分和坝顶控制楼部分。所有总线回路采用环路设计。

电站地面副厂房继电保护室设有 2 台火灾报警及消防联动屏,接有 7 个总线回路。其中地面副厂房 2 路:地面副厂房一层、电缆夹层、电缆廊道和电缆竖井一路,其他层一路;地下 5 路:地下主厂房 1 ~ 3 号机组段一路,4 ~ 6 号机组段一路,地下副厂房、安装间一路,1 ~ 3 号主变段和母线洞一路,4 ~ 6 号主变段和母线洞一路。

地面副厂房继保室火灾报警控制器和坝顶控制楼火灾报警控制器之间用通信线连接,形成网络,各自独立运行。地面副厂房中央控制室设有 1 套火灾报警上位机系统。

## 二、布置及功能

### (一)水轮发电机和主厂房各层

在水轮发电机风道内设抗工频电磁场的 8 个感烟探测器和 8 个感温探测器。水轮发电机的水喷雾灭火采用手动和自动操作两种方式。手动操作在火灾确认后在地面继保室火灾报警联动屏上或现地控制箱上通过硬线连接进行。自动操作是在感烟和感温探测器火灾信号、发电机内部故障信号、发电机出口断路器跳闸动作信号全部发出后通过模块自动打开雨淋阀进行水喷雾灭火。

主厂房发电机层大空间设红外对射探测器,对射探测器的发射器和接收器分别布置在厂房上下游侧吊车梁下的墙上,距地高度为 7.5m。每个机组段设 2 组,相邻两组探测器的距离为 13m。

发电机层、母线层、水轮机层下游侧墙上每个机组段设 1 个手动报警按钮和 1 个声光报警器,上游侧墙上的消火栓箱内设消火栓起动报警按钮。

母线层、水轮机层、母线洞的电缆桥架设缆式定温火灾探测器。

火灾时切断水轮机层上游侧墙上的排风机电源,接收厂房吊顶排烟排风阀 280℃关闭信号并联动 1 号通风竖井通风机停。

### (二)主变压器洞

每个主变压器室顶每个梁间设 1 个点式感烟探测器和 1 组红外对射探测器组成“与”门,报警后自动打开 2 台雨淋阀进行水喷雾灭火。其他变压器和配电室内设点式感烟探测器。

主变压器洞室外墙上共设 5 个手动报警按钮和 5 个声光报警器,墙上的消火栓箱内设消火栓起动报警按钮。156m 高程电缆夹层下游侧墙上共设 5 个手动报警按钮和 5 个声光报警器。

**(三)安装间和地下副厂房**

地下副厂房和安装间在各层楼梯口和走廊处设有手动报警按钮和声光报警器。墙上的消火栓箱内设消火栓起动报警按钮。各房间和安装间 139m 层电缆隧道内设点式感烟探测器。

**(四)地面副厂房和电缆竖井**

中央控制室、继电保护室按气体灭火厂家要求设置了相应配套的点式感烟和感温探测器组成“与”门,火灾确认后可自动或手动打开气体灭火系统。报警和动作信号通过模块送到电站火灾报警系统。

继保室电缆夹层设点式感烟和感温探测器组成“与”门,报警后联动打开雨淋阀灭火。其他各层房间和部位设有点式感烟探测器,走廊楼梯和电梯前厅处设有手动报警按钮和声光报警器。

火灾时联动控制相关层的照明和空调断电、声光报警、电梯迫降。

电缆隧道共设有 16 个点式感烟探测器,在顶板下居中均匀布置,间距不大于 10m。

4 号电梯井旁电缆竖井高度约 100m,通往地下厂房 17 号交通洞。电缆竖井共设有 18 个点式感烟探测器,布置在每个作电缆封堵的检修平台下。

**(五)火灾报警及消防联动控制屏和上位机系统**

在地面副厂房继电保护室设有 2 台火灾报警及消防联动控制屏,接有地面副厂房 2 路和地下 5 路共 7 个总线回路和电源回路。在火灾报警及消防联动控制屏上通过多线连接,可直接手动控制 6 台发电机水喷雾灭火系统的雨淋阀打开进行灭火。

在地面副厂房中央控制室设有火灾报警系统的上位机(图文显示终端),包括 1 台 DELL586 计算机、1 台 DELL20 英寸彩色显示器、1 台 MJ1500K 彩色喷墨打印机、1 台 UPS1000W 在线后备电源,布置在消防控制台上。

在计算机上能实现所有的火灾报警及联动控制功能,并打印出来。有故障和火灾报警信号时能自动显示相应的报警和联动设备的布置图,能对消防设备联动逻辑关系和布置图进行修改。有运行人员在此 24h 值班,中央控制室设有 119 消防专用电话。

## 三、系统供电

火灾报警控制器和上位机系统采用主电源和直流备用电源供电。主电源从继电保护室双电源进线直接引至配电屏。上位机系统直流备用电源采用 1 台 UPS1000W 在线后备电源,火灾报警控制器直流备用电源采用 1 台专用蓄电池。

### 四、系统接地

火灾报警系统采用共用接地装置，使用电站公用接地网接地，接地电阻小于 0.5Ω。火灾报警系统采用专用接地干线从专用接地板引至接地网。

### 五、系统布线

火灾报警和联动控制系统的回路总线和电源线采用 ZR－RVS 型阻燃双绞线，火灾报警探测回路总线采用 ZR－RVS－1.5，电源线采用 ZR－RVS－2.5。

地下 5 个火灾报警回路的导线从继保室火灾报警控制器屏沿电缆夹层到 4 号电梯井旁电缆竖井，再沿竖井到地下厂房 17 号交通洞，再到各部位。所有回路总线和电源线除主变压器洞、安装间、地下副厂房等部分部位穿预埋钢管敷设外，其他部位导线都穿阻燃普利卡金属软管和涂防火涂料的金属槽盒敷设。

## 第九节　系统验收

小浪底工程消防系统随相应部位土建施工同步进行，施工周期很长。小浪底工程机电安装及相应土建施工历时 3.5 年，且要求每 5 个月有 1 台机组投产，这就要求消防系统安装也要分期投运，以满足机组起动验收对消防的要求。

消防系统验收分为几个步骤：施工及安装过程由现场监理工程师验收；与 1 台机组相关的消防工程在全部调试完成后，由专业消防检测公司专业人员对各元件、设备、线路进行检测，并做报警、联动、喷洒等试验，出具现场检测意见书，作为机组起动验收组审查资料之一备查；主体工程完成后，在专业消防检测公司对工程全部消防设施进行检测并提出检测意见书后，由河南省消防总队组织进行工程消防系统专业验收，并作为工程竣工验收的必备条件之一。

在历次消防检测和验收中出现的主要问题是消防联动和事故排烟。由于整个施工周期较长，联动和排烟都是按防火分区要求设计的，而实际施工是按机组段进行的，联动和排烟的最终调试只能安排到全部机组安装完成之后进行。故在全系统调试时，因各机组段安装后未及时投运，闲置时间长，又在施工期，消防报警及联动设备时有失效或失灵的现象，给最终调试增加了很多工作量。为此，建议在今后类似工程消防设计和施工中，涉及全厂性的报警系统安装可安排到电站最后一台机组安装时进行，而每台机组的灭火设施则应与机组安装同时进行并同时投运。

2002 年 8 月，河南省公安消防总队主持成立了小浪底水利枢纽工程竣工消防专项验收委员会，对小浪底工程消防进行专项验收，并提出了应整改的具体意见。2002 年 9 月，河南省公安消防总队组织进行消防专项复查，认为小浪底水利枢纽消防系统符合国家消防技术标准规定，予以通过消防专项验收，同意投入使用，并颁发了小浪底工程竣工消防专项验收合格证书。

# 第十六章　通　风

## 第一节　设计基本资料

### 一、室外气象资料

小浪底工程地处暖温带山区，属大陆性气候，多年平均气温13.7℃，极端最高气温43.7℃，极端最低气温-17.2℃。

根据《水力发电厂采暖通风和空气调节设计技术规定》(GBJ19—87)中有关室外空气计算参数统计方法的规定，以孟津县、济源市及小浪底气象台站统计资料为依据，确定电站室外空气计算参数如下：

| | |
|---|---|
| 夏季通风室外空气计算温度 | 30℃ |
| 夏季通风相对湿度 | 63% |
| 夏季空气调节湿球温度 | 27℃ |
| 夏季空气调节干球温度 | 35.6℃ |
| 冬季通风干球温度 | 0℃ |
| 冬季空气调节室外计算温度 | -8.5℃ |
| 冬季空气调节室外计算相对湿度 | 51% |
| 最热月平均温度 | 26.5℃ |
| 最热月平均相对湿度 | 75% |
| 年平均温度 | 13.7℃ |
| 极端最低温度 | -17.2℃ |
| 极端最高温度 | 43.7℃ |
| 冬季大气压力 | 98.7kPa |
| 夏季大气压力 | 96.9kPa |
| 地表面年平均温度 | 16.2℃ |
| 最冷月月平均温度 | -0.5℃ |
| 冬季采暖室外计算温度 | -5℃ |
| 夏季室外风速 | 2.7m/s |

### 二、室内空气设计参数

根据《水力发电厂采暖通风和空气调节设计技术规定》中的有关规定，并结合小浪底电站布置特点而确定主副厂房室内的温度、湿度设计标准。考虑到电站规模较大，工程社会影响也大，地位较特殊，具有旅游开发价值，设计中主厂房参数比规定中的标准略有提高。室内空气设计参数详见表 16-1-1。

**表 16-1-1　　室内空气设计参数**

| 序号 | 生产场所 | 夏季 | | 冬季 | | |
|---|---|---|---|---|---|---|
| | | 工作区温度(℃) | 相对湿度(%) | 正常运行工作区温度(℃) | 相对湿度(%) | 停机或机组检修时工作区温度(℃) |
| 1 | 主厂房发电机层 | ≤30 | ≤75 | 15 | <60 | >5 |
| 2 | 主厂房母线层 | ≤30 | ≤75 | 15 | <60 | >5 |
| 3 | 主厂房水轮机层 | ≤30 | <80 | 12 | <60 | >5 |
| 4 | 水泵房 | ≤30 | ≤80 | 12 | <70 | 5 |
| 5 | 主变压器室<br>厂用变压器室 | 34 | <70 | | 不规定 | >5 |
| 6 | 母线廊道 | 34 | 不规定 | 不规定 | 不规定 | >5 |
| 7 | 空压机室 | 30 | <80 | ≥10 | ≤80 | >5 |
| 8 | 机修间 | 28 | ≤70 | ≥10 | ≤75 | >10 |
| 9 | 电气修理间 | 28 | ≤70 | ≥10 | ≤75 | >10 |
| 10 | 电气试验室 | 28 | ≤70 | >12 | <70 | >12 |
| 11 | 电抗器室 | 35 | | 不规定 | 不规定 | 不规定 |
| 12 | 继电保护室 | 35 | | 16~18 | ≤70 | 16~18 |
| 13 | 油库、油处理室 | ≤30 | ≤75 | 不规定 | 不规定 | 不规定 |

## 三、机电设备与照明灯具发热量

在工程的初步设计与招标设计阶段，由于机电设备尚未最终定货，机电设备与照明灯具的发热量无法准确计算。设计中根据设备选型情况，按电站最大可能运行工况 5 台机组同时运行时的机电设备及全厂照明灯具发热量的发热量进行计算，在施工图设计阶段进行了复核。计算中考虑了负荷系数、同时利用系数等因素。厂房不同区域机电设备及全厂照明灯具发热量的计算结果见表 16-1-2。

**表 16-1-2　　厂房不同区域机电设备与全厂照明灯具发热量**

| 部　　位 | 发热量(kW) |
|---|---|
| 发电机层 | 240 |
| 母线层 | 126 |
| 水轮机层 | 37 |
| 安装间下层 | 357 |
| 主变压器洞 | 533 |
| 高压电缆洞 | 112 |
| 地下副厂房 | 111 |
| 母线洞 | 530 |

# 第二节 通风系统设计

## 一、地下厂房主要布置情况

小浪底电站为地下式厂房,地下厂房(含地下副厂房)、主变压器室、尾水洞三洞室平行布置。按照消防防火分区的需要,划分为主厂房(含6条母线洞)分区、副厂房分区、主变压器洞分区和尾水闸门室分区等几个防火分区。各防火分区之间采用防火卷帘门或防火阀进行分隔。

地下厂房与室外相通的洞室主要情况如下:

(1)主变压器洞位于主厂房下游、尾闸室上游侧,主变压器洞通过6条母线洞及17号进厂交通洞与主厂房相连通。

(2)尾水闸门室通过33号洞及17号进厂交通洞与主变压器洞、主厂房相连通。

(3)17号进厂交通洞为整个地下厂房系统与室外连通的主要通道,总长约522m,洞断面尺寸为9.2m×8m,从室外直通主厂房安装间,并与主变压器室和尾水闸门室的左端相连通。

(4)8号施工交通洞是为了方便厂房顶部开挖和机组压力钢管施工期间的对外通道,工程建成后作为整个地下厂房系统通往室外的第二条通道,总长约452m,洞断面尺寸9.2m×7m,从室外直通地下副厂房156.00m高程。

(5)在主变压器室下游侧布置了两条高压电缆洞(19号、20号)与地面开关站相通。洞断面尺寸为4.2m×3.5m,长度分别为131m和110m,斜洞段的水平夹角为37°。

(6)电站每2台机组合用1条明流尾水洞,3条尾水洞洞身直线段中心距53m,靠近出口处中心线间距38m。洞身段净高19.0m,净宽12.0m,底板高程为126.0~125.0m,拱顶高程为145.0~144.0m,长度为805~907m不等。

为满足通风需要,分别在主厂房、尾闸室和主变压器洞的顶部设有通至地面的1号、2号和3号通风竖井,井高分别为109.75m、115.35m和87.85m。

## 二、设计原则

通风系统的设计包括整个地下厂房系统的主、副厂房,主变压器洞,母线洞,高压电缆出线洞及尾水闸门室等处所需的通风换气、降温降湿,以满足机电设备及运行人员的工作环境需要。经比较,通风方式选用机械送风与机械排风相结合的强迫通风方案。设计中考虑了如下基本设计准则:

(1)通风空调系统方案及其设备选择应经济合理、节能、便于维修。

(2)充分利用电站现有的洞室通道及厂房围护结构作通风及事故排烟道,以节约工程投资,减少施工工程量,并避免与电气设备相干扰。

(3)充分考虑利用地下厂房岩体壁面等对空气进行的热湿交换的自然调节作用,合理使用天然冷源。

(4)根据各房间对空气温度、相对湿度的不同要求,厂房通风系统采用不同的通风方案,并为适应夏季和冬季两种运行方式的要求,风机采用变频风机,以调节风量和风压。

(5)在室外空气进入厂内的入口处,设置空气过滤设备,以提高空气的洁净度。

(6)系统设计中考虑主厂房、主变压器室事故排烟,蓄电池室酸气等气体泄漏时的排除及其他废气的排除措施。

(7)事故排烟系统和正常通风系统相结合,风管穿过防火分区和其他设备房间时均设置防火阀,防止火灾漫延。

## 三、系统气流组织

在工程设计的不同阶段,地下厂房通风系统气流组织的设计历经多次优化。在工程的初步设计及优化设计阶段,确定的主厂房通风方案为自下而上的送排风方案。即依靠送风系统将新风由 17 号进厂交通洞送入,经 17C 号施工交通支洞进入主厂房盘阀操作廊道(主厂房最低层),然后向上送至水轮机层及以上各层进行分流,在 1 号、2 号和 3 号通风竖井出口均设排风机房。就此方案委托西安建筑科技大学对发电机层通风方案进行了模型试验。试验结论认为,在每台机组发电机层上方、主厂房顶拱上开设 6 个排风口,可以满足发电机层正常的通风排烟需要,且效果良好。同时,还委托西安建筑科技大学和重庆后勤工程兵学院联合进行了计算机动态模拟试验。试验报告指出,在大通风量通过操作廊道送入水轮机层的通风系统方案中,系统无法同时满足水轮机层、母线层、母线洞等处的温度和湿度要求,且调节性能较差,操作廊道风速过大。

对于如此大型的地下厂房通风系统,由于各种原因未能就系统的设计进行过专题审查与专家咨询。在工程已进入施工图设计阶段的情况下,于 1998 年 3 月聘请水电系统几位知名通风设计专家就系统设计方案进行了咨询。专家们同样提出了目前系统存在操作廊道风速过大、操作廊道及水轮机层湿度难以满足规范要求等缺陷。

在专家咨询意见的基础上,设计人员对系统的设计方案进行了进一步的优化,确定了不同季节采取不同的通风风源的系统设计方案。为满足不同时段的系统调节需要,按夏季、过渡季节和冬季 3 种不同工况分别进行考虑。通风系统以需通风量较大的夏季工况进行设计计算,其他工况进行校核。分述如下:

(1)为降低夏季室内环境温度,充分利用天然冷源,夏季工况地下厂房所需新风经 3 条无压尾水洞引入;过渡季节及冬季以通风换气为主,经 17 号交通洞引室外新风,考虑风源切换及空气过滤的需要,在 17 号洞进口设进风楼,内设 2 台组合式风阀及滤网。

(2)由 3 条无压尾水洞或 17 号进厂交通洞进来的新风,在 17 号进厂交通洞末端分为 3 路进入厂房。一路经 17C 号洞由主厂房下部的操作廊道进入主厂房(计算工况占地下厂房总通风量的 12.8%);一路进入主变压器洞(占地下厂房总通风量的 41.2%);一路进入主厂房安装间(占地下厂房总通风量的 46%)作为主厂房的主要通风风源。

(3)地下副厂房和安装间下层回水泵房、空压机房等处的通风风源依靠通风机经 8 号施工交通洞由室外引入。由室外引来的新风,一部分通过地下副厂房通风竖井,送入地下副厂房各层;另一部分通过技术供水管井送入安装间下层回水泵房和空压机室。

(4)地下主、副厂房的排风通过主厂房 1 号通风竖井排出厂外,主变压器洞和母线洞等处的热风通过 3 号通风竖井和 19 号、20 号高压电缆洞排出厂外。

## 四、进风参数确定

针对工程所在区域的气候特征，考虑到厂房布置情况，并结合与外部相连的交通洞与施工洞均较长等具体条件，通过设计方案的进一步优化，利用天然冷源即能基本解决地下厂房夏季降温降湿的需要。这有别于一些类似规模的大型地下厂房采用大型集中空调，以降低夏季室温的设计方案，既节约了工程投资，又可降低运行费用。

(1)因小浪底水库为不完全年调节水库，水库进入正常调节水位后，机组发电后经尾水洞下泄水流的夏季最高水温为18.7℃。通过相关资料比较计算，$46.08\times10^4m^3/h$的新风通过3条约900m长的无压尾水洞至末端(尾水闸门室)后的空气温度已基本接近水温，约为19.2℃，空气含湿量为13.5g/kg，具有很好的降温效果。但在参数计算时考虑安全余量，末端空气温度按21℃进行计算。

(2)冬季及过渡季节风源采用17号进厂交通洞作为主进风通道，冬季来风经进厂交通洞自然升温后，至末端的空气温度约为2.27℃，再经17C号洞至主厂房操作廊道入口处气温约为3.3℃。

(3)8号施工交通洞进风作为地下副厂房和安装间下回水泵房及空压机室等处的通风风源。夏季室外新风经8号施工交通洞自然降温后到地下副厂房入口处的空气温度约为23.8℃。

## 五、系统风量分配

在夏季工况下，新风由无压尾水洞引入，作为地下厂房的主风源。经计算，风量分配如下：

(1)尾水洞引入新风共计$46.08\times10^4m^3/h$(温度为21℃，相对湿度为95%)。

(2)依靠17C号洞末端的1台送风机，送入主厂房操作廊道的新风风量为$5.9\times10^4m^3/h$，供操作廊道和水轮机层使用。在操作廊道入口处设置除湿量为20g/kg的除湿机1台，以降低空气湿度。除湿后的合格空气经楼梯口及通风孔进入水轮机层(温度为23.7℃)。

(3)依靠调节风阀，控制进入主变压器洞内的风量为$19\times10^4m^3/h$。

(4)其余约$21\times10^4m^3/h$的风量通过17号进厂交通洞末段进入厂房发电机层安装间段。考虑到空气湿度较大，不能满足运行层对空气质量的要求，故在空气进入安装间之前的17C号洞与17号洞交口处设2台除湿量为150g/kg的除湿机，对其中的$8\times10^4m^3/h$风量进行升温去湿处理，该部分风与未经处理的部分风混合送入发电机层安装间段。

(5)由设在1号通风竖井风机室内的两台通风量为$8.5\times10^4m^3/h$的排风机，排除厂房发电机层上部、地下副厂房、安装间下回水泵房与空压机室吸热换气后的热风。

(6)通过设在3号通风竖井风机室内的3台通风量为$15\times10^4m^3/h$的排风机，排除主变压器洞、母线洞、主厂房母线层以及由水轮机层送至母线层吸热后的热风。主变压器洞电缆夹层设1台通风量为$4.6\times10^4m^3/h$的送风机，作为冬季工况厂房发电机层通风系统的热风备用系统使用。

(7)在8号施工交通洞的末端设1台通风量为$4.6\times10^4m^3/h$的送风机，通过通风竖井送入地下副厂房各层，排风经副厂房上下游两侧夹墙风道排至顶拱，最后经 1 号通风竖井排出厂外；由在 8 号施工交通洞的末端安装的另外两台通风量为 $5.9\times10^4m^3/h$ 的送风机，通过技术供水管道井送至回水泵房及空压机室，排风依靠二层侧墙分设的两台通风量为 $4.4\times10^4m^3/h$ 的排风机，经夹墙风道直接排至拱顶，最后经 1 号通风竖井排出厂外。

## 六、地下厂房各洞室通风设计

### （一）水轮机层通风

水轮机层发热设备少，空气湿度大，故应重点解决空气的湿度问题。为此，设计思路上考虑了在满足该层最小换气次数（3 次/h）的前提下，使其温、湿度均能达到设计要求。采取了引发电机层和安装间下部回水泵房热风，并对操作廊道进来的新风进行升温去湿的处理方法，控制其温、湿度指标满足设计规范规定，并使其回风至母线层进行重复使用。同时引发电机层热风进行气流扰动，以达到良好的气流组织效果。

### （二）母线层、母线洞、主变压器洞通风

母线层来风由以下几部分组成：一部分为从水轮机层上来的风，该部分风的温度较低，湿度较大；另一部分是由发电机层下来的吸收发电机层部分热量后的风；第三部分为由空压机室过来的少量热风。这几部分来风在母线层混合后进入 6 条母线洞，吸收母线等散发出的大量热量后，经主变压器室进入主变压器洞吊顶风道，通过 3 号通风竖井顶部的风机排出厂外。主变压器室的热量靠主变廊道补充来的新风吸收，各主变压器室的风量依靠在主变压器室与拱顶风道相结合处设置的电控调节风阀进行自动调节（温度控制）。

### （三）安装间下层通风

8 号施工交通洞来的新风，经技术供水管井引至回水泵房和空压机室等场所，吸收这些场所设备的发热量后，由排风机经夹墙风道排至发电机层顶部的拱顶风道，最后经 1 号通风竖井排出厂外。

### （四）地下副厂房通风

地下副厂房共有 4 层，总通风量 $4.6\times10^4m^3/h$，利用地下副厂房入口处设置的送风机，通过设在副厂房右端的竖井风道将新风送入各层。

仪表室、维护室、巡视大厅、休息室等房间采取自然排风方式，排风至走廊，再由楼梯间处的泄压竖井排至厂房拱顶；蓄电池室、继保室、电缆夹层、高低压配电室和变压器室设单独的排风系统，送风管上设置有能自动关闭的阻火阀，通过夹墙风道排至厂房拱顶，最后经主厂房 1 号通风竖井排出厂外。各工作场所设置有电加热器，以满足冬季采暖使用要求。

### （五）高压电缆洞通风

19 号、20 号高压电缆洞采用自然通风方式，在两个电缆洞的入口端（靠近主变压器洞电缆夹层端）设有百页风口，进入主变压器洞的低温新风，在高压电缆洞内经冷热交换后变成热空气，靠热压排出电缆洞，洞口处设防火风阀。

# 第三节　事故排烟设计

电站地下厂房内大部分生产场所的火灾危险性类别较低。对类别较高的场所,除采用较为可靠的防止火灾蔓延的措施外,还在现场配置了足够数量的灭火设备。对主变压器室、厂用变压器室、油罐室等较易发生火灾的部位,排风系统按正常排风量设计,按事故排烟要求进行校核。排风道兼作事故排烟道,要求烟气能直接排至室外,不串联到其他设备房间内。事故排烟道与安全出口分开,以保证发生事故时人员能安全疏散。

## 一、主厂房事故排烟

主厂房防火分区由主厂房各层、安装间段各层和 6 条母线洞组成,采取了事故排烟与正常排风系统相结合的方式。利用主厂房顶拱风道兼作事故排烟道,主厂房段和安装间段顶拱排风口兼作事故排烟口,装设 280℃自动关闭的排烟防火阀(平时常开)。当主厂房发生火灾事故时,烟气将通过排烟排风阀进入拱顶,经 1 号通风竖井排出厂外;当烟气温度达到 280℃时,排烟防火阀内的易熔环熔断,防火阀将自行关闭,并输出信号,连控风机停止运行,使火灾封闭在厂房内,而不致蔓延扩散。待火灾扑灭后再远程起动排烟防火阀及各排风机,进行事故后排烟,将烟气排至厂外。

## 二、地下副厂房事故排烟

地下副厂房作为电站运行期间的主要管理维护活动场所,保证运行人员的人身安全尤为重要。因此,在设计中对各层内廊道及巡视大厅均设有排烟系统,防止烟气在事故时扩散。对布置有易燃设备的房间,如厂用变压器室、高低压配电室、电缆夹层等处所也设置有排烟系统,以便事故时能迅速排除烟雾。

## 三、变压器室事故排烟

主变压器洞是电站最重要的防火区域,主变压器洞内每台变压器均布置在一个独立的房间内。因此,每个变压器室均设有独立的事故排烟系统,且在变压器室内设有感温及感烟探测器。每间变压器室均采取事故后灭火方式,排风口处均设有 70℃能自动关闭的防火调节阀,进风来自变压器运输廊道,进风口处设有 70℃能自动关闭的防火调节阀。当某一变压器失火时,该变压器室感温及感烟探测器发出信号,水喷雾系统起动灭火;排烟温度达到 70℃时,进、排风口处的防火阀均自动关闭,使变压器处于密闭条件下进行灭火。待火灾扑灭后,再远程打开排烟防火阀进行事故后排烟。

## 四、地下厂房油罐室的事故排烟

油罐室也是厂房内较易发生火灾的危险部位,为确保厂房的安全运行,油罐室设置有防火门。同时,设置单独的通风和事故排烟系统,为防止火灾时所产生的大量有害气体的蔓延,采用事故后排烟方式,利用防潮夹墙作为烟道,使烟气排至主厂房发电机层上部区域,经吊顶由 1 号竖井排至厂外。

# 第四节 采暖设计

在机组运行期间,除要求大于10℃的部分特殊房间采用小型电暖器采暖外,其他如水轮机层、母线层、发电机层等大空间均可采用发电机热风采暖。发电机的热风通过设在每台发电机机墩上第Ⅰ、Ⅲ象限的2个取暖风口进入夹墙风道后分配到各层。在机组停运阶段,可通过设置的辐射电热器和小型电暖器采暖。

# 第五节 通风系统控制

## 一、控制内容及范围

通风系统控制内容及范围如下:

(1)风源切换控制(进风楼与尾闸室)。

(2)除湿机运行控制。

(3)送风机的控制(安装间、地下副厂房、操作廊道等)。

(4)主变压器室、厂用变压器室通风调节阀的控制。

(5)地下副厂房排烟风机与泄压竖井风阀控制。

(6)安装间下层(空压机室、回水泵室)通风机控制。

(7)1号、2号、3号通风竖井,17C号洞自然通风阀的控制。

(8)6条母线洞通风调节阀控制。

(9)进风楼空气温湿度及空气过滤器检测控制。

(10)1号、3号通风竖井风机的控制。

(11)发电机层、母线层、水轮机层、安装间下回水泵房、空压机室、地下副厂房、17号进厂交通洞、17C号洞、母线洞、主变压器洞、尾闸室、8号施工交通洞、尾水洞等处空气温度及湿度检测。

## 二、控制程序及要求

### (一)除湿机的控制

夏季工况从3条尾水洞所引新风湿度大,为此在17C号洞首设有2台除湿量为150 g/kg的除湿机,在17C号洞末端设有1台除湿量为20g/kg的除湿机,分别担负主厂房发电机层、操作廊道及水轮机层风源的除湿任务。其除湿机的起停分别由17号洞及17C号洞湿度检测装置控制。

夏季工况3台除湿机同时工作(17C号末端通风机也工作);过渡季节3台除湿机的起停受洞内湿度传感器信号控制(湿度≥85%时起动,温度≤70%时停机);冬季工况除湿机停机。

### (二)3号竖井通风机控制

3号竖井通风机采用变频调速装置,同时执行焓差控制功能,以保证通风量最低,达到经济、安全的目的。同时,要能保证主变压器室、母线洞的温度控制在高限之内(主变压器室、厂用变压器室高限温度设定为34.5℃,母线洞设定为35.5℃)。原则上竖井通风机冬季应停运,打开所有自然通风旁道进行自然通风,各区域的空气参数可满足要求;在过渡季节(春、秋季为主),当依靠自然通风主变压器室、厂用变压器室等处空气参数不能满足设计条件时,再考虑开启风机进行机械排风,开启的风机台数从少到多,直至满足要求;夏季工况3台风机全部投入运行。

**(三)主变压器室、厂用变压器室调节风阀的控制**

主变压器室、厂用变压器室进、出风口调节风阀(防火调节阀)的开度由母线洞及主变压器室内装设的温度传感器进行控制,温度传感器设定上限控制温度。在满足室内温度要求的前提下,最终达到风量的平衡。

**(四)主厂房热送风系统**

主厂房热送风系统主要承担冬季工况厂房水轮机层的采暖送热风任务。该系统控制6台发电机共12组热风控制阀的启闭,热风控制阀布置在发电机机墩的第Ⅰ、Ⅲ象限。控制阀开启数量的多少受水轮机层温度传感器控制。

**(五)安装间下层通风机控制**

为满足安装间下层回水泵房、空压机室等处的通风需要,在8号施工交通洞的末端、地下副厂房进口处设有2台送风机。风机的运行受季节、气候、投入运行发电机组台数的多少等的控制。在冬季工况下,回水泵房泵组基本停运,设备发热量小,而且进风温度低,因此利用自然通风即能满足设计工况要求。过渡季节(室外温度 $t>10$℃),当自然通风不能满足设计要求时,控制系统将自动关闭风阀,起动通风机进行机械送风。夏季工况为调节室内温度,2台风机需全部投入运行。

**(六)地下副厂房通风排烟系统控制**

地下副厂房通风机为1台双速送风机,根据季节的不同进行变速运行。夏季需送风量大,采用高速运行;冬季需送风量小,采用低速运行;过渡季节受控于照明变、配电室等处温度传感器的参数,当低速运行满足不了要求时(温度 $t\geqslant 34.5$℃),自动切换为高速。

**(七)1号通风竖井风机控制**

1号通风竖井风机承担着主厂房、地下副厂房、安装间等场所的排风排烟任务。设1台调速风机,以控制排风量的大小,受控点参数为拱顶下温度传感器的反馈信号。冬季工况厂房采取自然通风方式,开启自然通风旁道风阀,关闭风机;过渡季节风机的运行受控于拱顶下方的温度信号($t=(34\pm1.5)$℃)及发电机层温度参数($t=(26\pm1.5)$℃);夏季工况3台风机全部运行。

# 第十七章 金属结构总体布置

## 第一节 概 述

小浪底水利枢纽工程金属结构设备工程量大、规格种类多、类型级别高，特别是高水头加上高含沙水流，给金属结构设备提出了更高的运行要求。在目前国内大型水利枢纽工程中，该工程金属结构设计、制造、安装的技术难度具有相当大的挑战性，多数设备的设计指标达到了国内领先水平。整个工程金属结构主要设备包括闸门69扇、拦污栅26扇，固定卷扬启闭机20台，液压启闭机36台，门机2台，台车式卷扬启闭机1台，清污机4台，设备总工程量约32 700t。

小浪底水利枢纽工程输水、泄水建筑物主要由16条隧洞和1条开敞式溢洪道组成，它们是:3条导流洞(后期改建为孔板泄洪洞);3条明流泄洪洞;3条排沙洞;6条发电引水洞和1条灌溉引水洞。金属结构设备就布置在这些建筑物的进口、中段和出口部位。

小浪底水利枢纽工程金属结构设计主要面临两大问题。首先是闸门设计水头高。多数闸门的设计水头超过80m，最高达140m，这在同期国内的闸门设计中是水头最高的。高水头给闸门的门体结构、止水、支承等部件的设计都增加了相当大的难度，特别是高水头产生的高速水流流速达到了40m/s，在这种高速水流下，闸门过水部分会产生气蚀破坏，并且门体也容易发生振动。高水头作用下闸门也向启闭机提出了大容量、高扬程的设计要求。固定卷扬式启闭机的最大提升力达到了5 000kN，扬程90m；跨度为20m的门机提升力达到4 000kN，扬程120m；液压启闭机的最大提升力达到4 500kN。这种大容量、高扬程的启闭机设计处于同时期启闭机设计的领先水平。其次是高速、高含沙量水流。小浪底工程水流的年平均含沙量为42.4kg/m$^3$，汛期平均78.3kg/m$^3$。高含沙量会导致泥沙在闸门前产生淤积，严重时会淤死闸门，致使闸门无法开启。高速加上高含沙量的水流会对闸门产生严重的磨损，大大降低闸门的使用年限。

围绕着以上两大问题，在金属结构设计中进行了大量调研咨询工作，吸收国内外的先进经验和技术，并且进行了一系列的科学试验研究，包括闸门大荷载滚轮与轨道的试验、高水头闸门止水试验、闸门滑道试验、闸门激流振动试验和闸门泥沙淤积试验等。这些试验研究为小浪底水利工程金属结构的设计提供了充分的科学依据。

小浪底水利工程的闸门从工作性质上分为导流洞封堵闸门、检修闸门、事故闸门和工作闸门。导流洞封堵闸门和检修闸门的门型主要是平面滑动闸门，事故闸门的门型均为平面定轮闸门，工作闸门的门型均为弧形闸门。在弧形闸门中又有深孔弧门和表孔弧门。深孔闸门设计水头在120m以下的门型采用了直支臂圆柱铰弧形闸门，设计水头在120m以上的门型采用偏心铰弧形闸门。表孔弧门的门型都是斜支臂圆柱铰弧形闸门。

在平面滑动闸门中，较为突出的闸门是2号、3号导流洞封堵闸门，孔口面积为

$174m^2$,总水压力达到了128MN,是此前被认为国内荷载最大的乌江渡水利工程平面滑动闸门的两倍。平面定轮闸门中,2号明流洞事故闸门和3号发电洞事故快速闸门的定轮荷载较为突出,单轮荷载达到了4 130kN,比此前被认为国内轮压最大的龙羊峡水利工程事故闸门定轮的荷载提高了500kN。圆柱铰深孔弧形闸门突出的是1号明流洞工作闸门,总水压力为75.7MN,是国内荷载最大的圆柱铰弧形闸门。偏心铰弧形闸门中,突出的是1号孔板洞工作闸门,其设计水头达到了140m,超过了此前被认为国内水头最高的东江水利工程偏心铰弧形闸门120m的设计水头。

小浪底水利工程的启闭机从形式上分主要有固定卷扬式启闭机、液压启闭机、移动式门机和台车式启闭机。由于闸门大部分都是高水头、大孔口,因此闸门的启闭机就突出呈现出高扬程、大容量的特点。高扬程的启闭机较为突出的是排沙洞事故门启闭机,扬程达到了100m,移动门机的扬程达到了120m。大容量启闭机有1号导流洞封堵门固定卷扬启闭机,其容量达到了8 000kN。1号明流洞工作门液压启闭机的容量达到了4 500kN。

## 第二节　导流系统

小浪底工程导流系统共有3条导流洞,分别称为1号、2号、3号导流洞。导流洞承担着截流期间黄河干流的全部过流任务。截流后,大坝主体工程和泄水建筑物开始施工。当大坝填筑到一定高程并具备挡水条件,同时泄水建筑物也建成并具备过流条件时,导流洞的进口就要被封堵。封堵导流洞首先是依靠闸门封闭孔口,然后在门后的一段距离内的洞中填筑混凝土,形成一段混凝土塞子,将洞子彻底封死。通常每个导流洞的进口都要设置封堵闸门,一般是平面钢闸门。该门的作用就是一次性封堵住导流洞的孔口,为门后的混凝土填筑提供条件,因此称为封堵闸门。闸门的闭门是依靠固定卷扬启闭机操作的。导流洞封堵后,工程进入蓄水阶段,因此导流洞的封堵是工程施工进程中的一个标志性时刻,称为下闸蓄水。所以,封堵闸门的闭门比其他闸门的启闭要显得重要。为了保证闸门一次闭门成功,小浪底工程的导流洞封堵闸门是按工作闸门的设计条件设计的。启闭机能够保证在封堵门闭门过程中万一出现卡阻,可以将闸门重新提起,待清除闸门槽的闭门障碍后,再重新闭门。封堵闸门闭门后,水库的蓄水位迅速升高,同时门后的洞子开始填筑混凝土形成混凝土塞子,当混凝土达到一定强度后,前面的封堵闸门和启闭机就不再需要了。为了节约,一般是尽可能地回收这些闸门和启闭机。回收的条件就是混凝土塞子的强度达到挡水条件,而且在水库的蓄水位升高到启闭机安装高程之前,能够将闸门和启闭机全部拆除并运至安全地点。根据库水位升高的时间和门后混凝土塞子的完工时间,确定闸门和启闭机的回收条件。

导流洞的3扇封堵闸门按两种规格设计,1号洞的封堵门为一种规格,设计挡水水头28m,设计闭门时的操作水头为18.7m。2号、3号洞的封堵门规格相同,设计挡水水头为72.5m,设计闭门操作水头为14.5m。3个闸门的孔口尺寸相同,都是12m×14.5m。导流洞的闸门、启闭机布置见图17-2-1。根据施工规划安排,3条导流洞分两期封堵。截流第二年汛后,下闸封堵1号导流洞。按20年一遇,11月份瞬时最大流量和3条洞泄水条件计算,下闸封堵前的库水位为156.6m。截流第三年汛后,下闸封堵2号、3号导流洞。同

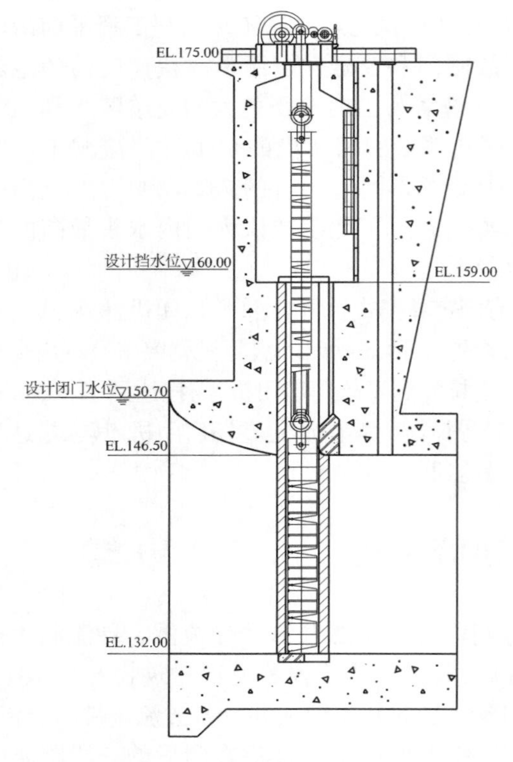


图 17-2-1 导流洞封堵门总布置

样按 20 年一遇,11 月份瞬时最大流量和 2 条洞泄水的条件计算,下闸封堵前的库水位为 166.8m。按这两种水位,确定闸门的组装平台高程分别为 159.0m 和 167.0m,启闭机安装平台高程为 175.0m 和 177.5m。根据封堵后水位上升的速度和导流洞混凝土封堵的时间安排,经过分析论证,结论是闸门不具备回收条件,不再回收。在进水塔前 175m 高程有较宽阔的进口平台,而且有施工交通道路连通,导流洞闸门封堵后,利用临时起吊设备可以很方便地将启闭机解体运走,启闭机回收的时间较充分,因此 3 台启闭机全部回收。

导流洞封堵门门型为平面滑动钢闸门,启闭机为固定卷扬启闭机。1 号洞闸门底槛高程为 132.0m,在闸门上方 159.0m 高程设一拼装平台,再上面的启闭机安装平台高程是 175.0m。因为导流洞闸门尺寸大,门体总重达到 208t,这样的门重在现场是无法进行整体吊装的,只能分节拼装。闸门制造时分为 6 节,运至现场后采用临时吊装设备拼装。拼装就在拼装平台上进行,每拼完一节门后将其放入门槽,并将顶节门锁定在拼装平台的门槽中。临时设备的最大起重力按整体起吊 4 节门确定,剩下的 2 节门可以利用拼装平台上方的空间将闸门拼装完毕,最后安装启闭机。启闭机的最大启门力为 2×4 000kN,最大提升高度为 25m。2 号、3 号导流洞闸门、启闭机的布置与 1 号洞类似,闸门底槛高程 141.5m,拼装平台高程 167.0m,启闭机安装高程 177.5m。闸门最大重量 293t,门体分 6 节制造,现场拼装方式与 1 号洞相同。启闭机为固定卷扬启闭机,最大启门力为 2×3 200kN,最大提升高度 16m。

## 第三节 泄洪排沙系统

### 一、轮廓布置

小浪底工程泄洪排沙系统分为 4 大部分,分别为 3 条排沙泄洪洞、3 条孔板泄洪洞、3 条明流泄洪洞和 1 条溢洪道。排沙洞和孔板洞的进口高程为 175.0m,是工程运用期进口高程最低的孔口。3 条明流洞的进口高程较高而且不同,其中 1 号明流洞为 195.0m,2 号明流洞为 209.0m,3 号明流洞为 225.0m。溢洪道的进口高程最高,为 258.0m。排沙洞的主要任务是泄洪排沙、排污和调节水库下泄流量。正常发电时,为在进水塔前形成稳定的冲刷漏斗,或是为了减少泥沙进入发电洞,排沙洞需要排沙运用。当需要调节水库下泄流量时，也需要用排沙洞泄流，是泄水建筑物中运用较频繁的隧洞。孔板洞的主要任务就是泄洪。明流洞由于进口位置较高，除了泄洪外，进口位置最高的 3 号洞还兼顾排漂作用。根据枢纽的防洪标准，溢洪道工作门的工作任务就是在汛期发生万年一遇校核洪水位 275.0m 时，工作门全部开启泄洪。在非汛期时，工作门闭门蓄水，最高蓄水位为 275.0m。

排沙洞为压力洞，闸门布置在进口和出口部位。进口处前面布置了检修门，后面是事故门，工作闸门则布置在出口(见图 17-3-1)。每个排沙洞进口的最前端分成 6 个水道，6 个水道中设 6 个检修门孔口，孔口尺寸为 3.5m×6.3m，闸门槽底槛高程为 175.0m，孔口布置在电站引水口的正下方，以提高排沙的效果。检修门后面 6 个水道又收缩成 2 个，2 个水道中各布置 1 扇事故闸门，事故门的孔口尺寸为 3.7m×5.0m，门槽底槛高程也为 175.0m。再后面，2 个事故门孔口后面又收缩成 1 个水道与洞子连接。从事故门后经过 800 多米的洞子就到了排沙洞的出口，工作闸门就布置在这里。闸门的孔口尺寸为 4.4m×4.5m，门槽底槛高程为 153.15m。工作门后为明流泄水槽。

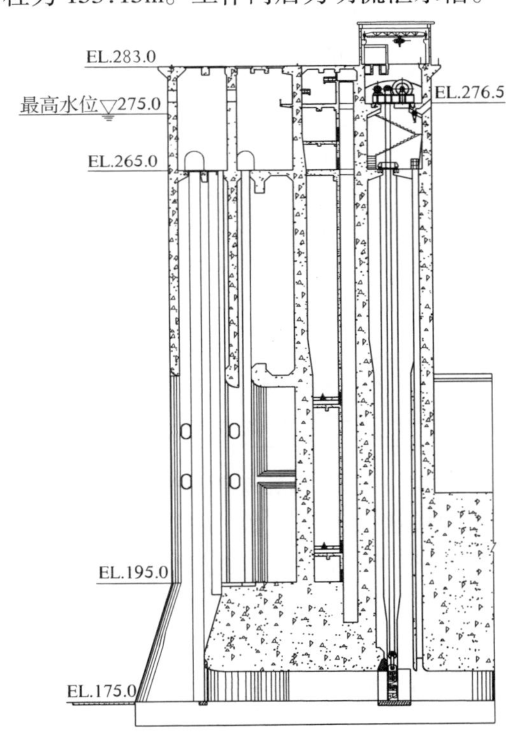


**图 17-3-1　排沙洞进口闸门总布置**

孔板洞是由导流洞改建而成的，其中前段为压力洞，后段为无压洞，也称明流洞。闸门布置在洞子的进口和中部。进口处前端布置检修门，后面是事故门(见图 17-3-2)，工作闸门则布置在洞子中部的地下闸室中，称为中闸室。每个孔板洞进口有 2 个水道，每个水道中设了检修门和事故门。检修门孔口尺寸为 4.5m×15.5m，闸门槽底槛高程为175.0m。事故门的孔口尺寸为 3.5m×12.0m，门槽底槛高程也为 175.0m。事故门后 2 个水道合成一条并与洞子相连，经过 270 多米的压力洞子就到了中闸室，工作闸门就布置在这里。中闸室工作门也分成2个水道，布置2扇工作门，分成2个水道的目的是为了减小闸门的尺寸。因为高水头条件下大孔口闸门的荷载太大，门体制造受材料和制造工艺的限制，而且闸门局部开启时易发生振动。1号孔板洞工作门的孔口尺寸为4.8m×5.4m，闸门底槛高程为135.65m。2号、3号孔板洞工作门的孔口尺寸为4.8m×4.8m，闸门底槛高程为145.15m。工作门后为明流泄水洞。

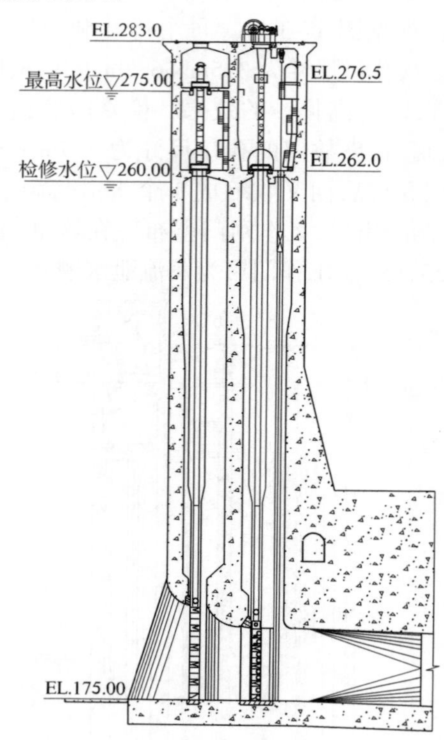


**图17-3-2 孔板洞进口闸门总布置**

明流洞是枢纽建筑中泄流规模最大的建筑物，3条洞子的泄水量占枢纽总泄量的近40%。洞子断面大但洞长较短，只有400m左右。闸门全部布置在进口段。进口依次布置了检修门、事故门和工作门。3条洞子的孔口尺寸和底槛高程都不相同，具体参数见表17-3-1。

**表17-3-1 3条明流洞的孔口尺寸和底槛高程** （单位：m）

| 洞名 | 设备名称 | 孔口尺寸 | 底槛高程 |
|---|---|---|---|
| 1号明流洞 | 检修门<br>事故门<br>工作门 | 5.6×18.0<br>4.0×14.0<br>8.0×10.0 | 195.0 |
| 2号明流洞 | 检修门<br>事故门<br>工作门 | 9.0×17.5<br>8.0×11.0<br>8.0×9.0 | 209.0 |
| 3号明流洞 | 检修门<br>事故门<br>工作门 | 9.0×14.5<br>8.0×11.0<br>8.0×9.0 | 225.0 |

明流洞的洞径较大，特别是1号洞的断面最大，而进口高程在3个洞子中最低。如果

该洞按 1 个孔口布置，闸门的荷载将超出常规闸门所能承受的能力。为了减小荷载，1 号明流洞进口分成了 2 个孔口，每个孔口布置检修门和事故门，事故门后孔口收缩成 1 个并布置 1 扇工作门（见图 17-3-3）。

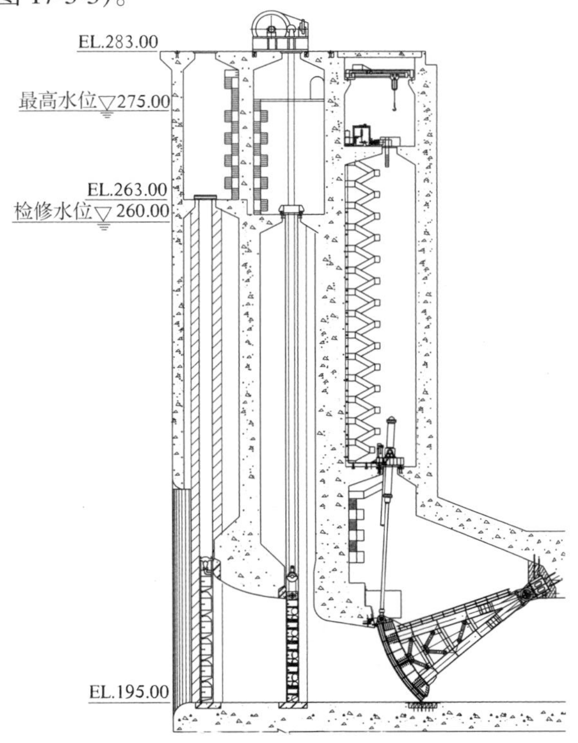


**图 17-3-3　明流洞进口闸门总布置**

溢洪道是枢纽建筑中孔口位置最高的泄水建筑，进口闸门底槛高程 258.0m。共有 3 个孔口，每孔只设了工作闸门。因为每年枯水期库水位都低于底槛高程，因此不需要再设置检修闸门（见图 17-3-4）。

## 二、闸门布置

泄洪、排沙系统的闸门布置方式相近，检修闸门的门型都是平面滑动闸门，事故闸门的门型都是平面定轮闸门，工作闸门的门型为弧形闸门。检修闸门的启闭都利用塔顶双向门机，事故闸门启闭采用固定卷扬启闭机，工作闸门启闭采用液压启闭机。

检修门的任务是定期检修事故闸门门槽，运行条件是静水启闭。由于闸门布置在隧洞的最前端，门槽埋件没有检修条件，考虑到多沙河流泥沙磨蚀的影响，对于检修门孔口尺寸的选定，改变过去以几何曲线的连接选择孔口尺寸的传统方法，采用不磨蚀流速控制选择孔口尺寸，以满足在汛期泄洪时孔口处流速不超过埋件磨蚀流速的要求。根据黄河已建工程经验，认为流速小于 10m/s 时，钢材受水流磨损明显减小。

排沙洞检修门的孔口有 18 个，因为检修闸门关闭时必须 6 个孔口同时封闭才能检修后面的闸门和隧洞，因此配备了 6 扇检修闸门。孔口上方 265.0m 高程设有检修平台，该平台高程高于枢纽非汛期检修水位 260.0m。门体的安装和检修都在这个平台上进行。

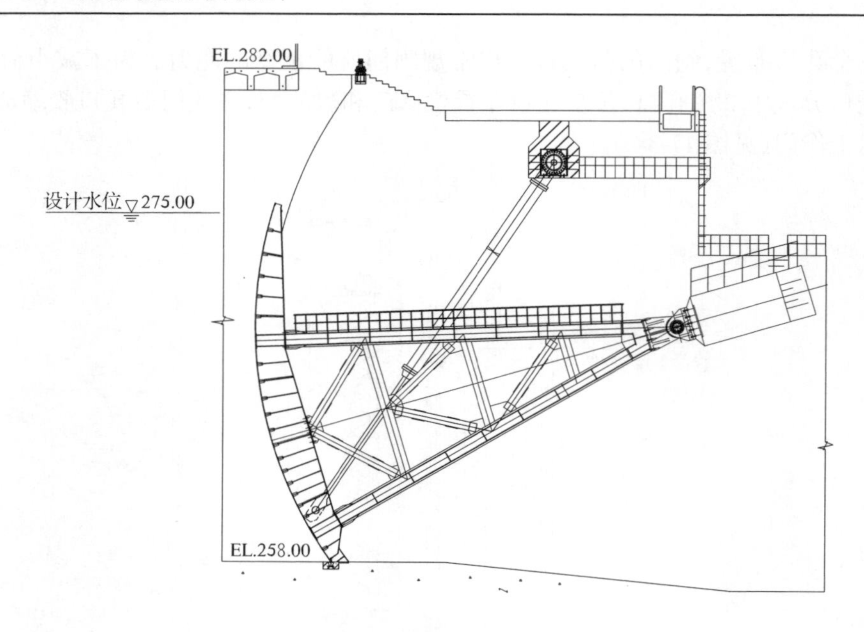


图 17-3-4　溢洪道工作门总布置

该平台上设有锁定装置,平时检修门就存放于此。塔顶 **283.0m** 高程也布置了锁定装置,必要时门体也可以在塔顶检修和维护。

排沙洞进口的上方是发电洞的进口,检修门门槽的上游侧无法布置胸墙,因此门槽只能布置在洞口的外面,也就是洞口的最前端。根据水文泥沙指标,枢纽进水塔前设计泥沙淤积面高程为 187.0m,检修门的底槛高程是 175.0m,而孔口的高度只有 6.3m,因此设计条件下闸门将被泥沙淤埋。闸门的止水又只能布置在门体的下游侧,一旦泥沙淤积面高于门顶,门顶上的水下抓梁导向孔就会被堵住,这样起升闸门的自动抓梁就无法与闸门连接,从而导致启门失败。为了防止这种情况出现,检修闸门设计时专门在门体顶上设一门架,门架的作用就是把闸门的吊点提高到门前淤沙高程以上,使得门机起吊闸门时不受泥沙淤积的影响。

孔板洞检修门的孔口与排沙洞不同,虽然进口底槛高程都是 175.0m,但该门的门槽上游侧布置了胸墙,可以把闸门止水布置在门体的上游侧,将泥沙阻挡在门槽的外面,这就避免了泥沙淤堵门槽,影响抓梁与闸门吊耳的穿轴。检修平台设在 262.0m 高程,因为门体太高,在高程 275.5m 上又设了锁定平台。由于每个洞子 2 个检修门的孔口相通,因此 6 个孔口配备了 2 套检修门。

3 条明流洞检修门布置形式相似,闸门的门槽布置在洞子进口的外面。由于底槛高程高于泥沙淤积面,因此不必担心淤沙对闸门起吊的影响,闸门的止水布置在门体的下游侧,门顶布置充水阀。闸门的启闭利用塔顶双向门机。孔口上方分别设有检修平台,检修平台高程均高于枢纽非汛期检修水位 260.0m。门体的安装和检修都在这个平台上进行。该平台上还设有锁定装置,平时检修门就存放于此。塔顶 283.0m 高程也布置了锁定装置,必要时门体也可以在塔顶检修和维护。同样是因为 1 号洞的 2 个进口相通,所以必须配备 2 扇检修门。2 号和 3 号洞的孔口尺寸不同,因此每个孔口都单独配备了检修门。

事故闸门的任务有2个，一是事故闭门，即当工作闸门出现事故，或者压力洞洞身出现事故，或者正常检修要求闭门时，能够全水头动水闭门；二是正常运用中，为防止泥沙淤积洞身而闭门挡沙。事故门的启闭机都按1门1机配置，启闭机形式都是固定卷扬启闭机。

排沙洞事故门在检修门后约30m处，每个洞的2个孔口都设闸门，由于门后的2个水道合并成一个，因此2个门后面的洞子是连通的，这就要求事故门闭门时2扇门能够同时关闭。由于有挡沙的要求，闸门的止水布置在门体的上游侧，这样闭门后可以保持门槽无水，避免了泥沙淤积。排沙洞为压力洞，闸门动水闭门时，由于水流的惯性，门后的洞内将产生负压，需要向洞内补气，闸门设计时，门后需要留出通气空间以满足闭门时补气的要求。

排沙洞事故门为深孔闸门，设计水头超过了100m，由于止水布置在上游，闭门时就无法利用水柱，因此闸门需要很多的配重块，以保证闸门依靠重力闭门，配重块放置在门体的梁格内。闸门的启闭采用固定卷扬启闭机，该启闭机的扬程达到100m。由于要求事故闭门，正常运行时门体需吊在孔口上方2～3m的位置，一旦出现事故，闸门可以迅速关闭。检修平台设在265.0m高程，闸门的检修和维护就在该平台上进行。启闭机安装高程在276.5m，由于高扬程启闭机的尺寸大，单元部件重量大，而且启闭机的位置不在塔顶门机控制范围之内，启闭机进行检修时无法利用门机。为了满足检修启闭机的需要，在塔顶启闭机房内设置了1台桥机。

事故闸门闸室的检修较困难，因为闸室的位置很低，从塔顶到闸室高差100多米，过去对于深孔闸室都是以爬梯作为交通通道。检修人员检修时，要垂直爬100多米的高度，既不安全，消耗的体力也非常大。为了改善这种状况，为事故门闸室检修专设了垂直升降的吊箱设备，检修人员可以从检修平台乘吊箱下到闸室位置，大大降低了闸室检修的难度。

孔板洞事故门为深孔闸门，设计水头超过了100m，由于止水布置在上游，闭门时就无法利用水柱，因此闸门需要很多的配重块，以保证闸门依靠重力闭门。闸门的启闭采用固定卷扬启闭机，该启闭机的扬程达到90m。由于要求事故闭门，正常运行期门体吊在孔口上方2～3m的位置，一旦出现事故闸门可以迅速关闭。检修平台设在262.0m高程，闸门的检修和维护就在该平台上进行。启闭机安装高程在塔顶283.0m，由于启闭机的位置处在塔顶门机的下面，启闭机的检修就可以利用门机，故不需要再专门设置其他检修设备。

因为闸室的位置也较低，它的检修同样存在交通困难的问题，因此孔板洞的事故门也设置了垂直升降的吊箱设备，检修人员可以从检修平台乘吊箱下到闸室位置工作。

明流洞事故门布置在该洞检修门后面11m处，共有4个孔口，1号洞进口分成2个水道，各设一扇事故门，2号、3号洞进口都是1个水道，也各设1个事故门。1号洞进口的2个水道从事故门后开始收缩，到工作门前变成1个水道，因此2个事故门的后面是连通的，这就要求2个门必须同时关闭才能切断水流。虽然是明流洞，但从进口到工作门前面约40m的这段洞子仍为压力洞，事故闸门就布置在这段压力洞中，因此门的后面需要有良好的补气通道，以保证事故闸门关闭时有充分的补气量。

1号洞事故门的底槛高程195.0m，检修平台设在261.0m高程，闸门正常运行时吊在孔口上方2～3m的位置，便于出现事故时迅速闭门。需要对闸门进行检修时，可将其提升到检修平台进行检修。启闭机布置在塔顶。相对于排沙洞来说，明流洞的进口高程较高,因此闸室的检修通道是爬梯。

工作闸门的任务是能在全水头的条件下控制下泄水流,运行条件是动水启闭,需要时闸门可以局部开启调节流量。由于工作门在动水条件下启闭,一般要求闸门不但在强度上,而且要在结构的刚度上有较高的要求,避免闸门在动水中产生较大的振动甚至共振。

深孔弧形闸门有两种形式:圆柱铰弧门和偏心铰弧门。明流洞工作门的设计水头为50~80m,采用圆柱铰弧门;排沙洞和孔板洞工作门的设计水头为120~140m,采用偏心铰弧门。

由于泄洪排沙系统的工作闸门多数是高水头闸门,因此泄流时孔口的流速较大,多数情况下超过30m/s,属于高速水流。大家知道,高速水流对水道的体形要求较高,应尽可能保持水流边界呈流线型,避免边界出现负压。负压会产生空穴,对边界产生气蚀破坏。从闸门的结构上看,弧形闸门的体形最适合作深孔工作门,圆柱铰弧形闸门是深式泄水孔工作闸门多数采用的一种门型,因为这种闸门不需要在墙壁上设槽,孔口边壁光滑,在高速水流中不易产生气蚀破坏。与平面闸门相比,弧形闸门门体刚度大,在局部开启控制泄流时,水流边界条件好,抗震性能好,所以这种形式的闸门常用在设计水头在80m以下的深孔工作门上。泄洪排沙系统的工作闸门都采用了弧形闸门(见图17-3-5)。

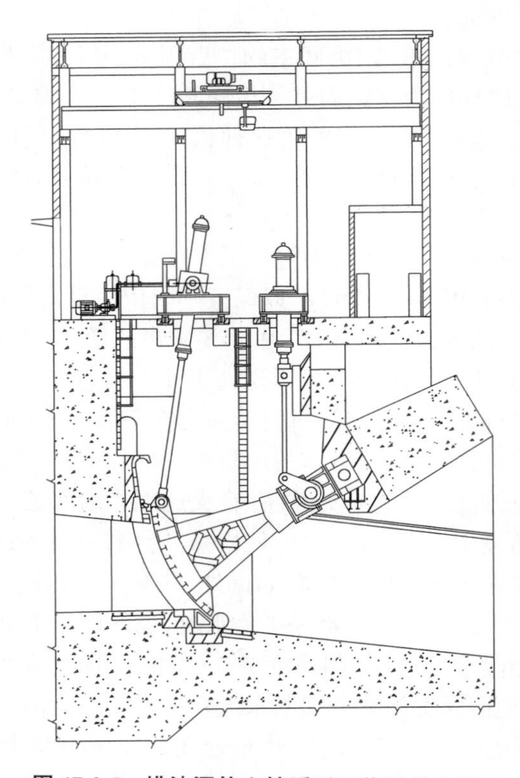

**图17-3-5 排沙洞偏心铰弧形工作门总布置**

偏心铰弧门是一种较新型的闸门结构,它采用压紧式止水,突扩门槽,在高水头具有局部开启泄流要求的情况下,比普通圆柱铰弧门有明显的优点。偏心铰可控制闸门作径向移动,使得闸门在启闭的过程中实现止水橡皮与止水座板完全脱开,减小了闸门的启闭力，特别是消除了止水橡皮的磨损，提高了止水的寿命。止水结构简单可靠而且效果显著，一般都可以达到滴水不漏的效果。有效地利用突扩门槽进行掺气，解决了高速水流带来的水力学问题，改善了水流流态，减免了气穴发生。但是与普通圆柱铰弧门相比，偏心铰弧门的制造、安装难度大，造价比普通弧门高 1.5～2 倍。因此，这种闸门多用在水头超过 100m 的高水头工作闸门上。在能够满足止水和局部开启振动的条件下，选择普通弧形门是比较合理的。

明流洞工作门布置在洞子进口的进水塔里，每个洞子设一扇闸门，共有 3 扇工作门。排沙洞工作门布置在洞子出口，每个洞子设一扇闸门，共有 3 扇工作门。孔板洞工作门布置在洞子中部的中闸室内，每个洞子设 2 扇闸门，共有 6 扇工作门。

## 第四节　引水发电系统

小浪底工程引水发电系统由进水塔、引水洞、地下厂房、尾水洞和尾水渠等部分组成。枢纽共装 6 台水轮发电机，分别由 6 条引水洞引水，每 2 个引水洞进口设 1 个进水塔。进水塔内布置了主、副拦污栅，检修门和事故门。地下厂房尾水管出口设置了尾水检修门，尾水渠出口设置了防淤闸工作门。水流出尾水渠后进入下游主河道。

发电引水的进水塔又称发电塔，每个发电塔前端分成 6 个进水口，分别向 2 个引水洞引水，6 个进水口设置了主、副拦污栅和检修门，进水口后面每 3 个孔口合并成一个，设置 1 扇事故闸门，每扇事故门控制 1 条引水洞。这样 3 个发电塔共设了 18 扇主拦污栅、6 扇副拦污栅、6 扇检修门和 6 扇事故门（见图 17-4-1）。

拦污栅的作用是保护水轮机，避免污物进入机组。主栅是拦污的主要设备，副栅是备用设备。主栅进行人工清污时需要将栅体提到塔顶，此时需要副栅暂时替主栅拦污。主栅清污完毕后就要重新放回孔口工作，这时副栅就可以吊起，清理完污物后锁定在检修平台备用。

检修闸门是为检修事故闸门而设的，因为该门的使用概率较低，因此不再专设门槽，而是与副拦污栅共用 1 个门槽。

事故闸门的任务之一是保护水轮发电机组。水轮机工作时如果负荷突然消失，称为甩负荷，转轮转速会急剧增加，此时必须迅速切断水流，防止转轮转速超过额定值而出现飞逸。迅速有效地切断水流是保护机组的重要手段。小浪底工程的机组保护有 3 个屏障：机组本身的导叶可以控制水流是第一屏障；水流进导叶前有一个筒阀，该阀可以随时切断水流是第二道屏障；进水塔中的事故快速闸门可以在 2min 内关闭孔口是第三屏障。因此，事故门是当机组发生事故，导水机构和筒阀都失灵时才需要快速闭门。事故门的另一个任务是保护发电引水洞洞身，如果引水洞出现事故则需要关闭事故门。事故门还有一个作用就是挡沙。机组停机时，水库内的淤沙会涌到洞口，为防止泥沙淤积洞子，长期不发电时要求事故门闭门挡沙。

6 台水轮机各有 1 个尾水管，设有 6 个尾水检修门孔口，设置了 4 扇检修门。尾水检修门主要是为水轮机组检修而设的。检修门后有 6 个明流式尾水洞，水流出尾水洞后又分别进入 3 个尾水渠，每个渠道控制 2 个机组的尾水。每个尾水渠的出口又分成 2 个孔

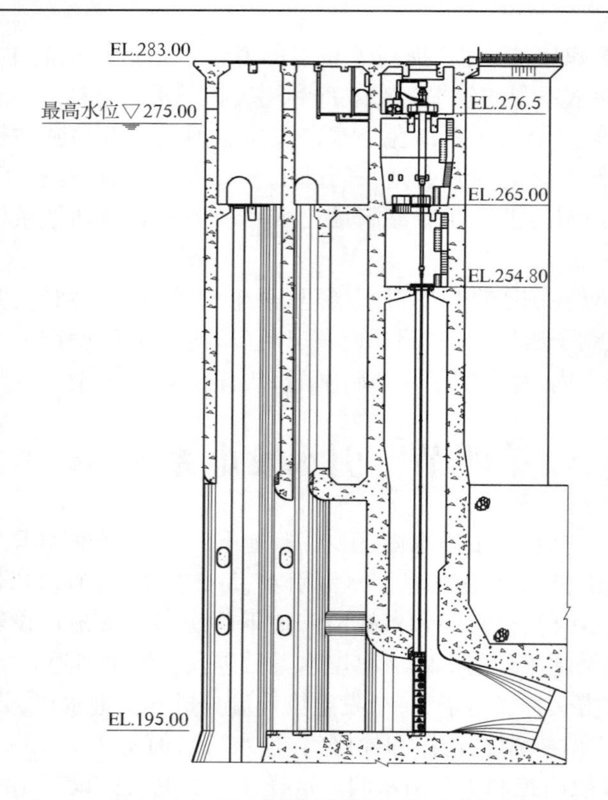


图 17-4-1　发电塔进口闸门、拦污栅总布置

口，分别设工作门。3 个尾水渠共设了 6 扇工作门。工作门的迎水面在下游，作用是汛期发电机组停机时闭门挡沙，防止下游主河道的泥沙淤积尾水洞。

3 个发电塔分别称为 1 号、2 号和 3 号发电塔，1 号和 2 号发电塔的进口高程是 195.0m，3 号发电塔的进口高程是 190.0m。同一个发电塔内拦污栅、检修门和事故门的底槛高程相同。1 号、2 号进水塔主、副拦污栅的孔口尺寸相同，都是 4.0m × 35.0m，3 号进水塔的主、副拦污栅的孔口尺寸是 4.0m × 40.0m。每个发电塔的 6 个孔口是连通的，因此检修门按封堵一个塔 6 个孔口的数量设置，共需 6 扇。副拦污栅和检修门是 3 个塔共用，按 3 号塔的孔口尺寸设计。用于 1 号、2 号塔时，去掉其中 5m 高的一节即可。

拦污栅的清污方式是以机械清污为主、人工清污为辅。机械清污共配备了 2 台清污机，依靠塔顶的门机操作。它可以将污物下压至栅体的底部，利用排沙洞的吸力将污物吸进洞内排向下游。当污物卡在栅条上压不下去时，清污机可以将污物抓住直接提至塔顶再运走。如果清污机清污失败，则可利用门机将栅体提至塔顶进行人工清污。

在拦污栅的前面和后面安装了水位计，用以随时测量栅体前后的水位情况。当栅体上附着的污物增多时，栅体前后就会形成水位差，水位计会自动将测量到的栅体前后的水位进行比较，并将比较计算得出的水位差值的信号送到电站的中央控制室，中央控制室则可根据水位差决定是否对拦污栅进行清污。

在主、副拦污栅孔口上方 265.0m 高程设置了检修平台，检修平台设有锁定装置。正常情况下，主栅工作，副栅就锁定在检修平台的位置。在塔顶，主、副拦污栅也设有锁定装置，一般人工清污时需要将栅体锁定在该位置清污，因为这里便于将污物运走。检修闸门不在进水塔存放，而是在另外的场地存放，需要时用车辆将其运至进水塔现场，依靠门机操作把它吊入孔口。

事故闸门孔口尺寸为5.0m×9.0m，正常情况下门体吊在孔口上方1m处，发生事故时门体可以5m/s的速度快速闭门。3个发电塔的进口底槛高程不同是为了满足提前发电的需要，根据枢纽确定的初期发电水位205.0m的要求，确定3号塔的进口高程为190.0m，1号、2号塔的进口高程为195.0m，这样3号塔的2台机组就可以提前投入运行。

除了进口高程不同外，3个发电塔的闸门布置是一样的。事故闸门门型是平面定轮事故门，启闭机采用液压启闭机，容量4 000kN，扬程10m。这种启闭机一般布置在能直接与闸门连接的位置，以充分利用液压启闭机的下压力，减少闸门配重，进而降低启闭机的容量。按照这个原则，启闭机的安装高程应在底槛以上20m的位置。但这种布置方式在高水头的深孔闸门上必须解决闸室与启闭机室隔离密封问题。完全密封的闸室在设计、制造和安装上都比常规闸门难度大，精度要求高，设备检修也比较复杂。因此，小浪底工程没有采用这种布置方式，而是将启闭机布置在最高蓄水位以上的276.5m高程。启闭机与闸门采用拉杆连接，拉杆的总长度有50多米，分成多节连接。因此，当检修事故闸门时，需要将拉杆一节节卸开移走。单节拉杆的重量为3t多，不可能靠人工直接搬移。为此在启闭机下面专门设了一套移动拉杆的环形轨道，卸下的拉杆可放在环形轨道上的移动小车上，每个拉杆一个小车，小车可以借助人力在环形轨道上移动，从而实现了拉杆的装卸。环形轨道的安装高程为265.0m，闸门的检修平台高程为254.8m。可以看出，环形轨道和它上面的移动小车在枢纽正常蓄水位时是淹没在水中的，这使该套装置的维护难度增加。这也是这种布置方式的不足之处。

同排沙洞事故门一样，发电洞事故门的闸室检修也存在上下交通困难的问题，因此每个事故闸门都配置了检修吊箱，减小闸室检修的难度。

电站尾水检修门布置在电站厂房的尾闸室内，每个机组尾水出口布置1个孔口，共有6个孔口，孔口尺寸为10.5m×10.5m。共设4扇平面滑动闸门。由于是地下厂房，尾闸室的洞室空间受限，不能按常规布置门机，因此启闭机采用移动台车式卷扬启闭机。4扇门共用1台启闭机，启闭机容量2×2 500kN，扬程25m。闸门形式为平面滑动闸门，为节省空间，门体不是整体吊出门槽移动，而是整体启闭分节移动，即每扇闸门需分成2节移动。闸门从一个门槽移到另一门槽的操作程序比较繁琐。检修门底槛高程122.0m，检修平台高程142.0m，启闭机轨顶高程155.68m（见图17-4-2）。

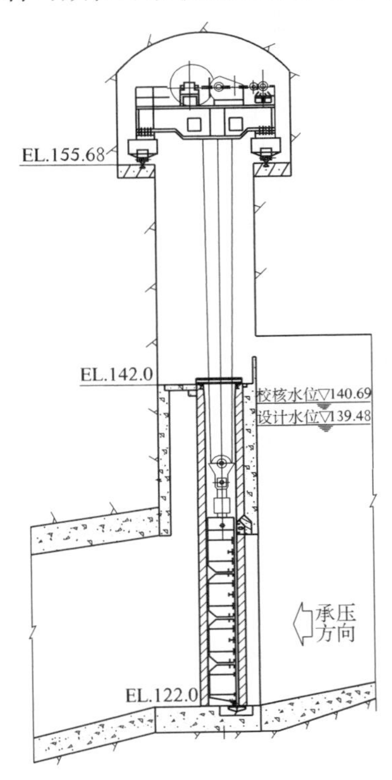


**图17-4-2　电站尾水检修门总布置**

电站尾水渠将发电尾水导入下游主河道。尾水渠出口设置防淤闸,防止主河道泥沙淤堵尾水洞。每条尾水渠分成 2 个孔口,每个孔口设工作门并预留了检修门槽。因此,防淤闸共有 6 个孔口,设 6 扇弧形工作门。哪一台机组发电,开启哪台机组对应的闸门,不发电时闸门关闭。闸型为斜支臂弧形钢闸门,孔口尺寸 14.0m × 11.3m,弧门半径 17.0m,底槛高程 130.0m。启闭机采用液压启闭机,容量 2 × 2 500kN,最大行程 7.8m。

## 第五节 充水平压及高压水冲淤系统

### 一、充水平压系统

小浪底工程事故闸门和检修闸门的运行条件均为静水启门,因此启门前需先向门后充水平压。闸门顶设充水阀是一般水利工程常采用的充水平压方式,但用在小浪底工程则存在诸多问题。因为黄河泥沙、污物较多,充水阀的阀芯与阀座间易受污物卡塞,使阀芯回落不到底,或者因泥沙淤积使阀芯提不起来,造成充水阀失效。为此,我们进行了充水阀、旁通管和小开度提门 3 种充水平压方案比较,认为黄河上的充水平压措施应采取双道保险,以备一种失效后,另一种措施仍能起作用。经研究决定,除排沙洞检修闸门由于位置低不能采用充水阀以外,其余检修闸门全部采用充水阀方案,以旁通管方案作为备用措施。事故闸门和排沙洞检修闸门均采用旁通管方案,以小开度提门充水作为备用措施。因此,在小浪底工程进水塔内设置了一套旁通管充水平压系统。

#### (一)充水平压管路布置

小浪底工程共设有 10 个进水塔,呈一字形排开。充水平压系统由各进水塔前缘的取水口引水,经塔内的充水平压管道网络,送至需要充水的闸门下游侧。为了保证引水并防止泥沙进入管路,充水管路的进口布置在正常死水位 230.0m 高程以下和最高淤积面 187.0m 高程以上的位置。

为了防止污物堵塞进口,保证该系统可靠运行,发电、排沙系统的充水平压管道取水口设在拦污栅后的胸墙上,分上下 2 层布置,每层设 2 个进口,进口高程分别为 200.5m、225.5m。上下左右 4 个取水口均互相连通,并与各发电塔、孔板塔、2 号明流塔的充水管路在横向连接起来,形成一个上下左右的给水网络,以便互相补充、互为备用。当库水位低于 230m 时,从下层 200.5m 高程进口引水,当库水位高于 230m 高程时,从上层 225.5m 高程进口引水。上下两层进口处均设有阀门操作室及交通廊道。阀门室管道呈十字形布置,进口设置 1 个闸阀,在其下游及左右两侧分设 3 个蝶阀,分别控制各管道的充水。上层两侧蝶阀控制左右两个取水口的连通和与孔板塔、2 号明流塔充水管路之间的连通,下层两侧蝶阀控制发电洞事故门后的充水,下游侧蝶阀控制上下两层取水口的连通及向排沙洞充水平压管道的供水。排沙洞平压管道在 189m 廊道(3 号为 184m 廊道)分为两路并分别设有蝶阀,一路控制排沙洞检修闸门后的充水,另一路控制排沙洞事故闸门后的充水。

1 号明流塔和 3 个孔板塔的管道取水口布置在进水塔中墩的前缘,高程分别为 213.5m、200.5m,每个阀门室进口均设置 1 个闸阀,其后及两侧分设 3 个蝶阀。2 号、3 号明流塔的管道取水口设在进水塔边墩的前缘,高程分别为225.0m、239.0m。阀门室进口均设置1个闸阀,其后及右侧设有2个蝶阀。两侧蝶阀控制检修闸门后的充水,下游侧蝶阀控制事故闸门后的充水。

**(二)充水平压系统的控制**

旁通管充水平压系统的阀门均为手电两用,正常运行时采用电动操作,电动装置发生故障时切换为手动操作。阀门设有远方和现地两种控制方式,正常运行时处于远方控制状态,现地操作时需在现地控制柜进行切换。

一般供水管道的事故检修阀为常开阀,由后面的工作阀门挡水。由于黄河泥沙较多,一旦管道停止供水,泥沙将淤堵管道。因此,该工程充水平压系统进口选用楔形闸阀作为事故检修阀,且当管道停止供水时闭门挡水挡沙。工作阀为蝶阀,动水启闭。正常运行工况闸阀为动水开启,静水条件下关闭。当后面的蝶阀发生事故时闸阀动水关闭。充水前先打开蝶阀,再打开进口闸阀。待现地或远方控制屏给出平压信号后关闭蝶阀,最后关闭闸阀。

阀门室均设在进水塔内,由于高程较低,阀门室内非常潮湿。在安装调试阶段,阀门常因此无法正常启闭,经研究将控制柜及阀门电动头的防护等级提高为IP65,目前该系统运行正常。

## 二、高压冲淤系统

各进水塔充水管道进口闸阀前有一段引水管,阀门关闭后,就有泥沙沉积,随着时间增长,泥沙沉积也会逐渐增加。引水管一旦淤死,将导致充水平压系统失灵。另外,孔板洞事故闸门顶与设计泥沙淤积面平齐,排沙洞事故闸门则在泥沙淤积面以下,门前极易淤堵。在汛期,若由于泥沙的淤堵造成启闭机超载,或由于泥沙栓塞导致隧洞无法泄流,将严重威胁工程的安全。因此,在进水塔内设置了一套高压冲淤系统,来解决上述泥沙淤堵问题。具体布置见高压冲淤系统图17-5-1。

**(一)充水平压管路取水口冲淤**

高压冲淤系统的水源引自进水塔后290m高程的储水池,引水口设有拦污网和控制总阀,管路经7号公路桥至进水塔283m平台,主管沿进水塔轴线埋设于管道沟内,10个支管分别进入各进水塔的充水管道进口阀门室,经高压软管与高压水枪管嘴接通。

在各进水塔阀门操作室内均设有一套冲淤高压水枪。距闸阀后约1m处的充水平压管道上专门预留有带法兰的圆孔,平时用堵盖封闭。当平压管道前闸阀的引水管被泥沙淤堵时,先打开闸阀后管道上的堵盖,将高压水枪装入充水管道内。然后开启平压管道的闸阀,打开高压冲淤管道出口的手动阀,使压力水进入水枪射向管道进口,冲刷进口淤沙。待管道疏通后,依次关闭手动阀及闸阀,取出水枪,封闭堵盖,使充水平压系统重新投入使用。

**(二)事故门前的流道冲淤**

孔板洞、排沙洞工作闸门分别设置在隧洞中闸室和出口,为了防止隧洞停泄期间泥沙淤积洞身,设计选用事故闸门挡沙。两事故门底坎高程比设计控制的淤沙面低12m,为了防止泥沙淤堵造成闸门无法开启,或者即使开启闸门,由于泥沙板结水流仍冲不开淤沙,

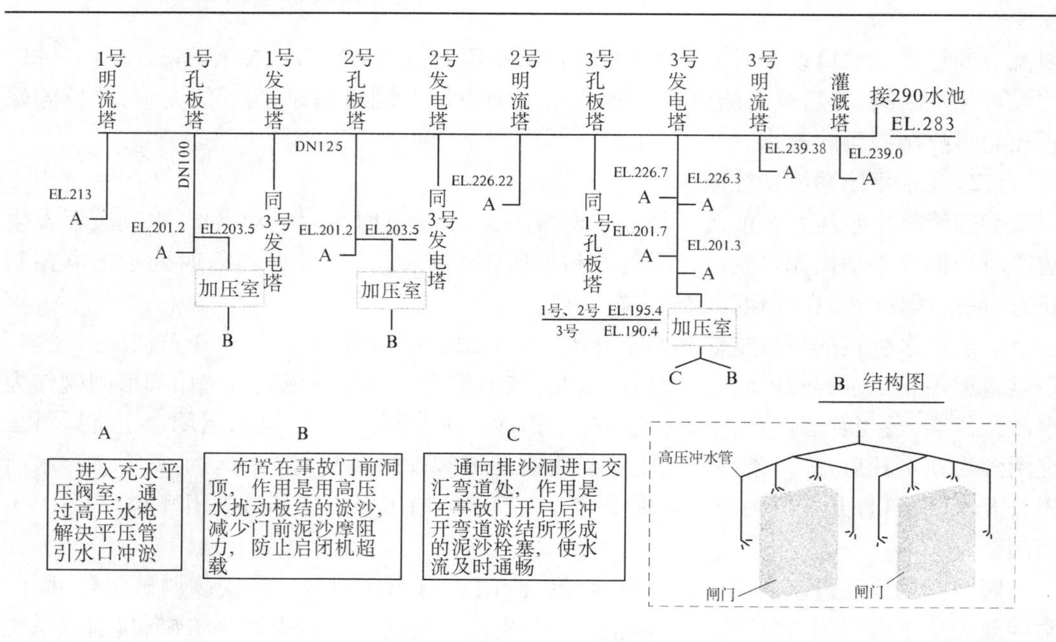


**图 17-5-1 高压冲淤系统**

威胁工程安全，在两事故门前及排沙洞的弯道处设置了高压冲水口。

孔板洞高压冲淤管道在 203.5m 高程处分成两路：一路进入充水平压阀门室，解决平压管道引水口冲淤问题；另一路经加压泵房加压，进入布置在事故闸门前洞顶及两侧的 4 个高压冲水口，用高压水扰动板结的泥沙，减小门前泥沙摩阻力，防止启闭机超载。

排沙洞事故门孔口尺寸为 3.7m×5m，洞顶在设计限定的淤沙面以下，且每条排沙洞有 6 个进口交会而成，在交会的弯道处可能造成泥沙淤堵。为此，在弯道中间设置了两个高压冲水口，另两个高压冲水口设在距排沙洞事故门槽前 3.3m 的洞顶上。排沙洞高压冲淤管道在 201.7m 高程处分成两路：一路进入充水平压阀门室，解决平压管道引水口冲淤问题；另一路经加压泵房加压，分别进入布置在事故闸门前洞顶的高压冲水口及排沙洞进口交会弯道处的高压冲水口。前者的作用是用高压水扰动板结的淤沙，防止启门时启闭机超载；后者的作用是当事故闸门开启后冲开弯道淤积所形成的泥沙栓塞，使水流及时畅通。

冲淤系统引水源在 290m 高程，高压冲水口分别设在 180～187m 高程之间，水头差约 100m，为保证出口压力，增设了加压水泵。加压泵的控制装置设在泵室，采用现地控制方式，远方可显示加压泵的工作状态。在水库运行初期，由于泥沙淤堵造成事故闸门启闭机超载时，直接引用 290m 水池清水通过事故闸门前的高压冲水口进行冲淤。随着库水位升高，靠水池压力水不能满足冲淤要求时，应起动加压泵进行冲淤。

高压冲淤系统投运的前提是流道堵塞，无泥沙淤积时严禁使用该系统。使用中须密切观察过流变化，冲开淤沙，流道过流后应立即停止，以免高压水冲坏隧洞。

# 第十八章　金属结构特殊问题处理措施

黄河是举世闻名的多泥沙河流,洪水峰高沙多、污物多、来势迅猛。泄流时,含沙高速水流通过闸门孔口,易引起闸门及导轨磨蚀。关门时泥沙淤积闸门,可能使启闭机超载或充水设施失效,或使自动抓梁无法脱挂,造成闸门无法开启。泥沙和污物混在一起形成泥污,能迅速堵塞拦污栅压垮栅体,造成电站停机。黄河干流枢纽及两岸灌排工程,由于泥沙淤堵常发生闸门无法开启和机械、拉杆破坏事故,严重影响了工程的安全和工程效益的发挥。因此,在黄河上修建大型水利枢纽除了考虑清水河流水利枢纽经常遇到的安全问题外,又增加了由于泥沙引起的一系列特殊问题。

为了防止泥沙危害闸门的现象在小浪底工程重演,我们开展了闸门泥沙问题的研究。研究分两个阶段进行:第一阶段为现场调查和收集观测资料,主要选择了黄河三门峡枢纽和天桥水电站两工程为调查研究对象;第二阶段是对取得的大量现场观察和观测资料进行分析研究,从水流、建筑物体形、门槽导轨结构与材料、运行条件等几方面找出原因,提出解决措施。下面介绍小浪底工程中采取的闸门防淤堵、抗磨蚀及清污等措施。

## 第一节　防淤措施

### 一、多沙河流底孔闸门防淤堵的经验

三门峡水利枢纽是黄河干流上修建的第一个大型水利枢纽,自投入运行以来,各泄水建筑物积累了不少实测资料,取得了较丰富的经验教训,这对小浪底枢纽底孔闸门防淤堵具有非常宝贵的借鉴价值。

#### (一)底孔闸门前的淤积

三门峡水利枢纽溢流坝段原设有 12 个底孔,初期导流后封堵,在 20 世纪 60 年代陆续打开 1～8 号底孔。自底孔投入运用以来,发现进口泥沙淤积现象严重,对进口事故检修门的启闭力影响甚大。

当低水位运用时,只要关闭底孔进口闸门,门前就会形成泥沙淤积,而且淤积的速度很快。如 1972 年 6 月 20 日关闭所有底孔,仅开 2 个洞及 7 个深孔泄流(2 洞在底孔左侧,高出底孔 10m,深孔在底孔上方,高出底孔 20m),关门后 20 天门前淤积面高程达 299.5m(底孔高程 280m),平均估算门前泥沙淤积速度约为 1.0m/d。

相反,如果有一个底孔泄流,即可形成冲刷漏斗。如 1972 年 6 月 6 日 4 号底孔单独泄流,1972 年 11 月 8 日和 12 月 3 日分别长时间开启 4 号及 8 号底孔,当时库水位在 300m 以下,测得底孔门前均有冲刷漏斗,保持底孔门前清。又如 1971 年 2 月 12 日以前在库水

位295m以下,较长时间地开启1~3号底孔,测得4~6号底孔门前淤积高程为281.0m,8号底孔门前淤积高程为282.6m,说明当1~3号底孔泄流时,4~8号底孔门前泥沙受到冲刷漏斗的制约作用。

**(二)闸门前泥沙淤积对闸门启闭力的影响**

根据三门峡原型观测取得的大量资料分析,泥沙对闸门启闭力的影响除与泥沙物理力学特性、淤积高度有关外,还涉及闸门止水的位置(上游止水或下游止水)、泥沙淤积形态、水工建筑物的布置和闸门的运用方式等。以三门峡水利枢纽底孔事故检修门为例,当闸门关闭时,门前经常发生大量落淤,1970~1973年间,曾对三门峡水利枢纽底孔事故检修门实测了23组启门力,实测资料表明:

(1)在库水位相同的条件下,门前有泥沙淤积情况下的启门力要比无泥沙淤积情况大16%~33%。

(2)每年启门时,第一扇闸门的启门力均较大,当继续再提相邻孔的闸门时,由于第一扇闸门门前冲刷漏斗影响,降低了相邻孔的泥沙淤积面,因而启门力有所降低。

(3)在库水位相同、门前泥沙淤积相同的情况下,门槽内有无泥沙对闸门启闭力也有很大影响。

## 二、小浪底工程底孔闸门防淤冲沙措施

总结三门峡、天桥工程的经验教训,分析造成淤堵的原因主要是:从枢纽布置上没有充分考虑利用冲刷漏斗防淤;缺乏泥沙淤积的监测装置,不能事先了解淤积情况、及时采取冲淤措施;在闸门孔口附近没有设冲沙装置,不便于随时冲淤;闸门均为下游面止水,泥沙淤积在门槽中,使整个闸门埋在淤沙之中。为了防止此类现象在小浪底工程发生,我们采取了一系列防淤堵措施,基本解决了闸门淤堵问题。

**(一)根据泥沙运行的规律,科学地进行孔口布置**

小浪底水利枢纽各进水口在立面上分层布置,形成低位洞排沙、高位洞排漂、中间引水发电的布局。排沙洞进口高程最低,工作闸门能经常局部开启泄流,利用门前水流冲刷漏斗的作用冲刷掉相邻闸门前的泥沙淤积。发电、泄洪、排沙洞的进口,按照冲刷漏斗的范围适当集中布置,可以用排沙洞或泄洪洞拉出的冲刷漏斗保护发电洞进口。泄洪洞与排沙洞也可相互保护,以便保证坝前长期形成一定的冲刷漏斗,防止运行中将闸门淤死。

**(二)在进水塔前缘设置泥沙淤积自动监测系统**

泥沙淤积自动监测系统由6套电子传感器、6台淤厚仪和计算机组成。电子传感器电极安装固定在进水塔前缘179~191m高程,检测淤积厚度绝对精度0.25m。淤厚仪能实时显示泥沙淤积湿容重为1.5t/m$^3$所处位置的高程。计算机自动定时巡检淤厚仪测量的数据,经软件处理,把对应的淤积时间、高程、湿容重以柱状或过程线画面和数据表格形式显示在监视器上。数据存储在数据库中,以便查询和打印。当淤积面高度接近或达到设计规定的淤沙高程(187m)时,计算机发出声、光信号警报,及时开启闸门冲淤。

**(三)进水塔内设置高压冲淤系统**

高压冲淤系统主要用于充水平压管路取水口冲淤和事故闸门前流道冲淤。孔板洞、排沙洞两事故门底坎高程比设计控制的淤沙面低12m,如发现事故闸门前淤堵,使启闭力超过限值时,可以起动高压冲淤系统,利用高压喷嘴冲击门前流道淤沙,然后启门排沙。当充水平压管道闸阀前的引水管被泥沙淤堵时,可将高压冲淤系统的高压水枪装入充水管道内,通过水枪将高压水射向管道进口,冲刷进口淤沙,防止充水平压系统失灵,导致事故闸门无法平压开启。高压冲淤系统的具体设计及布置详见第十七章第五节。

**(四)底坎在设计控制的淤沙面以下的挡沙闸门均采用上游面止水**

泄水底孔进口的挡沙闸门均采用上游面止水,电站机组尾水闸门的止水也布置在迎水面,防止在闸门关闭期间泥沙回淤进入门槽,使整个闸门埋在淤沙之中,造成启闭机超载。

**(五)考虑淤沙摩阻力对闸门启闭力的影响,合理选择启闭机容量**

门前淤沙不仅增加了泥沙对闸门的水平压力,同时还增加了泥沙对闸门接触面的附着力。附着力是一个与泥沙粒径、矿物成分、泥沙固结程度及闸门的接触面积等有关的综合值。由于影响因素太多,无法通过理论分析或模型试验求得。根据这一特点,我们针对小浪底工程闸门的运行条件,通过仿真试验研究了附着力的数值。试验选用黄河下游泥沙作为试验沙,利用浑水系统设备模拟门前淤积,轧制钢板模拟闸门面板,通过启闭机械配合测力装置测试启门力,测出不同淤积时间淤沙对闸门面板单位面积的摩阻力值(包括闸门提升时对泥沙的剪切力和门底部分可能出现的真空吸力等的综合值)。同时在同一位置采取淤沙试样,测试容重、凝聚力和摩擦角等土力学配套参数。试验按15天、30天、60天淤积期安排,进行了多组附着力测试和土力学参数测试,找出淤积高度、淤积时间、淤沙特性与闸门淤沙摩阻力的关系。

根据上述试验成果,我们在选择小浪底工程闸门的启闭机容量时,除了考虑泥沙压力引起闸门的行走支承的阻力外,还计入闸门外轮廓与泥沙接触面上闸门淤沙摩阻力,以保证泥沙淤堵闸门时仍能正常开启闸门。

## 第二节　抗磨措施

### 一、多沙河流底孔闸门抗磨蚀的经验

泥沙对泄水门槽和导轨的磨蚀问题是多沙河流的重要特征之一,但至今对这方面的研究不多,尤其是原型的实测资料更少。西欧、美国等西方国家的学者对泥沙磨蚀的研究多采用含沙水束对各种试件喷射,这种试验成果与工程的实际工况差别很大。前苏联在20世纪50年代设计三门峡水利枢纽时,曾进行过混凝土表面泥沙磨损的试验研究,但最终也未能提出实用的成果。

三门峡工程的泄水建筑物经过多年来的泄水运用,水流边壁和闸门埋件均遭到不同程度的泥沙磨蚀。为了寻找泥沙磨蚀的规律和相应的抗磨措施,从20世纪70年代初进

行了较系统的现场观测，摸索到一些初步规律，取得了一些有价值的资料。

**（一）门槽的磨损**

三门峡工程共有9种门槽，各具有不同的孔口尺寸、不同的镶护材料，处于不同的流速作用之下，因而磨蚀情况也各不相同。各种门槽的实测磨损资料表明：

（1）磨损比较大的部位为门槽的上、下游棱角附近。矩形斜坡形门槽比圆弧形和矩形方角形门槽磨损轻。同时，矩形斜坡形门槽下游最大磨损处下移，远离门槽内的主轨，也便于维修，是有利的，但门槽上游棱角的磨损基本相同。

（2）虽然门槽外表面的棱角遭到较大的磨损，但门槽内壁除凸出的轨道以外，无明显的磨损现象。所以在门槽能确保造型的情况下，门槽内壁并不需要特殊的保护措施。

**（二）轨道的磨损**

三门峡工程有4种轨道形式。这4种轨道具有不同的几何尺寸、不同的材料，居于门槽的不同位置，并处于不同的流速作用之下，磨蚀情况也各不相同。各种轨道的实测磨损资料表明：

（1）轨道最大磨损边正对旋涡流向的迎水面，而且主轨正处在洞内主流与旋涡流向分流点附近，是产生泥沙磨损最不利的位置。如果能将主轨向门槽内侧移动，对减轻轨道的磨损是有利的。

（2）扁平轨道比凸出轨道的磨损显著减轻。所以，凡以线接触面的承重轨道，为减免泥沙的磨损作用，不宜凸出门槽边壁过多，以避开旋涡流向的冲击。

（3）矩形斜坡形门槽轨道与矩形方角形门槽轨道相比较，在二者条件类似的情况下，前者轨道的局部磨损普遍较小，一般为蚕豆或黄豆大的不连续坑洞，尚能勉强使用，而后者却磨成连续坑洞，几乎磨损到极限位置，已无法使用，被迫更换。所以，可以认为在门槽和轨道相对位置相同的情况下，矩形斜坡形门槽比矩形方角形门槽有显著减轻轨道磨损的作用。

**（三）流道的磨损**

三门峡工程的几个泄水建筑物过水断面沿程均有不同程度的变化，因而沿程断面平均流速有所不同，所受泥沙磨损程度亦不相同。各流道的实测磨损资料表明：

（1）1号、2号隧洞进口检修门前的压力段的平均流速分别为10.4m/s和10.9m/s，压力段混凝土表面除底部有推移质的磨损以外，其余无明显的磨损痕迹。深孔进口喇叭段实际运用平均流速为14.3m/s，该段混凝土表面磨损甚微；工作门后流速为19.7m/s，该段混凝土表面最大磨损深度达5~8cm。由此初步认为，含沙水流平均流速 $v \leqslant 12.0$m/s时，泥沙对混凝土断面的磨损可以忽略不计，故该流速为混凝土不磨流速。

（2）4条钢管圆锥段中部以前，平均流速 $v \leqslant 10.0$m/s，该段钢管无明显的磨损痕迹。由于进口与出口断面比约为10，出口局部流速高达25.9m/s，圆锥段中部至挑流鼻坎末端均有不同程度的大面积磨损，最大深度达20mm，钢板被磨穿。由此可以认为，含沙水流平均流速 $v \leqslant 10.0$m/s时，泥沙对钢板衬砌的磨损可以忽略不计，故该流速为钢板不磨流速。

（3）底孔侧墙混凝土表面磨损深度约15mm，而在相同部位的环氧砂浆最大磨深为

2～3mm。初估环氧砂浆的耐磨度为混凝土的5倍左右。

(4)混凝土的破坏是首先被磨蚀掉表层胶结水泥，随着运行历时的增加，其粗糙度增加，空蚀和磨损交替作用，细骨料逐渐被磨掉，导致粗骨料裸露。此时水流扰动剧烈，带走更多的细骨料，最终使粗骨料剥落，并将很快被淘刷成坑。而钢衬一般呈沟槽状磨损，且其过程极其缓慢。

## 二、小浪底工程底孔闸门抗磨蚀的措施

从三门峡枢纽和天桥电站泄洪排沙建筑物和闸门埋件的大量观测资料可以看出，影响泥沙对水流边壁磨损的因素很多，如水流的流速、压力分布、运用历时、泥沙含量、粒径、形状、矿物成分、硬度、水流边壁的曲率、材料的物理力学性质、表面粗糙度等。基于上面的认识，结合小浪底水库水沙条件、运用要求和工程布置特点，对解决门槽磨蚀问题采取以下几种措施：

(1)降低检修闸门的过门流速。小浪底泄洪洞、排沙洞的检修闸门位于隧洞进口最前端，没有维修条件，为了保证该门槽不发生磨蚀，用不磨蚀流速控制选择孔口尺寸，使之满足在汛期泄流时过门流速不大于12m/s的要求。

(2)泄洪洞、排沙洞事故闸门后的流速均超过18m/s，为保证门槽体形，事故闸门门槽局部采用钢板衬砌，事故闸门门槽后至工作闸门前隧洞压力段全部采用环氧砂浆衬砌，防止洞身磨损。

(3)泄洪洞、排沙洞弧门在高速高含沙水流条件下工作，压力段出口局部流速高达40m/s，明流段坡底流速均在20m/s以上，均属高速水流，磨蚀能力很强。根据黄河三门峡枢纽的运行经验，流道的抗磨蚀性能与流道的外形、平整度、粗糙度及材料的耐磨性等因素有关，必须同时考虑抗空蚀与抗磨损两种外荷。钢板成型性好，抗空蚀条件好，而高强混凝土硬度高，抗磨损条件好，两者不可偏废。因此，泄洪洞、排沙洞弧门闸室体形变化段采用钢板衬砌，其后出口段均采用700号硅粉混凝土作为抗磨材料。

(4)改善门槽体形。三门峡枢纽大量观测表明，矩形斜坡形门槽比矩形方角形门槽的磨损轻，后者的轨道磨损比前者大得多。小浪底工程事故门槽处的流速均超过18m/s，泄洪洞事故门门槽处的流速高达24m/s，属于高速水流区，因此采用了适合于高速水流条件的矩形斜坡形门槽。此类门槽形式可以减轻门槽的旋涡强度，减小泥沙对轨道的磨损作用。

(5)采用抗磨蚀可拆卸轨道。三门峡枢纽和天桥电站在高流速区的轨道头部出现严重磨损的斑点、坑槽，磨损深度1～2mm，个别严重的可达2～3cm，有的甚至将30mm×30mm的方头不锈钢主轨磨损掉80%～90%，造成闸门无法关闭或者关闭后封不住水。为减少轨道磨损及方便维修，事故闸门采用了抗磨蚀可拆卸轨道。

根据轨顶和下部不同的荷载条件，小浪底工程事故闸门的定轮采用抗磨蚀可拆卸轨道，滚轮轨道做成不同材料和工艺的两个部件，轨道由轨头和主轨焊接件两部分组成，轨头为矩形断面，采用合金锻钢，具有较高的硬度和抗磨蚀能力。主轨焊接件断面为工字

形,其作用是将定轮集中荷载扩散到混凝土中。轨头与主轨焊接件之间采用不锈钢螺栓连接,当轨头出现磨损或气蚀破坏时,可以拆换维修,成功地解决了多沙河流高水头闸门导轨磨蚀的技术难题。

## 三、金属结构的表面防护

### (一)防护要求

小浪底工程有闸门孔口 117 个,闸门 62 扇,拦污栅 25 扇。多数孔口尺寸大,防护任务繁重,防护费用高。由于各种闸门工作的环境不同、任务不同、运行条件不同,必须有针对性地采取不同的防护措施,才能达到安全、有效、经济合理的目的。按照小浪底各种闸门的工作特性和工作环境分类,对照水工金属结构防腐蚀规范作出不同的防护要求。

(1)检修闸门在静水中启闭,不受水流冲蚀,使用机会不多,可按半浸没状态(干湿交替)钢结构对待,只考虑一般防腐蚀。

(2)事故闸门运用条件为动水闭门、静水启门,平时悬吊在库水中,有的还要担负经常挡水挡沙的任务;拦污栅经常在水下受水流冲刷,均按水下结构重防腐条件对待。

(3)深孔工作弧门为动水启闭,有局部开启时,还要在高速含沙水流下工作,除按重防腐条件对待以外,还要考虑含沙水流的磨蚀及弧门不能提出孔口检修的条件。

(4)深孔弧门、平板门的埋件如底坎、胸墙、钢板衬砌,经常受水流冲刷,且没有拆换和提出检修的条件,工况与深孔弧门相同。

(5)电站尾水闸门、防淤闸门、溢洪道闸门,使用机会少、流速低,按半浸没状态(干湿交替)钢结构防腐蚀处理。

### (二)防护方案

检修闸门采用三层涂料防护,由内向外分别为环氧富锌底漆、环氧云铁防锈漆和氯化橡胶面漆。导流洞封堵闸门是临时设备,使用期仅 2 年,而且无法回收,因此选用涂层薄、价格低廉的水性无机富锌漆。

事故闸门及拦污栅采用底层热喷涂铝,考虑热喷金属表面多孔,用黏度较低的环氧云铁防锈漆封闭金属涂层的孔隙,面层为氯化橡胶漆。

考虑深孔工作弧门面板迎水面抗高速含沙水流的冲刷和弧门不可能提出检修的条件,选择硬度和强度较高、易修补的环氧不锈钢鳞片漆。据厂家提供的试验资料,该涂料的耐磨性较一般涂料高几十倍,较环氧金钢砂耐磨漆高得多。一旦局部损坏,在闸室内也可以维修。其具体配置是:弧面迎水面面板底漆用环氧富锌底漆,面漆用厚层环氧不锈钢鳞片漆。弧门的其他部位仍按半浸没状态(干湿交替)防腐蚀,要求以环氧富锌漆打底,环氧云铁作中间漆,氯化橡胶作面漆。

深孔弧门、平板门的底坎、胸墙、钢板衬砌与深孔弧门面板迎水面同样对待,底漆用环氧富锌漆,面漆用厚层环氧不锈钢鳞片漆。

电站尾水闸门、防淤闸门、溢洪道闸门及其埋件均采用检修闸门的防护方案。闸门防腐涂料具体涂装道数、厚度和颜色见表 18-2-1。

表 18-2-1　　闸门防腐涂料涂装道数、厚度和颜色

| 设备名称 | 涂层 | 涂料名称 | 道数 | 干膜厚度(μm) | 颜色 |
|---|---|---|---|---|---|
| 检修闸门门体 | 底漆 | H06－4 环氧富锌防锈底漆 | 1 | 80 | 乳黄 |
| | 中间层 | 842 环氧云铁防锈漆 | 1 | 100 | |
| | 面漆 | 氯化橡胶面漆 | 2 | 80 | |
| 事故闸门门体 | 喷涂 | 喷铝层 | 2 | 120 | 银灰 |
| | 封闭层 | 842 环氧云铁防锈漆 | 2 | 80 | |
| | 面漆 | 氯化橡胶面漆 | 2 | 80 | |
| 溢洪道弧门 | 喷涂 | 喷铝层 | 1 | 100 | 乳黄 |
| | 封闭层 | 842 环氧云铁防锈漆 | 1 | 50 | |
| | 面漆 | 氯化橡胶面漆 | 2 | 80 | |
| 发电洞主、副拦污栅 | 喷涂 | 喷铝层 | 2 | 120 | 银棕 |
| | 封闭层 | 842 环氧云铁防锈漆 | 1 | 40 | |
| | 面漆 | 环氧沥青防锈漆 | 2 | 140 | |
| 平面闸门和拦污栅的侧反轨、主轨非加工面 | 底漆 | H06－4 环氧富锌防锈底漆 | 1 | 60 | 银棕 |
| | 中间层 | 842 环氧云铁防锈漆 | 1 | 60 | |
| | 面漆 | 环氧沥青防锈漆 | 2 | 140 | |
| 深孔弧门(面板除外)、防淤闸门体,表孔弧门的埋件 | 底漆 | H06－4 环氧富锌防锈底漆 | 1 | 80 | 银灰 |
| | 中间层 | 842 环氧云铁防锈漆 | 1 | 100 | |
| | 面漆 | 氯化橡胶面漆 | 2 | 80 | |
| 深孔弧门面板迎水面,深孔闸门和拦污栅的底坎、胸墙、钢板衬砌 | 底漆 | H06－4 环氧富锌防锈底漆 | 1 | 80 | 银灰 |
| | 面漆 | 8840 环氧不锈钢鳞片漆 | 3 | 420 | |

# 第三节　清污措施

## 一、清污方式的确定

本工程的清污方式根据库区污物来源、类别和分布特点并结合工程布置的具体条件和水轮机组正常运转的实际需要确定。

根据对三门峡水电站的调查和了解,黄河中下游来污主要以草本植物为主,以生长在河岸两边的苇根、草类、树叶等柔性污物为最多。汛期则可见农作物的秸秆根藤,一些大小树枝、树干、原木等劲性污物和少数家畜的尸体。汛期来污的特点是量大集中,来势迅猛,部分柔性污物还与泥沙、碎石等裹缠为一体潜入水下。这类污物分布在深水区,常不易被发现,对拦污栅的安全构成极大威胁。

电站进口布置特点是:6 条发电洞的进口下部对应布置了 3 条排沙洞,以防止发电洞进口被泥沙淤堵;拦污栅全部布置在进水塔内,并采用直立式布置方式,最大栅高达 40m,栅底离塔顶面最高 93m。机组最低正常运行水位为 220.0m,最高水位为 275.0m,库区水位的变化是很大的。另外,机组还有汛期发电的任务。

基于上述的污物特点和布置条件,在确定本工程电站的清污方式时提出了利用排沙

洞排污的设想。即利用清污设备先将潜伏在深水区的污物下压到排沙洞口,再由入洞水流将污物排至下游,从而达到对拦污栅进行清污的目的。为证实这种设想的可行性,在进行发电、排沙系统的水工模型试验时,专门增加了利用排沙洞排污的试验项目。试验中发现,污物并不需要压至排沙洞口,只要到达洞口上方一定水域,水流就能将污物吸入洞中。试验结果为利用水力进行清污提供了根据。

另一方面,小浪底工程为高坝、深库,拦污栅底槛距塔顶近百米,要将潜伏在深水区的污物靠清污机械清除后全部提至塔顶,则上下来回既费时又费工,势必影响清污作业的效率。利用水力清污,则正好可弥补这一不足。如果将清污机清污后提到塔顶称为机械清污,把清污机压污至排沙洞、利用水流排污称为水力清污,将提栅清污称为人工清污,则小浪底工程电站进口采用的是以机械清污、水力清污为主,人工清污为辅的综合清污方式。这一清污方式也得到了负责小浪底工程国际招标技术咨询的外国专家的肯定。

将机械清污与水力清污结合起来的方式是一种全新的清污方式,这种清污方式是在小浪底工程上首次采用,它是水工建筑物的布置体形与机械设备有机结合的产物。

### 二、清污设备选型

小浪底工程电站进口的新清污方式,要求清污设备必须具备既能将污物清除后抓出进水塔的塔面,又能将污物下压至拦污栅底槛下部的泄洪排沙洞口以实现水力清污的两种职能。而目前国内外的拦污栅清污设备均无下压污物的功能。因此,必须对这种新型清污设备进行专门的设计开发。经对国内外各种清污机械的调查、研究、分析和比较,结合小浪底电站的具体条件,设计开发出了一种新型清污机械——电动液压式全跨抓斗清污机。该清污机的主体为全跨抓斗,其自身带有压重块,以适应清污机下压污物的功能,下压力可根据需要进行调节。清污机自身不带升降动力,其升降运行由塔顶门机操作。清污机还设有专用导槽,这样,清污机只能上下运动,不能水平运动。这种清污机上下运动的行程不受限制。因此,特别适用于清理高大、直立布置的电站拦污栅。

## 第四节　检修措施

在国内已建水电工程中,金属结构设备运行和维护的交通及检修条件普遍较差,尤其是流道内的设备检修,往往采用爬梯、脚手架、吊笼等临时设施。小浪底工程金属结构设备技术先进、种类繁多、运行条件复杂,对设备的运行、维护和检修提出了更高的要求,必须做到勤检查、勤维护、勤保养,消除事故隐患,才能保证设备正常运行。因此,在金属结构设计中不但要考虑设备自身便于维修,还要考虑设备运行和维护的交通及检修条件,为设备运行和维护提供方便。小浪底金属结构设备在正常运行工况需要经常攀登的位置设置了固定的吊箱、扶梯、爬梯和检修平台,其他部位则采取临时措施。

### 一、事故闸门门槽及流道的检修措施

小浪底明流洞的工作闸门设在进水塔内,距事故闸门很近,可以从工作闸门下到底坎进入流道,解决事故门槽及流道的检修问题。排沙洞和孔板洞的工作闸门分别设在隧洞

出口和隧洞中部，因进水塔至工作闸门隧洞段设有垂直弯道，无法从工作闸室进入垂直弯道前的流道，只能通过事故门井垂直交通解决事故门槽及垂直弯道前流道的检修问题。另外，发电洞检修闸门、事故闸门门槽及压力钢管前流道的检修同样需通过事故闸门井解决垂直交通问题。

高坝闸门井垂直交通一般采用爬梯或临时吊笼。由于门井深，上下爬行很不方便，加之爬梯长年浸水，时干时湿，极易锈蚀，实际运用中存在隐患。临时吊笼则利用门机起吊，沿门槽下放至底坎，既无导轨又无安全装置，不能作为永久检修设施。因此，高坝闸门井垂直交通问题一直未很好解决。小浪底发电洞、排沙洞和孔板洞共计 12 条洞，事故门井深达 110m，经调研，国内尚无适用于该工况的门井吊厢成功的经验，仅设爬梯，上下爬行 110m 很不方便。最终采用了爬梯和吊厢并行的方案。

每条排沙洞和孔板洞设有两扇事故闸门，一个事故门井内设置爬梯，另一个事故门井内则设吊厢，互为备用。发电洞为一洞一门，故在事故门井上游侧设置爬梯，下游侧设吊厢。

**(一)检修爬梯设计**

由于事故门流道内流速很高，如设爬梯将引起洞壁气蚀或挂入污物。因此，检修爬梯仅从检修平台设至洞顶。检修人员可利用事故门体下游侧设置的爬梯下到底坎。

检修爬梯带有护栏和休息平台，休息平台为钢结构，每 10m 设置一个，以满足检修人员休息的需要。考虑到爬梯长年浸水且维修比较困难，设计时参照建筑用的标准爬梯形式，对其结构进行加强，用重防腐涂料进行防护，并要求定期维护，以保证检修人员的安全。

**(二)吊厢系统设计**

吊厢系统在国内外水电工程设计中是首次采用。为此，我们调查和收集了电梯和煤矿载人罐笼的相关资料，认真分析了罐笼和电梯的机构设置和运行条件。煤矿载人罐笼的特点是竖井深，井上启闭机布置不受空间限制，井内无水且运行频繁。电梯是高层建筑中工作、生活的日常交通工具，使用非常频繁，对其安全性、舒适性、准确性均要求很高，因此造价高得多。结合本工程事故门井空间狭小、井内常年有水、使用频率较低等特点，在研制过程中借鉴了电梯和煤矿载人罐笼的各种安全措施，在吊厢系统中做了简化和改进，基本满足了闸门井垂直交通的要求。为了做到安全可靠，我们在设备出厂前进行了试验和调整。该设备于 2000 年在小浪底完成安装调试工作。经现场试验证明吊厢系统运行安全、可靠，并一次通过验收。

吊厢系统包括多功能电动葫芦、厢体、安全闸制动器、断绳保护装置、行驶轨道及其控制设备。安全闸制动器和断绳保护装置是整个吊厢系统的设计难点，我们配合湖北蒲圻起重机械厂和中信重型机械公司洛阳矿山机械设计院设计，并做了大量的试验研究工作。

*1.多功能电动葫芦*

吊厢系统的起吊设备选用多功能电动葫芦，该设备是在标准电动葫芦上增设一些安全设施，具体要求如下。

(1)钢丝绳的安全系数：起吊 1.5t 载荷(载人)时，安全系数大于 8；起吊 5t 载荷(载物)时，安全系数大于 4。采用不旋转钢丝绳。

(2)超载、欠载保护装置：超载系数取 1.1，欠载负荷取 0.6t，有效防止吊厢运行时卡轨、松绳现象的发生，并设有载荷数字显示装置。

(3)双限位高度数字显示：1 套机械限位装置，1 套光电传感器限位装置，数字显示误差小于 10mm。以上两种限位装置在全程可调和预设置。

(4)3 套制动装置:2 对经常动作的刹车制动器,1 对安全闸制动器,有效防止葫芦溜钩、断齿、断轴等突发事故的发生。

(5)手控、无线遥控操作:以手控为主,遥控操作达 150m 范围,动作灵敏。

2.厢体

厢体外形尺寸为 900mm × 980mm × 2 150mm,为焊接钢结构。在轨道侧设有 8 个导向轮,上、下各 4 个。厢体侧部设有推拉门,顶部设有安全门,底部装有缓冲装置。断绳保护装置安装在吊厢顶部。吊厢布置见图 18-4-1。

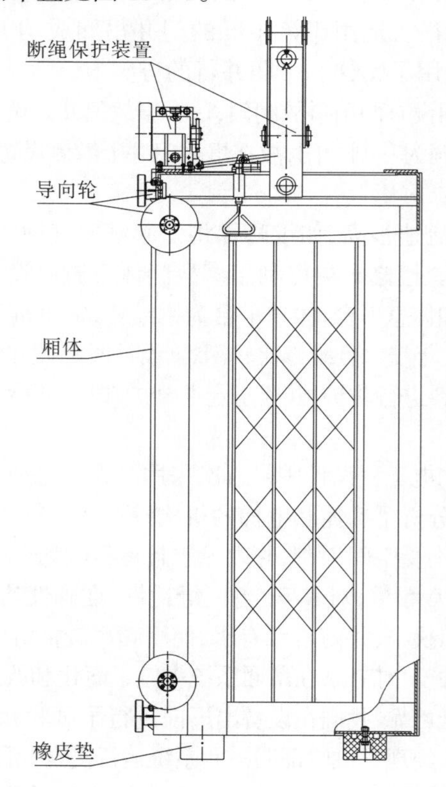


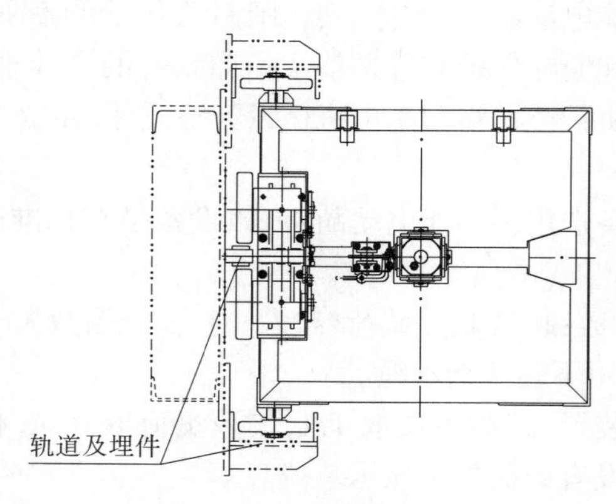


**图 18-4-1　吊厢布置图**

3. 安全闸制动器

安全闸制动器的作用是在刹车制动器失灵、厢体超速下滑时立即制动，防止厢体坠落。安全闸制动器由棘轮、棘爪、内制动摩擦片和拉力弹簧等组成。该产品引进了进口产品技术，进行改进后制造组装成样机，经反复试验调试，最终满足设计要求。

在电动葫芦出厂前进行了整机试验，主要测试项目包括常速升降工况和故障时超速安全闸制动刹车工况，并测出超速制动的超速值、重物在制动动作时下滑值、制动下滑距离。试验结果表明：正常运行时，电动葫芦起吊 1 500kg 重物升降自如，提升速度为 8m/min，安全闸不动作，即棘爪上的滚轮沿导轮轮廓平稳滚动；故障时电机转速达到额定转速的 3 ~ 3.5 倍，厢体下滑约 800mm 后，安全闸棘爪卡住棘轮，棘轮与卷筒之间靠内制动摩擦片的摩擦力制动，制动距离仅 50mm，刹车效果良好。

4. 断绳保护装置

吊厢系统的起吊设备上设置了 3 套制动装置，可以有效防止电动葫芦溜钩、断齿、断轴等突发事故，但无法避免钢丝绳断后厢体失控坠落的事故发生。因此，增设了断绳保护装置。

断绳保护装置是一套机械防坠机构，由悬挂机构、杠杆机构和防坠机构组成。在断绳的情况下，悬挂机构中的压簧反弹，使杠杆机构推动滑块上移，通过齿条带动齿轮转动，迫使凸轮旋转，然后靠摩擦力楔紧轨道。该装置在正常运行过程中不应出现保护状态，因此凸轮初始调试位置的外缘与轨道边缘的间隙定为 10mm，而导向轮外缘与轨道外缘的间隙为 6mm，即正常运行时导向轮接触轨道，起导向作用，凸轮不接触轨道。具体布置见图 18-4-2。

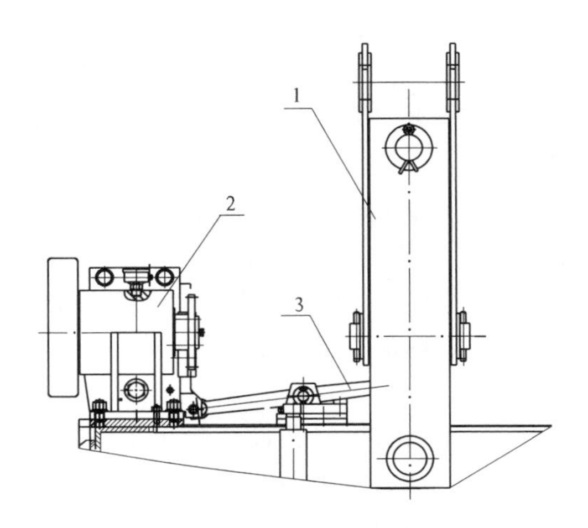


**图 18-4-2　断绳保护装置**

1—悬挂机构；2—防坠机构；3—杠杆机构

为确定防坠机构的可靠性，我们在厂内进行了断绳保护装置试验。试验在 5m 高的试验井架上进行，厢体悬挂在试验架上，当厢体顶部的悬挂机构脱离钢丝绳后，厢体自由下落，防坠机构动作，制动下滑距离约 30mm。由于该装置是靠凸轮和轨道的两个刚性体的楔紧而制动，初次制动时厢体底板的负加速度较大，厢体内放置的试验加重块出现反弹现象，调整了缓冲块的位置后，加重块反弹现象消失，负加速度明显降低。经不同负荷多次试验验证，该装置制动可靠，厢体底板人体耐力负加速度峰值仅 1.567$g$，轨道只有滚动压痕而无磨损痕迹，能够满足使用要求。

## 二、平面闸门的维护和检修措施

小浪底工程检修水位为 260m，故进水塔内平面闸门的检修平台均设在 260m 高程以上，平时闸门锁定在检修平台上，在隧洞过水期间，事故闸门始终悬挂在孔口上方。从启闭机平台到检修平台设有扶梯，需要检修时，将闸门提至各自的检修平台，维修人员通过扶梯进入检修平台进行维修作业。

发电洞事故闸门与启闭机之间采用拉杆连接，每扇门的拉杆总长 52m，分 6 节。平时闸门悬挂在孔口上方，需要检修时，可逐节摘掉拉杆，将闸门提至检修平台检修。为减小维修人员摘挂拉杆的劳动强度，在每孔闸门井上方设置了环形轨道，轨道上装有 6 个吊运拉杆的小车。拆卸拉杆时，先将其下面的拉杆锁定在检修平台，再将小车沿环形轨道推至吊点中心位置，被摘拉杆稳定地锁定在小车后，分别与启闭机、下节拉杆脱轴，沿环形轨道输送到两侧悬挂存放。输送过程中人站在 265.0m 高程拉杆锁定平台，推动悬挂着拉杆的小车沿环行轨道到达预定位置。安装拉杆时，可再运回到吊点中心位置。

## 三、深孔弧形闸门的维护和检修措施

深孔弧形闸门的维护只能在闸室的流道内进行，考虑到深孔弧形闸门闸室空间狭小，钢结构爬梯和检修平台在潮湿环境中的锈蚀因素，小浪底工程深孔弧形闸门的检修设施设置的原则是，在正常运行工况需要经常攀登的位置设置固定的爬梯和检修平台，其他部位则采取临时措施。例如，偏心铰弧门启闭机室内设置了副机轨道注油润滑设备后，副机轨道除大修外，正常运行工况不需要经常攀登，因此该部位不再设置固定的平台和爬梯。

### （一）侧止水的检修措施

在闸门运行中，橡胶止水被磨损或撕裂是造成闸门漏水的主要原因。因此，应首先考虑止水橡皮的检查和更换条件。小浪底工程深孔弧形闸门侧止水设计预压缩量为 5mm，由于深孔弧形闸门不能像平门一样可以提到检修平台上更换止水，也没有表孔弧门的侧止水可以在闸墩上更换的检修条件，故在孔口上方的侧墙内设置了检修孔，以便维护和更换闸门侧向止水。

一般侧止水与侧轮共用一个侧轨，检修孔设在侧止水座板上方，截断了侧轨，闸门在启闭过程中侧轮在检修孔处于悬空状态，不能起到导向的作用。小浪底工程针对不同的孔口尺寸采取了不同的措施。排沙洞和孔板洞偏心铰弧门孔口尺寸较小，而检修孔高度至少 1.8m，若此处断开侧轨，在启闭过程中闸门两侧几乎有一半悬空。因此，我们将侧轮布置在靠近边梁下翼缘侧，拉开侧止水与侧轮的距离，在满足检修空间的基础上尽量减小检修孔尺寸（1.8m×0.8m×0.7m），使检修孔只截断侧止水导板，保证侧轮轨道连续不断。明流洞弧形闸门孔口尺寸较大，采用了在边梁上增设侧轮的办法，保证在启闭过程中每侧始终有 2 个侧轮支撑在侧轨上。

小浪底深孔弧形闸门的启闭机室至胸墙顶部设有爬梯，检修爬梯带有护栏，每 10m

设置一个休息平台。在需要维护和更换闸门侧向止水时，可由启闭机平台的进人孔经由爬梯下到胸墙平台，再经胸墙两侧爬梯进入检修孔，进行维修作业。

进人孔布置在启闭机上游或两侧，为防止闸门运行时进人孔形成补气通道，保证操作、维护人员的安全，进人孔均设有盖板。考虑启闭机室较潮湿，原设计选用混凝土盖板，因混凝土盖板较重，每次使用必须启用机房检修桥机，后统一改为钢盖板。钢盖板分成两块，一个人即可搬动。

**(二)门体及埋件的检修措施**

小浪底工程深孔弧形闸门的门体下游侧均设有爬梯，两上支臂设置了角钢和栏杆，作为通往流道底坎和支铰的检修通道。

明流洞弧门埋件需要维修时，可由胸墙的爬梯下到门顶，再经门后爬梯下到底坎，进行维修作业。偏心铰弧门的胸墙上装有折流器，无法设置固定爬梯，故在闸室两侧设有交通平台，可由交通平台下到上支臂，再经门后爬梯下至底坎。另外，交通平台与导水板相连，也可兼作支铰的维修通道和平台。

## 四、启闭机的正常维护和检修措施

启闭机室是运行人员操作和维护设备的重要工作场所，也是通往闸室的主要通道。因此，小浪底工程启闭机室布置除了要保证设备运行、维修的场地和空间外，还要求对外交通便利，设备安装、检修时吊运方便。

小浪底工程设计水位为275m，在进水塔内276.5m高程设有贯穿10个塔的检修通道，从该通道可以进入各塔的检修平台及事故闸门启闭机室。塔内启闭机对应的283.0m塔顶设有吊物孔，供安装或检修启闭机时塔顶门机吊出、吊入用。

明流洞弧形闸门的启闭机室设在进水塔内，运行维护人员可从塔顶进人孔通过扶梯下至启闭机平台。启闭机室上部设有1台50kN桥机，供启闭设备的正常维修用。液压启闭机大件维修及拆装可由塔顶门机吊运。

孔板洞弧门设在隧洞中部，启闭机室为地下闸室，顶部设置了1个直径3.0m的吊物孔，作为施工、维修的吊运通道。为了启闭设备安装、维护的需要，启闭机室设有1台400kN双梁桥机。启闭机室除设置了楼梯井和电梯井作为对外的垂直交通外，从11号公路进入孔板洞的2.5m×3.0m交通洞亦可到达启闭机室。排沙洞弧门布置在隧洞出口，启闭机房设在11号公路旁，交通便利。机房设有1台320kN双梁桥机，为设备的安装、维修提供方便。

排沙洞、孔板洞弧门设计水头在120m以上，在闸门运行时一般启闭机室内布置的人行通道同时兼作设备维修的通道和场地。小浪底水利枢纽投入运行以后，参观的人较多，为防止发生意外，电厂提议人行通道与设备隔离。但隔离会给设备的维修及吊装带来不便，因此建议该处设置活动栏杆，平时防止参观人员进入，设备维修时将活动栏杆移开即可。

# 第十九章　闸门及拦污栅设计

## 第一节　弧形工作闸门

### 一、表孔弧形闸门

#### （一）总体布置

溢洪道工作门和电站尾水渠防淤闸工作门都是表孔弧形闸门，其中溢洪道3扇，防淤闸6扇。溢洪道工作门的孔口尺寸11.5m×17m，弧面半径20m。防淤闸工作门孔口尺寸14.0m×11.3m，弧面半径17m，门型都是斜支臂圆柱铰露顶式弧形闸门。它们的结构布置类似，因此这里只介绍溢洪道工作门。

溢洪道闸门多为露顶式闸门，闸门的孔口尺寸一般也比较大，大的孔口宽度已有超过16m的。孔口宽度的确定一般根据溢洪道的总泄水量经过调洪计算确定。门型的选择是根据枢纽的运行要求、闸门的工作条件、启闭机型式和技术经济指标等因素综合确定的。根据普遍经验，可选择的门型有平面闸门和弧形闸门。小浪底溢洪道的孔口宽度是11.5m，采用平面闸门时，需在门的上方设置启闭机机架桥，机架桥的高度需要20多米，显然土建的工程量增加太大，而且设备的安装和运行管理都不方便。因此，门型选择了弧形闸门。闸门的高度为17.5m，它是根据枢纽确定的最高蓄水位275.0m，再考虑0.5m的超高确定的。由于溢洪道进口正对的水面离对岸距离很短，水面浪高小，经计算，0.5m的超高能够满足浪高的要求。弧门的支铰是荷载集中的部位，其位置的确定对闸门承受的荷载和启闭力影响较大。《水利水电工程钢闸门设计规范》（以下简称规范）推荐水闸的露顶式弧门，支铰的位置可布置在底槛以上$2/3H \sim H$处（$H$为门高），另外规范还规定，支铰宜布置在过流时支铰不受水流及漂浮物冲击的高程上，按照这些原则，支铰高度确定在11.5m的位置。弧面半径是按照门高确定的，对于露顶式弧形闸门，其半径与门高的比值多为1.0～1.5。液压启闭机的支撑点位置对启闭容量、启闭行程和对闸门的附加荷载都有影响，确定的原则一般要考虑多方面的因素。这些因素包括启闭机的容量在满足任意开度的条件下尽量小，行程最短，启闭机悬挂点高度尽量降低，以减小土建工程量等。这些因素一般是互相关联的，往往需要多做几个位置的方案进行综合比较，最终选择最经济合理的方案。

由于闸门的尺寸较大，为了保证闸门的安装精度，降低安装难度，闸门的支铰采用了自润滑关节轴承。启闭设备采用了双吊点液压启闭机，启闭容量为2×2 000kN，最大行程8.5m（布置详见图17-3-4）。

#### （二）结构布置

溢洪道工作门门体结构为主横梁斜支臂结构，门体宽度11.50m，底槛以上垂直高度

17.5m，弧面半径20m。门叶结构为双主横梁结构，这种结构与规范推荐的形式有所不同。规范推荐在宽高比值较大的情况下宜用主横梁结构，而在宽高比值较小时可采用主纵梁结构。显然该门的宽高比值较小，选用主纵梁较合理。但如果采用主纵梁结构，门叶必须分成左右两半，半节门叶的尺寸为5.7m×17.5m，显然运输有难度，因此门叶还是采用了主横梁结构。布置详见图19-1-1。

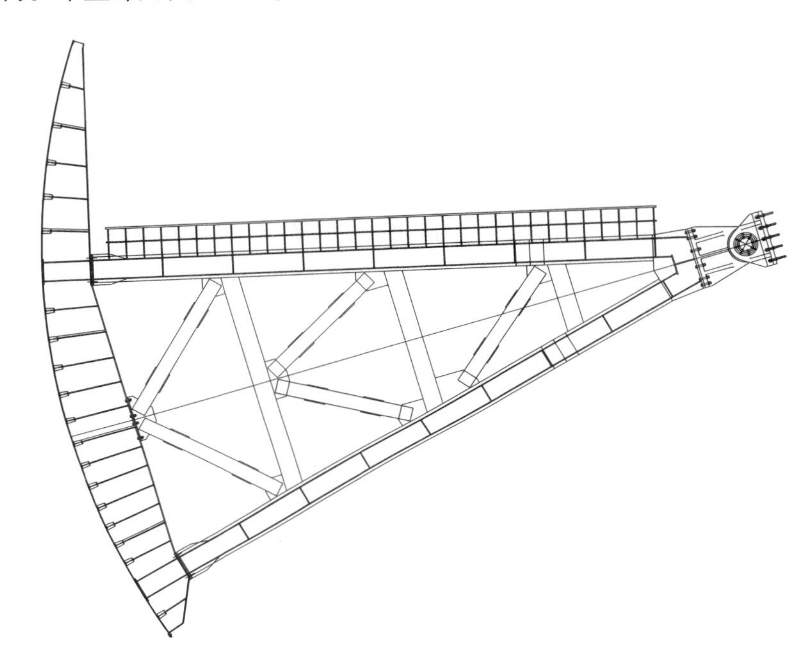

**图19-1-1　表孔弧形闸门门体**

支臂为斜支臂，它与主横梁组成Ⅱ形刚架，这种结构对于宽度大的孔口，结构的受力较均衡，是一种比较经济的结构型式。在布置条件允许的情况下，一般首选这种结构型式。主横梁支点外侧的悬臂段长度选择主梁总长的20%，这样可以保持主梁跨中的弯应力与悬臂段的最大弯应力值接近，使得主梁的受力比较均匀。支臂的夹角为28.23°，夹角平分线布置在闸门挡水荷载总压力的作用方向上，这样上下两个主梁承受的荷载相同，是一种最经济的布置形式。这种布置对于高度较大的门会出现上主梁以上悬臂部分过长，为此，一般在条件允许的情况下应尽量加大支臂的夹角，以减小上悬臂段的长度。由于闸门的尺寸大，安装难度也大，因此轴承采用铜基镶嵌免维护关节轴承。这种轴承以其承载力高、摩擦系数低以及免维护的性能，非常适合弧形闸门的工况，特别是轴承承载同时允许有2°以内的摆角，这给闸门的安装和运行都带来了方便。近几年来，越来越多的大型弧形闸门特别是特大型弧形闸门采用这种轴承型式，如福建闽江的水口电站、湖南沅江的五强溪电站等大型水利工程的弧形闸门都是采用了关节轴承。

闸门的设计条件考虑了正常运行期荷载和施工期荷载。正常运行期荷载包括静水压力、动水压力、门体自重和启门力；施工期荷载包括门体自重和启门力。根据荷载分析，闸门最不利荷载为正常运行期控制，上游水位275.0m，相应水容重10.5kN/m$^3$。闸门承受总水压力 18MN。

门体由门叶焊接件、支臂焊接件、支铰装配件、止水装配件、侧向支承装配件等组成。门叶结构型式为主横梁同层布置，考虑运输及安装条件，将门叶竖向分为 6 节，总重约 86.4t。门体结构为钢结构焊接构件。梁系由主横梁、垂直隔板、水平次梁和边梁构成。主横梁断面为箱形断面，断面设计考虑了面板参与梁系结构受力条件。纵隔板按等跨布置，断面为工字形断面。水平次梁为工字梁。边梁上 2 节为工字形梁，下 4 节为箱形梁。各节门叶在现场组焊成整体。

支臂结构为实腹柱刚架结构，它由支臂、交叉段、竖撑和斜撑组成。支臂分为上下支臂，断面为箱形断面。在上下支臂之间布置 3 个竖撑，竖撑之间设斜撑连接。竖撑是焊接工字钢，斜撑为槽钢组焊件。

闸门支铰为圆柱铰结构，铰座和铰链为铸钢件；铰轴为锻钢；轴承采用了 GLACIER 公司的 Devaglide 铜基镶嵌免维护关节轴承。轴承内径 480mm，外径 680mm，宽 320mm，闸门的各节门叶在现场焊接成整体，支臂、垂直桁架和交叉段也在现场组焊成整体。门叶与支臂采用普通螺栓连接，在支臂内侧设置了抗剪板。支臂与铰链采用螺栓连接，在接触面上设了抗剪槽。铰座通过预埋螺栓与闸墩牛腿连接，铰座闸墩一侧的耳板与边墙之间的空间填充混凝土，以抵抗支臂的侧推力。吊耳布置在下节主横梁附近的边梁上，在悬挂式液压启闭机的吊头上安装了关节轴承，以适应斜支臂闸门启闭过程中吊头的摆角。

启闭机采用液压启闭机，容量为 2×2 000kN，最大行程 8.5m。

## 二、深孔弧形闸门

### (一)圆柱铰弧形闸门

1.总体布置

3 条明流洞设置了 3 扇工作门，明流洞工作闸门的设计水头为 50~80m，孔口尺寸较大，而且闸门设计考虑局部开启的要求，因此这 3 个洞的工作闸门就采用了圆柱铰弧形闸门的门型。

1 号明流洞工作门底槛高程 195.0m，孔口尺寸 8.0m×10.0m，闸门弧面半径 20.0m，启闭机采用单吊点液压启闭机，启门力 4 500kN，闭门力 1 000kN，行程 12.5m。2 号、3 号洞进口高程不同但孔口尺寸相同，为了减少闸门的规格，3 号洞的闸门套用 2 号洞的闸门图纸。2 号洞进口高程 209.0m，孔口尺寸 8.0m×9.0m，闸门弧面半径 18.0m。启闭机采用单吊点液压启闭机，启门力 4 500kN，闭门力 1 000kN，行程 11.5m。

1 号明流洞工作闸门的设计条件考虑了正常运行期荷载和施工期荷载。正常运行期荷载包括静水压力、动水压力、门体自重和启门力。由于底槛高程 195.0m 高于枢纽进水塔前面的泥沙淤积面高程 187.0m，因此闸门的设计荷载没有考虑泥沙压力荷载。施工期荷载包括门体自重和启门力。根据荷载分析，闸门最不利荷载为正常运行期控制，上游水位 275.0m，相应水容重 10.5kN/m$^3$。闸门承受总水压力 75.7MN。

根据深孔弧门的一般布置原则，弧面半径应是孔口高度的 1.1~2.2 倍，半径的选择会影响闸门的受力状况和启闭力。半径小，启门力臂就小，启门力会增大。半径小，闸门所受的水压力的合力的方向会抬高，这会额外增加闸门的垂直水压力，从而增加闸门的总荷载。但半径小,闸门的刚度就相对变大,支臂的稳定性就好,同时也能节省门体的材料。可以看出,闸门的半径是弧门的一个重要参数,确定半径时需综合考虑各方面的因素。该门最终确定的弧门半径是 20m。弧门的支铰高度也是总体布置中应考虑的一个重要参数,一般要求支铰在闸门的任意开度时不受水流和漂浮物的冲击。根据规范的要求,支铰高度应大于 1.1 倍的孔口高度。支铰高度需要布置在一定高度,但也不是越高越好,支铰太高势必会增加闸门的挡水面积,增加闸门的荷载。1 号洞工作门的支铰高度最终确定为 14.5m,相应的高程为 209.5m。

闸门的启闭采用单吊点,启闭机为液压启闭机,安装布置在 227.0m 高程。由于启闭机室的房间面积太小,布置不下泵站设备,因此将泵站布置在 270.0m 的泵室内。泵室上面布置一台手动单梁检修桥机,可以作为检修启闭机和泵站的起重设备。

2.结构布置

3 个闸门的布置相类似,其中 1 号洞工作门的孔口尺寸最大,孔口面积达到了 $80m^2$,设计水头最高,因此这里主要介绍该门的设计情况。

深孔弧门的结构一般分为主横梁结构和主纵梁结构,一般主纵梁结构的整体刚度比主横梁结构要大。两种结构的计算模型不同,闸门的分节位置也不相同。主横梁结构是将门叶的主横梁和与该横梁连接的支臂构成一平面刚架作为门叶的主支撑框架承受闸门的荷载,当闸门需要分节时一般将闸门分成上下若干节。这样门叶的分节尺寸可以根据安装、运输需要自由分解。主纵梁结构是将门叶的主纵梁和与该梁连接的上下支臂构成一垂直刚架作为门叶的主支撑框架承受闸门的荷载。当闸门需要分节时一般只能将门叶分成左右两节,所以当选择这种结构型式时应考虑门叶的分节尺寸是否满足安装、运输的需要。

1 号明流洞的这扇工作闸门选择了主纵梁结构,因为闸门的孔口尺寸大,设计水头高,而且闸门的半径也大,需要闸门有较大的刚度。虽然门叶分成两半后门叶单节尺寸达到 4m × 12m,超过一般运输道路的限制,给闸门的安装和运输增加了难度,经过综合比较,认为选择主纵梁是必要的。主纵梁结构的门叶分成左右两半后,两节门的连接要求较高,为了保证闸门的尺寸精度,两半门叶的连接面都必须整体加工,门叶连接采用高强铰制孔螺栓(见图 19-1-2)。

支臂结构布置了纵向联结系以加大支臂的刚度,左右两个支臂框架也设横向联结系,加大闸门整体的刚度。支臂与闸门的连接采用高强螺栓,连接处还设了抗剪板以承受连接处的剪力。

闸门的支铰为铸钢结构。铰链和铰座的材质相同,都是 ZG35CrMo。铸钢结构容易出现内部质量缺陷,因此设计时必须对铸件提出相应的检测方法和质量标准。检测的方法一般为超声波探伤。

铰链与支臂为螺栓连接并在连接面设抗剪槽,螺栓只承受拉力,不承受剪力。

支铰轴承采用瑞典 SKF 公司的免维护关节轴承。轴承选型时,首先是根据支铰承受的最大径向荷载和轴向荷载按照产品厂家提供的等效荷载曲线确定轴承的等效荷载,按照等效荷载再乘以相应的安全系数,可以确定轴承的最大承受静载 $C_0$ 值。根据 $C_0$ 值就可以从 SKF 产品样本上选择需要的轴承型号。该明流洞选择的轴承型号为 GEP750FS,轴承的最大承载力为 52 000kN。

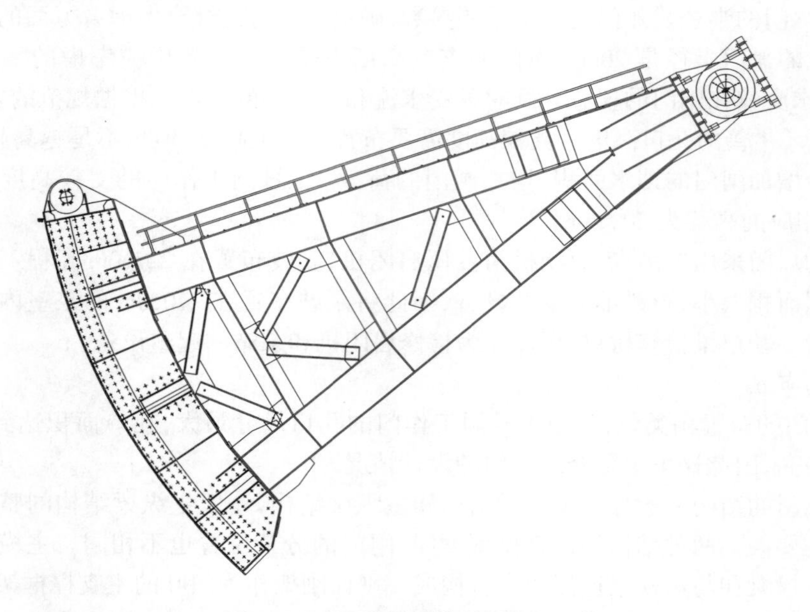

图 19-1-2 深孔圆柱铰弧形闸门门体

闸门的止水采用的是常规止水橡皮，侧止水为 P 形方头止水橡皮，设计预压缩量为 3mm。顶止水采用圆头 P 形止水橡皮。止水结构为压紧式，门楣部位伸出一悬臂水平止水座板，门体顶部固定顶止水橡皮头，闸门关闭后，顶止水橡皮头依靠门重被压在止水座板上，设计压缩量为 5mm。闸门设计考虑局部开启的要求，为了防止闸门局部开启运行时顶止水部位产生缝隙射水，在门楣顶止水座板下部布置了转铰止水。转铰止水借助水压力使其止水条紧贴在弧门面板上，从而达到防射水的目的。为了达到较好的防射水效果，弧门的面板制造时要求整体加工，面板加工后弧面圆柱度精度要求达到 2mm 以内。对于半径为 20m 的弧门，这样的精度是相当高的，闸门的门叶必须采取消除焊接应力的措施，否则门体的焊接残余应力会影响面板的整体加工精度。因此，闸门设计要求门体整体加工前必须进行整体退火，消除焊接残余应力。

闸门埋件侧导板上的止水座板，在孔口范围内采用了不锈钢材料，孔口以上的部位采用普通钢板材料，但上部的侧导板面后退了 20mm，使得闸门开启到上部位置时止水橡皮与座板脱开，减小它们之间的摩擦，延长橡皮的寿命。

闸门支铰埋件采用整体钢梁，这是为了保证两支铰的安装精度。根据规范要求，弧门支铰的轴孔同心度为 2mm，一个铰座的重量达到 20 多吨，因此要求支铰大梁必须有足够的刚度来保证两铰座安装的同心度。支铰承受的荷载也是非常大的，每个铰座 38MN 的荷载需要支铰大梁将集中荷载扩散传递到混凝土结构中，要求支铰大梁必须有足够的强度和刚度来支撑铰座。支铰大梁为箱形结构，梁高 1.93m，宽 2.35m，长 7.6m。长度必须考虑安装现场的空间，否则无法安装就位。大梁采用型钢与混凝土一期埋件连接，梁的腹板和翼缘均开有混凝土浇筑孔，以便将来将大梁与二期混凝土浇筑成整体，包括大梁的内部都必须用混凝土填实。

### (二)偏心铰弧形闸门

1.总体布置

排沙洞和孔板洞工作门的设计水头都超过了100m,排沙洞工作门的设计水头为122m,孔板洞工作门的设计水头为139.4m,而且它们都有局部开启泄流的要求,因此这两个洞的工作闸门选择了偏心铰弧门。

偏心铰弧门比普通圆柱铰弧门多一套偏心传动机构和偏心驱动机构,偏心传动机构使门体产生径向移动,偏心驱动机构则是传动机构的动力。所以偏心铰弧门需要两台液压启闭机,主机用来启闭闸门,辅机用来驱动偏心机构。

排沙洞工作门布置在排沙洞出口,底槛高程153.15m,设计水位275.0m,相应浑水容重10.5kN/m$^3$。孔口尺寸4.4m×4.5m,弧面半径8m,闸门承受的总水压力为42MN。启闭机主机与辅机均为单吊点液压启闭机。主机启门力2 500kN,闭门力1 000kN;辅机上拉力3 000kN,下压力1 000kN。

孔板洞工作门布置在孔板洞中部的中闸室内,闸门前面为压力洞,后面为明流洞。底槛高程153.15m,设计水位275.0m,相应浑水容重10.5kN/m$^3$。孔口尺寸4.4m×4.5m,弧面半径8m,闸门承受的总水压力为42MN。启闭机主机与辅机均为单吊点液压启闭机。主机启门力2 500kN,闭门力1 000kN;辅机上拉力3 000kN,下压力1 000kN。

排沙洞工作门与孔板洞工作门的布置原则相同,结构布置相似,故这里只介绍排沙洞工作门。

2.结构布置

排沙洞工作门门体结构为主横梁结构,门叶分成上下两节,每节设一个主横梁,节间采用高强螺栓连接。为防止节间漏水,节间的面板最终用小坡口焊缝焊接。左右支臂为整体结构,上下支臂夹角为24.35°。夹角平分线与闸门的总水压力作用方向一致,使上下支臂承受相同的荷载。左右支臂之间设置横向联结系,加大支臂的刚度。支臂与门叶采用高强螺栓连接。支铰为铸钢结构,支铰的轴承为双列向心滚子轴承,两个支铰的偏心轴通过带花键的联轴器连成一体。联轴器上的拐臂与辅机的活塞杆连接,辅机的活塞推动拐臂使偏心轴旋转从而带动门体作径向移动(见图19-1-3)。

弧门半径的确定与孔口尺寸和支铰的位置有关,根据规范推荐,潜孔式弧门半径$R$为孔口高度$H_0$的1.2~2.2倍,在其他条件相同的条件下,半径小,相对刚度就大。但是半径小会增加启闭机容量,同时它也会影响支铰的高度。综合考虑相关因素,经过多个方案比较最终确定弧门半径为8m。

支铰中心高度一般应大于孔口高度的1.1倍。按照水工模型试验,最高库水位条件泄流水面曲线支铰位置的高度为5.63~5.15m范围。降低支铰高度可以减小闸门承受的荷载,按照支铰不被淹没的条件下尽量降低支铰高度的原则,确定支铰高度为5.85m,即支铰中心高程为159.00m。

偏心铰的偏心半径、偏转角度和偏心位置为偏心铰弧门设计中三个重要的偏心参数。选择偏心参数主要遵循的原则,是在保证弧门所需径向位移量的前提下,减小副机的容量和行程,并使弧面脱开主止水的间隙尽量均匀。弧门径向位移量是由主止水最大压缩量和弧面与主止水脱开后的间隙组成的，其值的大小直接影响偏心参数的选择。主止水的选择专门进行了止水试验，对止水橡皮的材质、断面尺寸及压缩量等各项参数进行了筛选，试验结果选择主止水最大压缩量为25mm。弧门与主止水的间隙越小，则弧门径向位移量越小，相应副机的容量、行程均可减小。但过小的间隙射流将导致闸门振动及气蚀。国内外已建工程弧门与主止水的间隙一般为20～60mm，据有关资料介绍，设计水头大于100m时，水流空化间隙为15mm。因此，弧面与主止水脱开后的间隙必须大于空化间隙，最后确定该间隙为25mm。弧门径向位移量为50mm。

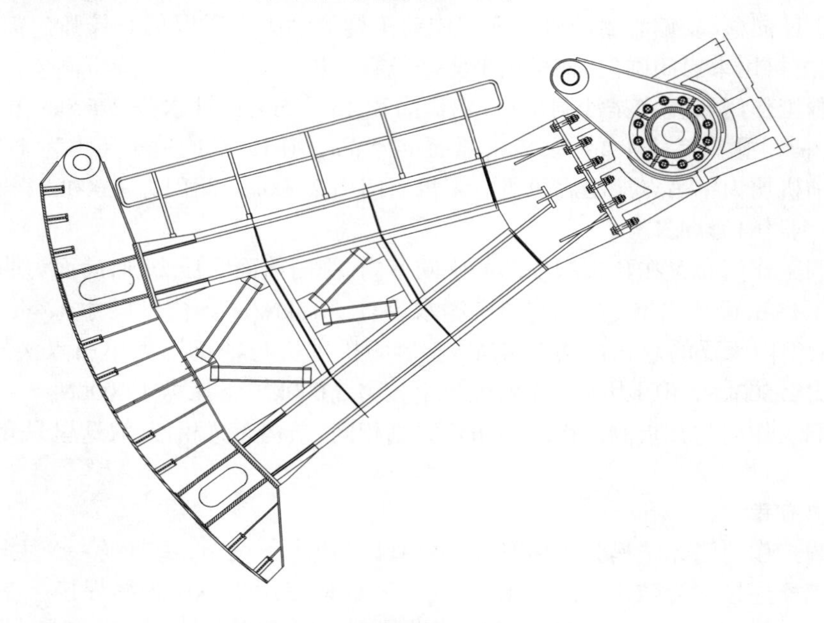

图 19-1-3 排沙洞偏心铰弧门门体

在弧门径向位移量一定的条件下，偏心半径的大小直接影响副机的启闭容量，启闭容量随着偏心半径的增大呈线形上升趋势。偏转角度直接影响副机的行程和闸门前移过程中主止水压缩量的均匀程度，偏转角大则副机的行程大、主止水压缩量不均匀。在闸门设计中，曾作过以下两个方案的比较：一个是偏心半径为50mm，偏转角为60°；另一个是偏心半径为35.4mm，偏转角为90°。两方案的弧门径向位移量均为50mm。前一方案的启闭力为2 220kN，行程1.5m；后一方案的启闭力为1 970kN，行程2.12m。经过比较，前一方案的副机造价低，止水压缩均匀程度好，因此最终选择了该方案。

偏心位置是保证弧面脱开主止水的间隙尽量均匀的重要因素，通过多次比较，偏心铰最大位移的方向线与水压力的方向基本一致，弧门径向位移顶部为49mm，底部为47mm，满足了止水间隙的压缩量均匀的要求。

偏心铰弧形闸门上游水流，经过闸门段突扩、突跌及水流断面沿程变化的影响，已不是均匀管流的状态，闸后水流处于四面脱空与空气接触的自由掺气流状态，闸后明渠两侧壁将经受不同角度的水流冲击，形成不同程度的反射现象，导致边壁出现低压和负压区。此区域水流空化数甚低，极易发生空蚀。特别是孔口局部流速高达40m/s，且水流含沙以细沙为主体，具有比清水更强的空蚀能力。为合理选择闸室的体形，分别做了 1:40 和 1:20比尺的水力模型试验。

根据弧门主止水尺寸布置需要，初定突扩宽度为 400mm，跌坎高度为 800mm。在 1:40 水力模型试验中，当弧门全开时，突扩段闸室底、侧能够形成空腔，均满足掺气、补气要求。但在弧门局部开启泄流时，水流向两侧挤压、扩散，形不成侧空腔。射流水面上升，两侧墙发生较大负压区，突扩段底空腔也随之缩短，说明水流掺气严重不足。

国内外已建偏心铰弧门资料显示，突扩宽度一般为 300～600mm。随着突扩宽度的增大，侧空腔有所改善，但射流水面的高度也随之增大，底空腔改善不明显，水流掺气不充分。为降低射流水面高度，也曾做过在突扩两侧增设三角折流器等方案，效果均不明显。经反复试验调整，将三角折流器改为上下等宽的折流器，即突扩宽度增至 800mm，突扩两侧沿弧面按上下等宽 1:10 的坡度收缩，有效地抑制了射流水面的高度。跌坎上增设高为 150mm 的小挑坎，其作用是使水流上挑，增大底空腔。从 1:40 及 1:20 的水力模型试验中可以看出，调整后的突扩跌坎体形，在各组不同水位、开度的试验中，均能够形成稳定的侧空腔和较长的底空腔。底空腔最长达 30m，最短约 10m；侧空腔最长 13m，最短 1m。大量空气由此掺入，门后水流充分掺气，从而大大降低了高速水流对闸室及闸后明渠产生的气蚀破坏。

弧门全开泄流时，侧墙处的射流水面在支铰下游形成，不影响支铰。但在闸门局部开启时，特别是小开度时，由于闸门阻水的影响，射流水面迅速上升，形成贴壁流冲击支铰及闸室顶部。经过调整突扩跌坎和挑角，虽然抑制了射流高度和强度，但无法消除部分贴壁流对支铰的冲击。为此在支铰下距底板 6m 高的侧墙处增设了导水板，导水板宽 0.7m，长约 19m。试验验证，在各级水位及不同开度条件下，导水板有效地阻止了射流对支铰的冲击。

通气孔的大小对闸室的掺气有影响，通气量是由出口明流水面的拖气与掺气量、底部水舌挟气量和侧向水舌挟气量三部分组成的。需要的通气量采用计算方法估算。闸室副机滑道两侧有两个通风洞，当库水位为 275m、闸门全开运行时，突扩跌坎后形成较长较稳定的底、侧空腔，此种运行工况所需的总通气量最大，且均考虑从闸室下游侧两个通风洞补给。由此计算确定的每个通风洞的面积为 3m$^2$。弧门局部开启时，侧空腔较短，仅靠上部通风洞无法使底、侧空腔充分补气。此时底部和侧向水舌挟气量仅考虑从突扩跌坎后的通气孔补给。跌坎后设置了两对通气孔，一对是跌坎下的底部通气孔，另一对是跌坎两侧的圆形通气孔。当库水位为 275m、弧门 0.25 小开度运行时，底空腔较长，侧空腔较短，按该工况所需的底、侧水舌挟气量计算，两对通气孔的面积为 1.85m$^2$。

从 1:20 比尺水力模型试验中可以看出，明流段的突扩跌坎掺气措施使坎后一级坡上形成较长较稳定的底、侧空腔。由于底、侧空腔的充分进气，通气孔的通气量比较小，只有在闸门小开度下运行时，通气孔的通气量才增加。但测出的通气量比计算值要小得多。考虑到 1:40 与 1:20 比尺模型试验的流态有很大差异，那么由 1:20 模型放大到原型流态，通气量将会增大。故通气孔尺寸未做修改。

对于突扩门槽止水的偏心铰弧门，由于闸门开启过程中止水面脱离止水元件，并保持一定间隙，若不采取相应措施，闸门四周高压水流的喷射可能引起空化现象或诱发闸门振动。试验表明，当水头大于 80m，含沙量高于 10%时，空蚀将迅速发生和发展。为此，弧门采用了两套止水。主止水布置在框型门槽埋件上，当闸门关闭或局部开启泄流时，利用偏心机构推动闸门径向移动压紧止水，达到止水的目的。辅助止水的作用是当闸门脱离主止水后，防止在闸门顶部及两侧的射流。

根据枢纽的运行要求，排沙洞工作门是整个枢纽运行最频繁的闸门，特别是闸门的局部开启运用最为频繁，因此闸门的结构安全性显得更为突出。为此，在闸门结构优化分析和动特性分析方面做了一些试验。

为了摸清水流激起的闸门振动，按照水力相似、结构动力相似和水弹性相似的不同要求，做了 5 个闸门模型，分别研究了闸门结构上的时均压力(包括压力分布与水位关系、压力分布与开度关系、缝隙流对门体压力关系)、脉动压力，以及不同开度时的闸门支铰总荷载、启闭力及闸门的振动加速度和动应力。

自振频率是闸门动特性的主要参数，通过试验模态分析研究弧门动特性，可以取得原结构的振动模态参数。在动特性灵敏度分析的基础上，找出结构薄弱环节和修改方向。应用有限元计算模型进行分析，提出动力修改方案并进行动态响应的计算机仿真验证。对结构设计参数提出了改进方案，使自振频率基频由 11Hz 提高到 15Hz。

闸门的水动力学分析，给出了泄流作用力及其有关随水位、开度变化的基本规律。结构的动特性及其优化，揭示和改善了结构的固有特性以及抵抗动载作用的能力。但作为弹性体的闸门结构，在动水作用下将激发振动，使结构的受力发生变化。为取得闸门结构弹性变形振动及其受力情况，进行了激流振动试验。在闸门的水弹性振动模型上，布置了径、侧、切三向加速度传感器，在不同库水位、不同开度下进行振动测试。试验成果表明：①在 240m、275m 库水位下，结构出现了两个振动峰值，0.2 开度时，峰值最大，0.6 开度时次之；②侧向振动最大，径向次之，切向最小；③振动量级随水位的增加而加大，当库水位为 275m 时，最大振动发生在侧向，加速度的均方根值约为 $0.3g$。说明闸门不会发生强烈振动。

主止水是闸门关闭后防止闸门漏水的主要装置，在弧门压紧主止水的径向移动过程中，主提升油压机绕着自身支承中心转动，迫使闸门随其上移，导致面板与主止水橡皮发生相对错动，对止水产生向上的切搓力。虽然错动值很小，但由于止水橡皮的压缩量较大，切搓力相对也较大。切搓力不仅增大了副机的启闭容量，而且会影响主止水的使用寿命。在选择主止水断面及材质时，必须考虑其抗切搓能力。为此，专门做了止水试验，试验中除了对 H001、70 号、LD－19 三种不同的材质进行了变形特性试验、蠕变和应力松弛试验及水密性试验外，还增加了止水的抗切搓试验。试验表明：在相同的压缩量情况下，LD－19 所需的压紧力最小，70 号次之，H001 最大；H001 橡皮与钢板的切搓力最大，70 号、LD－19 橡皮的切搓力相近；在纵、横两方向切搓 100 次后，LD－19 橡皮未出现异常，70 号发现裂纹，H001 未做切搓试验；在满足 122m 水头要求时，H001、70 号、LD－19 三种材质橡皮止水压缩量分别为 9.6mm、9.0mm、8.0mm，较小的压紧力、切搓力及压缩量将对闸门受力、启闭容量及偏心参数的选择有利。经综合分析比较，主止水材质选用 LD－19 橡皮。

考虑到止水试验与实际工况的差别，以及橡皮的蠕变和应力松弛等因素的影响，将压缩量的试验值乘以 1.5 安全系数，得到所需压缩量为 12mm。除此之外，还要考虑弧门结构承受水压后的最大弹性变形6mm、温差引起弧门结构的变形量2mm,以及制造和安装误差3mm,最终确定满足设计水头要求所需的主止水最大压缩量为25mm。

主止水布置在封闭的框型门槽埋件上,外侧压板外表面距闸门支铰中心半径为8m,高出内侧压板10mm,距止水橡皮头部25mm,两侧突扩向孔口上方延伸约1倍门高,上部突扩埋件位置及半径与外侧压板相同。其作用是当闸门前移时限制超压止水,当闸门局部开启泄流时,保证弧门受力均匀,抑制弧门结构在高速水流冲击下引起的振动。

辅助止水由门楣转铰止水和两侧预压止水组成。转铰止水在高水头弧形闸门运用较多,在闸门开启过程中,靠库水压力及弹簧板的弹性恢复力的作用转动止水元件,使之与弧门面板压紧。一般止水材料采用橡胶,同时设置限位支承轮,在高水位时不至于将橡胶止水压坏。由于偏心铰弧门转动角度较大,止水元件与支承轮不可能在转动范围内同时都与弧门面板紧贴。为此,我们选用改性聚乙烯材料作为止水元件。改性聚乙烯材料承压力大,摩擦系数小,又具有一定的弹性,适用于高压转铰止水。试验表明,缝隙为5~35mm,在80~100m水头作用下,止水头部始终紧贴弧门面板,无缝隙射流现象出现,止水作用十分明显。

为保证闸门任意开度运行时均能防止狭缝射流,弧门两侧采用预压式辅助止水,止水型号为P60-B,预压缩量为3mm。在两侧墙158.8m高程设有0.63m×1.8m检修孔,当需要更换或维修辅助侧止水时,可通过启闭机室内上游侧所设的爬梯下到胸墙顶部,再经胸墙两侧爬梯进入检修孔,进行维修作业。

由于弧门在高速、高含沙水流条件下工作,闸室水流均属高速水流范畴,其磨蚀能力很强。减小磨蚀须控制的最大流速,参照三门峡的经验,对于普通低碳钢钢材不超过12m/s,一般高强混凝土不超过15m/s。为防止洞身磨损,排沙洞运行时要求控制压力段最大流速不得大于15m/s,但压力段出口局部流速仍高达40m/s,明流段坡底流速均在20m/s以上。因此,排沙洞除在洞身压力段全部采用400号高强混凝土外,闸室出口段采用了7m长钢板衬砌及700号硅粉混凝土作为抗磨材料。

偏心铰弧门突扩闸室段是保证明流段流态的关键部位。下游两侧墙外的贴壁流流速较大,此区域水流空化数甚低,极易形成空化,故采用钢板衬砌严格控制该段的平整度,加强其抗空蚀能力。钢衬是由25mm厚的钢板和20号工字钢焊接成的整体结构,并通过Φ30的钢筋与后面的混凝土钢筋网焊接,整体刚度和强度较大,即使其前后混凝土被淘刷,钢衬仍能稳固站立,不至于突然倒坍。若没有钢衬阻挡,将直接危及闸室埋件的安全。但钢板的抗磨流速较低,必须依靠表面抗磨涂料防止磨损。由于国内尚缺乏抗高速含沙水流表面防护实践经验,且弧门不可能移出去检修,因此必须选择易修补的涂料。经过调研筛选,闸室钢衬涂料选用了不锈钢鳞片漆,据有关资料显示,该漆的抗磨能力为一般涂料的30倍。能否达到这个效果,还须经过实际运行的检验。

弧门的钢衬沿垂直水流方向分成上下两个运输单元,上部钢衬由顶板与上段侧墙钢衬焊接而成,下部钢衬由底板与下段侧墙钢衬焊接而成。运到工地后,通过连接板将上下钢衬用螺栓连接成整体,待调整合格后将钢板对接坡口焊缝焊满磨平。钢衬出厂前应进行整体组装,连接板的螺栓孔待组装合格后与上下侧墙的工字钢腹板配钻。由于在工厂制造时保证了顶、底板的坡度和与侧板的相对尺寸,整体钢衬在工地安装时只需按一个面调整合格即可保证其他三个面正确就位,既简化了安装程序,又确保了闸室体形。为保证底坎混凝土浇筑密实,底部钢衬每隔 2m 左右留有一道活动的盖板,待混凝土浇筑振捣后再封焊磨平。另外在底部钢衬的每个区格中心均设有灌浆孔,在浇筑混凝土时亦可作为排气孔使用。

# 第二节 平面定轮事故闸门

## 一、总体布置

小浪底工程在泄洪、排沙系统和引水发电、灌溉系统共设置事故闸门 23 扇,闸型都是平面定轮门。闸门的设计水头在 50 ~ 100m 之间(各闸门参数见表 19-2-1)。这些闸门全部布置在枢纽上游的进水塔内,由于黄河多泥沙,事故闸门除了在门后出现事故时需要动水闭门 ,另外还有一个任务就是挡沙。因为事故闸门都布置在隧洞的前面,关闭事故闸门可以有效地防止洞子的淤积。根据防淤积的要求,闸门的止水需要布置在闸门的上游侧,这种布置方式排除了事故闭门时利用水柱的可能。一般高水头的深孔事故闸门不能靠自重闭门,需要利用水柱,如果不能利用水柱就要在闸门上增加配重。由于事故门的水头较高,因此闸门的配重量相当大。为了尽可能减少闸门的配重,事故闸门全部采用定轮闸门,与平面滑动门相比,定轮闸门的闭门力要小得多。

表 19-2-1 平面定轮事故闸门参数

| 闸门名称 | 孔口尺寸(m) | 设计水头(m) | 闸门数量(扇) |
|---|---|---|---|
| 排沙洞事故门 | 3.7×5 | 100 | 6 |
| 孔板洞事故门 | 3.5×12 | 100 | 6 |
| 1 号明流洞事故门 | 4×14 | 80 | 2 |
| 2 号、3 号明流洞事故门 | 8×11 | 66 | 2 |
| 发电洞事故门 | 5×9 | 85 | 6 |
| 灌溉洞事故门 | 3×3.5 | 52 | 1 |

由于事故闸门水头高,闸门定轮的荷载也非常巨大,23 扇事故闸门上共设置了 292 个定轮,多数轮荷在 3 600kN 以上,而最大的滚轮的承载力为 4 050kN,超过了龙羊峡水利工程上中孔事故门 3 600kN 的曾是国内最大的定轮荷载,成为国内最大的平面闸门定轮。

闸门定轮的阻力直接影响事故门闭门需要的配重量,而定轮的阻力的关键是定轮的轴承。常用的定轮轴承有滑动轴承和滚动轴承。两种轴承相比,滑动轴承承载力高而阻力大,滚动轴承的承载力小而阻力也小。有资料显示,相同规格的两种轴承的摩擦系数相差 20 多倍。根据计算,若采用滑动轴承,小浪底工程事故闸门需要大约 5 500t 的闸门配重,若采用滚动轴承只需 1 850t 配重。

通过收集国内外定轮的资料,已有的定轮形式不能满足小浪底工程事故门的需要,因此必须研制大荷载、低阻力的大荷载定轮。解决这个问题面临的主要问题,一是滚轮的材质的选择。大荷载滚轮轮轨的接触应力非常大,普通的铸钢、锻钢等难以满足要求,特别是钢材的热处理工艺要求高,需要试验验证。其二是支承的选择,显然滚动轴承是比较理想的选择,但是滚动轴承的尺寸较大,密封结构复杂,所以轴承密封的效果是能否采用这种轴承的关键。

定轮的设计阶段,首先对轮轨踏面的接触形式进行了分析,接触踏面形式一般有点接触和线接触两种。闸门受力后会产生一定的弯曲变形,点接触踏面可以适应这种变形,因此对轴承的调心性能没有要求。但是踏面的接触应力比线接触踏面高 2 倍多,对材质的要求更高。线接触踏面接触应力低,但要求轴承具备自调心功能。分析轴承的承载力,能满足大荷载定轮的滚动轴承只有双列向心滚子轴承,这种轴承具有自调心能力,也就是说两种踏面形式选择的轴承只有这种形式能够满足荷载的要求。这样看来,选择这种调心滚子轴承比较合理。点接触踏面的定轮设计已有成熟的经验,而线接触踏面的定轮采用滚动轴承的这种结构还是首次应用,为了稳妥起见,对 2 扇荷载最大的 2 号、3 号明流洞事故闸门的定轮采用点接触踏面定轮,其他事故闸门全部采用线接触踏面定轮。

按照计算的定轮接触应力,可以对定轮的材质进行筛选。材质的选择主要考虑其强度要求,从合金结构钢中选择了 $34CrNi_3Mo$、42CrMo、40CrMnMo 的锻钢进行分析比较。$34CrNi_3Mo$ 是一种性能高、造价也高的材料,强度指标最高。42CrMo 和 40CrMnMo 的性能、造价相当,强度指标略低于 $34CrNi_3Mo$。根据计算的接触应力,点接触踏面的定轮只能选择 $34CrNi_3Mo$ 才能满足强度要求。线接触定轮后两种材料可以满足强度要求。这样,2 号、3 号明流洞事故门的定轮和轨道材料采用 $34CrNi_3Mo$,其他事故闸门的定轮采用 42CrMo,轨道采用 40CrMnMo。

具备调心功能的轴承,密封结构型式要适应调心的要求,密封面必须为球面,这样在定轮行走时密封圈始终保持均匀的密封压力,达到稳定的密封效果。密封圈的形式对密封效果非常重要,定轮在受压后会产生微小的变形,轴承本身也要求一定的游隙,密封圈的形式必须能适应这种变形。根据计算,这种变形一般为 0.5~1.0mm。由于闸门的设计水头达到了 100m,定轮的密封装置也要承受这个压力。按照这些条件,选择了两种密封形式进行比较,一种是 O 形圈,另一种是唇形圈。O 形圈承受的压力大,可达到 35MPa,但适应变形的范围较小,一般为断面直径的 15%。唇形圈适应变形的范围大,可根据需要调整唇的宽度,这种密封还可利用外压力增加密封面的压强,提高密封的效果,但这种密封承受的压力比 O 形圈小。根据闸门承受的水头,设计密封承受的压力值需要达到 1.6MPa,唇形圈可以承受这个压力,适应变形的能力优于 O 形圈。O 形圈的适应变形范围,按照最大规格 7.0mm 的直径计算,适应变形范围为 1mm,处在实际变形的边缘。所以最终选择唇形圈作为定轮的密封圈形式。

由于小浪底工程事故闸门的定轮荷载大、数量多,新型结构的定轮能否达到设计要求,满足强度、密封和摩阻力的各项指标,需要通过试验验证。在定轮设计完成后,正式产品投产前,进行了定轮原型试验。试验的目的:一是验证设计提出的定轮的制造工艺是否合理,能否达到其承载能力;二是测试定轮的综合摩擦系数,为设计取值提供直接依据。试验环境完全模拟闸门定轮的工作运行环境,对两种不同形式的定轮和轨道各选 2 组进行试验。试验中测试了定轮的应力、变形和摩擦系数,测试数据显示,定轮在承受1.25倍的设计荷载下,未发生强度和变形的破环,测出的综合摩擦系数小于0.003 3,能够满足小浪底工程事故闸门定轮的设计要求。

由于小浪底工程事故闸门的设计水头高,多数闸门的水头在80m以上,这给闸门的止水设计增加了难度。平面闸门的常规止水形式侧、顶止水多采用P形橡皮,这种形式的止水依靠强制预压力和上游水压力将橡皮紧压在止水座板上达到止水的效果。对于高水头的闸门,橡皮需要的压力必然要增加。压力增加以后,橡皮的抗扯断强度必须提高,闸门的启闭力也会随之增加,另外黄河上还存在多泥沙水流的特殊问题。这一系列问题的存在使得常规的止水已不能满足事故闸门的需要,必须寻求适合高水头、高含沙量水流的止水形式和止水橡皮。为了解决止水装置的问题,决定通过事故闸门止水试验来研制适合多泥沙水流、能抵抗100m水头的新型止水。

小浪底工程事故闸门止水装置试验,对止水橡皮进行了系统的试验,深入研究了止水的形式、断面形状及止水材质的性能;研究了止水面的压强与背压的关系、止水面压强与水头的关系;研究了液压止水、液空止水和压紧式止水等不同的形式。试验表明,双柄伸缩式止水形式适合高水头闸门止水的条件,止水水头超过了100m。双柄结构加强了止水橡皮受力的薄弱部位,使止水橡皮能够承受更高的内腔压力和摩擦面的扯拉力,伸缩式橡皮头增加了止水间隙的范围,克服了由于安装误差造成止水间隙大而发生漏水的问题。

试验所取得的止水面压强与背压的关系表明,85m以下的水头只需要利用门前的挡水水头作为止水的背压就完全可以使止水达到密封的效果,无需额外增加背压。根据这个结论,将事故门的止水分成两种形式,即85m以下的闸门止水直接利用门前的水头作为止水橡皮的背压,85m以上的闸门止水需要额外增加背压,这种额外的压力采用高压水泵提供。

## 二、结构布置

事故闸门的结构布置形式相同,这里重点介绍发电洞事故门。前面提到过,为了提前发电的需要,3个发电塔的进口高程不同,3号发电塔的进口高程比1号、2号发电塔的进口高程低5m。为了减少闸门的规格,6扇闸门全部按进口高程低的3号发电塔的设计条件设计。

发电洞事故门共有6扇平面定轮闸门,设计水头85m,总水压力37MN。启闭机采用液压启闭机,最大提升力4 000kN,最大行程10m。闸门与启闭机之间用拉杆连接,拉杆共分6节,总长52m。

门体分为3节,由门叶焊接件、止水装配件、定轮装配件、侧轮装配件和反向滑块装配件等主要部件组成(见图19-2-1)。门叶结构由面板、水平次梁、纵隔板、边梁、主横梁组成。面板厚度为20mm,水平次梁为工字钢,每节门叶只有一个主梁,断面为箱形断面,这种布置可以为布置定轮节省空间。边梁为双腹板箱形梁,以便布置简支式定轮。各节门叶之间采用现场焊缝连接,其中面板为单侧剖口对接连续焊缝,但不要求焊透,只要求密封。边梁为小刚度的连接板焊接,使上下节边梁连接趋向铰接条件,避免定轮出现较大的不均匀荷载。止水装置为液压式止水橡皮,布置在门体迎水面一侧。止水背部与止水座形成充水腔。充水腔与库水连通。当闸门关闭时,库水进入充水腔将橡皮头顶出压在门框埋件的止水座板上,顶、侧止水形成Π形止水线,底止水为条形,依靠门重压缩5mm止水。门体上布置了12个定轮,每节布置4个,位置按均匀受力确定。定轮的支承形式为简支式单曲踏面,轴承为调心滚子轴承并加密封保护。定轮轮径1 000mm,轮压4 050kN。侧轮结构为简支式,反向支承为滑块式,在闸门的整个启闭行程中起导向作用。根据计算,闸门仅靠自重不能闭门,需配置66t的加重块,这些加重块被放置在门体的梁格内。

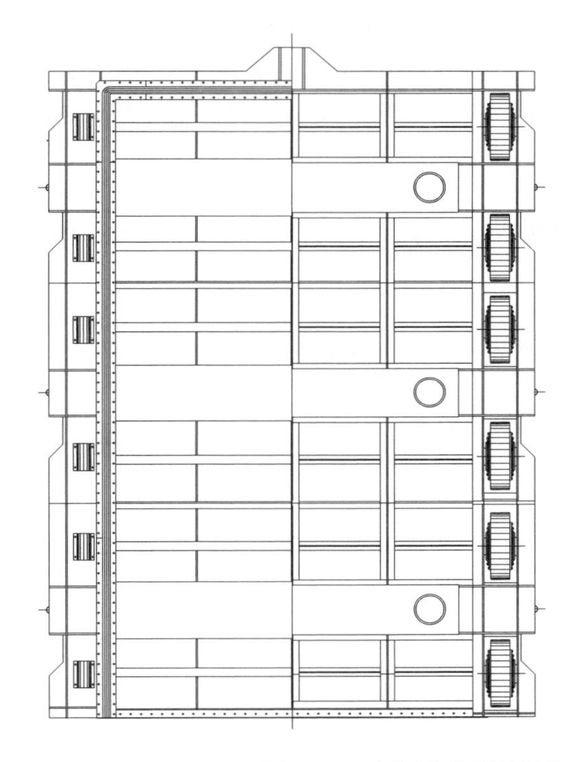

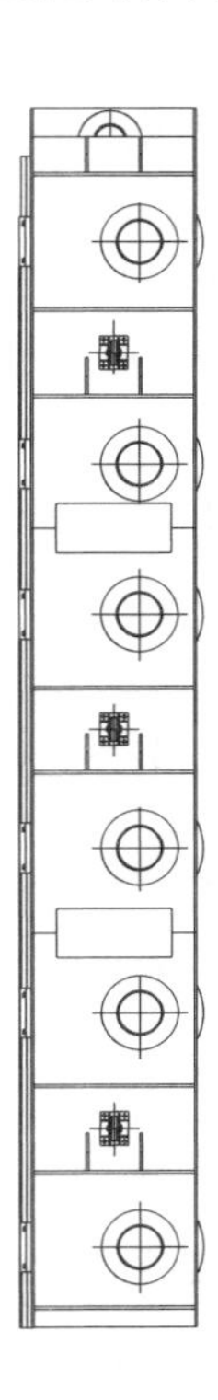

**图19-2-1　平面定轮闸门门体**

闸门埋件分一期混凝土埋件和二期混凝土埋件,一期混凝土埋件由钢筋和钢板焊接而成;二期混凝土埋件由门楣、主轨、副轨、侧轨、反轨、底坎和连接螺栓等组成。门楣和孔口内的反轨上布置止水座板,止水座板面为不锈钢加工面,反轨从底坎直到检修平台。在门楣止水座板下面水平布置了一条防射水橡皮,橡皮头与闸门面板的间隙为0~2mm,目的是在闸门启闭过程中防止门楣处产生射水。主轨由轨头和主轨焊接件组成。轨头为矩形断面合金结构钢,具有较高的强度和硬度,以适应轮轨接触踏面的接触应力。主轨焊接件断面为工字形断面,它将定轮集中荷载扩散到混凝土中。轨头与主轨焊接件之间采用不锈钢螺栓连接,当轨头出现磨损或气蚀破坏时,可以更换轨头。主轨长度为两倍孔口高度,上部为副轨,直通到检修平台。由于流速较低,门槽的体形采用了矩形门槽。门槽的尺寸为宽1 500mm、深1 050mm,宽深比为1.43。

# 第三节 平面滑动闸门

## 一、总体布置

小浪底工程中平面滑动闸门共有 22 扇，除了 3 个导流洞封堵闸门外，其余的平面滑动闸门均为检修闸门，各闸门的基本参数见表 19-3-1。小浪底工程的平面滑动闸门多属于大型或特大型闸门，一方面是孔口尺寸大，另一方面是承受的水头高。滑动闸门设计包括门体结构设计和埋件设计，而门体设计的关键在于止水密封设计和支承滑道设计。由于闸门的门体尺寸和重量都比较大，因此闸门不能做成整体结构，而是将门体分成若干节在工厂制造完成，然后分节运输至施工工地安装现场，在现场再拼接成整体。拼成整体的闸门，节与节之间存在接缝，节间缝是密封的一个薄弱环节。如何使整体闸门有完好的密封效果，是设计中的一个重要问题。

**表 19-3-1　平面滑动闸门基本参数**

| 闸门名称 | 孔口尺寸(m) | 设计水头(m) | 闸门数量(扇) |
|---|---|---|---|
| 排沙洞检修门 | 3.5×6.3 | 85 | 6 |
| 孔板洞检修门 | 4.5×15.5 | 85 | 2 |
| 1 号明流洞检修门 | 5.6×18 | 65 | 2 |
| 2 号明流洞检修门 | 9×17.5 | 51 | 1 |
| 3 号明流洞检修门 | 9×14.5 | 35 | 1 |
| 发电洞检修门 | 4×40 | 70 | 6 |
| 灌溉洞事故门 | 3×6.5 | 37 | 1 |
| 1 号导流洞封堵门 | 12×14.5 | 28 | 1 |
| 2 号、3 号导流洞封堵门 | 12×14.5 | 72.5 | 2 |

闸门止水采用了 P 形橡皮作为止水橡皮，侧、顶止水为连续止水，留有 2mm 的预压缩量。节间止水布置在面板背面，橡皮柄固定在上一节门的底次梁上，橡皮头压在下一节门的顶次梁上，节间橡皮预压 5mm 的压缩量，橡皮头受压变形后正好紧顶在面板的接缝上。橡皮的两端与侧止水相连。

闸门的支承滑道是闸门最关键的传力部件，它要承受门体传来的全部荷载，还要在闸门启闭过程中承担与边界摩擦的作用。因此，滑道的设计是平面滑动闸门设计的另一重要问题。近年来在滑道材料和形式的研究中，有许多新的材料和新的支承形式不断出现，这给平面滑动闸门的设计创造了良好的环境。

胶木滑道材料在我国水利工程上的应用已有40多年的历史，据不完全统计，1985年以前，这种材料在滑道上的使用率达到90%以上，胶木滑道在当时是一种承载力高、摩擦系数低的比较经济的材料。但是这种材料有一个致命的弱点，就是容易老化，老化后材料的性能明显下降。20世纪90年代以来，陆续出现了许多新型滑道材料，如钢背复合材料、填充聚四氟乙烯板以及铸型油尼龙等。这些新材料在承载力、摩擦系数和抗老化性能上比过去有所提高。表19-3-2列出了这些材料的性能。

**表19-3-2　新型滑道材料性能**

| 项目 | 单位 | 性能参数 | | | |
|---|---|---|---|---|---|
| | | 压合胶木 | 填充聚四氟乙烯板 | 钢背复合材料 | 铸型油尼龙 |
| 密度 | $g/cm^3$ | 1.3 | 1.3~1.4 | 1.2~1.5 | 1.14 |
| 拉伸强度 | MPa | 260 | 125 | 117 | 126 |
| 冲击强度 | $kJ/m^2$ | 80 | 7 | | 5.45 |
| 抗压强度 | MPa | 160 | 150 | 200 | 80 |
| 布氏硬度 | MPa | 2.5 | 1.2 | 3 | 82(邵D) |
| 线胀系数 | 1/℃ | | $7\times10^{-5}$ | $3\times10^{-5}$ | $9\times10^{-5}$ |
| 吸水率 | % | 5 | 0.6 | | 0.5~1 |
| 摩擦系数 | | 0.1~0.17 | 0.09~0.15 | 0.09~0.15 | 0.13~0.14 |

滑道滑块的摩擦副一般为不锈钢轨道。轨道的制造受加工设备的限制常常需要分节，这样闸门轨道就会有接头，接头的安装精度对滑道的寿命有很大的影响。由于闸门轨道的安装受现场安装条件的限制，接头部位的精度往往大大低于轨道表面的精度。因此，尽管许多轨道的试验室数据非常优越，但实际安装运行后，由于接头部位达不到要求，如接头处出现凸凹不平的错台等，滑块的润滑层迅速破坏，摩擦性能大大降低，因此滑块的选择应充分考虑这一因素。

小浪底工程的平面滑动闸门在滑道滑块选择中，对表19-3-2中所列的材料进行了分析。压合胶木的承载力低而且老化问题突出不能采用。钢背复合材料的表面是一层非常薄的塑料润滑层，这层塑料的强度很低，极易被轨道的接头破坏，从而形成实际的钢对钢的摩擦副，使滑道的摩擦系数提高。填充聚四氟乙烯板和铸型油尼龙是整体滑块，即使轨道接头每次会“削去”一层，但它并不会影响摩擦副的本质。显然，它能够减小轨道接头对滑道产生的影响，也可以说这种滑块的试验参数相对较稳定。填充聚四氟乙烯板与铸型油尼龙滑块相比，后者的稳定性更好，抗老化性能更优。但铸型油尼龙滑块的硬度较低，表面会出现划痕。经过分析认为这种划痕不会明显改变滑块的摩擦特性。

滑道的承载力是滑道选择的另一个重要参数，根据计算，小浪底工程平面滑动闸门滑道的最大承载力要求达到60~70kN/cm，这样大的承载力几乎比常规的滑道高一倍。整体滑块的承载力是达不到这个要求的,但如果将其安装在夹槽中,承载力就会大幅度提高。因此采用铸型油尼龙滑块的关键是夹槽的设计。夹槽的体形、轨头的形状以及滑道的装配要求对滑道的承载力影响很大,必须通过试验取得设计参数,为此专门进行了平面闸门油尼龙滑道试验。

试验以摩擦理论为指导,进行了夹槽的荷载与压缩变形关系、承载力与接触宽度关系、滑道结构参数及材料质量对摩擦特性的影响、磨合过程摩擦系数的变化、含沙量对摩擦系数的影响、滑块厚度和运行速度对摩擦的影响、轨道半径对摩擦的影响,以及干磨、清水和浑水条件下的磨耗曲线等一系列的试验,取得了完整的油尼龙材料的特性资料。并在丹江口枢纽闸门上进行了原型试验。通过试验研究,肯定了油尼龙重载低摩耐用的优越性,突破了过去滑道线压 $q \leqslant 40$kN/cm 的界限,使用荷载可以达到 60 ~ 70kN/cm。综合比较了几种滑块材料的特点后,最终选择了铸型油尼龙滑块作为滑动闸门的滑道材料。

检修闸门的作用就是提供旱地施工条件,或是对输水建筑物的事故闸门、工作闸门以及其他控制水流设备的检修维护,或是对泄水隧洞、泄水渠道、引水隧洞等土建设施的检修维护。既然是检修维护,则闸门的运用频率相对较低,因此一般设计要求闸门的结构简单。

导流洞封堵门为深孔平面滑动钢闸门,1 号洞设计挡水头 28.0m,总水压力 40MN,操作水头 18.7m;启闭机为固定卷扬启闭机,启闭容量为 2 × 4 000kN,最大提升高度为 25m。2 号、3 号洞设计挡水头 72.5m,总水压力 128MN,操作水头 14.5m;启闭机为固定卷扬启闭机,启闭容量为 2 × 3 200kN,最大提升高度为 16m。

## 二、结构布置

前面已介绍过,在小浪底工程的平面滑动闸门中,2 号、3 号导流洞封堵闸门无论是尺寸还是承受的荷载都是最大的平面滑动闸门,设计难度也是最大的。因此,在平面滑动闸门中重点介绍该闸门的设计情况,其余的闸门只作一般性的叙述。

2 号、3 号导流洞的封堵门相同,门体共分 6 节,由门叶焊接件、止水装配件、主滑块装配件、吊耳装置、侧导向装置和反滑块装置等主要部件组成(见图 19-3-1)。门叶结构由面板、主横梁、纵隔板和边梁组成。面板厚度为 16mm,每节门叶设 3 个主横梁,断面为工字形。在节间连接处布置槽钢水平次梁,以便于节间布置封水橡皮。纵隔板与边梁为组合工字梁断面。各节门叶间采用销轴连接。止水装置为预压式止水,顶、侧和节间止水为 P 形橡皮,底止水为条形橡皮。顶、侧止水布置在门体下游面,形成 Π 形止水线,顶在门框埋件的不锈钢止水座板上。底止水为条形,布置在上游面一侧,依靠门重压缩 5mm。节间 P 形橡皮的圆头紧顶在门叶面板的接缝上,两端与侧止水橡皮连接,在闸门安装后使橡皮预压 5mm,从而起到节间缝隙的止水作用。在门体的边梁下翼缘上布置了 12 个主滑块,每节布置 2 个,位置按均匀受力确定。主滑块为铸钢夹槽油尼龙滑块,滑块厚 30mm,断面为梯形。用螺栓通过楔形压块将油尼龙滑块压入燕尾形铸钢夹槽内,从而使滑块预先产生侧应力,提高了滑块的承载力。为了防止低水头操作时滑块摩擦系数加大,满足高水头挡水时承载力的要求,主滑块采用高低滑块面的结构型式。闸门的侧导向装置布置在面板上,为弧形侧挡板结构,每侧布置 1 个。与主滑块对应的迎水面一侧布置了反滑块。

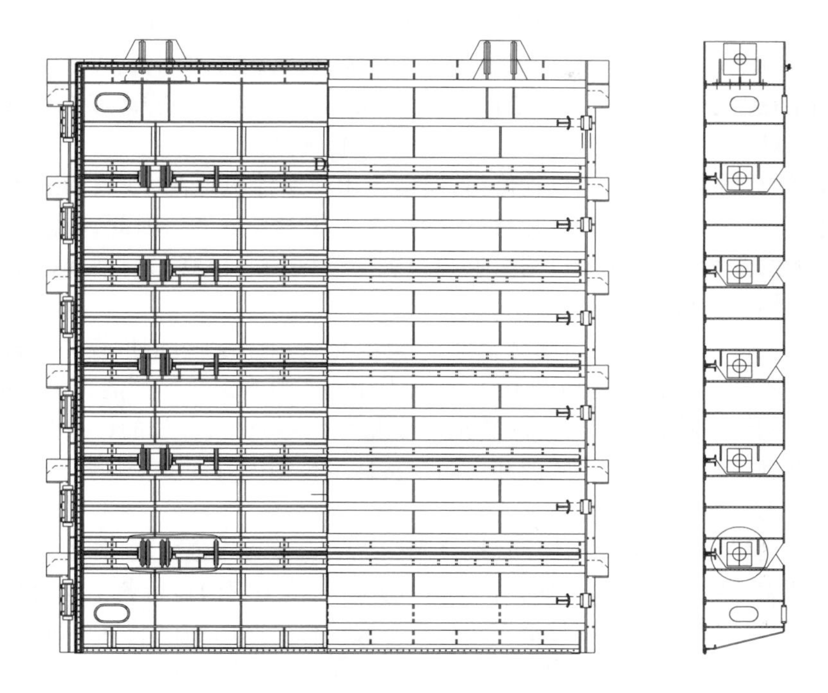

**图 19-3-1　平面滑动闸门门体**

闸门埋件分一期混凝土埋件和二期混凝土埋件，一期混凝土埋件由钢筋和钢板焊接而成；二期混凝土埋件由门楣、主轨、反轨、底槛和连接螺柱等组成。门楣和主轨上布置止水座板，止水座板面为不锈钢加工面，构成Π形止水座面。侧轨和反轨为一体结构，从底槛一直通到高程 159.0m 的检修平台。闸门平时就锁定存放在该平台上。主轨由轨头、底板和工字钢焊接件组成。轨头为方钢，顶面贴焊不锈钢板，不锈钢顶面被加工成弧面，弧面半径 300mm，轨头焊在底板上。底板为厚钢板，宽度以满足混凝土承压强度确定，厚度按承受底面反力产生的弯应力确定。主轨一直到检修平台。底槛为工字梁组焊件。由于宽度较宽，为保证浇筑质量，在底槛的面板上布置了浇筑孔。门槽尺寸为宽 2 300mm、深 1 000mm，宽深比为 2.3。

# 第四节　浮箱式叠梁闸门

## 一、总体布置

小浪底工程的浮箱式叠梁检修门布置在 1 号孔板泄洪洞出口的末端。由于孔板泄洪洞的水头高、流量大，水流经过孔板消能到达出口时仍保持了较高的流速，水流通过底流消能的方式流入消力塘。洞子可能因为高速水流的影响而遭到破坏，而消能鼻坎的高程为 129.0m，消力塘尾坎的高程为 134.0m，工作闸门布置在中闸室，因此中闸室至出口 700 多米的洞室会一直淹没在水下无法检修。为了检修这段出口，就需要将洞子内的水排干，以创造旱地施工条件。由于消力塘面积比较大,要抽干消力塘内的水需要耗费大量的时间,同时还要在尾坎上修建围堰,不仅施工工作量大,而且耗费时间长,可能会错过最佳检修时间。如果在洞子出口处设置一道检修闸门,将消力塘与洞子隔开,那么检修洞子时只需将洞内的水抽干即可。因此,有必要在出口设置检修闸门。

初期设计时,曾考虑在出口设检修门,但由于出口水流流速高,在边墙上的门槽改变了该处的体形,极易产生气蚀破坏,给将来的检修工作带来后患。因此,取消了在边墙上布置检修门槽的方案,选择在出口闸墩末端布置检修闸门。检修门门型选择了普通叠梁检修闸门和浮箱式叠梁检修门。

普通叠梁检修门需要在出口闸墩上架设门架,增设启闭设施,造价较高。另外泄水洞出口处的环境不利于布置闸门和启闭设备,因为相邻的泄水建筑物消能方式为挑流消能,此处的金属结构设备将处在暴雨级的雾化环境和泥化环境中,存放的设备难以保护。受周边的地形限制,检修完毕后将闸门和启闭设备运走也很困难。鉴于这些原因,提出了采用浮式检修门的方案。

由于消力塘尾坎的存在,整体浮式检修闸门无法直接移进消力塘,如若采用其他方法把闸门运进消力塘或存放在消力塘,由于泥沙的淤积,消力塘内运行若干年后必将淤积严重,整体浮式检修门也不具备翻身条件。与其他叠梁检修闸门相比,浮箱式叠梁检修门有以下优点:①启闭工作全在水面以上,工作安全可靠;②检修工作完毕,设备可以全部运走,不需潜水人员,节省人力;③不需水下挂脱钩装置,简化了结构和设备,减小了启闭容量,节约了起吊设备;④箱形结构在同样梁高时有较大的刚度和较好的力学性能,尤其适用于大孔口。因此,最终选用了浮箱式叠梁检修门方案(见图 19-4-1)。

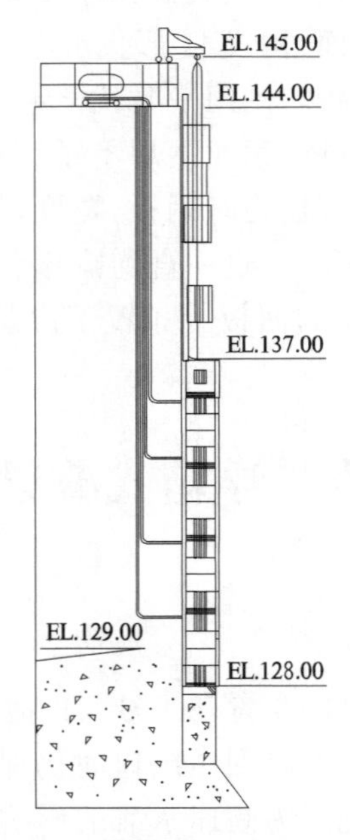


**图 19-4-1 浮箱式叠梁检修门总布置**

## 二、结构布置

浮箱式叠梁检修门的结构特征是每一单元门体具有一个或多个封闭的空腔，空腔的体积视门体的重量和设计条件而定，空腔排开的水量不小于门体的重量，门体在静水条件下可以漂浮在水面，闸门的全部操作均在水面以上进行，启闭操作看得见摸得着，使操作过程既安全又可靠。同时还无须自动挂钩装置和庞大的启闭设备。

小浪底工程浮箱式叠梁检修门，高 9m，长 13.2m，两端导入门槽内的部分为 0.25m，底部 4 节各高 2m，重 13t，由 3 根主梁和上下游面板组成上下两舱，上下舱相通构成一个大的舱体，使闸门利于在水中浮动运输，具体结构见图 19-4-2。顶节高 1m，7.5t，由两根主梁和上下游面板构成密封舱，满足闸门在水中浸没的要求。后面主要对底部 4 节的结构作一介绍，顶节与底部 4 节大致相同，只是高度为其一半。

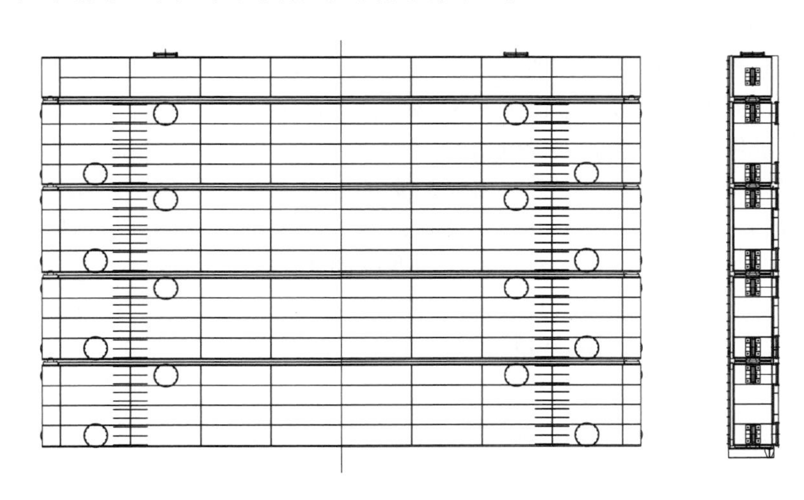

**图 19-4-2　浮箱式叠梁检修门门体**

在闸门顶部设 2 个吊耳，供闸门就位时调整左右位置用，吊耳上装着一盘起重链条，链条顶部与手动葫芦连接，该节安装好后，链条就放在闸墩上，以便将来起吊时再重新挂在手动葫芦上。

闸门挡水侧设 4 个进人孔，以利于闸门施焊时使用，制造完毕用闷头封闭。在闸门的非挡水侧设 2 个进气孔、2 个排水孔，4 个孔口与 4 个阀门连接，通过开关阀门以实现闸门形成封闭舱和灌水下沉。阀门平时全部处于关闭状态，只有在闸门就位后才打开，以利于闸门充水下沉和检修完毕充气排水上浮。考虑到闸门运输和挡水的要求，闸门组拼完成后必须做水压密闭试验以确保闸门在工作期间内腔不会进水。

闸门上还设有一对锥形对准装置，使上下叠梁能自动对准就位，准确地重叠在一起成为一个整体。

闸门主支承选用的是工程塑料合金材料，为保证闸门支承平稳，滑块沿叠梁通长方向连续布置。每节叠梁的侧封水均布置在非挡水侧，与主支承装在一起，并在主支承的内侧，底封水的布置主要考虑要使闸门产生向封水侧倾斜，并减小闸门箱体产生的巨大浮力,消除不利于闸门稳定的因素。因此,把每节的底封水布置在挡水侧,封水外形选用P60 - B 型,通过改变橡皮的柔软度来达到封水效果,压缩量为 10mm。

浮箱式叠梁检修门是在泄水洞出口边墙尾部平端面和底流消能鼻坎后底部伸出的1m 宽的平台上设置一套永久钢结构门槽。门槽的设置主要考虑封水和主、侧支承面必须高过闸门,而外悬的门槽高度必须在单节闸门的吃水线以下,并且在顶部设过渡圆弧段,保证闸门能够顺利入槽。

闸门的操作是从消力塘岸边用汽车吊把密封的叠梁一节节地吊入水中(由于闸门为密封舱,故会漂浮在水面上),然后把四根牵引绳拴在闸门上,用人力将其牵引至闸槽处。在两侧闸墩上安装两个悬臂式手动葫芦支架,以安装两个手动葫芦,以便将来用手动葫芦来调整闸门上下左右的位置。另外准备两台空气压缩机和 20 根直径 50mm 的软管,每节闸门装 2 根软管,用于通气排水,2 台空气压缩机用于向闸门内输送高压空气,空气压缩机与通气软管相连。

浮箱式叠梁检修闸门存放在消力塘岸边,由于尾坎的存在,使消力塘有稳定的水位,利用汽车吊将密封的一节节叠梁吊入水中,在起吊前,先检查所有阀门是否关闭以保证吊入水中的闸门能够漂浮在水面上,然后把牵引绳拴在闸门上,利用人力将闸门牵引至 1 号孔板洞出口门槽处。拉起盘在闸门吊耳上的起重吊链,挂在两边墙顶部的两台 10t 手拉葫芦上,然后吊起闸门,这时就可以打开装在闸门上的 4 个阀门,下放手动葫芦使整个叠梁充水下沉至底坎。下沉过程中要求不停地调整两手动葫芦的下放位置,保证左右对称下放,以免闸门中途卡住。沉放到位后再卸掉起重吊链,挂在旁边的栏杆上,以备上浮时使用,至此完成了第一节叠梁的就位过程。按照上述顺序可将其余各节叠梁沉入门槽,并注意每节闸门下放的高度是否已与下一节完全接触,这样才算完成整个闸门的闭门过程。

闸门完成下沉工作后,就可以用水泵抽干泄水洞内的积水,使洞内形成旱地施工条件。门体挡水侧因承受水压力作用,将门体压在闸墩上,当支承压在闸墩上时,止水已紧紧地压在封水座板上,形成较好的止水条件。当检修工作完毕需要提门时,首先把准备好的充气软管与各节的顶部两个阀门连接起来,充气软管另一端放在闸墩上,这时就可以把泄水洞内充满水,直至处于平压状态。

闸门平压后,把顶节叠梁的 2 个充气管连接到各自的空气压缩机上,开动压缩机向顶节叠梁充气排水,使门体逐渐浮出水面。这时可以再用手动葫芦将浮箱吊起,让全部阀门露出水面,利用爬梯去把阀门全部关闭,然后下放葫芦使叠梁漂浮在水面上,同时把起重链条盘在吊耳上,再把牵引绳拴在闸门上,用人工牵引浮箱至消力塘岸边,再用汽车吊将浮箱吊出水面。依此顺序,把其他各节也吊至岸边存放,这样就可完成闸门的全部操作。

## 第五节　拦污栅

### 一、总体布置

黄河干流上的污物量大的问题是比较严重的,特别是黄河中游的黄土高原水土流失严重,造成每年汛期大量的污物进入河道。根据调查了解,污物的构成主要是草根、芦根、树枝和树干，污物不仅漂浮在水面，而且分布在水中的各层，因此拦污栅的拦污量非常巨大。小浪底工程上游的三门峡水利枢纽拦去一部分污物，但小浪底工程的污物量仍然相当大。在时间上，大量的污物主要在汛期来临，由于缺乏对河道来污量的实际统计，因此对小浪底工程拦污栅的拦污量只能按假定计算。

拦污栅的孔口尺寸是按照平均过栅流速不超过 1m/s 的条件确定的。根据这个条件计算，1 号、2 号发电塔栅孔尺寸为 4m × 35m，3 号发电塔栅孔尺寸为 4m × 40m，副拦污栅相同。栅条间距按照水轮机的要求确定。小浪底工程安装了 6 台 300MW 的混流水轮发电机，转轮进口直径 $D_1$ 为 6 357mm。水轮机对拦污栅的最大允许间距为 $D = 1/30D_1$。因此，栅条最大允许间距为 212mm。由于污物量较大，为减少清污的工作量，应尽量加大栅条间距，所以最终确定拦污栅的栅条间距为 200mm。

栅体形式采用垂直滑动式，为了安全起见，拦污栅栅体的强度和启闭力计算对污物量作出假定，假定整个栅体上附满 0.4m 厚的污物，栅体前后的水头差达到 10m。拦污栅的栅体前后都安装了水位测量计，它能实时监测栅体前后的水位差。栅体的计算按 10m 水头差，但实际上并不是真的等到出现这么大的水位差时才清污，清污是实时的，只要出现影响发电水头的水位差就要及时清污。拦污栅的启闭由塔顶门机操作。

## 二、结构布置

主拦污栅栅体的结构型式为平面滑动式。1 号、2 号、3 号、4 号发电洞主栅设计水头差 10m，总水压力 17.5MN；5 号、6 号发电洞主栅设计水头差 10m，总水压力 20MN。

栅体分为 11 节，顶节为吊梁，其余 10 节每 2 节安装时焊成整体，整个栅体安装后形成 5 节柔性栅体，清污时可以自由分解（见图 19-5-1）。栅体由栅叶焊接件、主滑块装配件、侧轮装配件和反滑块装配件等主要部件组成。栅叶焊接件由栅条、主横梁、边梁组成。栅条厚度 14mm，为减小水头损失，栅条上游面设计为圆头。每一节栅体设 3 个主横梁和 2 个边梁，断面都为工字形断面。栅条直接焊在横梁的上翼缘上。在横梁之间的栅条上设定位穿条，以提高栅条的刚度。每节边梁下翼缘各布置两个主滑块，位置按均匀受力确定。主滑块为铸钢夹槽油尼龙滑块，滑块厚 20mm，断面为梯形。用螺栓通过楔形压块将油尼龙滑块压入燕尾形铸钢夹槽内，使滑块预先产生侧向压力，从而提高了滑块的承载力。与主滑块对应的迎水面一侧布置了反滑块，在边梁腹板外侧各布置两个侧轮导向。在边梁顶底部设置吊耳，通过连接轴与上下节栅体连接。

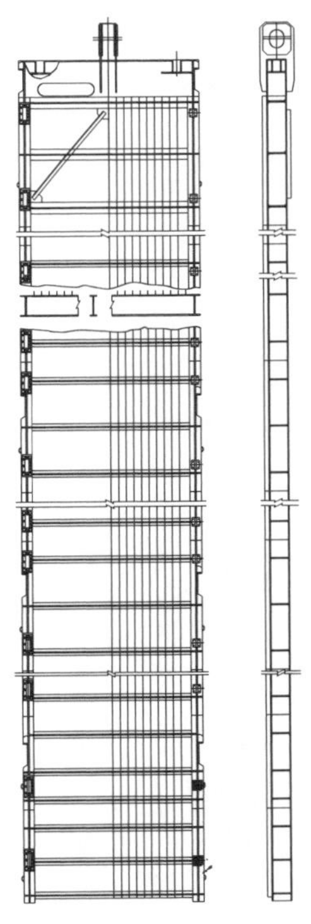

**图 19-5-1　拦污栅栅体**

拦污栅埋件分一期混凝土埋件和二期混凝土埋件：一期混凝土埋件由钢筋和钢板焊接而成；二期混凝

土埋件由胸墙、主轨、副轨、侧轨、反轨、底坎和连接螺栓等组成。门楣布置在下游侧,反轨从底坎一直通到高程 265.0m 的检修平台。拦污栅平时就锁定存放在该平台上。主轨由轨头、底板和工字钢焊接件组成。轨头为方钢,顶面贴焊不锈钢板,不锈钢顶面被加工成弧面,弧面半径 300mm。底板为厚钢板,宽度以满足混凝土承压强度确定,厚度按承受底面反力产生的弯应力确定。轨头焊在底板上,底板下面焊接工字钢。主轨长度为一倍孔口高度,上面接副轨直到检修平台。侧轨的形式为工字钢。底坎为焊接工字梁断面。门槽的尺寸为宽 750mm、深 450mm,宽深比为 1.67。

# 第二十章　启闭机械

## 第一节　概　述

### 一、主要设备项目

小浪底水利枢纽工程的启闭机械共计63台(套)，其中固定卷扬式启闭机20台、液压启闭机27台、门式启闭机2台、台车式启闭机1台、液压自动抓梁9台、清污机4台。启闭机械的总用钢量约1万余吨。其主要设备项目如下：

(1)孔板洞、明流洞、排沙洞事故闸门的高扬程固定卷扬启闭机。

(2)孔板洞、排沙洞偏心铰弧形工作闸门的主、副双缸双作用液压启闭机。

(3)明流洞弧形工作闸门的双作用液压启闭机。

(4)发电洞事故闸门的单作用、快速液压启闭机。

(5)电站尾水洞检修闸门的台车式启闭机。

(6)电站尾水渠防淤闸弧形闸门的双缸、单作用液压启闭机。

(7)溢洪道表孔弧形工作闸门的双缸、单作用液压启闭机。

(8)各泄洪、排沙、引水发电系统进口检修闸门和主、副拦污栅共用的塔顶门式启闭机及附属的液压自动抓梁设备。

(9)电站拦污栅清污用的液压式全跨清污抓斗。

(10)灌溉洞事故闸门的固定卷扬启闭机。

(11)导流洞封孔工作闸门的固定卷扬启闭机。

### 二、设备选型特点

小浪底工程永久进水口的检修闸门采用多孔共用的门式启闭机进行操作，以减少启闭机数量，简化塔面布置。同时，利用门机还可完成电站清污和设备吊装等多项作业。各事故闸门均采用固定卷扬启闭机操作，以提高工作闸门和泄水道在高速含沙水流条件下事故保护的机动性和可靠性，满足在远方计算机控制中心进行监控的要求。各工作闸门和电站快速闸门均采用液压启闭机进行操作，以便更好地适应高水头下的弧形工作闸门动水操作和局部开启的运用条件，以及在远方计算机控制中心进行可靠监控的要求。各导流封堵闸门均单独设置了固定卷扬式启闭机，以确保导流洞封堵万无一失。电站多孔尾水检修闸门采用了安装于地下洞室中的台车式启闭机进行操作。门机和固定卷扬机均采用多层缠绕的高扬程启闭机，其优点是可以免除多次装卸拉杆的繁重操作，简化运行管理程序，改善闸门停放环境，提高设备使用的可靠性。另外，由于启闭机可以布置在塔顶，因而便于维护和管理。同时，自20世纪70年代以来，随着高扬程启闭机设计水平的提高和投入运行数量的增多，我国已具备了数十米乃至百余米的高扬程启闭机的设计和制造能力。因此，上述设备选型是基于我国水工启闭机械的设计和运行经验以及不断提高的机械制造水平所做出的方案选择。水工闸门和启闭机的运行经验表明，只要闸门和门槽体形设计合理，采用高扬程卷扬启闭机操作事故闸门是可行的。

世界银行和加拿大黄河联营公司（CYJV）的一些专家曾以采用高扬程卷扬启闭机操作动水中下放的事故闸门有可能引起闸门振动的理由，而提出改用低位布置液压启闭机的建议，这是欧美一些国家的坝内小型深孔习惯使用的一种方案。小浪底工程为塔式进水口，且闸孔尺寸大，如果采用这种方案，将使进水塔塔体下部结构的设计变得十分复杂，同时，紧靠塔体前沿的低位液压启闭机室的环境条件以及设备的操作和维修条件也将急剧恶化，从而有可能直接影响闸门的运行安全。经与外国专家共同分析研究、对比论证，最终外国专家同意采用高扬程卷扬启闭机操作事故闸门的方案。为了检验动水下门的安全可靠性，我们将闸门、钢丝绳和启闭机作为一个弹性振动体，与工作闸门组成联动试验体系，委托北京水科院和南京水科院进行了室内事故闸门与启闭机系统的振动模型试验。通过随机振动分析和模拟试验，结果表明事故闸门在各种开度工况下动水下门，闸门和启闭机均具有足够的安全度，启闭机的钢丝绳系统在运行中是稳定的。

## 第二节 固定卷扬启闭机

### 一、主要技术参数

小浪底工程的固定卷扬式启闭机共计 20 台，分别安装在 15 条泄水洞的进口。其中单吊点启闭机为 17 台，启闭容量最小为 1 250kN，最大为 5 000kN；双吊点启闭机为 3 台，启闭容量最小为 2×3 200kN，最大为 2×4 000kN。除 3 条孔板洞和 1 号明流洞为每条洞安装 2 台启闭机外，其余为每条洞安装 1 台启闭机。固定卷扬式启闭机的名称、操作对象和安装地点见表 20-2-1，主要技术参数见表 20-2-2。

表 20-2-1 固定卷扬式启闭机的名称、操作对象和安装地点

| 序号 | 启闭机名称 | 操作对象 | 安装地点 | 安装高程（m） | 台数 |
| --- | --- | --- | --- | --- | --- |
| 1 | 5 000kN 固定卷扬式启闭机 | 孔板洞、明流洞进口事故闸门 | 进水塔内 | 283.00 | 10 |
| 2 | 2 500kN 固定卷扬式启闭机 | 排沙洞进口事故闸门 | 进水塔内 | 276.50 | 6 |
| 3 | 1 250kN 固定卷扬式启闭机 | 灌溉洞进口事故闸门 | 进水塔内 | 276.50 | 1 |
| 4 | 2×4 000kN 固定卷扬式启闭机 | 1 号低位导流洞进口封堵闸门 | 进水塔前导流洞进口 | 175.00 | 1 |
| 5 | 2×3 200kN 固定卷扬式启闭机 | 2～3 号高位导流洞进口封堵闸门 | 进水塔前导流洞进口 | 177.50 | 2 |

**表 20-2-2　　固定卷扬式启闭机的主要技术参数**

<table>
<tr><td colspan="3" rowspan="2">参数名称</td><td colspan="5">启闭机名称</td></tr>
<tr><td>5 000kN<br>固定卷扬式<br>启闭机</td><td>2 500kN<br>固定卷扬式<br>启闭机</td><td>1 250kN<br>固定卷扬式<br>启闭机</td><td>2×4 000kN<br>固定卷扬式<br>启闭机</td><td>2×3 200kN<br>固定卷扬式<br>启闭机</td></tr>
<tr><td colspan="3">额定启门力<br>(kN)</td><td>5 000</td><td>2 500</td><td>1 250</td><td>2×4 000</td><td>2×3 200</td></tr>
<tr><td colspan="3">名义起升高度<br>(m)</td><td>90</td><td>100</td><td>50</td><td>25</td><td>16</td></tr>
<tr><td colspan="3">起升速度<br>(m/min)</td><td>1.963</td><td>1.887</td><td>1.609</td><td>1.2</td><td>1.3</td></tr>
<tr><td colspan="3">滑轮组倍率</td><td>8</td><td>6</td><td>4</td><td>8</td><td>8</td></tr>
<tr><td colspan="3">卷筒直径(m)</td><td>3.0</td><td>2.5</td><td>1.6</td><td>1.6</td><td>1.5</td></tr>
<tr><td colspan="3">工作级别</td><td>Q3</td><td>Q3</td><td>Q2</td><td>Q2</td><td>Q2</td></tr>
<tr><td rowspan="2">钢丝绳</td><td colspan="2">型号</td><td>6×(37)+7×7-56-1 700-I-甲镀-右交</td><td>6×(37)+7×7-52-1 700-I-甲镀-右交</td><td>6×(37)-44.5-1 700-I-甲镀-右交</td><td>6×(37)-52-1 700-I-乙镀-右交</td><td>6×(37)-48.5-1 550-I-乙镀-右交</td></tr>
<tr><td colspan="2">最大拉力<br>(N)</td><td>353 440</td><td>257 600</td><td>252 880</td><td>357 140</td><td>286 510</td></tr>
<tr><td rowspan="4">齿轮传动比</td><td rowspan="2">减速机</td><td>型号</td><td>QJS-D710</td><td>QJR-D560+800</td><td>QJS-D560</td><td>QJRS-D630</td><td>QJRS-D630</td></tr>
<tr><td>传动比</td><td>50</td><td>70</td><td>80</td><td>40</td><td>50</td></tr>
<tr><td colspan="2">开式齿轮</td><td>7.056 5</td><td>5.947</td><td>5.238 1</td><td>7.93</td><td>5.33</td></tr>
<tr><td colspan="2">总传动比</td><td>352.825</td><td>416.29</td><td>419.048</td><td>327.82</td><td>266.67</td></tr>
<tr><td rowspan="4">电动机</td><td colspan="2">型号</td><td>YZR355LB</td><td>YZR355LB</td><td>YZR280M</td><td>YZR355</td><td>YZR315M</td></tr>
<tr><td colspan="2">工作制度</td><td>S3-40%</td><td>S3-40%</td><td>S3-25%</td><td>S3-25%</td><td>S3-25%</td></tr>
<tr><td colspan="2">功率<br>(kW)</td><td>132</td><td>132</td><td>55</td><td>132</td><td>85</td></tr>
<tr><td colspan="2">转速<br>(r/min)</td><td>588</td><td>588</td><td>556</td><td>578</td><td>576</td></tr>
<tr><td colspan="3">制动器</td><td>YWZ500/125Z</td><td>YWZ500/90</td><td>YWZ400/90</td><td>YWZ500/90</td><td>YWZ500/90</td></tr>
<tr><td colspan="3">最大单元重量<br>(kg)</td><td>40 257</td><td>44 330</td><td>19 524</td><td>27 704</td><td>22 100</td></tr>
</table>

## 二、设计特点

### (一)概述

固定卷扬式启闭机基本采用了类似的总体结构布置形式,即传动机构从大的框架上基本都采用了“电动机—减速器—开式齿轮传动副—卷筒—钢丝绳—滑轮系统”的形式,其外观主要特征是都采用了带有开式齿轮的卷筒组。这主要是考虑到小浪底工程的固定卷扬式启闭机启闭容量较大,各部件的型号相应也较大,采用开式齿轮传动的形式,结构简单、整机重量较轻，完全满足水利水电工程启闭机低速重载的使用工况，有利于现有标准化减速机的直接选用，避免了开发、研制大型非标准减速机所带来的设计周期加长、制造难度加大和成本的增加。

事故闸门启闭机的卷扬机构均采用了多层卷绕方案。其中灌溉洞事故闸门启闭机采用的是螺旋绳槽卷筒，其余采用的是带有阶梯形返回垫环的折线绳槽卷筒。

高扬程启闭机是近年来随着我国高坝建设的发展而开发的一种新型非标准起重设备。实现钢丝绳的多层卷绕，一般有三种方案可供选择：普通卷筒的自由返回多层绕、双双联双层绕和带有排绳机构的多层绕。

自由返回绕方案可用于小容量启闭机。双双联卷绕方案国内应用较多，适用于中小型启闭机。当启闭容量大时，卷筒的扭矩荷载过大，将导致传动机构的自重显著加大，在某些条件下，可能造成最大组装单元超重，给吊装和运输带来困难。带排绳机构的多层绕方案，国内也有较多的应用，已积累了一定的设计经验。该方案的缺点是当运行频繁时，导绳月牙螺母易磨损，这一问题往往使设计人员有所担心。

在研究国内外高扬程起重机有关设计、运行经验的基础上，经过论证，小浪底工程的单吊点卷扬启闭机除灌溉洞事故门卷扬启闭机外，均采用了带有阶梯返回垫环的折线绳槽卷筒方案。

折线卷筒多层缠绕技术是从国外引进的一项新技术。该方案的特点是利用折线绳槽和特殊体形的返回垫环，可以防止钢丝绳返回时在相互挤压中的爬高、跌落和钢丝绳在多层卷绕中的层间滑动，以及伴随而来的绳索的严重磨损。同时，由于钢丝绳的返回点具有确定的位置，因而有助于实现有规律的多层卷绕，从而延长钢丝绳的使用寿命。这种多层卷绕方案的设计要点在于各层返回角的控制和返回垫环的体形设计，根据卷绕层数的不同，钢丝绳返回角控制在行业启闭机设计规范规定的范围内，实际运行情况表明设计是成功的。

对于双吊点卷扬启闭机，我国还缺乏采用折线绳槽卷筒的成功运行经验，故导流洞双吊点卷扬启闭机采用了带排绳机构的双层卷绕方案以策安全，其设计要点在于双旋线排绳螺杆返回角的大小和返回线型的选择以及导绳螺母的体形和包角设计。至于月牙螺母的磨损问题，由于导流洞启闭机运行历时很短，月牙螺母的滑行距离很小，不可能产生严重的磨损，而且，通过改善螺母的工艺技术条件还可提高其耐磨性能，能提供足够的安全性。导流洞闸门启闭机封孔下闸的顺利实施，表明带排绳机构的启闭机设计是成功的。

**(二)5 000kN 卷扬启闭机**

3 条明流洞设有 4 扇事故闸门，3 条孔板洞设有 6 扇事故闸门，这些闸门的启闭设备均为 5 000kN 固定卷扬式启闭机。启闭机安装在进水塔顶部 283.0m 高程，设计扬程 90m，采用单吊点起吊，是目前国内同类产品中卷筒容绳量最大、启闭力最大、卷筒直径最大的固定卷扬式启闭机，也是目前国内最大的高扬程固定卷扬式启闭机，在目前国内水电工程的启闭设备中具有一定的代表性。该设备除可在现地操作外，还可在远方计算机控制中心进行监控。

3 条孔板泄洪洞和 1 号明流泄洪洞均为一洞双孔的布置形式(2 号及 3 号明流洞均为一洞一孔布置形式)，由于受洞身体形和水力学条件的限制，闸孔宽度较小(最小仅

3.5m)，加之受工程布置的制约，所有的进水口均布置在一字形排列的塔体前沿，从而使启闭机的平面尺寸受到严格的限制。另一方面，5 000kN 启闭机操作的是明流洞和孔板洞进口的事故闸门，该门不仅有事故闭门的要求，而且还有挡水挡沙的任务，这与一般的事故闸门有所不同，其安全运行是第一位的。因此，设计 5 000kN 卷扬启闭机不但要解决大吨位、高扬程同狭小的布置空间之间的矛盾，还要确保启闭机和闸门的安全运行。

为此，在总体设计阶段研究比较了 6 种设计方案：①带排绳机构的单卷筒多层缠绕方案；②带排绳机构的同轴线双联双卷筒双层缠绕方案；③同轴线双卷筒单层缠绕方案；④双双联四卷筒双层自由绕方案；⑤双双联单卷筒双层自由绕方案；⑥带有折线绳槽的同轴单联双卷筒双层缠绕方案。

第①种方案，采用单卷筒布置，结构型式简单，虽然采用排绳机构进行多层缠绕能够满足高扬程要求，但由于起升吨位大，排绳机构的设备较为笨重，双向月牙螺母磨损严重，设备运行可靠性难以保证。

第②、第③、第④种方案，各有其技术特点，但这 3 种方案的共同缺点是整机平面尺寸过大，不能适应进水塔塔顶的水工布置条件。

第⑤种方案，机构布置比较紧凑，整机平面尺寸也可满足要求。但该方案的突出缺点是作为最大吊装单元的卷筒组，重量过大，将给运输和安装造成极大的困难。

第⑥种方案，采用带折线绳槽和阶梯形返回垫环的两个单联卷筒同轴线布置方案(见图 20-2-1)。5 000kN 卷扬启闭机采用了双套驱动装置，每套驱动装置驱动一个单联卷筒，卷筒的同步靠电动机另一端出轴上安装的同步轴来实现。这种布置形式可以看做是两套驱动装置驱动一个双联卷筒布置形式的变种，将一个较大的双联卷筒分成两个单联卷筒后，减小了卷筒的尺寸和重量，便于加工制造和装配以及运输和安装。该方案机构布置紧凑，最大吊装单元重仅 41t，满足了水工布置和运输安装的要求。考虑到小浪底工程泄水道事故闸门须在高水头下动水闭门以及闸门兼有挡水挡沙任务的复杂工况，该卷扬启闭机设计采用双层缠绕，以确保启闭机的安全运行。

5 000kN 卷扬式启闭机的卷筒为单联双折线焊接卷筒，左右各一个。卷筒名义直径为 3 056mm，槽底直径为 3 000mm，槽深 20mm，绳槽半径 29mm，绳槽节距 58mm，绳槽圈数为 41 圈(包括 2 圈安全圈在内)，卷筒的总长度为 2 778mm，壁厚 70mm，材料为 16Mn。钢丝绳缠绕两层，固定在卷筒端部。左卷筒的钢丝绳固定在卷筒右端部，右卷筒的钢丝绳固定在卷筒左端部。钢丝绳采用 6 块压板压紧，每块压板采用一个 M48 的螺栓紧固，扣除三圈固定、二圈安全圈后，钢丝绳在第一层的工作圈数为 36 圈，对应于 43.2m 的工作扬程，第二层钢丝绳在卷筒上缠绕 37.8 圈，对应于 46.8m 的工作扬程，总扬程为 90m。左卷筒的结构外形和展开的绳槽形状见图 20-2-2。

双折线卷筒在卷筒的每一圈绳槽内分别有两段斜线绳槽和两段直线绳槽，二者在卷筒圆周上相间布置。两段直线绳槽对应的圆周角各为 135°，在此范围内，钢丝绳卷绕时无轴向移动，且上层钢丝绳落入下层钢丝绳形成的沟槽内；两段斜线绳槽对应的圆周角各为 45°，在此范围内，钢丝绳卷绕时在轴向移动半个绳槽节距，上下两层钢丝绳的旋向相反，为钢丝绳的交叉过渡区。这样，卷筒每旋转一圈钢丝绳在卷筒上移动一个节距。同时通过两段斜线绳槽来固定钢丝绳在进行多层缠绕时上层钢丝绳与下层钢丝绳交叉过渡的位

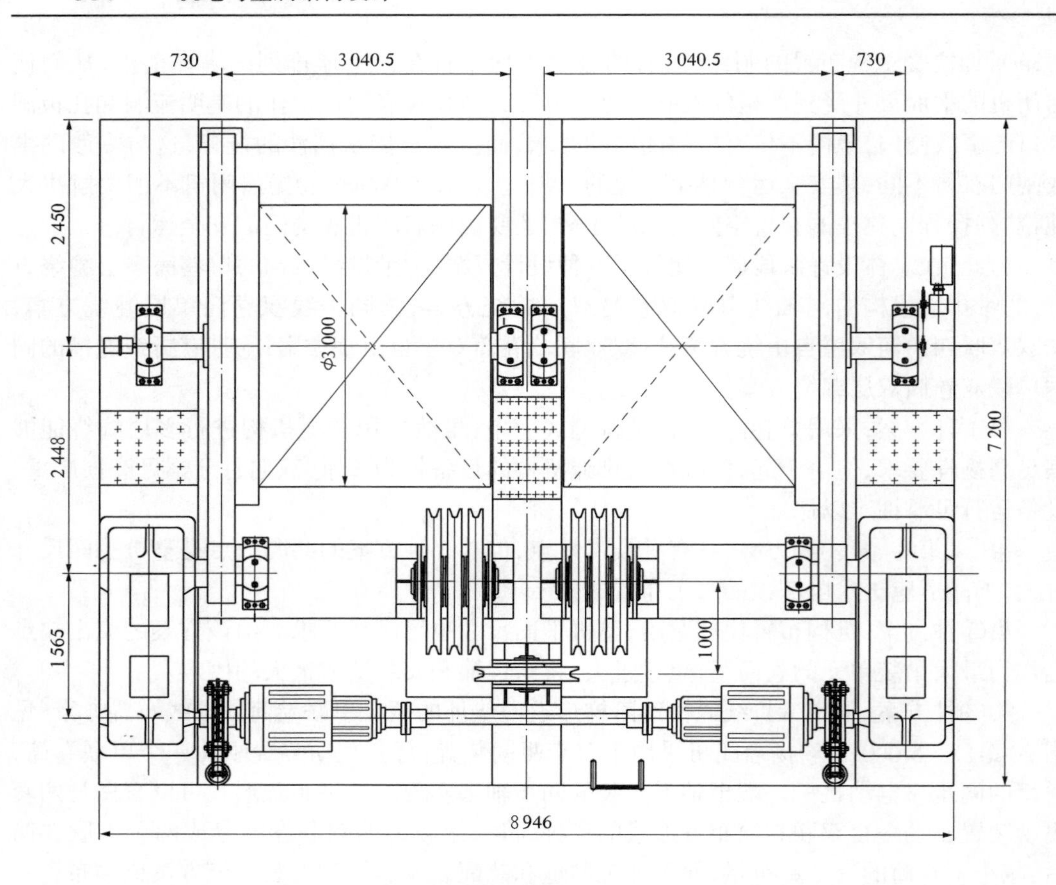


图 20-2-1　5 000kN 卷扬启闭机平面布置　（单位：mm）

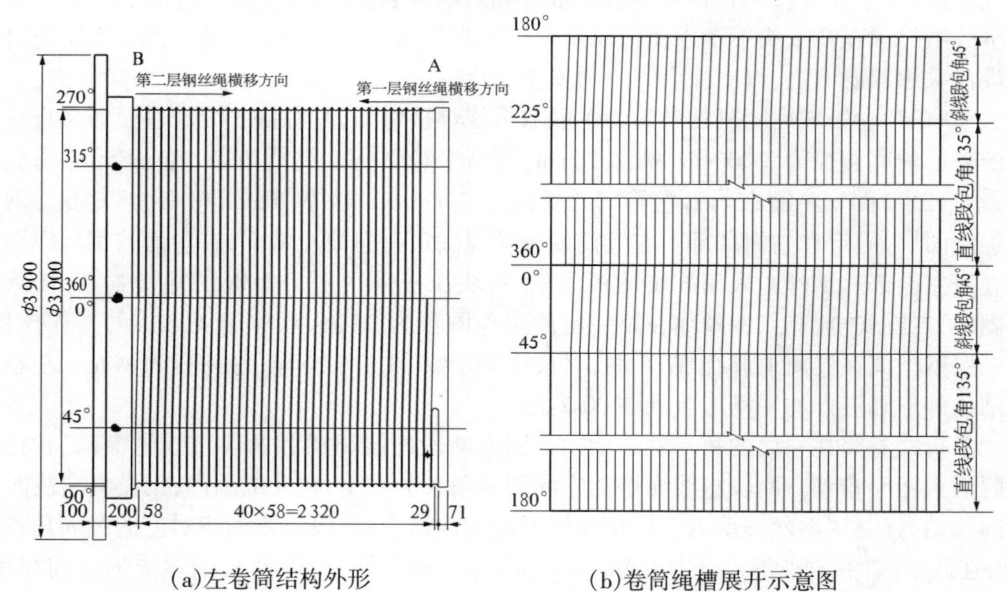


(a)左卷筒结构外形　　　　(b)卷筒绳槽展开示意图

图 20-2-2　5 000kN 卷扬启闭机左卷筒及其折线绳槽展开示意图　（单位：mm）

置。两段直线段的作用就是让上一层钢丝绳在一周范围内大部分都落入下层钢丝绳两相邻绳槽内。可见,折线卷筒的钢丝绳约 80%是平行排列的,只有约 20%的钢丝绳存在交叉过渡,这就是折线卷筒能减轻钢丝绳磨损的重要原因。图 20-2-2 显示的是钢丝绳固定在 A 端的情况,第一层钢丝绳缠绕时钢丝绳的横移方向由 A→B,第二层钢丝绳的横移方向是由 B→A。

如果只采用折线绳槽,而无引导钢丝绳顺利返回的导向结构,则在钢丝绳下层向上层过渡时还存在严重的挤压现象,这种挤压也会对钢丝绳产生较大的磨损。为此,在卷筒上钢丝绳返回的一端设置了带有阶梯垫层的挡环,以帮助钢丝绳在此处平稳抬升和过渡到上一层而顺利进行反向缠绕。左卷筒的挡环结构外形见图 20-2-3。

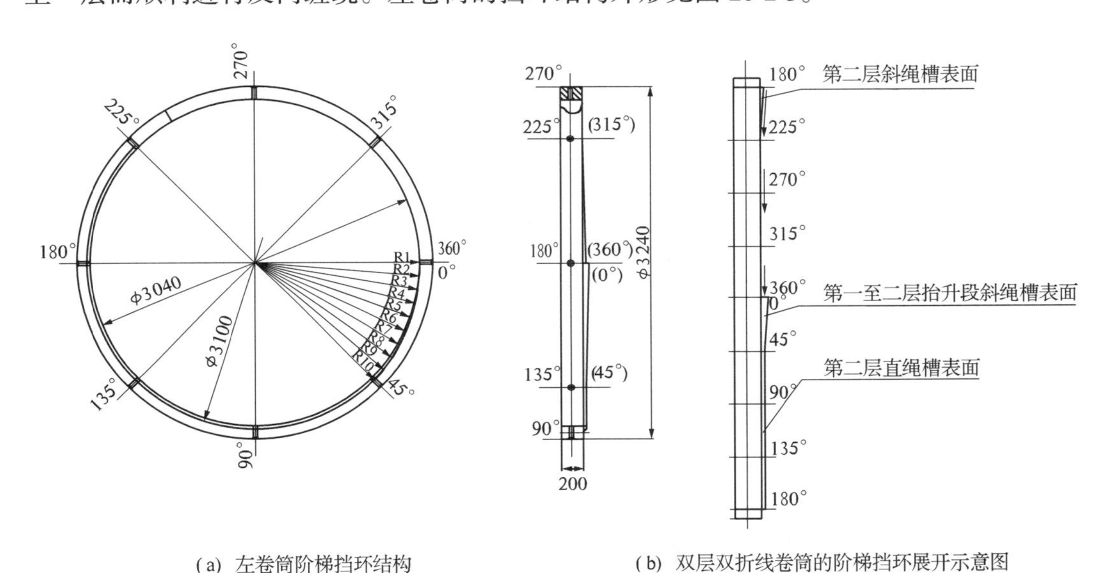


(a) 左卷筒阶梯挡环结构　　(b) 双层双折线卷筒的阶梯挡环展开示意图

**图 20-2-3 5 000kN 卷扬启闭机左卷筒的阶梯挡环** (单位:mm)

这种挡环为双层双折线卷筒挡环。它由 3 段组成,第一段的圆周角为 45°,与卷筒绳槽的斜线段对应,沿轴向的宽度由一个绳槽宽逐渐变为半个绳槽宽,沿径向的厚度由 0 逐渐增加为一个钢丝绳层高(即下层钢丝绳中心至上层钢丝绳中心的垂直高度)。该段设计成这种形状的目的,一是为了与斜线绳槽吻合,二是当第一层钢丝绳绕至此处时,由垫环将它抬升至第二层的高度上。第二段的圆周角为 135°,与直线绳槽对应,其宽度为半个绳槽宽,厚度为一个层高,所以这是一个等厚等宽的环面。该段的作用是使被抬升后的钢丝绳落在由此环和邻近的第一层钢丝绳的绳圈所形成的沟槽内。第三段圆周角为 45°,与另一个斜线绳槽对应,宽度由半个绳槽宽变为 0,厚度均为一个层高。该段的作用是当钢丝绳到达此段时,使其交叉过渡到邻近的第一层钢丝绳的两个绳圈所形成的直线沟槽内。这样,钢丝绳就能平滑顺利地由下一层过渡到上一层,实现整齐、均匀地缠绕。

**(三)2 500kN 卷扬启闭机**

2 500kN 启闭机是小浪底工程固定卷扬启闭机中扬程最大的启闭机,工作扬程达到了 100m。启闭机在布置上采用了两台减速机,一台为在输出轴端部装有外伸悬臂支座的非标准减速机,另一台为完全标准的减速机。非标准减速机为借用已有的成品,且为中硬齿面,无需专门设计开发。这样,标准减速机就不需要再进行任何改造,可减少一些设计工作量。启闭机的总平面布置见图 20-2-4。

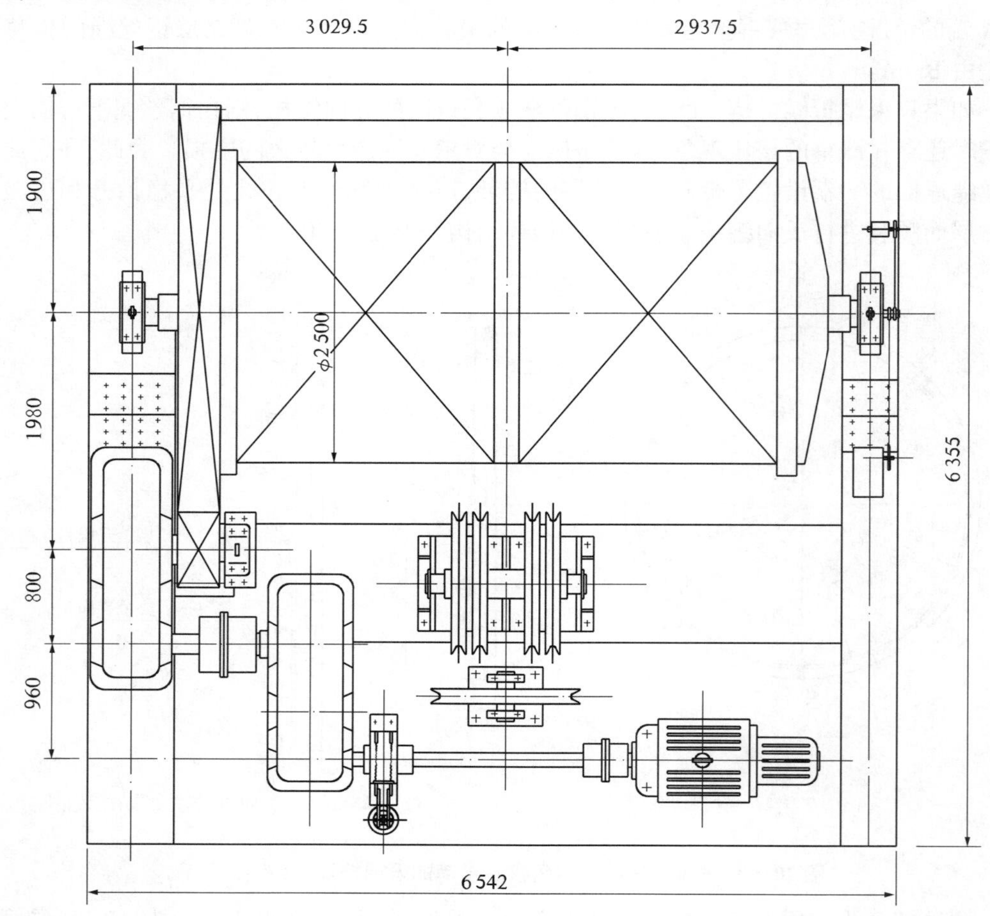


**图 20-2-4　2 500kN 卷扬启闭机平面布置**　(单位:mm)

该启闭机的主要特点是采用了一个双联、双层缠绕的双折线卷筒。钢丝绳固定在卷筒中部的内筋环上。卷绕第一层时两股分支钢丝绳由卷筒中部逐渐分开至卷筒端部,卷绕第二层时两股分支钢丝绳通过挡环返回后又逐渐回到卷筒中部。双联、双折线、双层缠绕的折线卷筒结构及挡环见图 20-2-5 和图 20-2-6。

**(四)1 250kN 卷扬启闭机**

1 250kN 卷扬启闭机采用了排绳机构缠绕双层的方案,这是小浪底工程永久启闭设备中惟一采用排绳机构的卷扬机。该启闭机用于操作灌溉洞的进口事故闸门,使用机会不多。用排绳机构进行双层缠绕能够保证启闭机的安全运行。

1 250kN 启闭机主要由卷扬机构、齿轮传动机构、排绳机构、机架和保护装置等组成(见图 20-2-7)。卷扬机构包括钢丝绳、动滑轮、定滑轮、平衡滑轮、卷筒等;齿轮传动机构

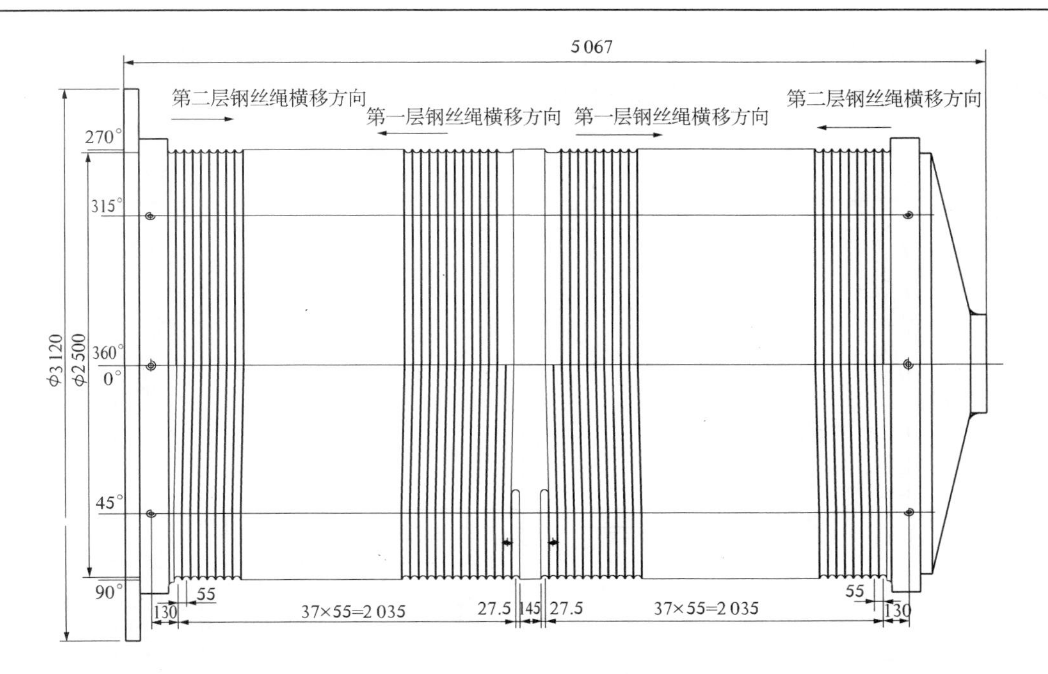


图 20-2-5　2 500kN 卷扬启闭机的双层、双联、双折线卷筒　（单位：mm）

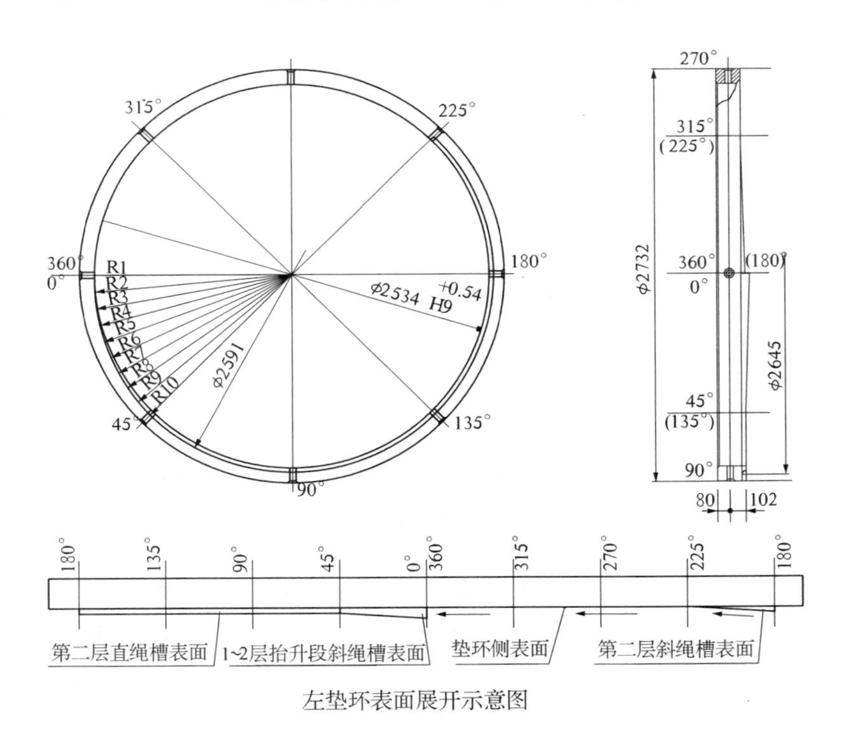


图 20-2-6　2 500kN 卷扬启闭机卷筒的左挡环　（单位：mm）

包括联轴器、传动轴、减速器以及开式齿轮传动副;保护装置包括荷载限制仪、闸门开度指示仪、主令控制器、电力液压块式制动器等。

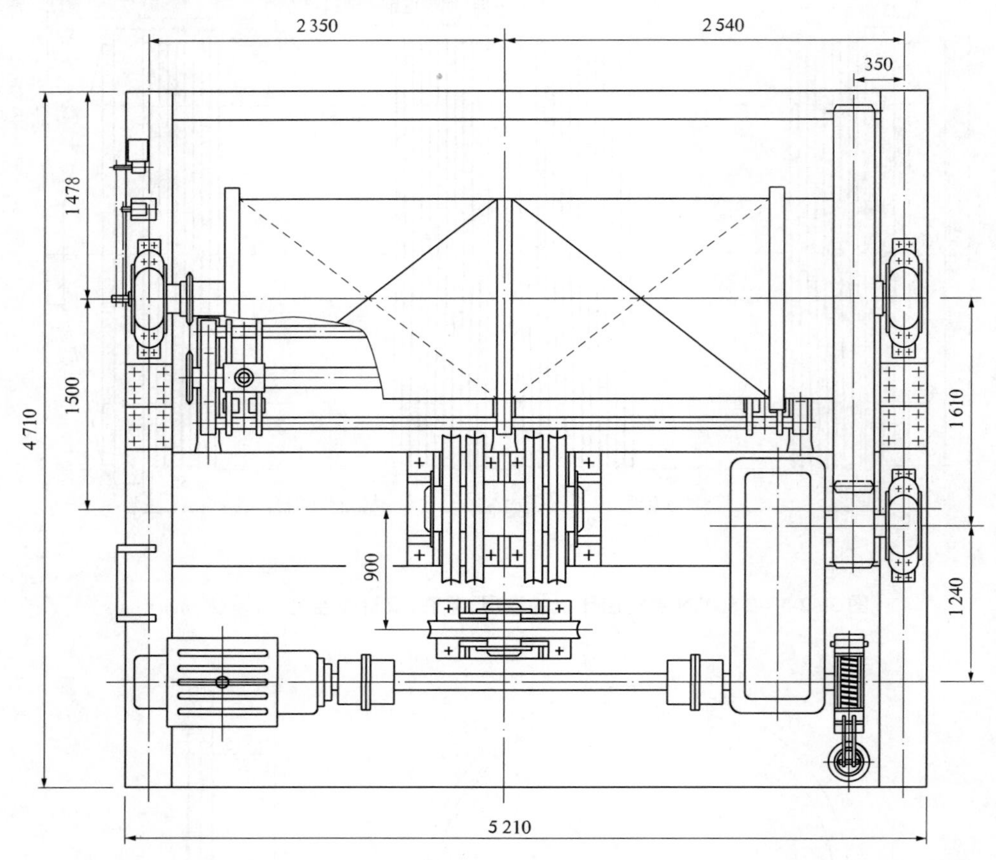


**图 20-2-7 1 250kN 卷扬启闭机平面布置** (单位:mm)

传动机构由一台 YZR280M 起重用绕线式三相异步电动机驱动,通过传动轴、联轴器与 QJS－D 中硬齿面三级减速器的高速轴连接。在减速器另一侧高速轴上装有直径为400mm 的制动轮,并配有一台 YWZ400/90 型电力液压块式制动器。三级减速器的低速轴上装有模数为 28、齿数为 20 的小齿轮,它与相同模数、齿数为 95 的大齿轮啮合,形成一对开放齿轮副。大齿轮以法兰形式装配在卷筒一端,形成卷筒组,采用 6 个抗剪套筒连接和传递剪力。

排绳机构安装在卷筒出绳一侧的下方。钢丝绳绕过定滑轮、动滑轮、平衡滑轮,从排绳机构的两小滚轮之间穿过后,两个端头固定在双联卷筒的中间,钢丝绳在卷筒上的收起和放出带动闸门上升和下降。在启闭机卷筒轴的一端装有闸门开度指示仪和主令控制器,用来控制闸门在运行中的位置。为防止超负荷过载运行,在平衡滑轮支座下装有荷载限制仪。启闭机可由机旁的电控柜现场操作或由远方控制中心操作。

**(五)导流洞封堵闸门启闭机**

小浪底工程共有 3 条导流隧洞:1 号导流洞为低位洞,安装 1 台 2×4 000kN 卷扬启闭机(见图 20-2-8),2 号和 3 号导流洞为高位洞,各安装 1 台 2×3 200kN 固定卷扬启闭机(见图 20-2-9)。两种导流封堵闸门的双吊点卷扬机在平面布局上完全一样,且具有同样的吊点距,只不过是 2×4 000kN 卷扬启闭机为双层缠绕,2×3 200kN 卷扬启闭机为单层缠绕。启闭机考虑了必要时在一定水头下动水提门的能力,以增加封孔操作的机动性和可靠性。尽管导流洞的封堵闸门启闭机不是工程的永久设备,但同样设置了精度较高的高度指示仪,以确保闸门关门到底,保证闸门一次封堵成功。

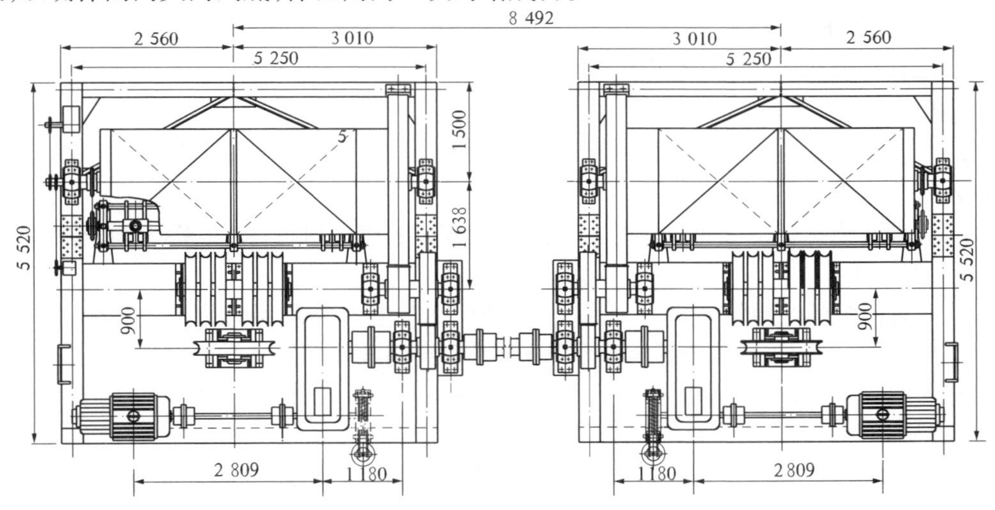


**图 20-2-8　2×4 000kN 卷扬启闭机平面布置**　(单位:mm)

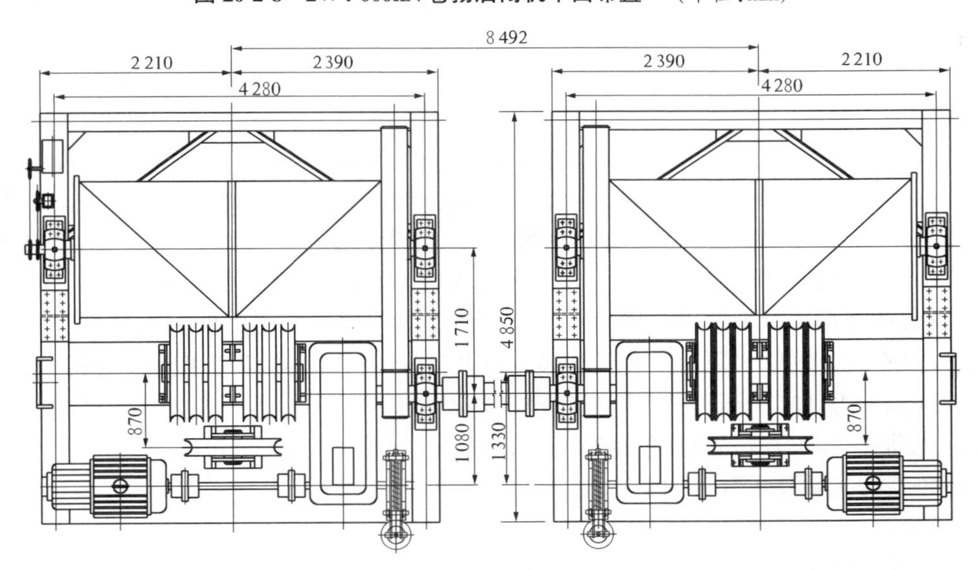


**图 20-2-9　2×3 200kN 卷扬启闭机平面布置**　(单位:mm)

在部件的选择上,导流洞启闭机与其他启闭机有些不同,如钢丝绳,选用的级别为乙级,主要是考虑到这种启闭机使用的时间较短,选用较低级别的钢丝绳也不影响启闭机的安全使用。

**(六)固定卷扬启闭机的安全保护装置**

固定卷扬启闭机的安全保护装置主要有高度指示器、主令控制器和荷载限制器。

高度指示器采用德国IFM公司生产的高精度RM多转、绝对型偏码器,安装于卷筒端部,其接收装置既可安装于现场,也可安装于远方控制中心,通过闸门高度的数码显示和信号输出,可在现场或远方动态观察或控制闸门的准确位置,便于实现操作自动化。RM编码器主要有以下特点:

(1)具有每转高达8 192条的高分辨率,最大转数多达4 096转,可满足高精度、大量程的要求。

(2)由于采用高精度电子元件和多转数分割度的数位化磁性感应,长度仅有63mm,外形精巧,结构紧凑,便于安装。

(3)编码器配备了精密而坚固的球轴以承受较大的机械扭力,使维修和机械停摆的概率降到最低限度。

(4)具有位置的绝对惟一性和记忆功能,即使在掉电时编码器的位置也不会丢失,通电后可自动校正到原来的准确位置,而不需要退回到基准使系统从初始位置开始。

(5)采用同步串行输出,以两条数据输出线和两条时钟线的串行数据输出线代替了25根并行输出线,降低了成本,增加了传输距离。

主令控制器采用LK型,它可以和高度传感器一起作为启闭机起升高度位置的双重保护。主令控制器安装在卷筒轴上,通过链条、链轮驱动旋转,借助主令控制器内装设的凸轮触头,自动控制闸门的升降位置,当闸门到达预定的上、下极限位置时自动停机。主令控制器的凸轮组数根据控制闸门在启闭全行程内可能的停留位置确定。主令控制器的减速比根据启闭机的扬程、启闭速度、卷筒直径等参数确定,一般凸轮盘轴转动的角度控制在330°以内。

荷载限制器用于防止钢丝绳被拉断或烧毁电机,荷载限制器采用GGC型,安装于启闭机的平衡滑轮支座下面,它具有数字动态显示、声光报警和超、欠载双向保护的复合功能。当启闭机的实际荷载达到额定荷载的90%时,荷载限制器发出声光报警,当启闭机的实际荷载超过额定荷载的10%时,发出声光报警并自动切断主回路电源停机。对双吊点启闭机,两个吊点的荷载可分别显示。这种传感器采用径向受力的测力环作为测力敏感元件,具有较高的输出灵敏度和结构强度以及良好的抗冲击性和抗振动稳定性,且具有良好的抗侧向力性能。当侧向力不超过被测垂直力的10%时,不影响测量的精度。它比传统的压缩弹簧式荷载限制器控制精度高、功能全、动作灵敏、安全可靠。

传感器的主要技术数据如下:

(1)分辨能力为额定输出的0.01%。

(2)额定荷重的输出灵敏度为2~2.4mV/V。

(3)耐过载能力为额定荷重的120%。

(4)工作环境温度为-10℃~+60℃。

(5)温度零点及灵敏漂移均不大于0.01%℃。

(6)非线性误差不大于额定输出的±0.1%F·S(A)±0.2%F·S(B)。

(7)迟滞误差不大于额定输出 0.1%F·S(A) ± 0.2%F·S(B)。

(8)重复性误差不大于额定输出的 0.05%F·S(A) ± 0.1%F·S(B)。

(9)输出阻抗约为 350Ω。

(10)供桥电压为 DC12V。

**(七)SF－2 材料在固定卷扬启闭机的应用**

长期以来,水利工程上的卷扬启闭机大多采用青铜作为滑轮的轴衬材料,它的耐磨性能好、抗压能力强,但青铜对钢的摩擦系数高,实际应用中还需要一套完善的润滑系统,这就使得启闭机的整体结构设计变得较为复杂。SF－2 型自润滑工程复合材料是近年来开发的一种新型轴承材料,是以填充改性的聚甲醛塑料为表面层,以青铜和钢背三层复合而成的自润滑材料,其特点是摩擦系数小、承载能力大、耐磨性和自润滑性能好,特别适用于作低速重载条件下的旋转运动、摇摆运动等不宜形成流体动力润滑的滑动轴承摩擦零件。此外,自润滑工程复合材料还是一种良好的边界润滑材料,它能够充分地利用微量润滑油脂,在边界润滑条件下,可以长期不用加油保养或少保养,克服了青铜轴衬在长期使用中因润滑系统不通畅所造成的“烧瓦、抱轴”等故障。小浪底工程的大部分固定卷扬启闭机的滑轮组的轴承采用了这种新材料,既提高了启闭机的承载能力,又简化了启闭机的结构。

SF－2 复合材料轴承的主要技术数据如下。

(1)最高承载能力: $140N/m^2$(低速旋转, $< 10^5$ 周)。

(2)最高滑动速度:干摩擦 2.5m/s,油润滑 5.0m/s。

(3)抗压强度:2.5mm 板材加压 140MPa,永久变形量≤0.04mm。

(4)载荷极限: $P_{zul} = 70N/mm$。

(5)摩擦系数:干摩擦 0.15～0.25,油润滑 0.05～0.10。

(6)极限 $pv$ 值:干摩擦 $\leqslant 2.8N/m^2 \cdot m/s$,油润滑 $\leqslant 10N/m^2 \cdot m/s$。

(7)使用温度:连续工作 －40℃～＋90℃,断续工作 －40℃～＋130℃。

(8)磨损系数: $3 \times 10^{-11} mm^2/N$。

(9)线胀系数: $3 \times 10^{-5}$/℃。

(10)导热系数:40W/MK。

# 第三节　门式启闭机

## 一、基本参数

小浪底工程共有 2 台 4 000/600/400kN 双向门式启闭机,安装于进水塔顶部 283.0m 高程,主要用于操作进水塔内的所有检修闸门、拦污栅和清污设备,也用于塔内的事故闸门及其启闭设备等其他设备的安装、检修和吊运,还可利用门机完成对部分进水塔架的施工浇筑。它是小浪底工程启闭机械中功能最多、工作最繁重、技术最为复杂的大型机械设备。

门式启闭机的主要技术参数见表 20-3-1。

表 20-3-1　　门式启闭机技术参数

| 机构 | 参数 | 数值 |
|---|---|---|
| 主小车主起升机构 | 额定起重量(kN) | 4 000 |
| | 起升速度(m/min) | 2.3 |
| | 扬程/轨上扬程(m) | 120/22.5 |
| | 吊距(m) | 单吊点 |
| 主小车副起升机构 | 额定起重量(kN) | 600 |
| | 起升速度(m/min) | 7 |
| | 扬程/轨上扬程(m) | 120/20 |
| | 吊距(m) | 单吊点 |
| 大车运行机构 | 运行距离(m) | 约 280 |
| | 跨度(m) | 20 |
| | 运行速度(m/min) | 19.6 |
| | 基距(m) | 12 |
| 主小车运行机构 | 运行距离(m) | 约 15 |
| | 跨度(m) | 6.5 |
| | 运行速度(m/min) | 6 |
| | 基距(m) | 9.4 |

|  | | |  |
|---|---|---|---|
| 副小车起升机构 | 额定起重量(kN) | | 400 |
| | 起升速度(m/min) | | 5 |
| | 扬程/轨上扬程(m) | | 75/20 |
| | 吊距(m) | | 单吊点 |
| 副小车运行机构 | 运行距离(m) | | 约 40 |
| | 运行速度(m/min) | | 17 |
| 工作级别 | 启闭机 | | Q2 |
| | 起升机构 | 主小车主钩 | Q2 |
| | | 主小车副钩 | Q3 |
| | | 副小车 | Q2 |
| | 运行机构 | 大车 | Q2 |
| | | 主小车 | Q2 |
| | | 副小车 | Q2 |
| 启闭机台数(台) | | | 2 |
| 最大运输单元重量(kg) | | | 49021 |
| 电源 | | | 三相交流 380V 50Hz |
| 附属设备 | | | 4000kN 液压抓梁 8 套 |

## 二、设备组成

门机主要由主起升小车、副起升小车、大车运行机构、门架、电气设备、安全保护装置以及轨道等组成。

主起升小车设主钩和副钩各一个。主钩起升容量为 4 000kN,主要用于操作各类检修闸门和拦污栅;副钩起升容量为 600kN,主要用于操作清污机。主、副钩的起升扬程均为 120m,主钩的轨上扬程为 22.5m。

副起升小车起升容量为 400kN,起升高度为 75m,主要用于操作灌溉塔内的检修闸门、拦污栅和担负其他塔架门机跨度以外的设备起吊工作。副起升小车的行走方向与门机的行走方向垂直交叉,最大行走距离约 36m,与门机大车组合后,有效作业覆盖面可达 1 万多平方米。

大车运行机构共有车轮 16 个,其中驱动车轮 8 个。车轮的直径为 800mm,最大轮压为 900kN,采用的轨道型号为 QU120。

门机的跨度为 20m,是目前国内跨度最大的水电站门式启闭机(见图 20-3-1)。

## 三、设计特点

### (一)主起升机构的方案布置

4 000kN 门机主钩提升扬程达 120m,属于高扬程门机。主起升机构已不能采用钢丝

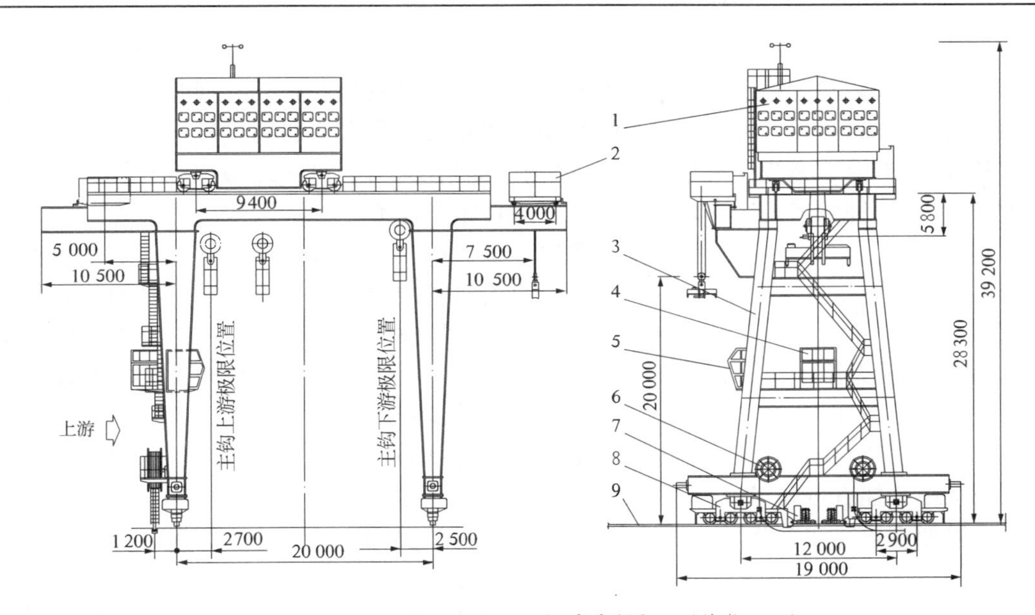


**图 20-3-1 4 000/600/400kN 门式启闭机** （单位：mm）

1—主起升小车；2—副起升小车；3—门架；4—主司机室；5—副司机室；
6—电缆卷筒装置；7—夹轨器；8—运行机构；9—轨道

绳在卷筒上单层卷绕的方法，这样会导致卷筒的尺寸和重量非常大，并造成门机整体尺寸和总重量的加大，同时还会给加工制造和安装运输带来一系列困难。目前，国内高扬程门机主起升机构的常见布置方案主要有以下三种：

(1)采用机械排绳装置进行钢丝绳多层缠绕。这种方案的优点是卷筒尺寸小，机构布置紧凑，门机整体尺寸小、重量较轻。缺点是不同层间的钢丝绳全部反向交叉，钢丝绳的接触状态差(点接触)，钢丝绳层间挤压、磨损以及排绳机构的丝杠对导绳螺母的磨损都较严重。

这种方案的钢丝绳寿命较短，排绳机构频繁使用后易出故障而影响启闭机的正常使用。扬程越高、机构使用越频繁，这些问题就越突出。另外，当钢丝绳的拉力较大时，钢丝绳的水平分力对导绳螺母产生的扭力矩加大，这将加大导绳螺母的运行阻力和螺母受力的不均匀性，从而进一步加重螺母的磨损。因此，这种方案目前在高扬程门机上的应用并不多见，一般用于钢丝绳缠绕层数不超过 3 层、启闭机使用不频繁的场合。因此，小浪底工程的门机不推荐这种方案。

(2)采用四卷筒钢丝绳双层同步缠绕。这种方案目前在国内的高扬程、大容量门机上已有应用实例，双层钢丝绳在卷筒上一前一后同向缠绕，上层钢丝绳落进下层钢丝绳形成的槽中，钢丝绳不但能够均匀缠绕，而且接触条件有所改善，磨损程度减轻，卷筒的尺寸也较小，在一定程度上解决了大吨位、高扬程门机在布置上所遇到的困难。但它也存在以下缺点：①平面布置尺寸较大；②缠绕层数仅限于 2 层；③须考虑各卷筒间的旋转同步；④电机和减速机等传动部件的型号较大。因此，这种方案在使用上仍存在一定的局限性。

对小浪底工程而言，由于大部分金属结构设备都布置在进水塔内，因此闸门的门槽较为密集，要使门机起升机构的钢丝绳在通过每个闸门门槽时都不与孔口边缘相碰，在结构布置上就限制了主起升机构的平面尺寸。虽然多卷筒能使每个卷筒的尺寸和重量减小，有利于制造、安装和运输，但卷筒数量的增加不但要占用更大的平面空间，而且使绕出卷筒的钢丝绳在前后、左右两个方向上的间距都要拉大。尽管双层同步缠绕比单层缠绕的卷筒长度短，但由于缠绕的层数不多，在高扬程的情况下，卷筒的缩短程度有限。经实际布置和计算，这种方案无法满足小浪底工程的具体布置条件。

(3)采用折线绳槽卷筒进行钢丝绳多层缠绕。在大型门机的主起升小车上采用折线绳槽卷筒多层缠绕技术在当时尚不多见，行业内对折线卷筒能否应用到门机的主起升机构，在认识上也不统一。部分设计人员认为门机通常操作多个闸门，存在“空钩”升降的工况，担心在空钩升降中由于钢丝绳上的拉力较小，在钢丝绳较粗、僵性较大时不足以使钢丝绳贴紧卷筒表面(或钢丝绳层面)而使钢丝绳不能均匀缠绕。实际上大型门机的动滑轮组重量通常都在几吨以上，钢丝绳的重量也很重，少则几吨、十几吨，多则几十吨，而且门机上通常都悬挂有自动抓梁，门机操作闸门时必须通过自动抓梁进行操作。这些吊具自重已足以使钢丝绳在缠绕时贴紧卷筒表面。当启闭容量加大、钢丝绳加粗时，吊具(包括抓梁)的重量也会相应加大。因此，门机在正常操作的过程中并不存在完全“空钩”的工况，所谓“空钩”，只是相对于悬挂闸门而言的。即使存在这种工况，也可通过在卷筒上设置“压绳辊”的办法解决。

进水塔 4 000kN 门机主起升机构采用了双联折线绳槽卷筒、4 层缠绕的方案。卷筒直径为 2.8m，可满足 120m 扬程、近 2 000m 钢丝绳的容绳量。传动机构由 1 台 YZR400 电动机、1 台 ZSY630 减速机和一个带开式齿轮传动的卷筒组及滑轮系统组成。与第(2)种方案相比，结构布置较为简化，传动环节相对较少，并省去了采用四卷筒时需要考虑的同步问题。另外，也不需要专门设计开发尺寸巨大的非标准多级传动减速机，卷筒的长度也较短，为主小车上的副起升机构腾出了布置空间，使主小车的整体平面尺寸减小，这样既降低了门机造价，满足了水工布置体形要求，又满足了设备制造、安装与运输等方面的要求。小浪底工程门机主小车主起升机构采用的布置方案见图 20-3-2。

小浪底工程 4 000kN 门机是我国水电行业的门式启闭机主小车上最早采用折线绳槽卷筒的门式启闭机，也是目前国内采用折线绳槽卷筒缠绕层数最多的门式启闭机。

**(二)主卷筒及挡环**

4 000kN 门机主起升机构的卷筒采用的是四层缠绕、双联、双折线卷筒，见图 20-3-3。相应装设的端挡环和中间挡环的结构外形和展开表面见图 20-3-4 和图 20-3-5。

钢丝绳固定在卷筒的两端，穿过端部挡环后进入卷筒的工作段。卷筒工作时钢丝绳是这样缠绕的：

第一层钢丝绳沿卷筒上加工的折线绳槽由卷筒两端向中部缠绕，缠满第一层时，钢丝绳在图示 360°(0°)位置进入中部挡环的第一道阶梯(见图 20-3-5)，并在此阶梯的第一过渡区(0° ~ 45°)完成向第二层直线槽的抬升，在此阶梯的第二过渡区(180° ~ 225°)继续抬升，并完成对下层钢丝绳的越顶，第二层钢丝绳改变横移方向，由中部又逐渐缠向卷筒两端。

当第二层钢丝绳缠满时，钢丝绳在 180°位置进入端部挡环的第一道阶梯(见图 20-3-4)，在此阶梯上缠至 360°(0°)位置时进入端部挡环的第二道阶梯，在第二道阶梯的第一过渡区完成钢丝绳向第三层直线槽的抬升，在此阶梯的第二过渡区继续抬升，并完成对下层钢

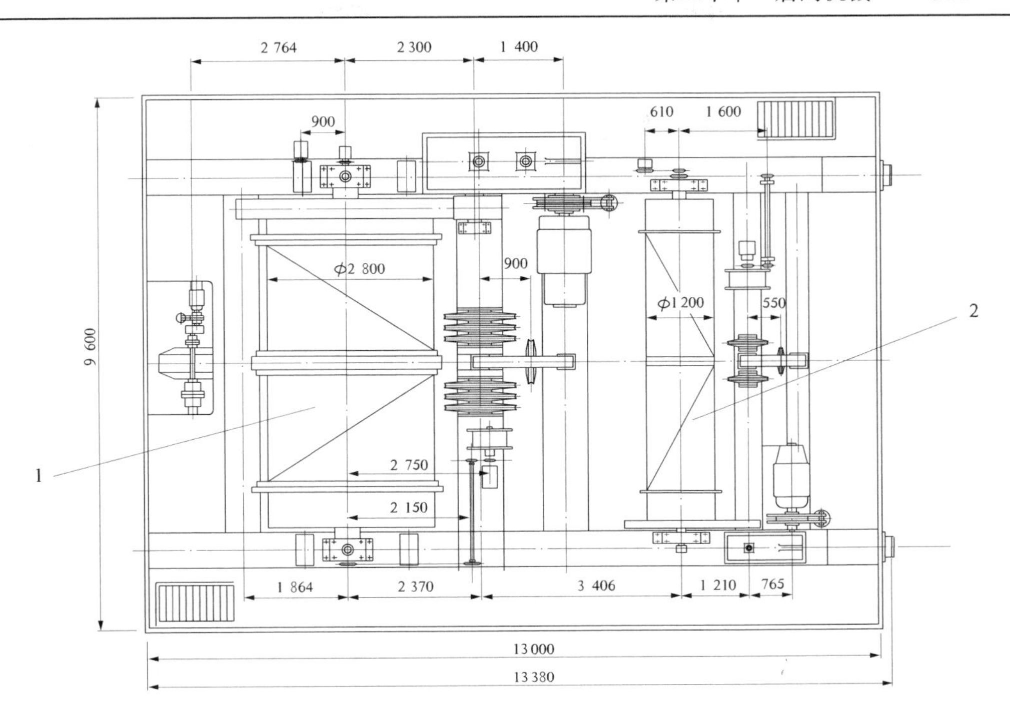

**图 20-3-2 主小车平面布置** （单位：mm）

1—4 000kN 主起升机构平面布置；2—600kN 副起升机构平面布置

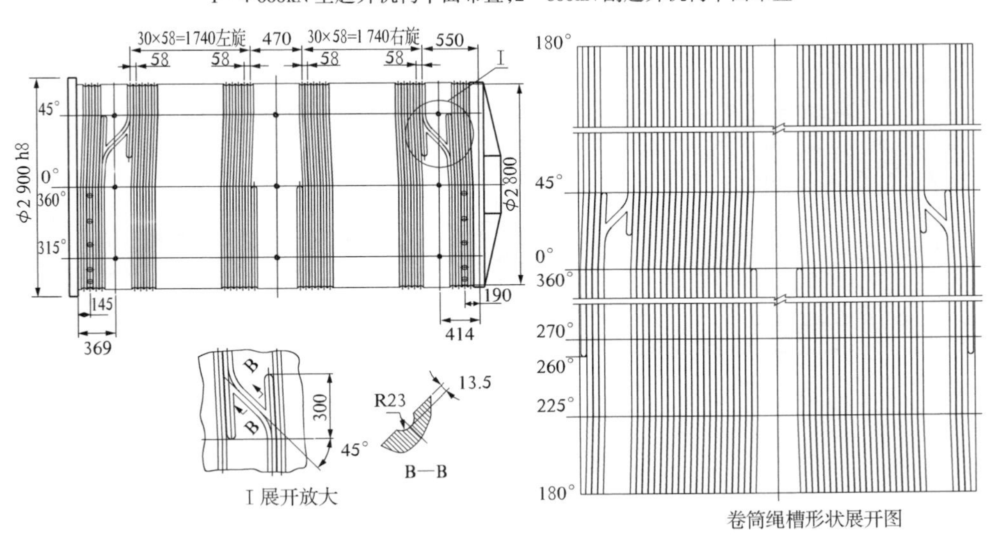

**图 20-3-3 主小车主起升机构的双联、双折线卷筒** （单位：mm）

丝绳的越顶，第三层钢丝绳改变横移方向，钢丝绳再次向卷筒中部缠绕。

当卷筒缠满第三层时，钢丝绳在 180°位置进入中部挡环的第二道阶梯（见图 20-3-5），并在此阶梯缠至 360°(0°)位置时进入中部挡环的第三道阶梯，在第三道阶梯的第一过渡区(0°～45°)完成钢丝绳向第四层直线槽的抬升，并在第三道阶梯的第二过渡区(180°～

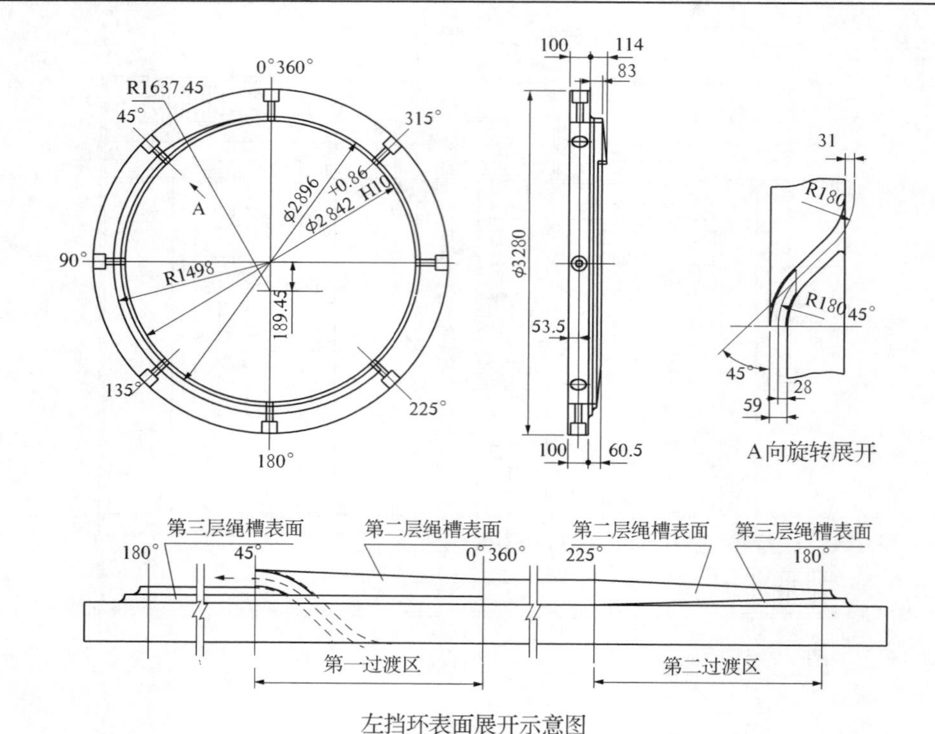


图 20-3-4 主起升机构卷筒的左挡环 （单位：mm）

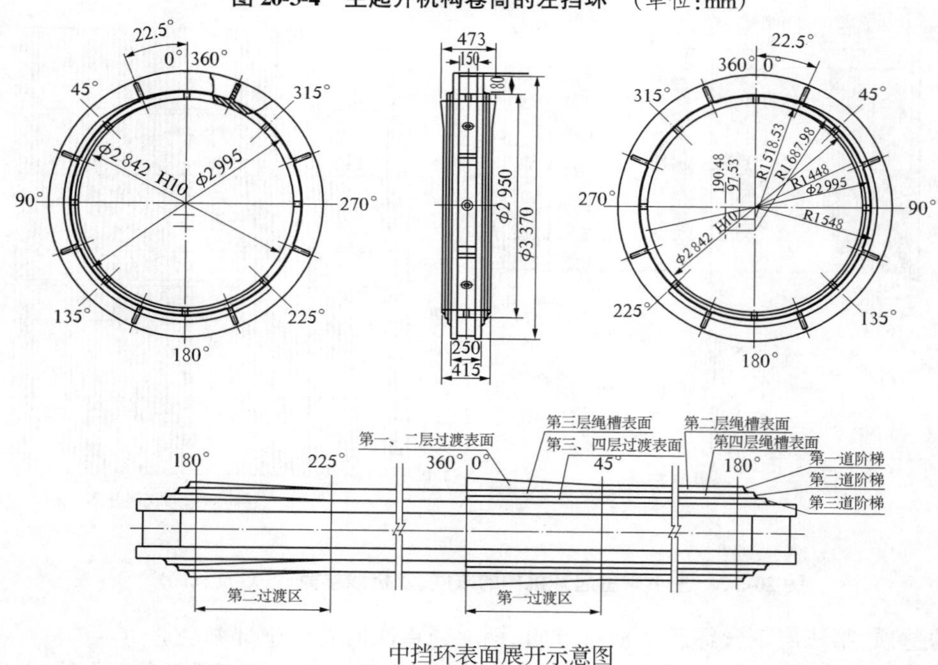


图 20-3-5 主起升机构卷筒的中间挡环 （单位：mm）

225°)继续抬升,完成对下层钢丝绳的越顶,第四层钢丝绳改变横移方向,钢丝绳再次向卷筒端部缠绕。

在卷筒的直线段上,第三层钢丝绳与第一层钢丝绳的缠绕路线重叠,第四层钢丝绳与第二层钢丝绳的缠绕路线重叠。缠绕层数更多时,奇数层与奇数层相重叠,偶数层与偶数层相重叠。

挡环的第一道阶梯支撑第二层钢丝绳,第二道阶梯支撑第三层钢丝绳,以此类推。一般情况下,如果卷筒缠满 $n$ 层,则挡环上需设有 $n-1$ 层阶梯。如果卷筒缠 $n$ 层,但未缠满,则有两种情况:①当 $n$ 为奇数时,靠近第一圈钢丝绳的挡环上需设有 $n-1$ 层阶梯,与之相对的挡环需设有 $n-2$ 层阶梯;当 $n$ 为偶数时,靠近第一圈钢丝绳的挡环上需设有 $n-2$ 层阶梯,与之相对的挡环需设有 $n-1$ 层阶梯。本卷筒缠 4 层,未缠满,且第一圈钢丝绳靠近端挡环,故端挡环上只设 $4-2=2$ 层阶梯,而中间挡环上设置了 $4-1=3$ 层阶梯。

设计折线绳槽卷筒需注意以下几个问题。

1.折线绳槽长度在一圈内所占的比值与螺旋升角

从理论上讲,绳槽折线段越短,直线段越长,钢丝绳的接触情况越好,钢丝绳的磨损越轻,底层钢丝绳对上层钢丝绳的导向作用越强,钢丝绳越容易实现均匀缠绕。但折线段太短时会造成钢丝绳拐折过急,特别是在钢丝绳较粗、挺性较大的情况下,可能会引起钢丝绳不能在卷筒上规定的区段内按要求顺利完成折拐而导致缠绕不匀,进而影响启闭机的正常工作。折线绳槽长度在一圈内所占的比值与螺旋升角有一定的关系,一般情况下,绳槽的折线段宜取一整圈的 1/3 ~ 1/5,且螺旋升角宜控制在 1° ~ 2°范围内。当卷筒直径较大、钢丝绳相对较细时,斜缠段所占的比例可适当取小一些。反之,当卷筒直径较细、钢丝绳直径相对较粗时,斜缠段所占的比例可适当加大。4 000kN 门机的主起升机构起升容量较大,钢丝绳较粗,故斜缠段长度在一圈内所占的比例取为 1/4,其螺旋升角取为 1.5°。

2.绳槽节距

确定折线绳槽的节距时应考虑钢丝绳制造时的最大正偏差以及钢丝绳受力后变形引起的椭圆改变,以防节距太小而造成绳槽太浅和钢丝绳严重挤压,或累计误差引起钢丝绳缠绕一定圈数后,钢丝绳被挤入另一绳槽而发生跳槽现象。GB/T 8 918 规定公称直径≥8mm 的金属芯圆股钢丝绳的允许偏差为 +6%,即钢丝绳实际直径 $d_s$ 有可能为钢丝绳公称直径 $d$ 的 1.06 倍。因此,建议折线绳槽的节距按式(20-3-1)和式(20-3-2)取值:

当 $d \geqslant 26$mm 时

$$t=(1.07 \sim 1.08)d \tag{20-3-1}$$

当 $d \leqslant 26$mm 时

$$t=(1.08 \sim 1.15)d \tag{20-3-2}$$

如果能得到钢丝绳的实际直径 $d_s$,也可按式(20-3-3)计算:

$$t=d_s+(1 \sim 2)\text{mm} \tag{20-3-3}$$

3.钢丝绳返回角和缠绕层数

钢丝绳在卷筒上缠满一层后回缠时钢丝绳与垂直卷筒轴线的平面的夹角称为钢丝绳返回角,它是设计折线绳槽卷筒的一个关键参数,直接影响着卷筒所能容纳钢丝绳的层数及卷筒的长度乃至整个结构的布置。确定这一参数时,通常应首先根据启闭机的扬程和布置条件初定钢丝绳层数,然后进行钢丝绳返回角的试验算。当钢丝绳的返回角不能满足规定时,要对钢丝绳缠绕层数、卷筒直径、钢丝绳规格及滑轮组倍率等传动系统重要技术参数进行调整。往往要经若干次的调整后才能确定出符合要求的布置方案。

目前水电行业的启闭机设计规范已明确规定多层缠绕时钢丝绳的返回角不能超过2°,这也是国家标准GB3811所做的规定。但这一规定主要是针对螺旋绳槽卷筒多层缠绕的情况,对折线绳槽卷筒是否合适,国内尚无定论。根据美国德克萨斯州LEBUS国际有限公司(Lebus International Inc.)网站的有关资料,对折线绳槽卷筒的钢丝绳偏角规定在0°~1.5°内为可用的工作范围,0.25°~1.25°为理想的工作范围。超过最大偏角时,应加设排绳装置或角度补偿装置。LEBUS国际有限公司就是以折线卷筒发明人Mr. Frank L. Lebus而命名的。国内把这种卷筒翻译成“厘巴士卷筒”、“利巴式卷筒”、“莱巴斯卷筒”等。在美国,这种卷筒在20世纪30年代就被广泛应用于石油钻井、拖网渔船、深海探测、大型水上浮吊的绞车和各种其他提升绞车以及建筑塔吊等设备的卷扬机构上。因而,LEBUS国际有限公司对有关折线卷筒钢丝绳返回角的规定应该是他们长期从事这方面工作的总结,具有一定的权威性。因此,可以认为折线绳槽卷筒的钢丝绳偏角一般应控制在0.25°~1.25°内,最大偏角不应超过1.5°。基于这一原则,4 000kN门机主起升机构折线卷筒的钢丝绳最大返回角设计为1°17′47″。

钢丝绳缠绕层数与启闭机的扬程、钢丝绳的返回角、卷筒直径及结构的布置条件等因素有关。一般来讲,启闭机的扬程越高,缠绕的层数应越多,这样才能发挥折线绳槽卷筒的优势。但缠绕的层数过多时,所需的钢丝绳返回垫环的阶梯数就越多,挡环的结构就越复杂,这将给挡环制造带来困难。同时,由于上层钢丝绳的圈数都比下一层钢丝绳的圈数多一圈,因而层数太多时,钢丝绳的返回角将难以控制。因此,确定钢丝绳的缠绕层数时,应使最后一圈钢丝绳的返回角仍控制在规定值以内。同时,在能够满足结构布置条件和投资要求的情况下,钢丝绳的缠绕层数应尽可能减少。本门机主起升机构的缠绕层数为4层。

4.挡环过渡阶梯的高度

如图20-3-6所示,钢丝绳在从底层过渡到上一层的过程中需要完成两次过渡。

随着卷筒的旋转,钢丝绳的O点将最终上升到D点(D点在空间上不在O点正上方),而临圈钢丝绳的A点相应移动到垂直OA而通过OD的平面内(在D点的径线上)。由于钢丝绳在上升过程中应始终与相邻的钢丝绳保持相切关系,由此可以推出钢丝绳的上升高度是在半径为$d_s$的圆弧上进行变化。当绳圈有间隙时,钢丝绳的最低点将沿AEBCD的路线上升到D点。若在第一过渡区的瞬时升高为$h_1$,第二过渡区的瞬时升高为$h_2$,则$h_1$和$h_2$可分别采用式(20-3-4)和式(20-3-5)进行计算(推导过程略)。

$$h_1 = d_s \sin\left\{ \arccos\left[ 1 + \frac{\theta\left(\frac{d_s + \varepsilon}{2d_s} - 1\right)}{\phi\left(1 - \frac{2\varepsilon}{d_s + \varepsilon}\right)} \right] \right\} \tag{20-3-4}$$

$$h_2 = d_s \sin\left\{ \arccos\left[ \frac{d_s + \varepsilon}{2d_s}\left(1 - \frac{\theta}{\phi}\right) \right] \right\} \tag{20-3-5}$$

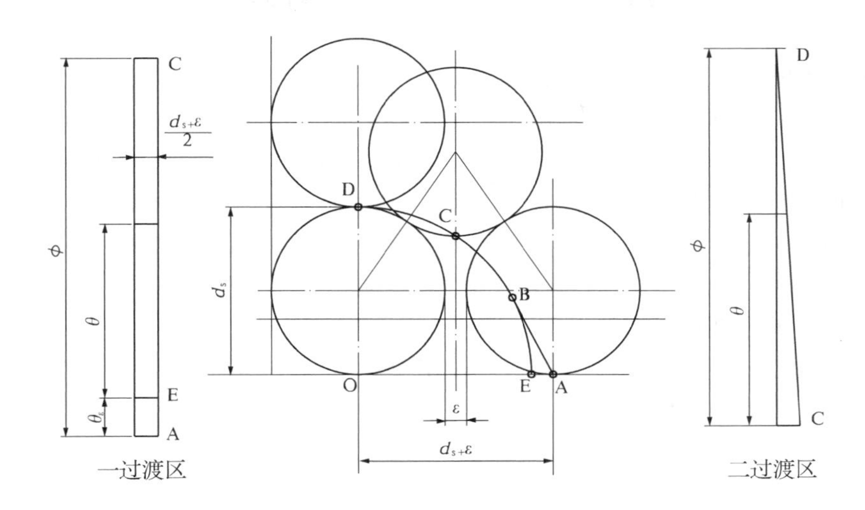


**图 20-3-6　钢丝绳过渡计算简图**

式中　$h_1$——第一过渡区瞬时抬升高度，mm；

$h_2$——第二过渡区瞬时抬升高度，mm；

$d_s$——钢丝绳实际直径，mm；

$\varepsilon$——绳圈间隙，mm；

$\theta$——钢丝绳在过渡区抬升时绕过的包角，(°)；

$\phi$——一个过渡区对应的包角，(°)。

第一过渡区的最大抬升高度 $h_{1\max}=\sqrt{{d_s}^2-\left(\frac{d_s+\varepsilon}{2}\right)^2}$，第二过渡区的最大抬升高度 $h_{2\max}=d_s$。通常 $h_{1\max}$接近 $0.866d_s$。

需要注意的是，由于钢丝绳圈间隙的存在，在第一过渡区内钢丝绳在 AE 段内并不抬高，从 E 点才开始抬高。这会引起钢丝绳最初抬升时太陡，使此处的钢丝绳产生悬空现象。为避免出现这种情况，使过渡平缓一些，从 A 点向圆弧 EC 作一条切线交弧线于 B 点，则在 AB 段内抬升高度 $h_z$ 可按式(20-3-6)计算：

$$h_z=\frac{(d_s+\varepsilon)\theta}{2\phi}\tan\left[\arcsin\left(\frac{d_s}{d_s+\varepsilon}\right)\right] \tag{20-3-6}$$

为了简化挡环结构和方便制造加工，第一过渡区阶梯的宽度常做成等宽，并将其最大抬高值一直延伸至第二过渡区的结尾，第二过渡区的阶梯宽度则按线性逐渐变化为 0，这样处理并不影响钢丝绳的平稳过渡。

上述为通过公式计算确定挡环过渡阶梯高度的方法，是一种比较理想的方法，但计算较繁杂。实践中也常用作图法和坐标法进行近似处理，虽然与平稳过渡曲线有一定误差，但这些方法较为简单，实践证明也是可行的。4 000kN 门机主卷筒挡环采用的是作图法。

**(三)水平反滚轮小车**

4 000kN 门机总体布置的另一特点是门架上设置了一台 400kN 的水平反滚轮小车。水平反滚轮小车一般用在 C 形单主梁龙门吊上，其优点是支撑起升小车的主梁数目只有一根,这样龙门吊的门架结构比较简单,用材较省。将水平反滚轮小车移到门机上后,同样可以简化门机的结构。这种布置形式在以往的水电站上并不多见,常见的形式是在门机的上游或下游设置回转吊。而回转吊的机构和传动部分通常较为复杂,对结构的刚性要求也较高。水平反滚轮小车运行的方向与主小车一致,其行走距离近40m,沿水流方向向上游可伸至进水塔前沿的部分水域,向下游可达电站快速门油压启闭机闸室,作业面相当宽广。这种布置形式相当于省去了门机上、下游的两个400kN的回转吊,而使门机的结构大为简化。另外,回转吊在回转过程中起动、制动时对门架产生的振动较大,采用水平反滚轮小车后,使这种现象大为减少。

水平反滚轮小车共有两个主车轮和4个水平反滚轮,其中驱动车轮一个,采用“三合一”减速装置作为驱动机构。

水平反滚轮小车吊钩中心至小车主车轮轨道中心的距离为1.909m,吊距较大,下水平反滚轮的支承反力较大。水平滚轮与轴最初设计为滑动摩擦,安装调试时发现其阻力较大,造成小车空车起动时主动轮原地打滑,后将全部反滚轮改为调心滚子轴承,小车运行顺利。

水平反滚轮小车的主梁为一根总长度达41m的偏轨箱形梁。考虑到制造、运输与安装等因素,偏轨梁分为3节,节间采用高强度螺栓连接。偏轨梁支承在门机支腿上的牛腿上(门架平面内)。偏轨梁与牛腿也采用螺栓连接。偏轨梁承受的扭力矩较大,为提高其抗扭刚度,在两个牛腿处各设一根水平次梁将偏轨梁与主梁连接在一起。

水平反滚轮小车有倾覆趋势,为防止小车脱轨,确保使用和维修安全,在小车上设有安全钩和安全支架。水平反滚轮的轨道通常焊接在偏轨梁上,不易更换。因此,反滚轮的硬度设计为低于轨道的硬度。

### (四)主钩与自动抓梁

4 000kN门机的主钩可分别操作6套自动抓梁:①孔板洞检修闸门抓梁;②1号明流洞检修闸门抓梁;③2号、3号明流洞检修闸门抓梁;④发电洞主拦污栅抓梁;⑤发电洞副拦污栅抓梁;⑥排沙洞检修闸门抓梁。这些抓梁均为深水工作的液压式自动抓梁,最深的近100m,因此控制要求较高。抓梁的升、降极限控制选择了高精度的位置传感器,并加一套主令控制器作为双重保护。荷载保护也选用了高精度、高灵敏度的压力传感器,可实现当荷载达到90%额定起升容量时即报警、当荷载达到110%额定荷载时即自动切断起升机构的电路。高度传感器及荷载传感器的二次数显仪表及报警信号均安装在主司机室内。抓梁的吊耳销轴与闸门吊耳孔的对位以及抓梁穿轴与脱轴的极限位置控制,均采用新型的感应式发信装置,以求提高抓梁对位与穿、脱轴的可靠性。为方便5套自动抓梁能快速更换,在主钩的吊耳板上设手摇移轴装置,并在抓梁体上设置相同规格的防水密封插座。同时,与6套自动装梁相对应的闸门或拦污栅的吊耳板在孔形与尺寸上均取为一致。主钩在工作程序上根据操作的闸门不同而不同,有“需充水平压”与“无需充水平压”之分。因此,主钩的控制回路应按这两种情况分别设计。下面以有充水平压要求的闸门为例,简述其开启和关闭闸门的工作程序。

1.闸门开启程序

(1)按起升机构“下放”按钮,主钩带抓梁空钩下放,至下限位置时,高度传感器(主令控制器)动作,起升机构断电,主钩停止下放。同时,抓梁对位装置应向司机室发出“对位准确”信号指示。

(2)起动抓梁液压系统电路,马达运行平稳后按“穿轴”按钮,液压系统三位四通换向阀动作,油液进入销轴“穿轴”腔,抓梁开始穿轴。穿轴完毕后,位置发信装置自动切断液压系统控制回路电源,并向司机室发出“穿轴完毕”信号指示。

(3)按起升回路“起升”按钮,抓梁携带闸门上升,至200mm时,高度传感器自动切断起升机构电路实施充水平压。经设定的延时后,时间继电器动作,“充水完毕”信号打开。按“起升”按钮,起升机构继续上升。

(4)至上限位置时,高度传感器动作,起升机构自动停机。

(5)“点动”下降闸门至锁定梁停止,主钩完成闸门开启程序。

2. 闸门关闭程序

(1)首先解除对闸门的锁定。解除锁定时应通过“点动”使闸门稍微提起。

(2)按起升机构“下放”按钮,抓梁带载下放,至下限位置时,高度传感器动作,起升机构自动停机。

(3)起动抓梁液压系统电路,马达运行平稳后按“脱轴”按钮(必要时,可先“点动”下落后,再按“脱轴”按钮),液压系统三位四通换向阀动作,液压油进入销轴“脱轴”腔,抓梁开始脱轴。脱轴完毕后,脱轴极限位置发信装置自动切断液压系统控制回路,同时向司机室发出“脱轴完毕”指示信号。

(4)按起升机构“起升”按钮,主钩带抓梁上升,至上限位置时,高度传感器动作,起升机构自动断电,主钩完成闸门关闭程序。

主钩空钩下放或带载下放是否到位一般由门机上的高度指示仪或主令控制器控制,也可通过压力传感器上的数字显示间接判断。在正常情况下,主钩下放到位后,压力传感器的显示仪所显示的数值为最小值。

**(五)600kN 副起升机构**

4 000kN 门机还担负着电站进水口拦污栅的污物清理任务,门机主小车上的600kN 副起升机构是专为操作清污机而设置的。该机构工作级别为 Q3。为提高清污机的效率,起升速度取为 8m/min。清污机是一种新机型,具有抓污、压污以及割污的功能,其基本形式为沿拦污栅孔口全跨布置的抓斗(详见本章第六节)。为保证清污机安全运行,在600kN 副钩上设有各种保护装置。其中负荷传感器同时具有“超载”与“欠载”两种保护功能。设置欠载保护是为了防止在压污过程中由于污物沿拦污栅面过于堆积,使清污机下降受阻而出现松绳、脱绳现象。当出现“欠载”时,清污机由“压污”转为“抓污”。

**(六)机构控制分工与连锁**

鉴于4 000kN 门机主钩操作的闸门较多,且在位置高低上各有不同,主起升机构应按不同的下限位置分别设计控制回路。加上其他机构的电气设备,门机所需控制盘柜较多,故设主、副司机室对各机构分组进行控制。

主司机室控制主小车的起升和运行机构、大车运行机构、主钩携带的6套自动抓梁、清污机以及夹轨器等;副司机室控制水平反滚轮小车的起升和运行机构、大车运行机构及1套自动抓梁等。门机各主要机构之间均设电气连锁,当其中任一机构工作时,其他机构均闭锁。另外,主、副司机室也不能同时控制两者都控制的同一机构。

门机行走时,主钩携带的荷载限定为2 000kN,当超载时,大车运行机构由电气连锁自动断电。为防止2台门机相向行走时意外相撞,除设置缓冲器外,另设接触式安全开关。

**(七)供电方式**

4 000kN门机主起升机构的电机功率达200kW,在常压下,电机定子电流和转子电流都较大,需要采用大规格电缆。由于大规格电缆一般在市场上的用量较少,在厂家样本上虽能选到,但实际很难采购到。为此,门机供电采用了双电缆卷筒供电方式。电缆在塔顶的插接点(电缆翻转器)选择在轨道的中部。这样可节省电缆线,并使电缆卷筒尺寸和重量减小。两个电缆卷筒布置在同一根横梁上,并在垂直横梁轴线的方向上错开大于1根电缆直径的距离,以利于两根电缆排列在电缆沟内互不干扰。

**(八)门架结构设计**

进水塔门式启闭机装有起升力分别为4 000kN、600kN和400kN的3套起升机构,最大起升高度120m(其中轨上扬程22m),跨度为20m,并装有横跨轨道、长度达40m的水平反滚轮小车行车大梁,门机总体高度近40m。该门机不仅是小浪底工程的启闭机械中机构和功能最多、技术条件和运行工况最为复杂的启闭机械,也是目前国内水电站中体形尺寸最为庞大的门式启闭机。由于门架空间尺寸大,受力条件复杂,在结构设计中除进行常规手工计算外,还进行了计算机三维有限元分析计算。根据7种不同的荷载组合,建立了结构计算的数学模型,将门架结构的梁、板组合体进行了离散化和单元划分。根据结构所承受的载荷,支腿以承受轴向载荷和绕支腿轴线方向的弯曲变形为主。两个主梁以弯曲变形和扭转变形为主,并承受较大的剪切荷载。偏轨大梁除有弯曲变形外,还存在较大的约束扭转变形。根据上述受力特点,分别将各构件离散化为梁单元和板壳单元,共划分为1 405个节点、1 815个单元(其中板单元1 420个、梁单元395个),利用Super-SAP软件完成了应力和变位的电算分析。

1.有限元分析计算模型

(1)门架结构分析中的整体坐标系。在对门架结构进行有限元单元划分和计算中,选用以下形式的右手整体坐标系:以大车行走轨道面为基准水平面,门架四根支腿的纵向横向对称面与水平基准面的交点为原点;$X$坐标轴在门架纵向对称面内,与纵向对称面和水平基准面的交线重合;$Z$坐标轴沿纵向、横向对称面的交线,正方向向上;$Y$坐标轴沿横向对称面和水平基准面的交线,正方向指向偏轨梁方向。

(2)计算单元。门架结构是一由不同厚度的板焊接而成的箱形结构所组成的空间结构,并有加筋板及用于主小车和水平反滚轮小车行走的轨道,且机构多,起重量大,结构庞大。根据结构所承受的荷载,支腿以承受轴向载荷和绕支腿横截面的两个主轴方向的弯曲变形为主。两主梁以弯曲变形和扭转变形为主,并承受较大的剪切载荷,偏轨梁除有弯曲变形外,还存在较大的约束扭转变形。因此,门架的两根主梁及偏轨梁的上下盖板在不同的工况下分别承受压、拉应力,以及由扭转产生的应力;腹板沿截面高度应力变化急剧,特别是在小车轮压作用处。而主梁与支腿的连接部位、偏轨与牛腿的连接部位以及牛腿与支腿的连接处等均存在局部的应力集中,并出现梯度较大的应力场。因此,要全面了解这类结构中的应力及其分布,比较合适的单元是板壳单元。根据一般工程问题有限元分析方法和门架结构的组成特点及预估的应力分布特点，选出板单元对门架结构中的箱形梁进行单元的离散化。考虑到主梁及偏轨梁上有供小车行走的轨道，将其离散化为梁单元。主梁、偏轨梁箱形截面的翼缘部分也划分为梁单元。因此，门架结构为板壳单元和梁单元组合而成的离散化模型。单元离散化结果如下：

a. 主梁及端梁。组成主梁箱形结构的腹板、上下盖板，根据其板厚，划分为不同厚度的板单元。单元的节点在板中面上。主梁上的小车行走轨道、主梁横截面的翼缘则划分为梁单元。主梁单元划分中没有考虑纵向筋板和横向筋板，但考虑了梁端与主梁连接部位的孔。端梁采用板单元进行离散化。

b. 偏轨梁。组成偏轨梁箱形断面的划分为板单元。水平反滚轮小车行走的 P50 轨道、槽钢和垫板及偏轨箱形梁断面的翼缘划分为梁单元。

c. 支腿、横梁及牛腿。四根支腿及上、中、下横梁按其几何尺寸位置全部划分为板单元，用板单元来模拟箱形结构。

2. 计算载荷及荷载组合

1) 载荷种类

门架结构的有限元分析中，考虑了以下载荷：

(1) 主小车、水平反滚轮小车的轮压。

(2) 结构的重力载荷。

(3) 风载荷。

(4) 大车运行时的侧偏载荷。

(5) 起动、制动时的惯性载荷。

(6) Ⅶ级烈度下的地震载荷。

2) 载荷计算

(1) 风载荷。按照不同工况下的设计风压和计算位置，计算各工况下的风载荷，然后根据结构的节点设置，将作用于迎风面上的分布载荷转化为相应节点的集中载荷。

(2) 结构的重力载荷。在 7 种工况的计算中均考虑了结构的重量，将重量按分布载荷计入结构的有限元分析中。根据组成箱形结构的板厚，按有限元方法计算了每个子结构（如主梁 + 端梁，单根支腿等）的重量，并根据一般起重设备中的筋板、焊缝等所占重量的百分比进行了适当的调整。最终计算时计入的重量如下：

| | |
|---|---|
| 两主梁和端梁 | 1 099.5kN |
| 单根支腿 | 306.5kN |
| 偏轨梁 | 428.2kN |
| 单根下横梁 | 190.0kN |
| 单根中横梁 | 78.01kN |
| 单根上横梁 | 76.37kN |

以上各个子结构的重量以及牛腿等，按分布载荷计入有限元的计算中。

(3) 大车惯性载荷以及地震载荷。按分布载荷计算。惯性载荷的大小按起动、制动时的加速度和单元的质量计算。方向按照和风载同方向并对门架的应力和整体稳定最不利的方向施加在门架整体结构上。地震情况下的惯性载荷按加速度值 $a = 0.05\text{m/s}^2$ 和单元的质量计算。按照均布载荷沿整体坐标系的 Y 轴正向施加到整个门架结构。

(4)大车歪斜运行时的侧偏载荷。按平分于每一组与下横梁相连的两个连接耳板上的对应节点进行计算。

(5)主小车、水平反滚轮小车轮压产生的载荷。考虑了大车、主小车及水平反滚轮小车运行时的惯性载荷,不同工况下小车所受的风载荷,吊重时的动载荷,闸门所受的风载荷对小车轮压的影响,以及地震载荷使小车轮压所发生的改变。求得各工况下小车的轮压值后,再按有限元法等效节点载荷计算方法,将轮压按小车所在的位置转换为有限元分析中的节点载荷。

3)荷载组合

门架结构的有限元分析,考虑了以下 7 种荷载组合。

荷载组合Ⅰ,包括:结构自重;主钩位于指定位置起升闸门时的小车轮压;水平反滚轮小车位于一侧支腿处的小车轮压;风压 150N/m$^2$,风向垂直于大车轨道。

荷载组合Ⅱ,包括:结构自重;主小车主钩带闸门运行至跨中时小车轮压;水平反滚轮小车位于一侧支腿处的小车轮压;主小车运行惯性力;风压 150N/m$^2$,风向顺大车轨道。

荷载组合Ⅲ,包括:结构自重;主小车主钩带闸门运行至跨中时小车轮压;水平反滚轮小车位于一侧支腿处的小车轮压;大车运行惯性力;门机偏斜运行时的侧向力;风压 150N/m$^2$,风向顺大车轨道。

荷载组合Ⅳ,包括:结构自重;主小车位于近水平反滚轮小车一侧极限位置时的自重轮压;水平反滚轮小车带安装荷载时的小车轮压;大车运行惯性力;风压 90N/m$^2$,风向垂直于大车轨道。

荷载组合Ⅴ,包括:结构自重;主小车位于跨中时的自重轮压;水平反滚轮小车带额定荷载时的轮压(小车位于跨中);大车运行惯性力;风压 90N/m$^2$,风向顺大车轨道。

荷载组合Ⅵ,包括:结构自重;主小车主钩在跨中持试重块时的小车轮压;水平反滚轮小车位于一侧支腿处的小车轮压;风压 90N/m$^2$,风向垂直于大车轨道。

荷载组合Ⅶ,包括:结构自重;主小车位于跨中时小车轮压;水平反滚轮小车位于跨中时小车轮压;地震水平荷载;风压 90N/m$^2$,风向顺大车轨道。

3.结构的约束

有限元分析的目的在于了解 7 种荷载工况下,每一工况门架的应力分布、最大应力值及其位置。有关门机的整体稳定问题,在门机的稳定分析中已经得到了确认,因而认为在 7 种荷载工况下大车行走轮不会离开大车行走轨道。因此,在大车运行时行走机构平衡梁的铰点处施加支铰约束。

4.计算结果

在以上计算模型和约束条件下,分别对 7 种荷载组合进行了应力和变位分析。各种荷载组合下的最大应力见表 20-3-2。各种荷载组合下主梁跨中部位在垂直方向的最大位移量见表 20-3-3。

5.对计算结果的评价

(1)门架结构的有限元分析采用 Super-SAP91,根据门架结构的组成特点,在将其离散化为板梁组合体之后,在前面所述的荷载工况及约束条件下,选用线弹性静力分析模块分

表 20-3-2　　门架在各种荷载组合下的最大应力　　（单位:$N/mm^2$）

| 荷载组合 | | 最大应力 | 应力发生部位 |
|---|---|---|---|
| Ⅰ | 设备自重、主钩额定起升力、风压力 | 167.51 | 支腿上部 |
| Ⅱ | 设备自重、主钩带闸门运行、小车惯性力、风压力 | 108.33 | 支腿上部 |
| Ⅲ | 设备自重、主钩带闸门自重、大车惯性力、风压力 | 126.10 | 下横梁支座处 |
| Ⅳ | 设备自重、副小车带安装荷载、大车惯性力、风压力 | 197.10 | 偏轨大梁支座上翼缘 |
| Ⅴ | 设备自重、副小车额定起升力、大车惯性力、风压力 | 59.24 | 支腿上部 |
| Ⅵ | 设备自重、主钩试验荷载、风压力 | 149.40 | 支腿上部 |
| | | 160.80 | 主梁跨中 |
| Ⅶ | 设备自重、地震荷载、风压力 | 66.49 | 支腿上部 |

表 20-3-3　　门架在各种荷载组合下的最大位移量　　（单位:mm）

| 荷载组合 | 主梁 1 最大位移量 | 主梁 2 最大位移量 |
|---|---|---|
| Ⅰ | -14.16 | -15.17 |
| Ⅱ | -11.98 | -12.74 |
| Ⅲ | -13.25 | -13.39 |
| Ⅳ | -4.43 | -5.30 |
| Ⅴ | -9.04 | -8.40 |
| Ⅵ | -17.74 | -18.83 |
| Ⅶ | -4.10 | -4.98 |

析计算结构中的应力和节点位移。为使计算结果能较真实地反映门架结构在各工况下的应力分布及位移量,对门架结构进行单元划分的过程中,选用板单元以期真实地模拟实际结构,同时,将行走轨道等按梁单元计入有限单元法的分析计算中。因此,所建立的计算模型比较真实地反映了原结构的组成。计算出的结构中的应力分布及结构的位移比以往选用杆系结构所计算的结果有更高的准确度,计算结果是可信的。

(2)通过对门架结构 7 种工况的有限元分析,可以认为该门架结构的设计在设计工况下是安全的,符合设计规范中的强度和刚度要求。

(3)在计算过程中,对某些应力较大的区域,例如工况Ⅳ偏轨梁与牛腿连接位置、靠近上盖板的腹板和上盖板处(节点 1 262),按第四强度理论得到的合成应力达 197.1$N/m^2$,虽仍在允许应力范围之内,但应力水平稍显偏高。为此,在门架结构设计中进行了适当加强,以提高门架的安全度。

**(九)轨道**

进水塔2台4 000kN门式启闭机共用1条轨道,该轨道共跨越10座进水塔和9条塔架伸缩缝,伸缩缝宽度为200mm。轨道的跨度为20m,总长度约为280m。

门机采用圆柱形车轮和QU120型起重机专用钢轨。这种钢轨的踏面为弧形,故轨道与车轮的接触强度按点接触状态计算。

小浪底工程的10座进水塔的宽度并不完全一样,其中1号、2号、3号发电塔的宽度为48.3m,1号明流塔宽度为20m,2号、3号明流塔宽度为16m,1号、2号、3号孔板塔宽度为20m,灌溉塔宽度为15.5m。这些塔架在230m高程以下相互靠紧,而在230m高程以上塔间留有200mm宽的伸缩缝。这些不同宽度的塔架在分布上相互交叉,因而伸缩缝沿进水塔轴线的分布没有规律,这会给门机轨道的设计布置带来困难。因为在轨道跨越塔架伸缩缝处,轨道也应在此处设置"轨道伸缩接头",以适应轨道基础在轨道轴线方向的伸缩变形,从而减小轨道的内应力。轨道布置除应满足这个条件外,还必须或尽量满足以下条件:

(1)同一轨道上两接头的距离不得等于车轮的轮距,以避免门机运行时前后车轮同时通过轨道接头,造成门机运行不平稳。

(2)除轨道伸缩接头外,两条轨道的续接接头必须错开,以避免左右两边的车轮同时通过轨道接头,引起门机较大的振动。

(3)门机操作额定启闭容量或接近额定启闭容量的闸门时,门机的任意一个车轮应尽量避免处于轨道的接缝上。因为此时车轮轮压最大,若车轮位于轨道接缝,车轮的局部接触应力很大,极易造成车轮踏面的破坏,甚至产生裂纹。

(4)轨道接头的布置应符合轨道的长度标准,目前市场上出售的轨道长度系列有9m、9.5m、10m、10.5m、11m、11.5m、12m、12.5m等。

在满足以上条件的同时,还应使接头的数量尽量减少。由此可见,要同时满足上述诸多条件并不是一件容易的事,往往要经过多次的试凑和反复修改才能达到要求。前两条是规范规定的,必须满足,后两条应尽量满足。小浪底工程进水塔门机轨道的伸缩接头及纵、横剖面见图20-3-7。

轨道伸缩接头采用45°斜接形式,而轨道的续接接头采用平头。伸缩接头的间隙为6mm,其他接头的间隙为3mm。45°斜接头的优点是有利于车轮的平稳过渡,车轮通过接头时无冲击和振动,但加工制造较困难。

轨道的垫板有两种形式,一种形式带有限位槽,槽宽比轨道底缘宽2mm,板厚30mm,布置在轨道伸缩接头和轨道的续接接头处,可防止接头在轨道横向的相互错位。轨道接头以外的垫板为平垫板,仅用于调整轨道高低和支承轨道。轨道的平接头及纵、横剖面见图20-3-8。

轨道平接头的地脚螺栓只有一对长螺栓预埋在一期混凝土内,其余两对调整螺栓埋设在二期混凝土中。为提高抗拔力,用两根沿轨道轴线方向布置的角钢将调整螺栓与接头处和接头两侧埋设在一期混凝土中的地脚螺栓焊接为一体。

轨道在横跨伸缩缝的部位处于悬空状态,为保护此处的混凝土伸缩缝不受损坏,在接缝的两个侧壁各设一段槽钢,并与塔体内的钢筋焊接固定。

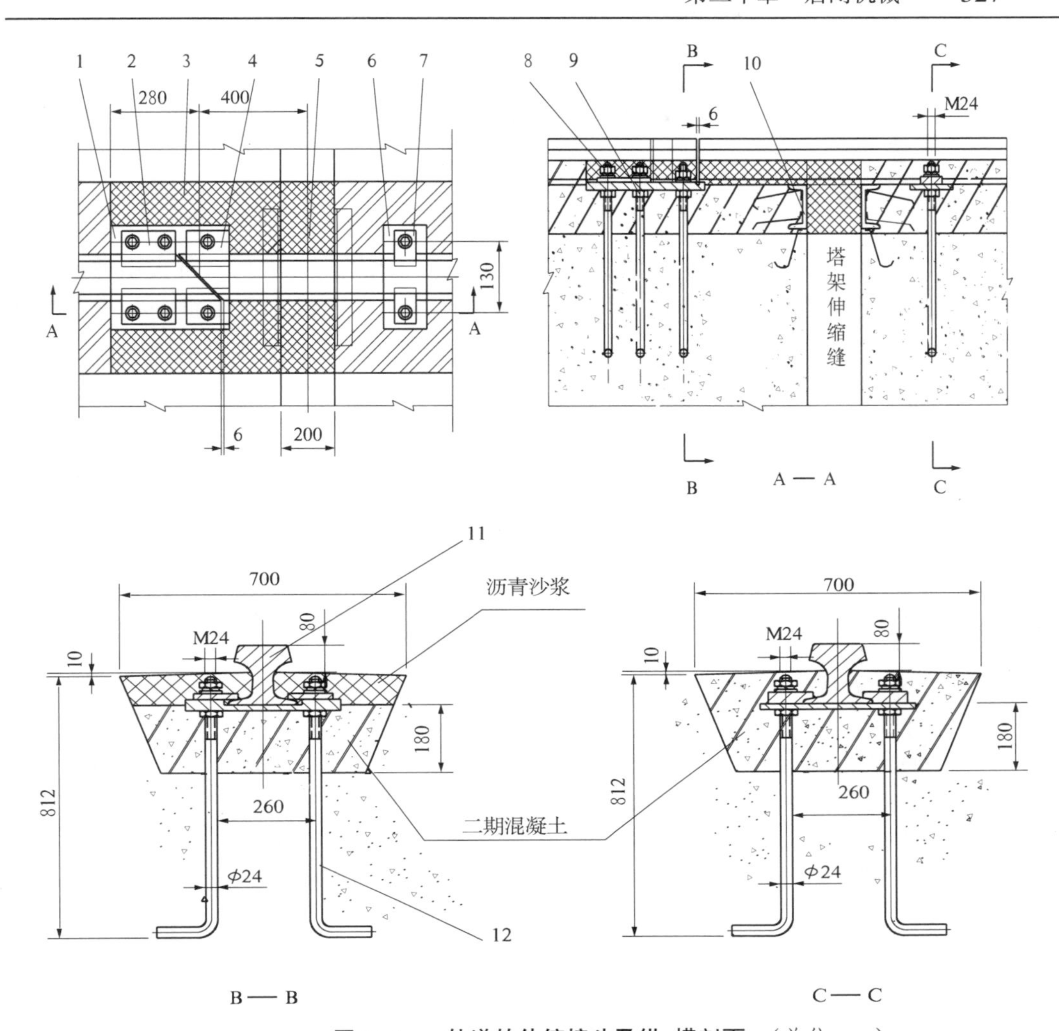


**图 20-3-7　轨道的伸缩接头及纵、横剖面**　（单位：mm）

1—大垫板；2—压板一；3—沥青砂浆；4—压板二；5—伸缩缝；6—小垫板；7—压板三；8—压紧螺母；9—调整螺母；10—槽钢；11—轨道；12—预埋螺栓

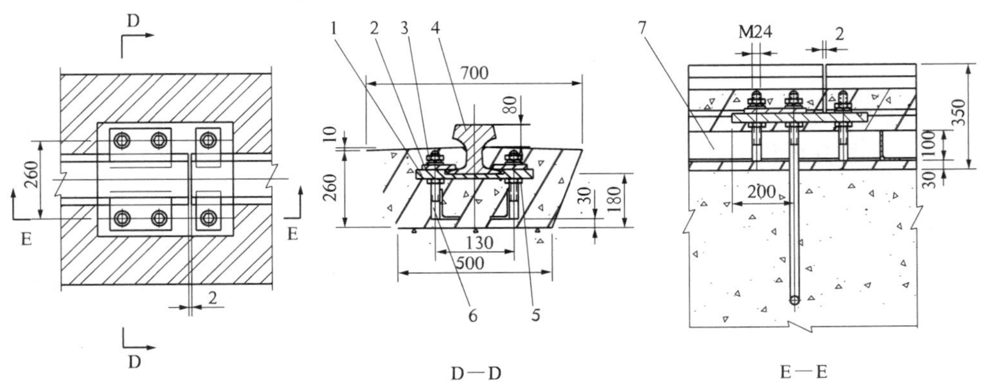


**图 20-3-8　平接头及纵、横剖面**　（单位：mm）

1—大垫板；2—压板；3—压紧螺母；4—轨道；5—调整螺母；6—调整螺栓；7—角钢

# 第四节　台车式启闭机

## 一、基本参数

2×2 500kN 台车式启闭机是小浪底工程中仅次于进水塔门机的另一种大型移动式启闭设备,也是目前我国水电工程上启闭容量最大的台车式启闭机。启闭机安装于电站尾水管检修闸室的上部,用于操作尾水管检修闸门,其主要技术参数见表 20-4-1。

**表 20-4-1　　发电洞尾水管闸门台车式启闭机主要技术参数**

| 机构 | 参数 | 数值 | 机构 | 参数 | 数值 |
|---|---|---|---|---|---|
| 起升机构 | 额定启门力(kN) | 2×2 500 | 运行机构 | 运行距离(m) | 170 |
| | 起升速度(m/min) | 1.69 | | 跨度(m) | 7.5 |
| | 扬程(m) | 25 | | 轨道型号 | QU120 |
| | 吊点距(m) | 6.5 | | 供电方式 | 滑线 |
| | 钢丝绳最大拉力(N) | 246 621 | | 减速机型号 | ZSC－950 |
| | 滑轮组倍率 | 6 | | 制动器型号 | YWZ200/25Z |
| | 卷筒直径(m) | 1.6 | | 运行速度(m/min) | 13.5 |
| | 滑轮直径(m) | 1.2/1.0 | | 基距(m) | 12 |
| | 电动机功率(kW) | 2×110 | | 车轮直径(mm) | 700 |
| | 减速器型号 | QJR－D450＋800 | | 最大轮压(kN) | 1 000 |
| | 齿轮总传动比 | 288.842 | | 电动机功率(kW) | 8.5 |
| | 制动器型号 | YWZ500/90Z | | 行程开关型号 | LX10－12S |

|  | | |  |  |
|---|---|---|---|---|
| 工作级别 | 启闭机 | Q2 | 启闭机台数(台) | 1 |
| | 起升机构 | Q2 | 最大运输单元重量(kg) | 23 021 |
| | 运行机构 | Q2 | 电　源 | 三相交流 380V　50Hz |
| | | | 附属设备 | 2×2 500kN 液压抓梁 1 套 Z |

## 二、设计条件和难点

启闭机为双吊点启闭机,吊点距为 6.5m,通过自动抓梁变换为 7.48m 后与闸门的吊耳连接。2 套起升机构通过联轴器保持同步。

启闭机主要由起升机构、运行机构、车架、电气设备和轨道以及一套 2×2 500kN 液压式自动抓梁等组成(见图 20-4-1)。

启闭机的扬程为 25m,属于中等偏低的扬程系列。虽然扬程不算太高,但启闭机的设计条件较为苛刻,给启闭机的设计布置带来不少困难,其设计难点主要在于以下方面:

(1)启闭容量大。本启闭机的启闭总容量为 5 000kN,而目前国内投入运行的最大的台车式启闭机的启闭容量为 2 000kN。

(2)闸门宽度大,吊点同步要求高。为方便运输,尾水管闸门制造时每扇闸门分为 4

节,工地安装时再在现场两两拼焊为 2 节。闸门门叶的总高度为 10.96m,其宽度约为 12.3m,属于宽度较大的闸门。而单节闸门门叶的高度最小仅有 5.3m,,这种门型在运行中对两个吊点的同步要求较高。因此,启闭机设计布置时必须考虑可靠的同步措施。否则,闸门容易在门槽中发生较大偏斜甚至卡阻,影响闸门正常操作。

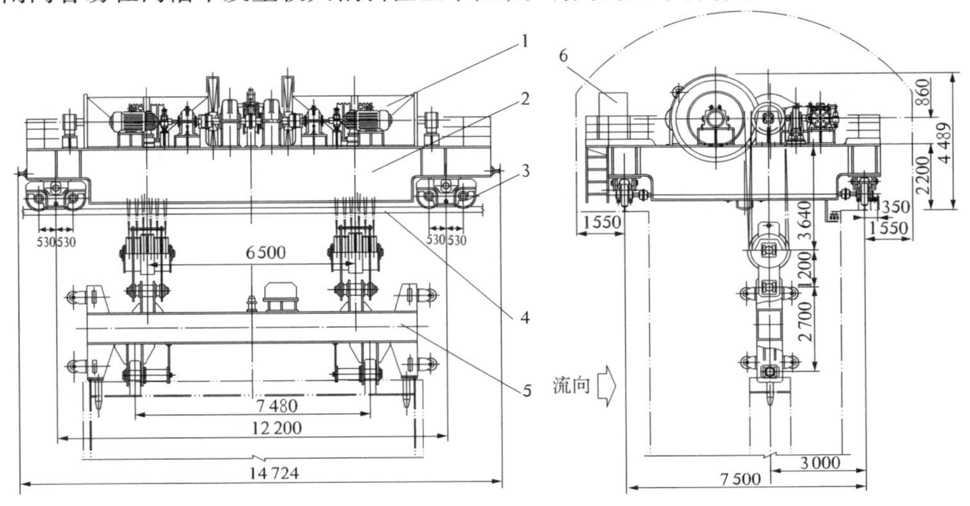


**图 20-4-1　2×2500kN 台车式启闭机**　(单位:mm)

1—起升机构;2—车架;3—运行机构;4—轨道;5—自动抓梁;6—电气设备

(3)安装条件较差。台车式启闭机安装在尾水管闸室 155.68m 高程的地下洞室中,进洞通道及入口狭小,转弯困难,且大型安装设备无法进洞。台车启闭机的解体单元部件的尺寸和重量均受到限制,从而也影响了设计布置。

(4)启闭机的吊点方向为顺轨道方向,与台车的跨度垂直交叉,造成台车的体形为跨度小而轮距大,车架的两个边梁承受了较大的内力。这与常见的桥式起重机的桥架结构有重大差异,增加了设计的复杂程度。

## 三、台车总体布置方案

基于上述设计条件,在总体布置上比较了两个方案,即卷筒同轴线布置方案(方案一)和卷筒平行并排布置方案(方案二)。

方案一(见图 20-4-2)的滑轮倍率为 6,2 套起升机构各配 1 台电动机,各自分别通过 1 台二级标准减速机和 1 台低速轴端带悬臂支座的单级减速机及一对开式齿轮驱动相应的卷筒。2 套传动机构通过在单级减速机高速轴上设置的联轴器保持同步。

方案二(见图 20-4-3)的传动参数与方案一相同,但 2 个卷筒的轴线相互平行,电动机、减速机和滑轮等传动部件被分置于台车的两端,两套传动机构通过卷筒上开式大齿轮之间的啮合保持同步传动。

两种方案都能满足台车解体后的安装、运输和闸门吊点的同步升降要求。其中方案二的优点是台车架长度稍短,梁系布置简单,构件受力明确,主要受力构件为两个边梁,车架接头便于选择位置,车架解体尺寸小,便于安装和运输;缺点是卷筒的轴线方向与闸门

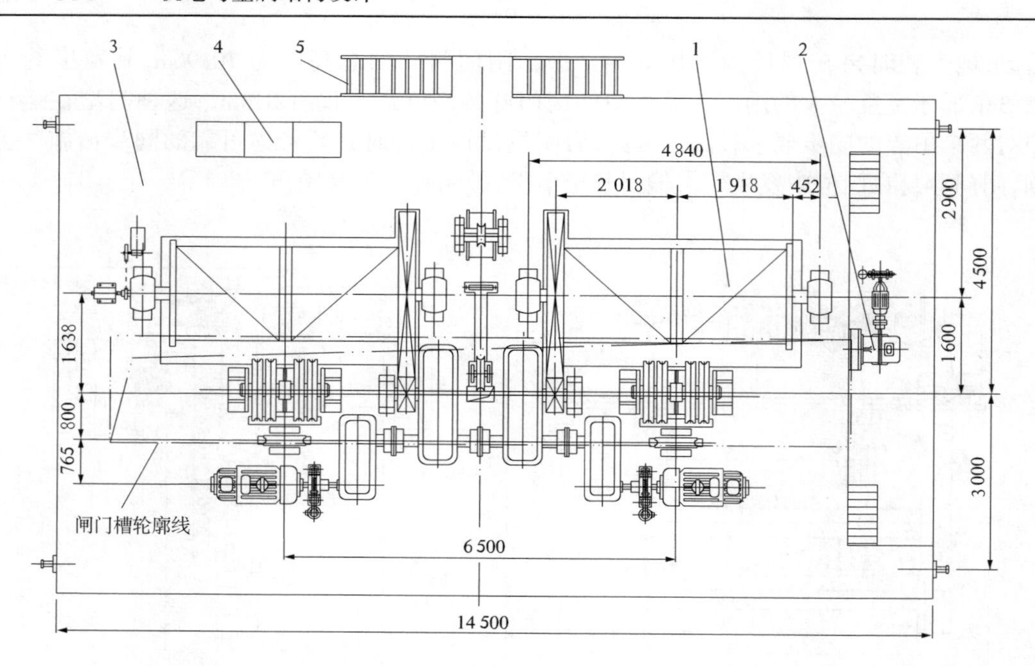


**图 20-4-2　台车总体布置方案一**　(单位:mm)

1—起升机构;2—运行机构驱动装置;3—车架平台;4—电控设备;5—梯子

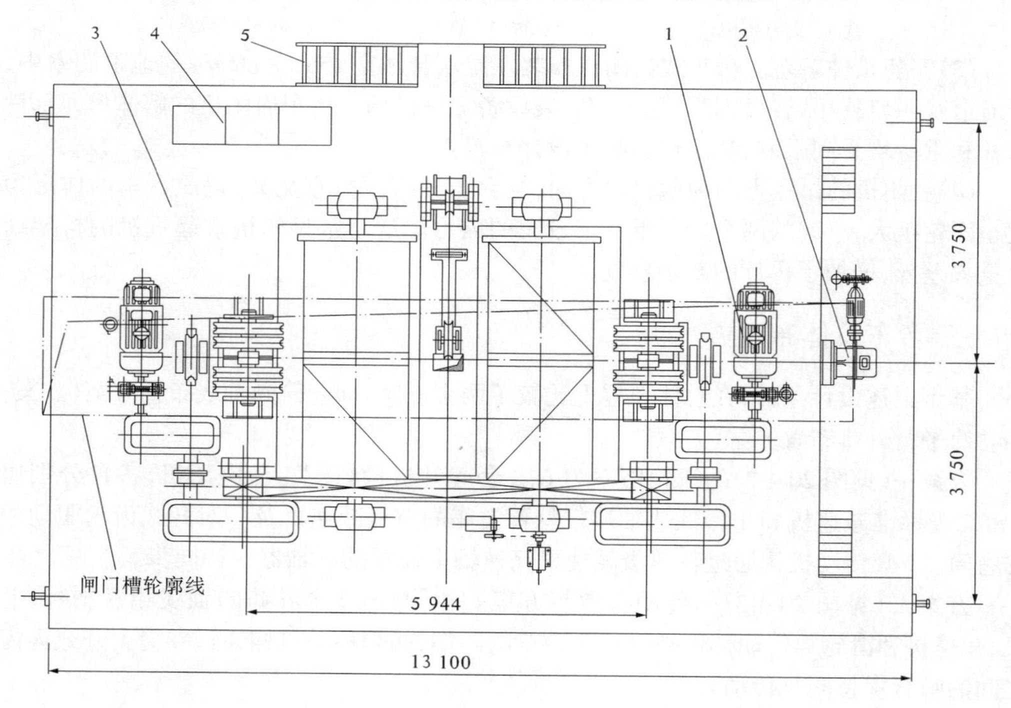


**图 20-4-3　台车总体布置方案二**　(单位:mm)

1—起升机构;2—运行机构驱动装置;3—车架平台;4—电控设备;5—梯子

孔口的宽度方向垂直，这样在钢丝绳通过各建筑层面时，要求的开孔尺寸很大，这会造成水工建筑布置上的困难或体形的不合理，而且台车必须布置在更高的位置才能满足要求。

方案一的车架梁系结构较复杂，受力构件较多，车架不好分节，但由于卷筒同轴线，卷筒方向与闸孔宽度方向一致，钢丝绳在顺水流方向上的摆动较小，钢丝绳出入闸槽时不易与水工建筑碰擦，有利于启闭机的安全运行和水工建筑物的布置，故最终确定台车采用卷筒同轴线布置方案。

## 四、设计特点

### （一）起升机构钢丝绳的缠绕方案

启闭机起升机构的钢丝绳采用了卷筒单层缠绕的方案。其主要理由如下：

（1）台车的起升扬程 25m，扬程不高，属中低扬程。

（2）闸门宽度较大，吊点距达 7.48m，单节闸门的宽高比较大，闸门移位时需要来回倒换，吊点的同步要求较高，采用卷筒单层缠绕更能确保闸门吊点的同步要求。

其中第（2）条是该启闭机采用单层缠绕的主要原因。因为在双吊点启闭机中，影响吊点同步的因素除卷筒的转速外，尚有卷筒直径误差和钢丝绳在卷筒上缠绕的不均匀性。一般来讲，卷筒的转速同步可以通过在传动机构中设置机械同步装置（如同步轴、齿轮啮合等）来实现，卷筒的直径误差也可以通过控制卷筒的加工误差来解决，这是不难办到的。关键是钢丝绳在卷筒上缠绕的均匀性的影响。当采用单层缠绕时，由于卷筒上有绳槽导向，钢丝绳均匀缠绕是有保证的，只要两个卷筒的速度和直径都一致，启闭机双吊点的同步是没有问题的。当卷筒采用多层自由卷绕时，则启闭机的双吊点仅可在缠绕第一层钢丝绳时保持同步，在缠绕第二层时，由于钢丝绳失去了绳槽的约束和导向，无法完全保证钢丝绳一定会均匀缠绕，这样就有可能在某时某个位置上出现跳槽现象，且两个卷筒出现这种现象的时机和位置可能是不一样的。因此，在这种情况下，即使卷筒同步旋转一圈，在两个卷筒上缠绕的钢丝绳的长度就出现了差异，从而引起两个吊点的不同步。缠绕层数越多，出现不同步的程度就会越大。因此，多层自由缠绕的卷筒无法确保双吊点的同步性。目前，在不同行业的起重机设计时，对多层缠绕的卷筒在计算卷筒的长度时都规定了计算的卷筒工作绳槽圈数应大于实际需要圈数的 10%，也是考虑了钢丝绳多层缠绕时存在不均匀性的因素。

在单吊点启闭机中，钢丝绳的不均匀缠绕仅会引起闸门在升降过程中速度的瞬时变化，不会影响闸门的正常启闭。而双吊点启闭机则不然，特别是对于起吊叠梁门或宽高比较大的闸门时，钢丝绳的不均匀缠绕可能导致两个吊点的不同步，从而影响闸门的正常启闭。

当然，为避免钢丝绳在卷筒上缠绕的不均匀性，也可以采用机械排绳装置。但排绳装置易磨损，需要经常进行维护，故障率相对较高，在启闭扬程不高的情况下，卷筒单层缠绕方案更可靠。因此，从确保尾水管叠梁检修门能安全运行的角度，确定本启闭机的起升机构采用卷筒单层缠绕的布置方案。

### （二）车架分节与连接

台车车架的平面尺寸为 14.5m × 8.3m × 2.4m，必须分节才能满足运输、安装，特别是地下安装的要求，其安装条件是整个工程的启闭机设备中最差的。因此，在设计时就必须考虑车架的分节问题。

车架主要由卷筒支承梁、边梁、定滑轮支承梁、平衡滑轮支承梁、行走机构支承平台及车架走台等组成。其中卷筒支承梁共4根，车架端部2根，中间2根。边梁、定滑轮支承梁及车架端部的卷筒支承梁均为箱形梁，车架中部的卷筒支承梁和平衡滑轮支承梁为工字梁(见图20-4-4)。

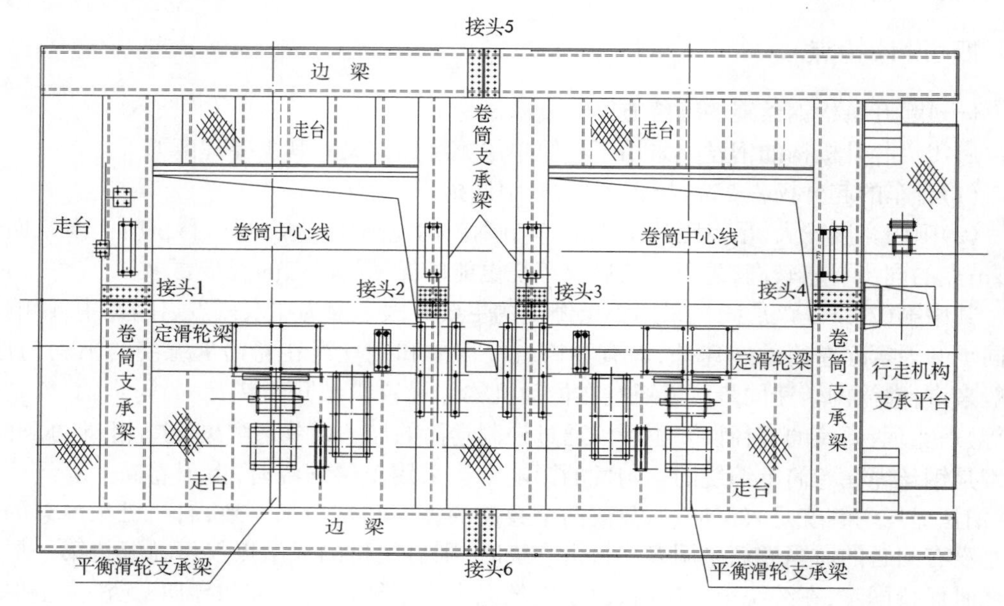


**图 20-4-4 台车车架及接头位置**

根据进洞尺寸、转弯要求及安装单元件重量要求，台车车架分为4节、6个接头。每节的单元重量最大不超过15t，宽度最大不大于4.2m，长度不超过7.5m。接头采用高强度螺栓连接，其中箱形截面接头4个、工字形截面接头2个。为便于螺栓安装，在箱形梁的腹板上开有安装孔。安装时，先用定位销定位，再穿高强螺栓，最后再用高强螺栓替换掉定位销。在机架接头的螺栓孔上，对有定位要求的螺栓孔都作有标记，以避免穿错造成定位不准确。

每个箱形梁的接头需要14块连接板，因而整个台车的连接板数量是较多的。这些连接板均与被连接件配钻，其中不少连接板的外形完全一样，但在车架上的连接位置和安装方向是不同的，如不加以区分，很容易弄错，影响安装质量。为此，在接头的连接板上都作有编号标记，这些编号代表了每一块连接板在车架上的惟一位置。在设备的安装图上，也专门绘制了车架接头的节点图，并在图中对每一块连接板作出了与实物相同的编号标记。这样，在安装时，对照图纸和实物，绝不会出现安装错误，既可保证安装精度，又可提高安装速度。

在启闭机闸室的入口附近(靠近主厂房交通洞)设有长20m、宽10.6m的安装间，供台车在洞内拼装和以后检修之用。由于尾闸室洞内无法进入大型安装设备，故在安装间的顶部设置4排共24个吊环，每个吊环的额定承拉力为200kN，供台车安装时悬挂起吊设备之用。

车架应如何分节尚无统一规定，本启闭机设置车架的接头时主要考虑了以下因素：

(1)洞内外运输和安装尺寸对车架解体后的单元尺寸和重量的要求和限制。

(2)从电站主厂房交通洞到尾闸室入口的最小转弯半径。

(3)洞内所能提供的安装设备类型。

(4)接头周围的安装空间。

(5)接头所在位置构件的内力大小和分布情况。

(6)接头的连接方式和要求。

实际上，要同时满足这些条件是很困难的，总的原则是：在满足运输和最大安装单元的前提下，应尽量减少分节的数量，以减小在工地拼装的不便。

**(三)操作方式**

台车的操作对象是尾水管检修闸门，该闸门每扇分为两节。正常操作时两节门整体启闭，平时锁定在检修平台上，锁定位置在下节上。当闸门由当前孔位置移至另一孔时，必须对上下两节进行倒换。先将上节临时放到第三孔上，再将下节移至目标孔锁定，然后再将上节由第三孔移至目标孔上并与下节连接好，即完成闸门整体移位。上下两节之间设有连接轴和手摇穿轴装置。

采用这种操作方式的理由如下：

(1)降低了闸室的高度，减少岩石的开挖量，节省工程投资。

(2)尾水管检修闸门的使用次数不频繁，为非应急性闸门，对操作时间要求不严格，使用上允许采用这种方式。

(3)尾闸室上部还有一条电缆洞，两条洞之间有净距限制，不允许尾水闸室的顶部抬得太高。

(4)尾闸室顶层以上的岩石条件较差，抬高闸室将增加施工难度，其洞内也需要采用混凝土衬砌才能满足强度和稳定性要求，与洞内混凝土喷锚相比不经济。

台车采用现地控制方式操作。因台车下部的空间有限，无法设置悬吊式司机室，故全部控制盘、柜均设在台车车架的平台上，操作台车也在平台上进行。车架下部的情况可通过卷筒组两侧的孔洞和车架下部的探照灯进行观察。

**(四)运行机构**

台车的运行机构采用一端集中驱动的布置方式。驱动机构通过1台立式安装的减速机将动力传递到跨度两侧的驱动车轮。台车共有8个车轮，其中驱动轮2个，占总车轮数的1/4，属于驱动轮较少的大型台车运行机构。根据计算，台车在空载工况下的最小驱动轮压满足机构在起动、制动时的不打滑条件，其安全系数均大于1。

目前，我国已建水电工程上使用的台车式启闭机的运行机构大都采用车轮全部驱动，部分为1/2车轮驱动，采用1/4车轮驱动的尚不多见，这也是该启闭机的一个特点。

**(五)供电方式**

台车采用滑线供电方式。这种滑线采用全密封设计，具有安全节能、防尘抗震、绝缘性能好等优点，受电器与台车采用铰链连接，可补偿台车的横向摆动位移，避免损坏滑线的元件。

液压抓梁的供电方式采用电缆卷筒,电缆卷筒形式为磁力耦合式,自身带有动力,可自动保持与起升机构吊具的同步升降。电缆为 19 芯特制移动电缆,可承受较大的外力作用。

**(六)夹轨器与台车机罩**

启闭机安装于地下洞室内,为室内使用,不承受风荷载,故不设夹轨器和机罩。在设备投运后,发现洞顶有渗水滴落到台车上,洞内较潮湿,故又增设了机罩。

**(七)位置和行程控制**

台车的移动机构设有行程开关,轨道的端部设有车挡。行程开关安装在台车上,在车架的两端各安装 1 个,行程开关的碰杆埋设在轨道梁上,在轨道两端也各有 1 个。当启闭机运行至轨道端部时,行程开关自动断电。

为满足启闭机制动后的滑行距离,碰杆的水平段长度取为比滑行距离大 50 ~ 100mm。

位置控制通过起升机构的主令控制器和高度指示器来实现。主令控制器仅用于控制起升机构的最高和最低极限位置,高度指示器控制中间任意位置。尾水检修门升降过程中相对固定的位置有:①最高极限位置;②最低极限位置;③闸门检修平台锁定位置;④检修闸门分节调运位置。

因此,主令控制器的位置输出接点取为 4 个(其中 2 个备用),高度指示器的输出接点取为 6 组(其中 2 组备用)。高度指示器在启闭扬程中的任意位置可根据需要随时设定,闸门升降到预定位置时自动停机。另外,通过手动停机按钮可使启闭机的起升机构在启闭中途随时停机。

**(八)荷载控制**

荷载控制采用电子式荷载限制器。荷载限制器的压力传感器在每个吊点上设 1 套,荷载显示有 2 个屏,分别显示 2 个吊点上的分荷载。荷载限制器在启闭容量达到 90% 额定容量时自动发出短声、间隔报警;当启闭容量达到 100% 额定容量时荷载限制器发出长声,持续报警,提醒操作人员或现场其他人员注意安全和加强对现场情况的观察;当启闭容量达到 110% 额定容量时荷载限制器自动切断电源。

电子式荷载限制器能动态显示瞬时荷载,直观反映荷载变化情况,保护动作灵敏、可靠,目前在水电工程上已普遍采用,并有逐步淘汰机械式荷载限制器的趋势。但仍存在下列问题:

(1)对安装位置较敏感,即测力传感器的测量误差随安装位置的不同而不同。如安装在平衡滑轮支座时,测量误差较大,但传感器的型号较小;安装在定滑轮组支座时,测量精度一般较高,但传感器的型号较大。最佳位置是直接安装在吊具上,但测力传感器要进入水中工作,目前还没有适应这种工作条件的产品。

(2)扬程较高、滑轮倍率较大时,钢丝绳的自重较大,有时可达几十吨以上,钢丝绳对荷载测量精度的影响较大,应考虑对荷载限制器的读数进行校正。当钢丝绳缠满卷筒时,钢丝绳的重量通过卷筒传递给机架,荷载限制器基本不承受钢丝绳的自重。当钢丝绳全部放开时,钢丝绳的自重几乎全部加到了荷载限制器上。此时,对于测力传感器在定滑轮下的安装方式,荷载的测量值就有了误差,自然显示屏的读数也就不准确了。

(3)在启闭机的起升和下降过程中,荷载限制器的测量值存在差异。与其他行业上的起重设备不同,水电工程的启闭机操作的是带有导槽的闸门,由于闸门在升降过程中对门槽的摩阻力的方向不同,且大小也是变化的,必然引起荷载限制器测量读数的差异。这常常使用户产生误解,以为是荷载限制器的质量问题。

目前,不论是国产的还是进口的荷载限制器都存在上述问题。因此,设计、安装中应尽量考虑上述因素的影响,并在设计文件中对荷载限制器的调试、安装给出较为详细的规定。

### 五、运行情况

台车式启闭机是小浪底工程中最早投入安装调试的启闭机之一,由于在台车设计阶段对安装条件给予了充分重视,并采取了较为正确合理的设计、布置、车架分节、接头连接、安全保护等技术措施,台车的安装调试很顺利,到目前为止,一直运行良好。

## 第五节　液压启闭机

### 一、基本参数

小浪底工程共有 27 台(套)液压启闭机(包括 45 台油缸及配套泵站和管路系统),分别安装在 19 条洞(孔)中。其中单吊点单作用液压启闭机 6 台(套),最大启闭容量 4 000kN;双吊点单作用液压启闭机 9 台(套),最大启闭容量 2×2 500kN;单吊点双作用液压启闭机 12 台(套),最大启闭容量 4 500kN。启闭机的油缸内径最大为 720mm,最大启闭行程达 12.5m。启闭机主要技术参数见表 20-5-1。

### 二、设计特点

#### (一)概述

液压传动是一门较新的技术,尽管只有几十年的发展历史,但目前已广泛应用于矿山、冶金、建筑、交通运输、石油钻探等行业的各种机械设备中。随着国外液压技术的发展,液压泵的工作压力已达到 45MPa,特殊油缸和溢流阀的工作压力已达 100MPa。由于加工精度和密封件的质量提高,密封件和液压缸的寿命分别可达 25 年和 100 年。德国曼内斯曼力士乐公司(MANNESMANN REXROTH Ltd.)生产的液压缸最大内径达 1.45m,活塞杆的最大行程达 24m。

近代欧美诸国水工闸门的启闭机械已趋向于液压化,通航船闸已实现了全液压化。俄罗斯等国的液压启闭机更兼有大型化的特点。我国近 10 余年来,随着液压元件制造水平的不断提高,液压启闭机在水工建设中的应用已日渐增多。这一方面是由于油缸内的油液具有缓冲和减振作用,适宜于控制工作闸门在高水头、不同开度下的无振安全运行;另一方面,较之卷扬式机械传动方案更易于实现集中控制和远方自动化控制。因此,小浪底工程的所有工作闸门均采用液压启闭机操作。根据闸门操作的需要,所有深孔弧门均采用具有下压力的双作用液压启闭机,防淤闸、溢洪道工作闸门和电站事故闸门采用单作用液压启闭机。为确保启闭机设计技术先进、操作可靠、经济合理,在液压启闭机设计中进行了大量调研论证,汲取了国内外液压技术发展的新成果,不断对启闭机进行优化,使小浪底工程的液压启闭机达到了较好的总体性能。

**表 20-5-1　　液压启闭机的主要技术参数**

| 安装地点 | 孔板洞 | | 排沙洞 | | 明流洞 | 发电洞 | 防淤闸 | 溢洪道 |
|---|---|---|---|---|---|---|---|---|
| 操作对象 | 偏心铰<br>弧形工作闸门 | | 偏心铰<br>弧形工作闸门 | | 弧形<br>工作闸门 | 快速<br>闸门 | 弧形<br>工作闸门 | 弧形<br>工作闸门 |
| 安装形式 | 主油缸 | 副油缸 | 主油缸 | 副油缸 | 摇摆式 | 垂直式 | 吊耳式 | 吊耳式 |
| | 摇摆式 | 垂直式 | 摇摆式 | 垂直式 | | | | |
| 作用形式 | 双作用 | 双作用 | 双作用 | 双作用 | 双作用 | 单作用 | 单作用 | 单作用 |
| 台　　数 | 6 | 6 | 3 | 3 | 3 | 6 | 6 | 3 |
| 启门力(kN) | 3 800 | 3 000 | 2 500 | 3 000 | 4 500 | 4 000 | 2×2 500 | 2×2 000 |
| 下压力(kN) | 1 000 | 1 000 | 1 000 | 1 000 | 1 000 | 持住力<br>4 000 | — | — |
| 工作行程<br>(m) | 7.1 | 4.5 | 6 | 3.8 | 12.5 | 10 | 7.8 | 8.5 |
| 提升时最大<br>油压(MPa) | 17.7 | 16.5 | 16.9 | 16.5 | 17.63 | 19.5 | 19.6 | 19.3 |
| 下压时最大<br>油压(MPa) | 3.5 | 4.1 | 4.7 | 4.1 | 2.65 | — | — | — |
| 油缸内径<br>(mm) | 650 | 600 | 560 | 600 | 720 | 630 | 480 | 420 |
| 活塞杆直径<br>(mm) | 320 | 300 | 300 | 300 | 400 | 320 | 230 | 210 |
| 提升速度<br>(m/min) | 0.64 | 0.75 | 0.74 | 0.64 | 0.68 | 0.64 | 0.55 | 0.8 |
| 下降速度<br>(m/min) | 0.48 | 0.57 | 0.53 | 0.48 | 0.47 | 0.48 | 0.42 | 0.5~0.8 |
| 电动机型号 | Y280S–4 | | Y250S–4 | | Y280M–4 | Y280S–4 | | M2BA315<br>SMA6 |
| 电动机功率<br>(kW) | 75 | 75 | 55 | 55 | 90 | 75 | 75 | 75 |
| 油泵型号 | F12–110–RF–IH–K | | | | F11–150–<br>RF–CH–K | F12–110–<br>RF–IH–K | | A11V0190<br>DR/11R–<br>NPD12N00 |

小浪底工程的液压启闭机主要有以下一些设计特点:

(1)启闭机液压系统配置了蓄能器装置。除溢洪道表孔工作门启闭机和发电洞快速闸门启闭机外,其余液压启闭机上全部安装了液压蓄能器装置,用于对启闭机的液压系统自动补泄保压,以防止油缸活塞杆的下沉。

近年来,随着液压启闭机在我国大型水电工程中的应用日益增多,启闭机液压系统的泄漏问题愈来愈受到重视。然而,对于如何实现液压系统的补泄保压、防止闸门下沉的问题,迄今尚未有行之有效的措施。小浪底工程液压启闭机系统设计中,引入了蓄能保压装置,并配以小型充压泵组。采用蓄能器保压系统,可以做到油缸泄漏、降压,活塞杆下沉的同时,蓄能器以蓄积的有压油液,自动向油缸下腔补油,从而起到保压和锁定的作用。这一功能对于采用机械压紧式封水的偏心铰弧形闸门的安全运行具有特别重要的意义。这是由于油缸活塞杆下沉将导致压紧式封水的脱开或切搓破坏,引起止水失封和高速缝隙射流,进而导致闸门的振动,危及泄水建筑物的运行安全。设计中所采用的液压蓄能保压系统将为泄洪闸门的安全运行提供可靠的保证。

(2)液压系统采用了插装阀技术。20 世纪 70 年代以来,国外广泛采用了插装技术,它与传统的滑阀在密封原理上有着根本的区别。近年来,我国的插装元件制造工艺水平已有明显提高,达到了实用水平。小浪底工程液压启闭机的液压系统设计全部采用了插装元件,使液压系统的传动性能得到很大的改善和提高。

(3)采用了新型进口密封元件。油缸密封元件的形式和材料关系到液压启闭机的寿命和闸门的安全运行。如果密封元件选择不当而发生内泄,油缸有杆腔和无杆腔不能形成油压差,闸门不能正常开启;密封不良引起外泄,则使闸门不能保持在所需高度,导致闸门从开启位置下落酿成事故。因此,选择合适的密封形式尤为重要。经过对国内外水利水电工程液压启闭机密封元件的调查分析,在总结其运行经验的基础上,小浪底工程液压启闭机设计中,油缸动密封采用了德国 MARKEL 公司 V 形组合密封圈、意大利 CARCO 公司 V 形组合密封圈和新型 TEX/UG 型密封圈,其特点是密封性能好、耐磨损、抗老化,寿命可达 10 年以上。

(4)油缸下腔油路上安装了油缸安全锁定阀组。为保证运行安全可靠,在液压启闭机的油缸下腔进出油口处安装了安全锁定阀组,以防止油管破裂时油缸下腔油液泄露,闸门自动关闭造成事故。常规的安全阀是由溢流阀、液控单向阀和截止阀组成的。根据小浪底工程启闭机的运行特点和环境条件,在液压启闭机设计中,对安全阀组的结构进行了适当的简化,采用了由液控单向阀和截止阀组成的安全锁定阀,使阀体结构更加紧凑。

(5)双吊点液压启闭机采取了同步措施。采用双缸液压启闭机操作跨度不大的双吊点弧形闸门,由于闸门的横向扭转刚度相对较大,借助闸门支铰可以约束闸门在升降过程中的左右摆动,一般可不采用特别复杂的同步装置即可实现液压启闭机的双缸同步运行,这已为国外的设计和运行经验所证实。小浪底工程防淤闸高 11.3m,宽 14m,高宽比仅有 0.8,双吊点同步要求相对较高。为确保设备安全运行,防淤闸液压启闭机除采用四单向阀桥路和可调节流阀作为同步措施外,还采用了双缸行程电子监测装置,对双缸同步差进行监测和显示,并可预先设定同步允差,当同步超差太大时,可自动停机以防闸门卡死。溢洪道液压启闭机通过将行程测量器(CIMS)的差值传送到 CPU 并对两边油缸位置进行比较及修正而达到双缸同步。当双缸同步差超出预设值范围以外时,系统将以放油方式自动进行调整。

(6)陶瓷活塞杆油缸和陶瓷集成测量技术的应用。陶瓷活塞杆油缸和陶瓷集成行程测量技术是近年来国外厂商推出的两项新技术。其技术特点是:活塞杆陶瓷镀层具有优越的耐磨、抗弯性能和非导磁性;行程测量精度高且不受行程大小的限制,因无任何机械传动机构,故适用于任何形式的油缸。溢洪道液压启闭机引进的这两项新技术,将有助于提高设备运行的可靠性。

### (二)排沙洞出口闸室液压启闭机

小浪底工程布置了3条排沙洞,担负着枢纽泄洪、排沙、排污、调节流量以及在进水塔前形成冲沙漏斗的任务。在3条排沙洞的出水口各设置了一扇带有突扩门槽和压紧式封水的偏心铰弧形工作闸门,分别由3套液压启闭机操纵。每套启闭机各有独立的液压泵站和控制系统,分别布置在3个启闭机室内,启闭机房位于168m高程处。闸门孔口尺寸4.4m×4.5m,设计水头122.05m,总水压力42MN。由于排沙洞工作门设计水头高,压力大,并需长期频繁局部开启以控制流量,因此使启闭机使用较频繁、运行条件较复杂。启闭机的主要技术参数见表20-5-1,启闭机与弧门的布置关系见图20-5-1。

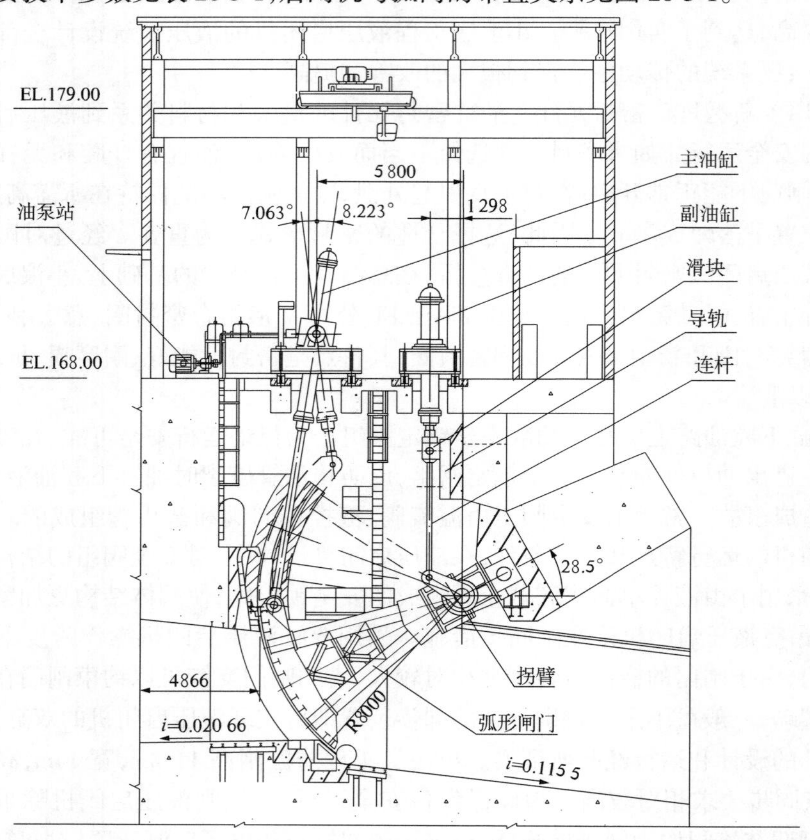


**图20-5-1　排沙洞出口闸室液压启闭机布置**

(图中高程单位为m,尺寸单位为mm)

1.设备主要组成

偏心铰弧门液压启闭机主要由主油缸、副油缸、泵站、管道以及电控设备等组成。

液压泵站是驱动油缸运行的动力站。启闭机两台油缸共用一个液压泵站。泵站主要由电机—油泵组、控制阀组、液压附件(油箱、滤油器、管道)等组成。液压泵站的压力油经过管道分别进入主、副油缸上下腔对闸门进行操作。为确保泵站运行,设置两套油泵电机组,其中一套作为工作泵组,一套作为备用泵组,当泵组运行出现事故时可自动切换备用泵组工作。

在两油缸的机架上分别安装有主令控制装置,它由齿轮传动机构、闸门开度传感器、主令控制器、卷筒、钢丝绳、重锤等组成。通过固定在吊头上的钢丝绳带动卷筒旋转,从而带动齿轮、传感器、主令控制器旋转,测量并显示出闸门的开启高度和位置。闸门开度传感器能够实现在机旁控制柜和远方控制室分别显示并控制闸门的开度位置。传感器选用德国IFM公司的产品,测量准确,性能稳定可靠,为“现场无人职守、远方自动控制”奠定了基础。为保证闸门运行的安全可靠,配备的主令控制器作为备用的行程控制装置,可在机旁显示闸门位置,并当传感器失灵时,用以控制闸门的上、下极限位置。

为防止油液泄漏,尤其是温度变化引起闸门下降或闸门后撤,在主、副油缸下腔分别装有气囊式蓄能器,为油缸下腔充液、保压,并配有蓄能器专用油泵电机组。当蓄能器压力降至规定值时,该油泵电机自动投入运行,为蓄能器充液、增压。例如在闸门局部开启状态时,闸门处于顶紧水封状态,若此时由于前述原因闸门下降,将会破坏水封,所以在偏心铰弧门运行中选用蓄能器是必要的。设计中,在油缸下腔出口处设置了一个液压锁,用以防止因泄漏而使闸门下沉,尤其是在通往下腔的管道破裂时,可以防止闸门下落。

液压启闭机设有现地操作和集中控制室远方控制两套系统,可以通过计算机屏幕监视闸门运行情况,以实现偏心铰弧门操作运行的远方自动化控制。现地操作与远方操作互为连锁。

2.工作原理

偏心铰弧门的启闭是由弧门提升或下降与弧门偏心铰的转动动作组成的一套连动动作,因此每套液压启闭机需要两台油缸。一台油缸用于弧门的提升或下降,称为主油缸;另一台油缸用于弧门偏心铰的回转而使弧门产生前移或后撤动作,称为副油缸。油缸与闸门的动作顺序为:首先操作副油缸转动弧门偏心铰,使整个弧门后撤;再通过主油缸将闸门提升或下降到所需要的高度;最后操作副油缸转动弧门偏心铰,使弧门前移顶紧水封。

根据弧门的运行轨迹,主油缸采用摇摆式安装方式,油缸支承在机架轴承座中,吊头与弧门吊耳相连。副油缸采用垂直安装方式,吊头上设有滑块和连杆,在闸室侧壁上设有供滑块上下滑移的导向滑道。连杆的一端与副油缸的吊头和滑块相连,另一端与弧门偏心铰的拐臂相连。这样,副油缸活塞杆、滑块、连杆和弧门偏心铰拐臂就组成了平面连杆—滑块系统。当吊头作上下直线运动时,滑块在滑道内滑动,连杆在铅垂面内摆动,带动拐臂在铅垂面内旋转,使弧门的转铰作偏心旋转运动,从而使闸门作摆动运动,产生前移或后撤。

3.操作程序

排沙洞出口闸室偏心铰弧门启闭机的液压系统原理见图20-5-2。

1)启门

启门分为全开启门和局开启门。全开启门包括闸门后撤和闸门提升2个动作过程,局开启门包括闸门后撤、闸门提升和闸门前移3个动作过程。

(1)闸门后撤。按“闸门后撤”按钮,10s后电磁铁1DT、7DT通电,压力油进入副油缸上腔,弧门偏心铰轴逆时针回转,闸门后撤脱离水封,至规定行程后,主令控制装置动作,1DT、7DT断电,延时5s后,工作泵组断电,位置指示灯亮,闸门完成后撤动作。

(2)闸门提升。按“闸门提升”按钮,10s后电磁铁1DT、4DT通电,压力油进入主油缸下腔,闸门升起。至全开位置时,主令控制装置动作,1DT、4DT断电,延时5s后,工作泵断电退出,位置指示灯亮。要求闸门部分开启时,观察闸门高度指示器,当闸门上升至所需位置后按下"停止"按钮,1DT、4DT断电,延时5s后,工作泵组断电,位置指示灯亮,闸门停在所需的位置。

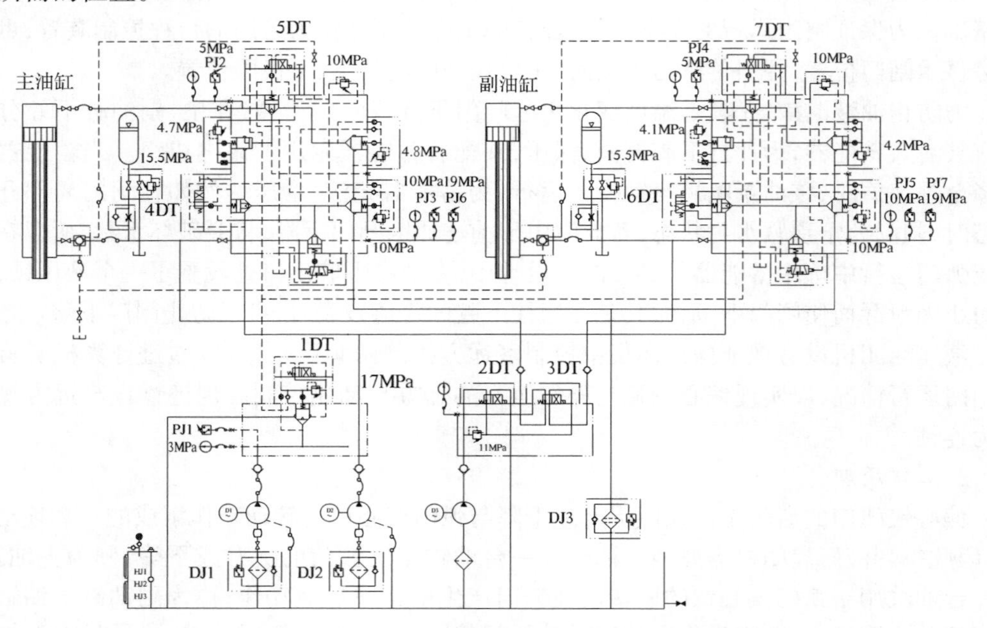


图 20-5-2　排沙洞偏心铰弧门启闭机的液压系统原理

(3)闸门前移(闸门全开位置时无此步骤)。按"闸门前移"按钮,10s后电磁铁1DT、6DT通电,压力油进入副油缸下腔,弧门偏心铰轴顺时针回转,闸门前移压紧水封,至规定行程后,主令控制装置动作,1DT、6DT断电,延时5s后,工作泵断电退出,位置指示灯亮。

2)闭门

(1)闸门后撤(闸门在全开位置时无此步骤)。后撤操作同启门。

(2)闸门下降。按"闸门下降"按钮,10s后电磁铁1DT、5DT通电,压力油进入主油缸上腔,闸门下降。至全关位置时,主令控制装置动作,1DT、5DT断电,延时5s后,工作泵断电退出,位置指示灯亮。要求闸门部分开启时,观察高度指示器,当闸门下降至所需位置后按下"停止"按钮,1DT、5DT停电,延时5s后,工作泵组断电,位置指示灯亮,闸门停在所需位置。

(3)闸门前移。前移操作同启门。

3)蓄能器补泄保压

当闸门处于全开或者局部开启位置,若由于液压系统内、外泄漏,或因温度降低引起油液收缩而导致闸门下沉时,主油缸蓄能器可通过对主油缸有杆腔自动补油,使闸门保持在所要求的位置。当蓄能器压力低于调定压力时,压力继电器自动接通蓄能器电机,延时10s后电磁铁通电,蓄能器充压,延时1~2min后电磁铁断电,5s后蓄能器电机停止转动。

闸门全关或者局部开启情况下,副油缸蓄能器通过对副油缸有杆腔自动补泄,可使闸门顶紧水封。当蓄能器压力低于调定压力时,压力继电器接通蓄能器电机,延时10s后电磁铁通电,蓄能器充压,延时1～2min后电磁铁断电,5s后蓄能器电机停止运转。

蓄能器电机只有在主泵组两电机都停机状态下才能投入运行。

当主、副油缸蓄能器压力同时低于调定压力时,先向主油缸蓄能器充压,后向副油缸蓄能器充压。

4)下沉复位

当闸门在某一位置保持一段时间后,由于漏油活塞杆可能下沉。

当闸门处于后撤启门位置时,若主油缸活塞杆下沉200mm,指示灯亮,工作油泵自动起动,经一定延时,电磁铁通电,压力油进入主油缸下腔,活塞杆上升200mm后,电磁铁断电,经过延时,工作泵退出。

当闸门处于前移顶紧水封位置时,副油缸活塞杆下沉200mm,指示灯亮,工作油泵自动起动,经一定延时,电磁铁1DT、6DT通电,压力油进入副油缸下腔,活塞杆上升200mm后,电磁铁断电,经过延时,工作泵退出。

当主油缸(或副油缸)活塞杆下沉200mm,工作泵未起动,活塞杆继续下沉至300mm时,指示灯亮,备用油泵空载起动,经延时后电磁铁通电,压力油进入油缸下腔,活塞杆上升300mm后,电磁铁断电,经过延时,备用泵退出。

4.泵站设计

在泵站设计中,国外一些工程采用两套规格较小的油泵电机组同时工作,当其中一套出现故障时,另一套继续工作,这样由1套油泵机组工作的启门速度将比正常2套工作情况下的速度减小一半。小浪底工程采用了两套油泵电机组互为备用,当一组工作时,另一组作为备用,单套就可以满足所要求的速度。

一般来说,液压系统60%～80%的故障来源于油液的不清洁。该启闭机在设计中选用的空气滤清器具有防潮功能,选用的回油滤油器精度在10μm以上,油箱在结构上使面板与箱体焊接而成为全封闭型。考虑到工程的重要性,油箱及管道均采用不锈钢材料,虽然一次投资较大,但减少了油液污染的隐患,为设备的可靠运行提供了保证。所有这些都为油液的清洁度提供了保证。

在系统保护中,设定了上下腔的过压保护,在启闭闸门时,当油压超过所设定的油压时,由压力继电器发讯,切断电源,使电机停止运行;工作时,当工作泵出现故障,压力过低时,将自动切换起动备用泵组;电机过载时,热继电器将发讯切断电源;当油箱液位过高或偏低时,系统将发讯,液位太低时,系统将立即停止工作以保护油泵;当滤油器堵塞时,系统将发讯,以提醒管理人员对相应滤油器进行更换或清洗。

5.油缸及密封件设计、选用

油缸是启闭机的主体,首先应满足强度和刚度要求。在计算缸壁的强度时,考虑到对缸体壁厚及安装尺寸的不利因素,对距法兰和支承凸缘足够远的断面处缸壁的折算应力进行了计算,并考虑了缸体与法兰接头断面处缸壁所受的纵向应力与环向应力叠加所产生的折算应力。

在油缸的下端盖处设置有密封端盖,用螺栓固定于下端盖上,这样在维修密封件及导向环时方便了许多。在活塞和缸体下端盖部设有导向环,导向环不仅起导向作用,还可防止活塞与缸内壁以及活塞杆与下端盖的硬金属接触作用,从而减少对缸体内表面或活塞杆表面的损害。导向环的材料为较软的铸铝铁青铜。

缸体设计中还特别注意验算了活塞杆与活塞、活塞杆与吊头连接螺纹的弯曲应力和挤压应力,以确保其安全。

在油液中若混有空气,不仅对油液有氧化作用,腐蚀零件,还将影响油缸的运行,使油缸产生爬行现象,故在油缸上腔顶部以及油缸下腔各设一排气阀。考虑到排气阀孔可能对密封件造成刮伤,在设计中将下腔的排气阀孔设置于缸体内腔底部,使活塞运行至底端时排气阀孔仍与密封件保持一段距离,从而消除了对密封件可能造成不利影响的因素。

水利水电工程液压启闭机存在容量大、扬程大、闲置时间长、运行要求可靠、工作环境差、维修条件差等特点。因此,在稳定性及可靠性方面,水利水电工程液压启闭机比一般工程中使用的液压机械要求更高。由于启闭机扬程大,所以要求密封耐磨性好;闲置时间长,要求密封件材质物理性能稳定,抗老化,寿命长。

如果油缸密封件失效发生内泄,油缸有杆腔和无杆腔不能形成油压差,闸门不能启闭,影响正常泄洪,甚至威胁水工建筑物的安全;密封不良引起外泄,则使闸门不能保持在所需高度,导致闸门从开启位置下落酿成事故。因此,油缸密封元件的形式和材料关系到液压启闭机的寿命和闸门的安全运行,选择合适的密封形式是非常重要的。

选择密封件及其装置的要求如下:

(1)在工作压力下,应具有良好的密封性能,并随着压力的增加能自动提高其密封性能。

(2)密封件长期在流体介质中工作,必须保证其材质物理性能的稳定。

(3)动密封装置的动、静摩擦阻力要小,无耦合件卡住或爬行等现象。

(4)磨损小,使用寿命长。

(5)制造简单,拆装方便。

国内液压启闭机的活塞密封最初多是采用耐油橡胶唇形密封圈,有V形、U形、L形等,根据压力要求多层重叠安装使用。这种密封体积大,摩擦阻力也大。后来聚氨酯材料Yx型密封圈得到应用,使得密封结构简化,零件数量减少,密封圈的耐磨性高于耐油橡胶。但国产聚氨酯密封圈的老化寿命仅3~5年,从检修角度来看,为设备可靠工作,液压启闭机的检修周期也只能定为2~4年。频繁检修将耗费大量的人力和时间,造成的浪费也是巨大的。

在考察国内外水利工程的应用情况时了解到,德国MARKEL公司生产的V形组合密封圈性能稳定,应用广泛。德国曼内斯曼力士乐公司生产的液压启闭机油缸动密封多采用该公司的产品,如荷兰东斯海而德河拦洪坝液压启闭机从20世纪80年代运行至今,情况良好;德国布伦斯比特尔船闸液压启闭机同样采用的是MERKEL公司的密封圈,运行十几年,密封效果满足要求。德国洪格尔(HUNGER)公司的组合密封件应用较为普遍,如南斯拉夫铁门水电站已使用12年,密封情况仍然良好;十三陵抽水蓄能电站尾水事故闸门液压启闭机采用德国洪格尔公司的全套密封件,基本上达到了5年检修1次的水工液压启闭机设计要求。意大利CARCO公司的密封圈已在国内水电工程应用,密封性能稳定。美国霞板(SHAMBAN)公司的斯特封(STEPSEAL)密封件在当时国内水利工程上应用较少,缺乏成功实例。

组合密封圈种类很多。如双向组合型密封圈,能够实现双向密封,具有摩擦阻力小、能自润滑、运动平稳、结构简单、密封性能好、寿命长等特点。适合各种介质和温度条件下使用。在结构布置上,用1个组合密封圈即可实现双向密封,因而可以缩短活塞的长度和减轻重量。

与Y形密封圈相比,V形密封圈的密封性能可靠,特别是夹织物橡胶制成的V形密封圈,密封性能良好,耐高压,寿命长;可根据不同的工作压力,选用相应数量的V形密封圈重叠使用,并通过调节压紧力,获得最佳的密封效果;当活塞在偏心载荷或在偏心状态下运动时,仍能很好地密封;当V形密封圈不能从轴向装入时,可以切口安装,只要在安装时将切口互相错开,不影响密封效果。

由于排沙洞担负着泄洪、排沙和排污多项任务,偏心铰弧门需要经常启闭,运用较为频繁,所以液压启闭机密封圈的耐磨性能和工作寿命更需要给以足够的重视。

由于国内密封件材质不稳定,已建工程中油缸普遍存在不同程度的泄漏,难以满足水利工程的运行要求。经过对国内外液压启闭机密封元件的调查分析,在总结其运行经验的基础上,考虑到工程的重要性及维修问题,在密封件的选用上均采用了进口密封件。静密封采用意大利URANUS公司的O形密封圈,动密封采用意大利CARCO公司的密封件。CARCO公司自1900年起便从事水电行业用密封件生产,至今已有百余年,为水利水电工程中使用的大规格密封件的生产积累了丰富的经验。设计中在活塞杆密封及活塞密封下腔处采用了CARCO公司的V形密封圈,因上腔压力较低,所以选用了该公司的新产品TEX/UG,在满足密封要求的同时,节省了轴向空间。CARCO公司的防尘圈将起到较好的清污性能。

*6.液压蓄能装置选择与计算*

近年来在我国大型水电工程中,液压启闭机的应用日渐增多。然而,由于密封件材质不稳定、阀件制造精度偏低、温度变化的影响以及使用中出现磨损等因素所致,要完全避免泄漏是不可能的。但油缸内外泄漏会引起活塞杆下沉,导致闸门不正常下降,必须及时复位以避免闸门出现异常,增加了设备频繁启动对液压油泵和电机寿命带来的不利影响,更严重的是油缸活塞杆下沉使闸门止水受到反复切搓而遭受破坏,或使闸门后撤引起缝隙射水,导致闸门振动而酿成重大事故。因此,如何防止活塞杆的下沉是液压启闭机设计中的关键问题。

对于液压缸活塞杆下降引起闸门下沉的问题,迄今尚无行之有效的措施。一种做法是控制下沉量,当活塞杆下沉量达到一定时,由主令控制器或高度传感器起动电机、油泵向油缸下腔补油,使闸门回升,复归原位。因而一些水电工程的液压启闭机泵站经常出现频繁起动的不利工况,这种保压周期短、闸门易下沉的情况,不仅影响到闸门的安全运行,而且也会缩短电机、油泵的使用寿命。尽管油缸采用了进口密封件,国内油缸的加工水平也取得了长足的进步,但由于水利水电工程启闭机具有大容量、长行程、高油压、工作环境差的特点,若干年后,密封件的磨损与变形难以完全避免,其结果将导致活塞杆的下沉。偏心铰弧门启闭机下沉量如果偏大,超过弧门顶紧止水后允许的下沉量,将导致压紧式封水切搓破坏,直接引起止水失封和高速缝隙射流,进而导致闸门的振动,危及泄水建筑物的运行安全。如果预定的下沉量满足顶紧止水的允许值(偏心铰弧门顶紧止水允许下沉量为20~30mm),液压泵站将频繁起动,从而缩短电机、油泵的使用寿命,带来安全隐患。因此,防止油缸活塞杆下沉对于采用机械压紧式封水的排沙洞和孔板洞偏心铰弧门的安全运行具有特别重要的意义。

针对偏心铰弧门的锁定要求,我们对国内外已建工程中油缸的锁定形式进行了分析与研究。液压启闭机油缸的锁定措施有多种,主要分为机械式锁定和液压式锁定。机械式锁定是采用机械传动的方法,结构较为复杂,重量大,电气连锁动作不可靠,不便于实现远方自动控制。国内某水电站工程偏心铰弧门液压启闭机采用了机械锁定来解决活塞杆下沉问题,即采用由螺杆控制、齿条夹钳固定活塞杆的方法。但由于油缸活塞杆上下移动与螺杆的旋转很难保持始终同步,所以这种锁定方法未能取得预期的效果。与机械式锁定相比,液压式锁定有着结构简单、布置紧凑、重量轻、电气连锁方便、安全可靠的特点。

在总结国内外液压系统设计、运行经验的基础上,我们在国内首次推出了液压蓄能装置补泄、保压系统,为主、副油缸下腔自动充液、保压,防止活塞杆下滑,从而达到系统的自动保压和闸门的可靠锁定。

这种蓄能保压装置是用蓄能器配以小型充压泵组,在油缸泄漏、降压、活塞杆开始下沉的同时,蓄能器以蓄积的压力油液向油缸下腔补油,从而起到保压和锁定的作用。在闸门全开或局部开启后,主油泵不再需要起动。在蓄能器的设计容量和压力范围内,自蓄能器向油缸下腔的补油是自动完成的,仅当蓄能器内的有效油液耗用将尽,内部油压降至某一数值时,保压装置的小型充压泵组才自动投入运行。

另一方面,在液压系统中,由于快速换向或突然关闭闸门以及快速制动等情况下产生的液压冲击,其瞬间压力值可高达正常压力的好几倍,使液压元件、管道和密封件损坏,引起液压启闭机与闸门振动,产生噪音。在液压系统中设置蓄能器,可以减小冲击波传播的距离,从而减缓液压冲击,延长设备的使用寿命。蓄能保压装置为闸门的安全运行提供了可靠的保证。

确定了采用蓄能器作为补泄保压锁定方案,我们又对各种形式蓄能器进行了对比。

蓄能器可分为重力加载式、弹簧加载式和气体加载式三大类。

重力加载式蓄能器是利用重锤的位能来储存能量。这种蓄能器产生的压力取决于重锤的重量和柱塞的大小。其优点是:结构简单;在输出油液的整个过程中,无论输出的多少和快慢,均可得到恒定的液体压力;能提供大容量的、压力较高的液体。其缺点是:体积大,笨重;运动部分的惯性大,不宜用其消除脉动和吸收液压冲击;密封处容易漏油,并有摩擦损失。国内某工程泄洪底孔偏心铰弧门液压启闭机曾采用重力加载式蓄能器作为防止活塞杆下沉的措施,由于该蓄能器的动力源是一个重40t的加重箱,只适用于某一水位下油缸的油压,不能进行不同情况的保压、锁紧,所以不适合偏心铰弧门液压启闭机的锁定要求。该蓄能器已从油路中撤除。

弹簧加载式蓄能器是利用弹簧的压缩能来储存能量。这种蓄能器产生的压力取决于弹簧的刚度和压缩量。其优点是结构简单,缺点是容量小,若用于高压和大容量的系统,有变得庞大笨重的趋势,而且使用寿命取决于弹簧寿命。

气体加载式蓄能器的工作原理是建立在玻意耳定律的基础上的。在使用时首先向蓄能器充以预定压力的空气或氮气，然后在液压泵压力的作用下，油液进入蓄能器，压缩其气囊（隔膜或活塞），气腔和油腔压力始终相等，从而使气囊（隔膜或活塞）处于浮动平衡状态。当系统需要油时，在气体压力作用下使油液排出。

气体加载式蓄能器又分为非隔离式和隔离式两种。非隔离式蓄能器由一个封闭的壳体组成，壳体底部有个液体口，顶部有个充气阀。气体（一般用氮气等惰性气体）被封在壳体的上部，液体处在壳体下部，气体直接与液体接触。这种蓄能器的优点是容量大、惯性小、反应灵敏、占地面积小、没有机械摩擦损失。其缺点是气体易被油液吸收，而当系统压力达到下限时，所吸收的气体又分离出来混在系统液体中，使系统工作不稳定，某些情况下产生气蚀使元件损坏；气体消耗量大，必须经常充气。隔离式蓄能器中，气体与液体之间有个隔离件，气体不易混入油中。它能有效地利用气体的压缩性。隔离式蓄能器又分为非可挠型和可挠型两类。非可挠型蓄能器有活塞式、差动活塞式和柱塞式。可挠型蓄能器有气囊式、隔膜式、直通气囊式、盒式和金属波纹管式等。其中气囊式蓄能器的优点是：气腔和油腔之间密封可靠，二者之间无泄漏；胶囊惯性小，反应灵敏；结构紧凑，尺寸小、重量轻；容易维护。

通过分析研究，选择了响应迅速、动作灵敏、使用方便的气囊式蓄能器。

气囊式蓄能器主要参数计算如下：

（1）蓄能器总容积。闸门在局部开启或全开时，对于维持压力、补偿泄漏的蓄能器，其释放能量的速度缓慢，可认为蓄能器在等温条件下工作。蓄能器总容积 $V_0$ 可用式（20-5-1）计算：

$$V_0 = \Delta V_0 / [P_0(\frac{1}{P_1} - \frac{1}{P_2})] \tag{20-5-1}$$

式中　$\Delta V_0$——蓄能器有效容积；

$P_0$——充气压力；

$P_1$——蓄能器最低工作压力；

$P_2$——蓄能器最高工作压力。

（2）蓄能器有效容积。蓄能器有效容积可按式（20-5-2）计算：

$$\Delta V_0 = 1.3\Delta V_0' \tag{20-5-2}$$

式中　$\Delta V_0$——蓄能器有效容积；

$\Delta V_0'$——油缸最大泄漏量，$\Delta V_0' = \omega_0\Delta$，其中 $\omega_0$ 为油缸有杆腔面积，$\Delta$ 为无蓄能器时油缸活塞下沉量，$\Delta = 100\text{mm}/10\text{d}$；

1.3——容积储备系数。

（3）充气压力。用于泄漏补偿的蓄能器，其充气压力的确定首先应考虑使蓄能器容积最小，而单位容积的蓄能量最大，再考虑胶囊寿命，尽量延长其使用寿命。

充气压力可按经验公式（20-5-3）计算：

$$P_0 \approx (0.8 \sim 0.85) P_1 \tag{20-5-3}$$

式中符号含义同前。

加拿大哥伦比亚瑞为斯托克(REVELSTOKE)工程泄洪洞的弧门液压启闭机采用蓄能保压装置,对闸门进行保压和锁定。其技术先进,操作简便,有效地减少了闸门的下沉。我国尚无在偏心铰弧门液压启闭机中采用蓄能保压系统的先例,小浪底工程偏心铰弧门液压启闭机中配置的蓄能器采用了美国 VICKERS 公司的产品,整套装置技术先进,达到了国际先进水平。

7. 阀件选型

在液压系统中,液压阀控制油液的压力、流量及方向,从而控制液压缸的拉力或推力、速度、方向以及动作顺序等,以满足设备的运行要求。液压阀性能的好坏对液压系统的静特性、动特性、工作可靠性有直接的影响。例如,作用在液压阀上的液动力,不仅影响液压阀的操纵力或控制力大小,而且还影响液压阀的稳定性;滑阀式液压阀的卡紧力,即液压卡紧现象,使液压阀不能正常工作,严重时还会造成事故。正确地选择液压阀将有助于液压系统正常、稳定地工作。

液压阀应满足噪声低、寿命长、抗污染能力强、小型化、轻量化、密封性能好以及安装、调整、维护保养方便等项性能。另外,各类液压阀还有其特殊要求,如换向阀要求换向灵敏、可靠、平稳,并且压力损失小、冲击与振动小;节流阀要求具有足够的流量调节范围和最小稳定流量,温度与压力的变化对节流阀的流量控制影响小,调节性能好等。

20 世纪 80 年代以前,我国已建工程的大型液压启闭机多采用常规滑阀式控制阀,且工作压力较低(约小于 15MPa),主要原因是国产液压元件普遍存在加工质量偏低、阀件反应灵敏性差、调节性能不稳定和漏油等问题,产品质量难以保证,并且工作压力越大漏油现象越严重。所以,为保证较低的工作压力,启闭机油缸内径往往较大,增加了油缸的自重。而摇摆式油缸因自重引起的挠度偏大时,直接影响闸门的平稳运行。所以液压阀件的质量直接关系到液压启闭机的整机质量。

与常规滑阀相比,插装阀作为一种新型液压元件,靠阀芯和阀座所形成的线接触密封,密封线接触明确,加工简单,完全不同于传统普通滑阀的间隙密封,从而有效地解决了阀组的泄漏问题。因为没有遮盖量,所以响应时间短,并允许快速转接。插装阀通过小通径且性能稳定的滑阀作先导阀,控制高压大流量的液压系统,可以得到方向、流量和压力方面的复合功能,反应灵敏,基本无泄漏,噪音低,易于满足启闭机运行平稳、工作可靠的要求。由于插装件直接组合在块体上的阀孔内,系统避免了与配管有关的泄漏,其动静压精度以及抗震性能均比传统阀件大大提高,从而提高了可靠性。复合功能的插装阀可以很紧凑地构成系统,使管路简化,减小了配件的尺寸和重量。可以说,插装阀在这里充分发挥了它的优势,其适用于大功率、高压大流量油路系统的性能尤其适合于水利工程的大型液压启闭机。

该启闭机液压系统的系统阀组采用插装阀技术,由国产插装阀与进口优质先导阀相结合,既适合中国国情又满足液压元件高性能、无泄漏的要求。由于采用插装阀技术,小浪底工程液压启闭机最大工作压力达到 18 ~ 20MPa。工作压力的提高使油缸、活塞杆的直径与重量有所减小,既保证其平稳运行,又节约了成本。液压启闭机的运行情况表明,插装阀响应快,调节性能稳定,噪声低,无泄漏,闸门启闭运行平稳可靠。由于插装阀组的无管连接,检修相当方便。

8.安全锁定阀

安装在油缸有杆腔油口的安全锁定阀,能够维持液压缸不受负载变化影响,并将油缸与油管隔离,防止油管破裂时油缸下腔油液流出造成关门的事故。

根据启闭机的运行特点和环境条件,设计采用简易型锁定阀,由液控单向阀与截止阀组合而成,结构简单可靠。一般情况下,油缸有杆腔油液不能排出,安全锁定阀使油缸处于锁定状态,使闸门全开或局部开启状态不受水流冲击的影响,长期可靠地停止在任何位置;仅在下门时液控回路与压力油接通,施压打开单向阀,闸门才能下降。检修油缸时关闭截止阀,可防止油缸内油液外泄。由于偏心铰弧门液压启闭机主缸为摆动式,管道在与油缸连接时采用了高压软管。高压软管存在橡胶老化、管道易爆裂的问题,所以在油缸下腔采用软管连接时,油缸安全锁定阀的紧急闭锁功能尤为重要。

9.启闭机的安全保护

启闭机液压系统采取了以下安全保护措施:

(1)主、副油缸连锁,动作顺序明确,消除了误动作可能造成的损害。

(2)系统具有活塞杆下沉复位功能。闸门在某一位置保持一段时间后,由于漏油活塞杆可能下沉,当达到设定的下沉量时系统将自动起动油泵,确保闸门位置。

(3)在系统保护中设定了上下腔的过压保护。在启闭闸门时,若油压超过设定的油压,由压力继电器发讯,切断电源,使电机停止运行。若压力继电器失灵,系统中的溢流阀卸荷,确保设备安全。

(4)工作时,如果工作泵出现故障,压力过低时,将自动切换起动备用泵组。

(5)电机过载时,热继电器将发讯切断电源。

(6)当油箱液位过高或偏低时,系统将发讯,液位太低时,系统将立即停止工作,以保护油泵。

(7)当滤油器堵塞时,系统将发讯,以提醒管理人员对相应滤油器进行更换或清洗。

**(三)孔板洞中闸室液压启闭机**

小浪底工程布置了3条孔板洞,主要担负枢纽泄洪和调节流量任务。在3条孔板洞的中间闸室各设置了两扇带有突扩门槽和压紧式封水的偏心铰弧形工作闸门,分别由6套液压启闭机操纵。每套启闭机各有独立的液压泵站和控制系统,分别布置在3个地下启闭机室内。闸门孔口尺寸4.8m×4.8m,设计水头140.00m,总水压力62.55MN。孔板洞工作门是小浪底水利枢纽中设计水头最高的闸门。启闭机的主要技术参数见表20-5-1,启闭机与弧门的布置关系见图20-5-3。

孔板洞中间闸室偏心铰弧门启闭机与排沙洞出口工作门启闭机的布置形式相似,工作原理以及液压系统原理也相同。不同的是每条孔板洞的中间闸室并排布置了两扇闸门,因此启闭设备也需要布置两套。闸门运行时要求两门同时启闭,且不允许局部开启运用。因此,两套启闭机的控制系统进行了同步控制连锁。两扇闸门启闭的最大不同步误差控制在200mm以内。启闭机室的顶部设有检修吊,可供启闭机或闸门安装及维护以及闸门更换封水等之用。房顶设有直径3m的竖井,作为闸室通风或零星物件的吊物孔。

**(四)明流洞进口闸室液压启闭机**

明流洞进口弧形闸门布置在进水塔内,为圆柱铰支承结构,采用摇摆式双作用液压启

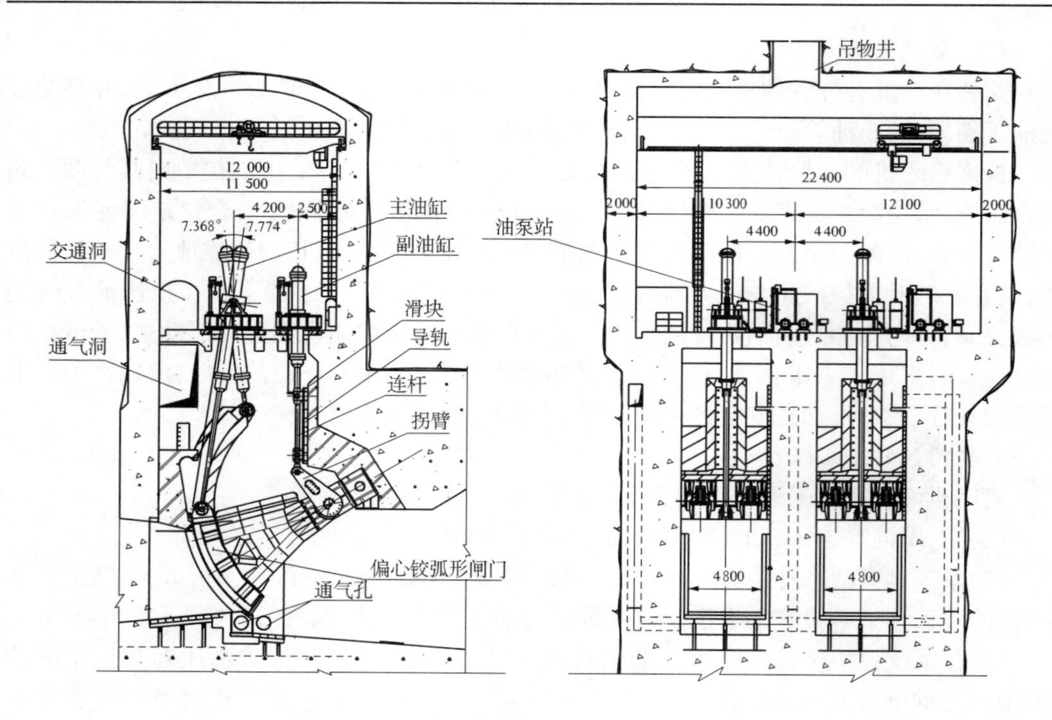


图 20-5-3　1 号孔板洞液压启闭机布置　(单位:mm)

闭机操作,液压泵站与缸室采用分层布置方案,液压泵站层高于缸室层,这种布置方式可改善泵站的工作环境条件。明流洞液压启闭机的最大行程为 12.5m,油缸的内径达 720mm,在所有液压启闭机中尺寸和容量最大。液压启闭机主要技术参数见表 20-5-1,启闭机与弧门的布置关系见图 20-5-4,液压系统原理见图 20-5-5。

明流洞液压启闭机上的静密封件全部采用美国 URANUS 的 O 形橡胶密封圈, 活塞和活塞杆的密封件采用德国 MERKEL 的 V 形密封圈和防尘圈。同时,在下端盖增加调整垫片组,以便在运行中保持 V 形密封圈足够的预紧压力,防止泄漏。

缸筒采用进口无缝钢管,材质相当于国内 45 号钢。缸筒与缸筒法兰对焊,以减小无缝钢管长度和缸筒法兰直径,缸筒、缸筒法兰、支承体的连接焊缝为一类焊缝,探伤范围 100%。缸体内表面珩磨。活塞杆材质为 45 号钢,镀铬后上大型珩磨机珩磨。缸筒和活塞杆的表面粗糙度为 0.4μm,以满足密封件的要求。

小浪底工程明流洞的大型液压启闭机的成功制造,表明国内液压启闭机的制造水平已有很大提高。

### (五)防淤闸液压启闭机

电站尾水渠设有 6 扇表孔斜支臂弧形闸门,当水轮机停机时,用以关闭尾水渠,防止泄洪排沙洞下泄水流或大河回水所挟带的泥沙淤塞尾水渠,影响发电。6 孔弧形闸门配备有 6 套单作用双缸液压启闭机。每套启闭机各有独立的液压泵站和控制系统,分别布置在 4 座泵房内。液压泵站设两套油泵电机组,按一主一备配置。防淤闸液压启闭机设远方和现地两种控制方式。启闭机与弧门的布置关系见图 20-5-6,启闭机液压系统原理见图 20-5-7。

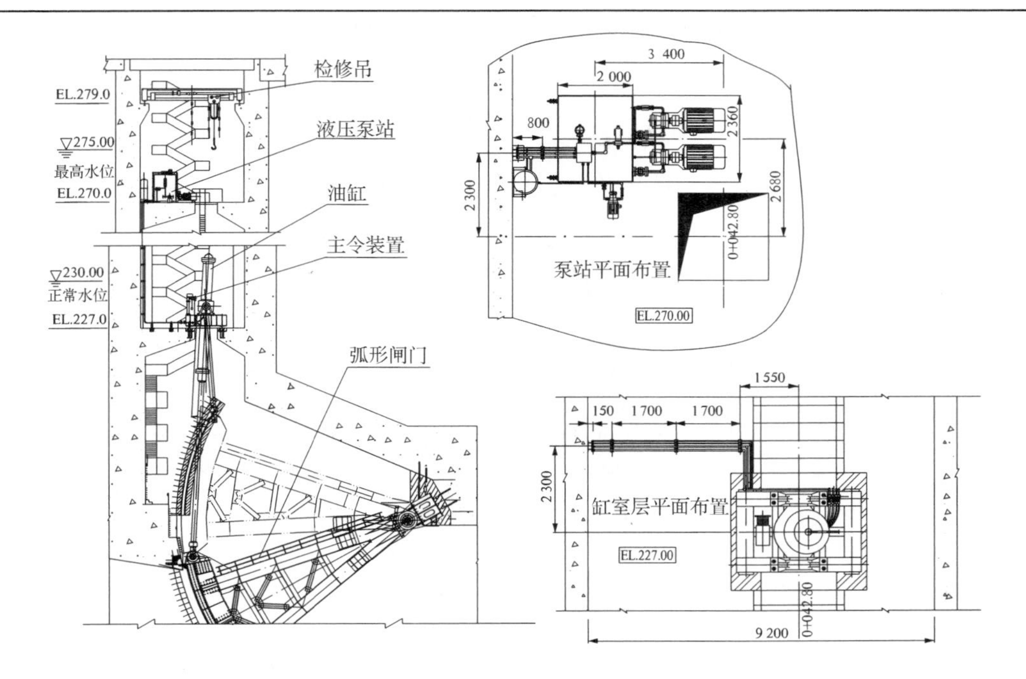


**图 20-5-4 1号明流洞进口闸室液压启闭机布置**

(图中高程单位为 m,尺寸单位为 mm)

防淤闸液压启闭机的下腔油路上装有蓄能器和安全锁定阀,分别用以防止油液泄漏引起闸门下沉和油缸下腔油管破裂导致的闸门跌落事故。闸门的位置控制靠带有高度传感器的主令控制装置来实现。

油缸上吊头安装在闸墩的悬臂支承铰轴上,下吊头与闸门吊耳相连。上、下吊耳均装配了德国产的 SKF 球面自润滑轴承。

液压启闭机泵房布置在闸墩上,7 个闸墩共布置 4 座泵房,两个边墩各一座,中墩每隔一个闸墩布置一座。每座边墩泵房内布置一套液压泵站,每座中墩泵房内布置两套液压泵站,闸门或启闭机检修时,用闸墩上的机械锁定装置锁定闸门。

1)闸门提升

按"闸门提升"按钮,10s 后电磁铁 1DT、3DT 通电,压力油进入左右两组油缸下腔,闸门提升。当闸门达到上极限位置时 1DT、3DT 自动断电,5s 后工作泵组断电,位置指示灯亮。

2)闸门下降

按"闸门下降"按钮,10s 后电磁铁 2DT、4DT 通电,控制油路打开左右油缸下腔锁定阀,接通左右油缸上腔主油路,闸门下降,当闸门达到全关位置时 2DT、4DT 断电,5s 后工作泵组断电,位置指示灯亮。

3)双缸同步控制

操作闸门运行时,利用两台高度传感器显示出闸门两侧的开启高度和同步差。当提升闸门时两侧同步差达到 30mm 时(下降闸门时无此要求),指示灯发出信号,自动切断电源,电机停止运行。通过现场人工调节左右油缸下腔的单向节流阀纠正偏差。

4)蓄能器补泄与下沉复位

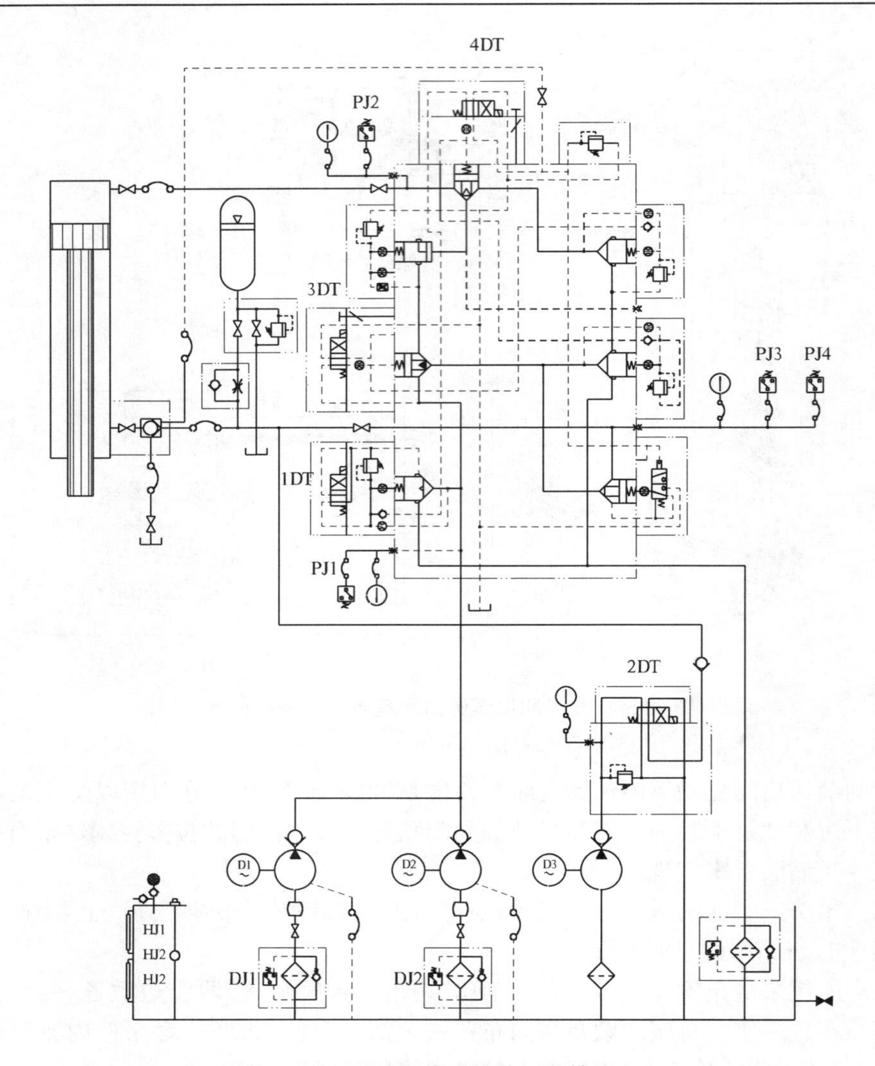


**图 20-5-5　明流洞启闭机液压系统原理**

提升闸门时油泵同时向蓄能器充压。当闸门全开后停机，蓄能器可通过对有杆腔进行自动补泄和系统保压，使闸门保持在全开位置。

若活塞杆密封或安全锁定阀等发生泄漏，蓄能器的压力会下降，导致闸门下沉，则当下沉 200mm 时，指示灯亮，工作油泵自动起动，经一定延时后，电磁铁 1DT、3DT 通电，压力油进入左右油缸下腔，提升闸门至全开位置，同时蓄能器充压。

闸门下沉 200mm 时，工作油泵未起动，闸门继续下沉至 300mm 时，指示灯亮，备用油泵空载起动，经过延时后，电磁铁 1DT、3DT 通电，压力油进入左右两缸下腔，提升闸门至全开位置，同时蓄能器充压。

5）启闭机的保护

（1）启闭机动作时，工作油泵或电动机有故障时，系统自动切换备用电机——泵组，并发出报警信号。

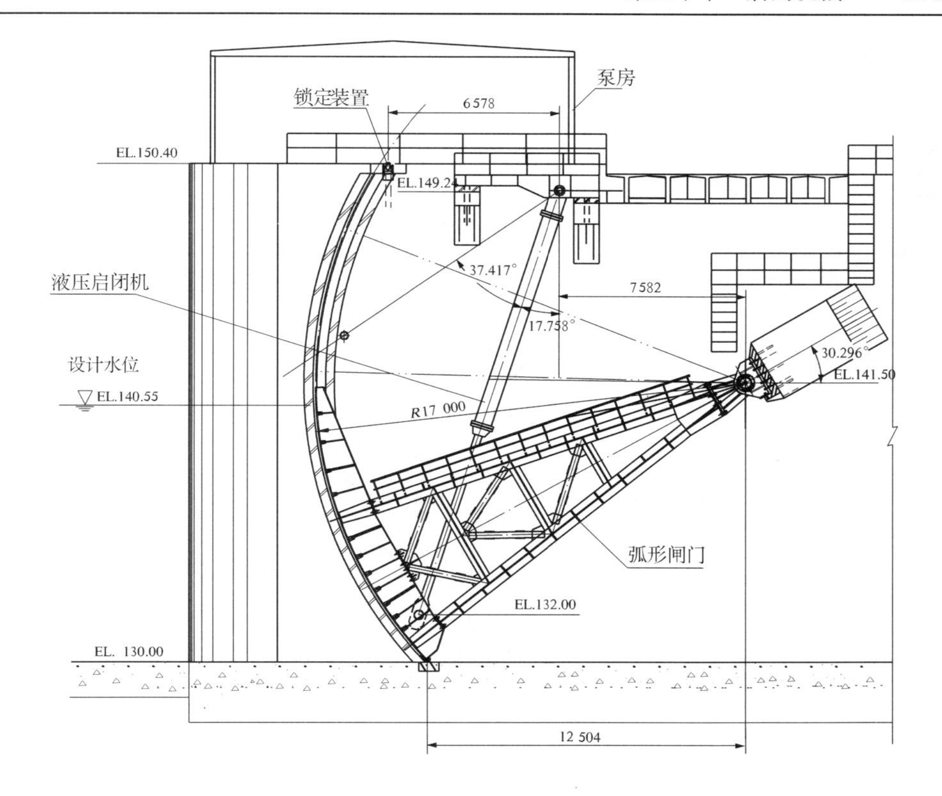


**图 20-5-6　防淤闸液压启闭机布置**

(图中高程单位为 m,尺寸单位为 mm)

(2)提门时,油缸下腔油压超过设定压力值(19MPa)时,下腔油路的压力继电器动作,电机停止运行,并发出报警信号。

(3)闭门时,油缸上腔油压超过设定压力值(5MPa)时,上腔油路的压力继电器动作,电机停止运行,并发出报警信号。

(4)当油泵压力低于 3MPa 时,表明泵组出了故障,系统自动发出报警信号,同时自动切换至备用泵组。

(5)当油缸下腔压力低于 10MPa 时,表明蓄能器失压,补油泵向蓄能器充压。

(6)当油泵电机在运行过程中过载时,系统自动切断电源,电机停止运行。

(7)油箱油位太高、偏低或太低时,油箱油位指示器动作并发出报警信号。油位降到最低极限位置时,系统自动切断电源,停止运行,并发出报警信号。

(8)当滤油器堵塞时,系统自动发出报警信号,提醒操作人员及时更换滤芯。超过设定压力值时,滤油器旁路自动接通。

**(六)发电洞液压启闭机**

发电洞的进水塔设有平面定轮事故检修闸门,当水轮机发生事故时,可在 2min 内快速下闸关闭孔口,以防止发生飞逸事故。为此,配备有单作用快速液压启闭机,液压启闭机主要技术参数见表 20-5-1。启闭机的布置见图 20-5-8。

小浪底工程共有 6 条发电洞,每洞设 1 扇平面定轮事故闸门、1 套液压启闭机。每套

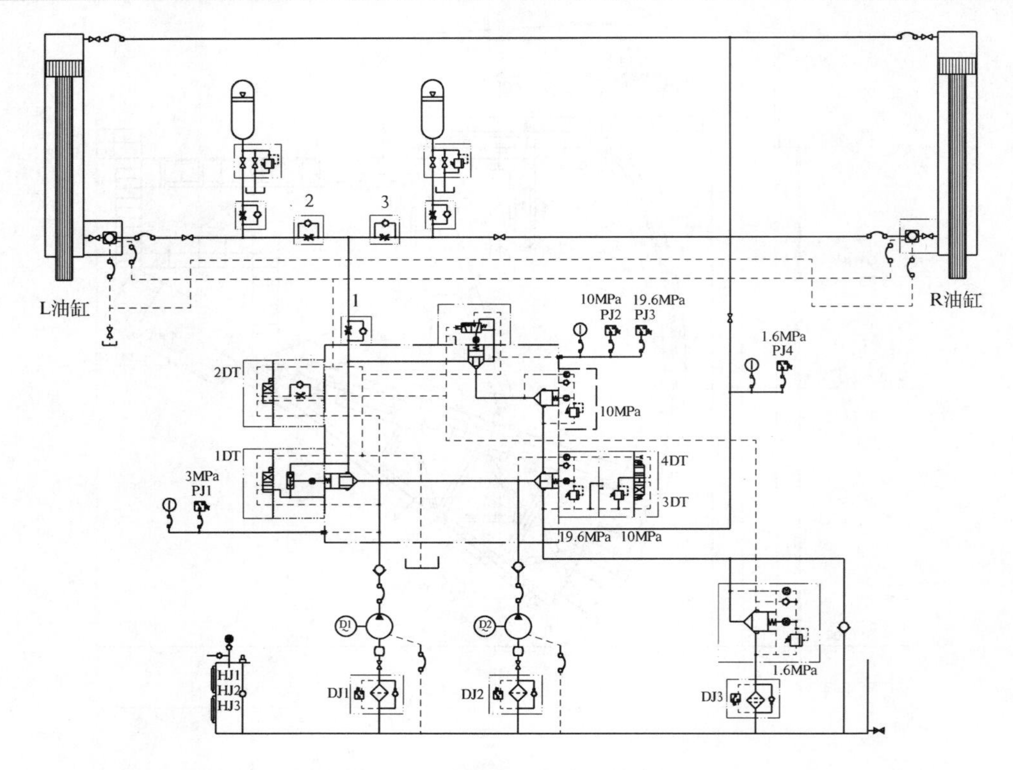


图 20-5-7　防淤闸启闭机液压系统原理

启闭机均有独立的液压泵站和控制系统，分别布置在各自的启闭机室内，启闭机基础层高程为 276.5m。快速闸门在机组运行时，悬吊在孔口上方 0.5～1.0m 处，处于应急备用快速下落状态。

每台启闭机泵站设有两套油泵电机组，其中 1 套作为工作泵组，1 套作为备用泵组，互为备用。两套油泵电机组共用 1 套液压控制阀块，油箱、管道均采用不锈钢材料。

发电洞快速闸门液压启闭机为垂直式固定安装，活塞杆下接拉杆，靠闸门自重快速闭门，快速闭门过程中液压启闭机不通电。油缸下腔的油液直接回到油缸上腔，不足部分由补油箱供给。液压系统原理见图 20-5-9。

该启闭机由于下腔与上腔连接的管道通径较大，且下腔油路通过泵站的控制阀组再回到上腔，所以在布置上使泵站尽可能靠近油缸，管道的长度尽可能短、拐弯尽可能少。补油箱位于油缸上方，与油缸连为一体，使充液效果达到最佳，并使系统运作完全依靠油路自身进行控制。

在油缸上腔顶部以及油缸下腔各设一排气阀，以排出油液中的空气，防止油液的氧化和对零件的腐蚀以及使油缸产生的爬行现象。考虑到排气阀孔可能对密封件造成刮伤，在设计中将下腔的排气阀孔设置于缸体内腔底部，使活塞运行至底端时排气阀孔仍与密封件保持一段距离，从而消除了对密封件可能造成不利影响的因素。该启闭机还选用了美国 VICKERS 公司的空气滤清器，使系统增加了防潮功能。

不少工程经验已经证明，如果油缸的加工精度达不到密封件的要求，将仍然达不到预期的密封效果，或者大大缩短密封件的寿命。在设计中，要求缸体内孔的直线度公差不大

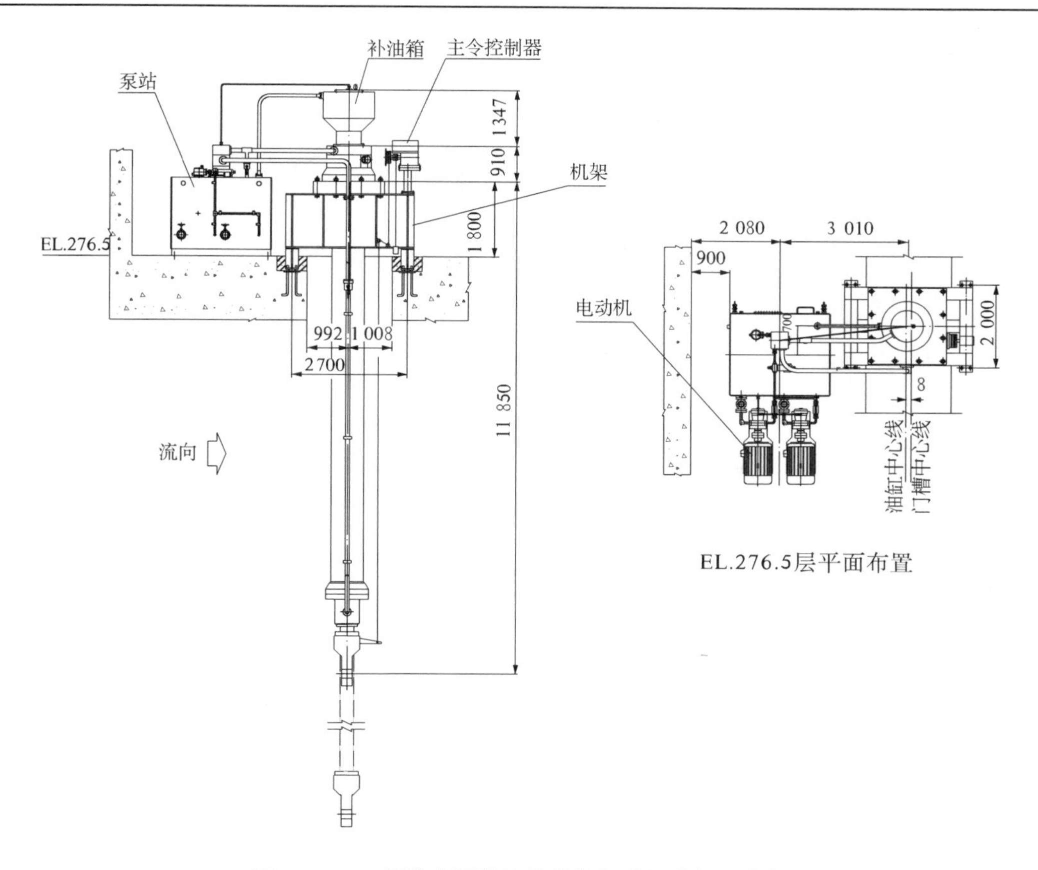


**图 20-5-8　1 号发电洞快速事故闸门液压启闭机布置**

(图中高程单位为 m,尺寸单位为 mm)

于 0.2/ 1000,粗糙度为 0.3μm,以满足密封件的使用要求。

油缸下腔出口处设置的节流孔板在快速闭门时用以节流,并通过调速阀进行速度调节,使其可在 2min 以内快速闭门,油缸中设置的缓冲装置使闸门在接近底坎时速度降至 5m/min 以下。

在油缸的机架上安装有开度传感器和主令控制装置,它由齿轮传动机构、闸门开度传感器、主令控制器、卷筒、钢丝绳、重锤等组成。通过固定在吊头上的钢丝绳带动卷筒旋转,从而带动齿轮、传感器、主令控制器旋转,显示和控制闸门的启闭高度和位置。闸门开度传感器能够实现在机旁的控制屏和远方控制室分别显示出闸门的开度位置。主令控制装置用以控制闸门的上、下极限位置。

发电塔事故闸门液压启闭机设远方和现场两种控制方式。远方和现场均可控制闸门运行;现场操作仅在安装调试检修时使用。启闭机的主要动作过程及保护如下。

1. 起动与停机

按起动按钮,油泵电机空载起动。当达到额定转速时才允许主油路接通。所有动作(除快速下降动作以外)必须在电机起动 10s 后才可以有相关的电磁铁动作;动作停止要关电机时,必须在所有电磁铁失电 5s 后电机才能停转。

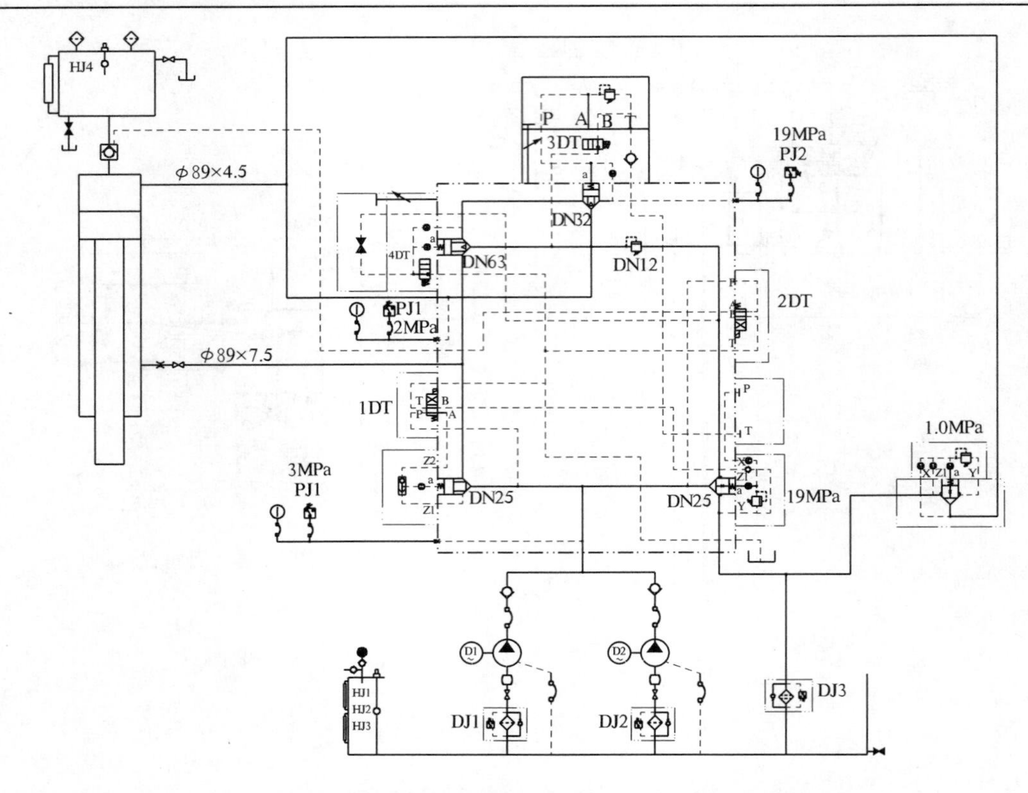


**图 20-5-9 发电洞快速事故闸门启闭机液压系统原理**

2. 启门

启门时,按"充水阀"按钮进行充水平压,当压差降至规定数值时,电接点压力表触点动作,发出音响信号,表明完成充水动作。当确认闸门充水平压后,按"起动"按钮,当电机转速达到额定转速后,按下"提升"按钮,如果高位油箱液位正常,电磁铁 1DT、2DT 通电,卸荷口关闭,同时压力油进入油缸下腔,上腔油液将经溢流阀和过滤器回主油箱;至全开位置后,主令控制器发讯,电磁铁 1DT、2DT 断电,延时 5s,工作泵断电退出。

如果按下"提升"按钮时,高位油箱液位偏低,电磁铁 1DT 通电,卸荷口关闭,压力油进入油缸下腔;由于充液阀的开启,上腔油进入高位油箱,当高位油箱液位升高至 HJ4 发讯时,电磁铁 2DT 通电,上腔油液将经溢流阀和过滤器回主油箱;至全开位置后,主令控制器发讯,电磁铁 1DT、2DT 断电,延时 5s,工作泵断电退出。

3. 闭门

1)常速下降

按"起动"按钮,当电机转速达到额定转速后,按"下降"按钮,电磁铁 1DT、2DT、3DT 通电,卸荷口关闭,同时压力油进入油缸上腔,闸门下降。至全关位置时,主令控制器发讯,电磁铁 1DT、2DT、3DT 断电,延时 5s 工作,泵断电退出。

2)快速闭门

(1)手动操作。按"快速下降"按钮,电磁铁 4DT 通电,接通油缸上下腔,油缸差动快速下降。(快速下降不需要启动电机)

(2)自动操作。当水轮机组发生事故,可能产生“飞逸”时,机组保护电气设备自动动作,系统自动接通电磁铁 4DT,闸门快速下降。

4. 装卸拉杆

装卸拉杆时,可能需要进行点动微升或微降,以保证就位准确,便于进行穿脱轴操作。为此,电气控制屏设有“点停提升”按钮和“点停下降”按钮。按住按钮时,油泵空转;松开按钮时,活塞上升(或下降)。利用这些按钮即可实现拉杆的微动和就位。待拉杆准确到位后,按下“停止”按钮,相关电磁铁断电,延时 5s,工作泵断电退出。此时即可进行拉杆锁定、穿脱轴操作和装卸拉杆作业。

5. 下沉复位

当闸门在某一位置保持一段时间后,由于漏油活塞杆可能下沉。

(1)当活塞杆下沉 200mm 时,指示灯亮,主令控制器发讯,工作泵自动起动,延时 10s,电磁铁 1DT 通电,压力油进入油缸下腔,活塞杆上升 200mm 后,主令控制器发讯,电磁铁 1DT 断电,延时 5s,工作泵断电退出。

(2)当活塞杆下沉 200mm 时,工作泵未起动,活塞杆继续下沉至 300mm 时,指示灯亮,主令控制器发讯,工作泵退出,延时 5s,起动备用泵,延时 10s,电磁铁 1DT 通电,压力油进入油缸下腔,活塞杆上升 200mm 后,主令控制器发讯,电磁铁 1DT 断电,延时 5s,备用泵断电退出。

6. 保护

(1)提门时,若油缸下腔的油压超过设计油压的 10%,压力继电器 PJ2 发讯,系统发出声光讯号,同时切断电源,电机停止运行。

(2)常速下门时,若油缸上腔的油压超过设计油压的 10%,压力继电器 PJ3 发讯,系统发出声光讯号,同时切断电源,电机停止运行。

(3)当起动工作泵 5s 后或油缸在动作时,若工作泵发生故障,压力过低,则压力继电器 PJ1 发讯,系统发出声光讯号,同时工作泵退出,延时 5s,起动备用泵。若备用泵仍有故障,切断电源,电机停止运行。

(4)当油泵电机组在运行中过载时,热继电器动作,系统发出声光讯号,同时切断电源,电机停止运行。

(5)主油箱液位太高时 HJ1 发讯,有声光讯号;主油箱液位偏低时,HJ2 发讯,有声光讯号;补油箱油位偏低时 HJ4 发讯,有声光信号;主油箱液位太低时,HJ3 发讯,切断电源,电机停止运行,并有声光讯号。

(6)当 DJ1、DJ2、DJ3 发讯时,表示所对应的滤油器堵塞,并有声光讯号,维修人员应及时更换相应的滤芯。

声光讯号只有在现场控制屏上按按钮才能复归。

**(七)溢洪道液压启闭机**

小浪底工程的 3 孔溢洪道装有 3 扇表孔斜支臂弧形闸门,运行条件为动水启闭。闸门采用 3 套双缸、单作用液压机操作。每套液压启闭机均设有独立的液压动力站和电控系统,分别布置在 3 个闸墩上的启闭机泵房内。油缸上吊头安装在固定于闸墩上的悬臂式支承铰轴上,下吊头与闸门相联。上、下吊耳均装配德国产 SKF 球面自润滑轴承,其主要技术参数见表 20-5-1,启闭机的布置见图 20-5-10,液压系统原理见图 20-5-11。

液压系统为开式回路，与液压油缸并联连接。每台液压启闭机配置的现地控制柜除可独立进行现地操作外，也可利用预留的接口与上位机连接，以实现远方操作。液压系统内带有旁路泄油的同步纠偏系统，配以相应的同步检测、信号传输和电控元件，可实现弧形闸门的同步升降，保证泄洪设施的正常运行。

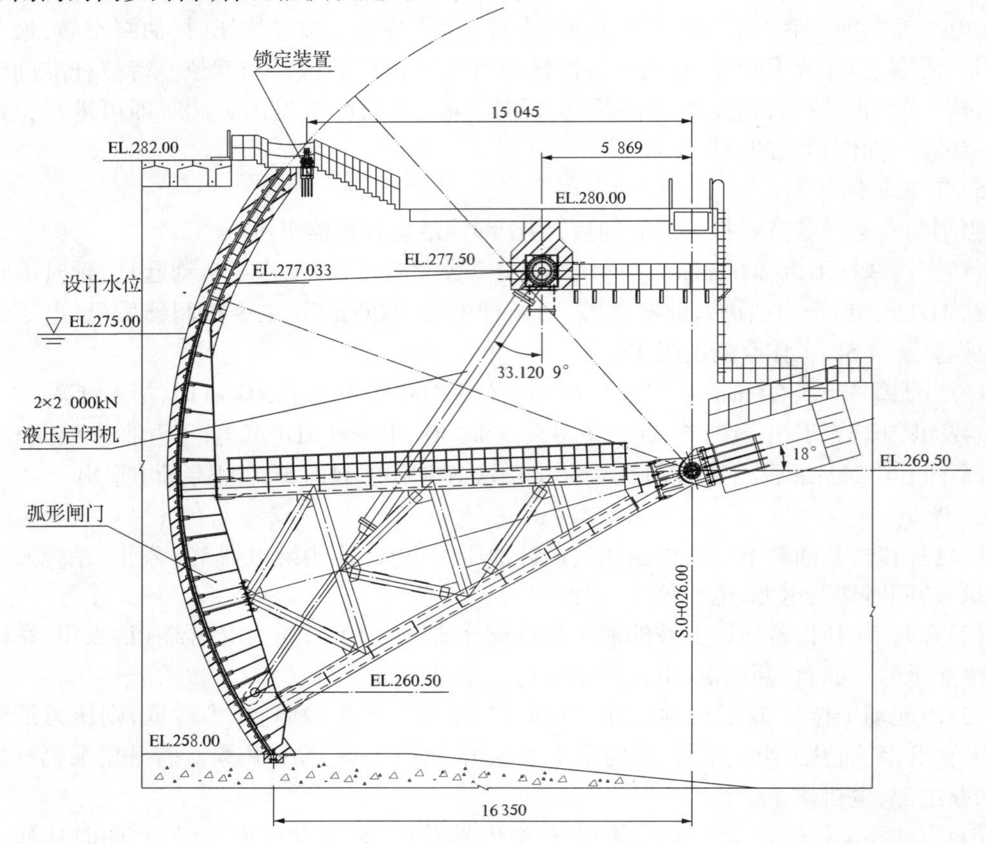


**图 20-5-10　溢洪道液压启闭机布置**

（图中高程单位为 m，尺寸单位为 mm）

液压启闭机的设计，包括油缸、动力站、液压管道和电控系统的设计，除符合我国水工启闭机设计规范外，还符合德国 DIN19704 水工钢结构设计和计算标准。

1. 液压动力站

动力站设计采用分散型布置方案，由一台不锈钢油箱与两台箱旁布置的卧式泵组组成。

油箱上配备所需全部配件，包括放油阀、油量油温计、高低油位开关、注油器及通风过滤器等。通风器上配备防潮湿装置，以确保空气进入油箱前能除去水分，避免因空气水分在油箱内凝结后污染液压油。

两台泵组均配有变量液压柱塞泵，泵组装配位置在油箱旁。在投入运行时只使用一台泵组，另一组为备用。当运作中的泵组有故障停止运行时，可自动切换备用泵组继续系统运行。

每台液压泵的高压出口管道均配置单向阀、压力表和压力开关。

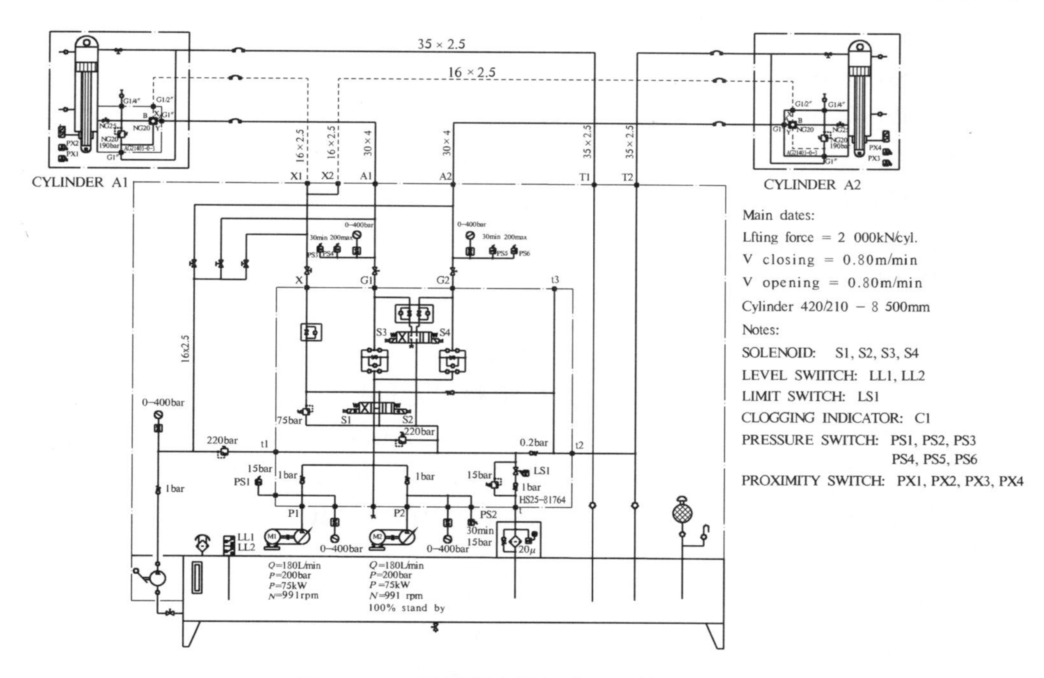


图 20-5-11　溢洪道启闭机液压系统原理

为简化液压系统布置,所有方向阀及控制阀件组装在一个多功能阀块上,此阀块固定于油箱顶盖上。

弧门的启闭动作由换向滑阀操控,经过换向滑阀后分成两路,每路由一流量控制阀控制每根油缸伸出或缩入的速度,以达到双缸同步动作。当双缸同步差超出预设值范围以外时,系统配置的另一换向滑阀将会启动换向,以旁路放油方式调整双缸同步。

动力站的系统最高压力由压力溢流阀设定,油缸下腔的压力溢流阀设定的工作最高压力,根据德国 DIN19704 标准,不超过 22MPa。

每根油缸的主要高压管道配置压力表以显示工作压力,另外还配置高、低压力开关,以便当管道破裂时有失压之系统保护及系统过载之高压保护。在液压回路中还配置了带有防堵塞指示器的旁通式回油过滤器,以保护液压系统回路。

为了液压油缸便于安装及维护工作,在系统回路上配置带接触开关球阀及压力溢流阀。当球阀关闭时,压力溢流阀所设定的背压(约 20bar)可以把油缸活塞杆向外推出。

2. 液压油缸

1)油缸设计数据

| | |
|---|---|
| 工作行程 | 8 500mm |
| 最大行程 | 8 600mm |
| 油缸吊头中心距离(全缩) | 11 705mm |
| 油缸吊头中心距离(全伸) | 20 350mm |
| 最大拉力 | 2 000kN |
| 油缸下腔最高动作压力 | 19.2MPa |
| 油缸上腔设计压力 | 1MPa |

| | |
|---|---|
| 油缸下腔设计压力 | 20MPa |
| 油缸上腔试验压力 | 1.5MPa |
| 油缸下腔试验压力 | 30MPa |
| 设计温度 | 最低 - 17℃　最高 + 60℃ |
| 油缸横移外力 | 不允许 |
| 油缸偏心外力 | 不允许 |
| 缸工作角度 | 54.602° |

2)油缸材质

| | |
|---|---|
| 活塞杆 | $42CrMo_4V$ |
| 缸体 | MW450 整体无缝钢管 |
| 活塞密封件 | 美国雪弗龙(Chevron)公司产品 |
| 活塞杆密封件 | 美国雪弗龙(Chevron)公司产品 |
| 活塞杆保护层 | 陶瓷涂层(CERAMAX1000) |

3)吊头轴承

| | |
|---|---|
| 活塞杆 | 球面自润滑轴承<br>GE200TA - 2RS ϕ200 |
| 缸体 | 球面自润滑轴承<br>GE280TA - 2RS ϕ280 |

4)油缸结构

液压油缸上下吊点均采用防水、免修的密封球面轴承,该装置可适应安装误差及消除油缸的整体横移外力。

液压油缸配置控制及安全阀组,此阀组上的无泄漏先导单向阀用作液压锁定油缸,确保活塞杆不会因自重自行下滑。除此之外,油缸上的压力溢流阀可保护油缸不会过载,上、下腔的球阀用以在油缸检修时关闭,确保油缸内的液压油在检修时不会外泄而污染环境。

油缸活塞杆表层为陶瓷保护层,材质规格为 CERAMAX1000。这种保护层是德国曼内斯曼力士乐公司在荷兰的海德洛戴恩(HYDRAUDYNE)子公司在 20 世纪 70 年代末期研制而成的专利技术。此种陶瓷保护层不仅具有良好的耐腐蚀、耐磨损和抗刮伤性能,而且有较高的硬度和足够的弹性可与活塞杆一起挠曲。它的耐冲击能力、抗弯强度和对金属的黏结力都足以承受在活塞杆机械强度极限之内的冲击和负载。此外,这种陶瓷保护层对液压缸的密封件及支承座无损害作用。采用这种保护层后不但延长了液压缸的寿命,也相应地减少了维修费用,而且陶瓷保护层的防锈性能及硬度均优于一般镀铬或镀镍层,在价格方面则和采用镍铬镀层相差不多。

与陶瓷保护层结合在一起的液压缸行程测量器(CIMS)是德国曼内斯曼力士乐公司海德洛戴恩子公司的另一项独特专利产品,可精确测量液压活塞杆的位置,以保证油缸同步运行的控制精度。该测量系统主要由下列部件组成(见图 20-5-12):

(1)沿活塞杆全长的钢材表面用数控机床加工出非常微小而精密的平头齿槽作为测量标志,然后再在带有平头齿槽的活塞杆表面喷涂不导磁的陶瓷保护层。

(2)在液压缸密封法兰上安装磁阻传感器,其位置必须对准活塞杆的轴线,以便精确地测量活塞杆的位置。

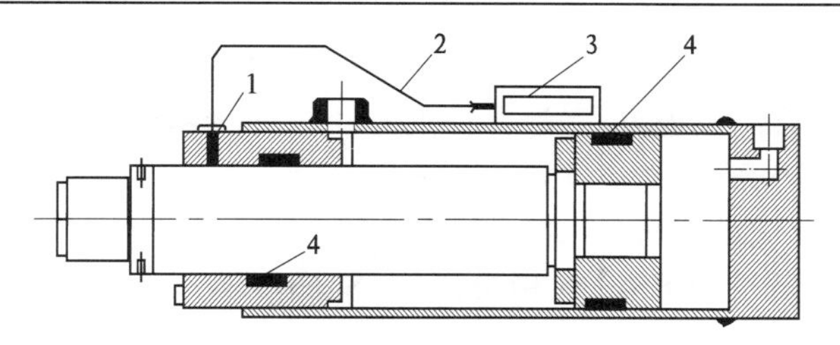


**图 20-5-12　液压缸陶瓷活塞杆行程测量系统**

1—磁阻传感器；2—信号电缆；3—电子控制盒；4—组合密封圈

(3)在距传感器不远的液压缸外壁上设置电子控制盒，以便将传感器输出的信号转换为逻辑计数增量差分脉冲信号。

(4)在传感器和电子控制盒之间用多股电缆相连。

当活塞杆在传感器下面移动时，由于活塞杆外表有平头齿槽能使传感器和活塞杆表面之间的距离发生变化，从而相应地引起磁场的变化，因而能测得活塞杆所处的具体位置(见图 20-5-13)。传感器被安装在一个由耐磨材料制成且摩擦系数低的滑动衬套内，滑动衬套又被安装在特殊形状的不锈钢外壳内，故既能保证传感器与活塞杆的接触，又能防水和防尘(见图 20-5-14)。

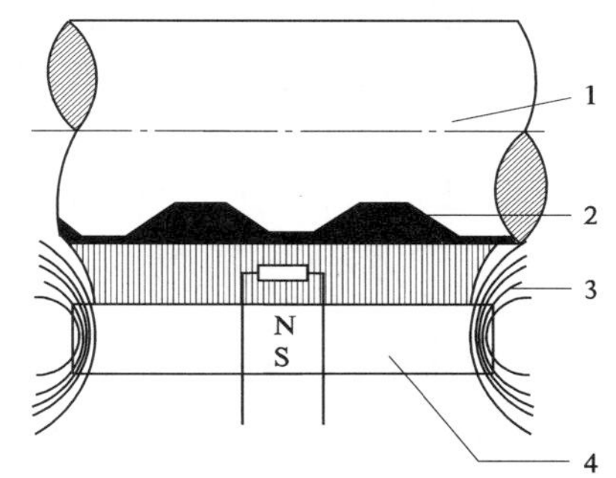


**图 20-5-13　陶瓷活塞杆行程测量系统作用原理**

1—钢制活塞杆；2—陶瓷保护层；3—磁场；4—永久磁体

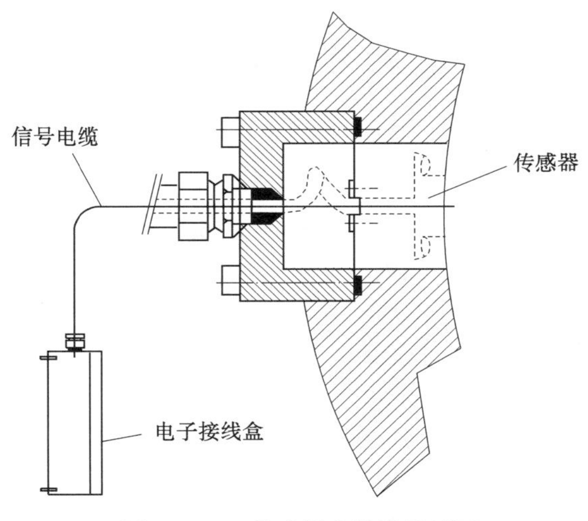


**图 20-5-14　传感器安装局部剖面**

行程测量器(CIMS)被安装到液压缸前端无压力区位置,并将其灵敏的感应轴精确地安装在与活塞杆相贴合的位置,不受活塞杆的角位移和挠曲位移影响。传感器被完全密封和保护在不锈钢的外壳内,而电缆接驳则采用一个防护等级为 IP67 的接头与传感器的不锈钢外壳连接,具有优良的密封性能。

传感器所输出的信号为 RS422A 微分输出(SN65176B),其读取活塞杆移动位置精度可达 1mm 以内。

为避免油缸活塞杆超出工作行程,根据我国规范的规定,在缸体上配置外置式限位开关,以便弧门达到全关或全开位置时限位开关发出讯号停止电机泵组运行,以确保设备的安全。

3. 电控系统

1)配置

电控系统分 3 个现地控制柜,每个控制柜位于弧门上方的控制室内,分别独立操作每套弧门液压系统。现地控制柜内均采用美国 AB 公司生产的 PLC 系统 SLC500 系列,该系列具备全套控制功能。机旁电气柜包括动力柜和 PLC 操作台。

2)操作方式

将弧门开启度设定为 0~9 级中的任一级(各级可现地任意更改对应开启值)。

当设定级数后,按下开门或关门按钮,便自动起动电机,并自动进行位置显示和纠偏,到位后自动停机。

每当执行启、闭操作后,系统会记录闸门位置、时间、日期等资料,并存放于 PLC 数据库内,供上位机使用,或供打印之用。

3)同步控制原理

弧门上液压缸行程测量器(CIMS),以 RS422A 方式传送到 CPU 内(分解度为 102.4 次/mm),将两边油缸位置进行比较及修正。当双缸同步差超出预设值范围以外时,配置的一个换向滑阀将会启动换向,以放油方式调整双缸同步。由于有高精度位移测量器,双缸同步的偏差可控制在 0~10mm 范围内。

## 第六节 清污机

### 一、清污机的主要技术参数

| | |
|---|---|
| 拦污栅孔口尺寸 | 4m×40m(4m×35m) |
| 拦污栅孔口数量 | 18 |
| 拦污栅条间距 | 200mm |
| 清污机抓斗叶条间距 | 200mm |
| 清污机抓斗容积 | $5m^3$ |
| 清污机升降速度 | 8m/min |
| 抓斗全开时间 | 10s |
| 抓斗全闭时间 | 15s |
| 液压系统工作压力 | 14MPa |

| | |
|---|---|
| 油泵额定排量 | 25L/min |
| 电动机功率 | 15kW |
| 清污机最大重量 | 37t |

## 二、清污机的结构设计特点

清污机的结构外形见图20-6-1。清污机主要由抓斗、液压传动装置和压重框三大部分组成。

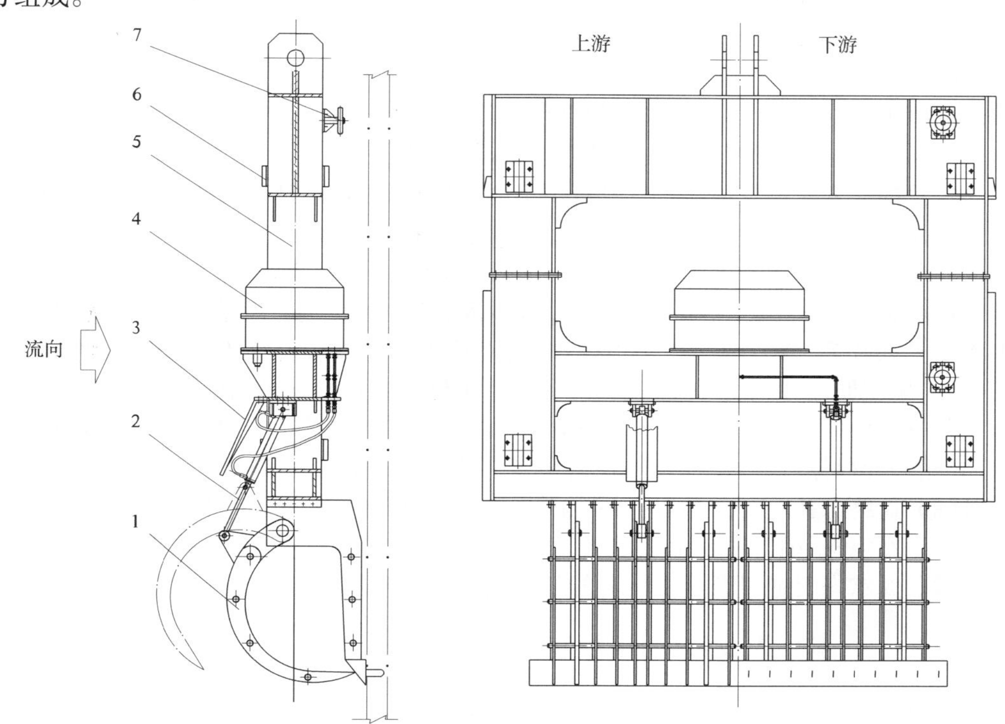


**图20-6-1　清污机结构外形**

1—抓斗;2—油缸;3—护罩;4—液压泵站;5—压重框;6—支撑滑块; 7—侧导轮

抓斗是清污机的主体,是清污机进行清污及容纳污物的主要构件。抓斗由固定叶片和转动叶片组成。其中固定叶片与拦污栅面贴合,其叶片的叶条形体呈倒L形,并与压重框采用刚性连接。转动叶片放在固定叶片的前面,其叶片的叶条形体呈半圆形,与固定叶片一起形成容纳污物的腔。抓斗叶片的叶条之间以若干横条进行串接,叶片的叶条间距与拦污栅条间距相同,但与拦污栅条交错布置。转动叶片可围绕固定叶片回转,并在拦污栅孔口宽度方向上设两组,每组转动叶片上各设置一台驱动液压缸,通过油路控制,可实现两组转动叶片同步开合,也可单独开合。

在抓斗的固定叶片上设有水平放置的双刃刀,沿孔口宽度全跨布置,其刀距与拦污栅条间距相同,但与拦污栅条交错布置。这些刀可深入到拦污栅条内,像梳子一样梳理拦污栅的栅条。特别是对于缠绕到栅条上且跨越两个以上栅条的、长的污物,在清污抓斗提升或下压时,靠这些刀的锋刃可将污物割断,使长的、大的污物变为短小的污物,以降低污物的阻水能力。因为这些较长的污物横搭在栅条上形成了新的“栅条”，使原本能通过拦污栅的短小污物也被阻挡在拦污栅前，降低了拦污栅的过水能力。

液压传动装置是清污机抓斗开合的驱动机构，它主要由电动机、油泵、油缸、油箱、阀组和管路组成。其中，电动机、油泵及阀件均布置在油箱的上盖上。由于这些部件要随清污机一起进入水下工作，因此在油箱上盖上设有密封罩，密封罩与油箱上盖的法兰间设有防水密封条。液压泵站的动力及信号控制电缆采用的是耐水强力多芯护套软电缆，并通过特制的防水密封插头与罩内的电器元件连接。信号电缆由设在门机上的电缆卷筒进行收放。防水密封部位均经受不小于2倍的工作水压、保压不少于30min的耐压试验。

油缸采用悬挂式安装。在抓斗开合过程中，油缸有一定的摆动，因此与油缸上、下腔连接的油管采用高强度柔性胶管，其他部位采用钢管或铜管。为防止硬性污物在高速水流的作用下撞击缸体或油管，在油缸的迎水面设置了防护罩。

压重框的主要作用是使清污机具有一定的下压力，以便使清污机能将深水区的大比重污物下压至泄洪排沙洞进口。压重框应具有多大的下压力才能将污物压下是一个较为复杂的问题。影响下压力的因素有多种，与污物的数量、种类、污物分布情况、清污机与导槽的摩擦阻力以及下压的污物与拦污栅条间的摩擦阻力，甚至与库水位的高低以及水的浮力大小等都有关，要精确计算是很困难的，设计中应考虑各种最不利的情况并留有余地。因此，压重框设计成箱形梁式结构，将压重块放置在箱形梁内，在使用中根据实际情况可增减框体内的压重块来调节清污机的下压力。压重框的另一个作用是靠设在其上的滑块、导轮和导板保持清污机沿滑槽内的导轨顺利升降，并使清污机在抓斗打开和闭合状态下升降时始终保持垂直和贴近拦污栅面并与拦污栅面保持适当间隙。

清污机在空斗、闭合和自由悬吊状态时应保持机体的垂直平衡状态，以方便清污机的顺利入槽。此状态可通过调整框架内的部分压重块位置来实现。

## 三、清污工作方式及其应用条件

清污机、门机和拦污栅在发电进口的布置关系见图20-6-2。清污机是由门机的600kN副钩操纵的，当某孔拦污栅前后的压差达到某一设定值时，拦污栅前后的水压差监测装置即发出报警信号，提示门机的操作人员将门机移动到该孔拦污栅上方实施清污。清污机在清污过程中的两个主要工作方式是“抓污”和“压污”。

清污机“抓污”工作方式主要针对漂浮在水面或浅水层中的污物。其操作过程是：先将抓斗下放，至检修平台以下时打开抓斗，继续下放抓斗至预定清污位置时（由位置传感器控制）停止；起动液压系统，马达空载运转，按“抓斗闭合”按钮，油缸活塞杆在压力油作用下前伸，驱动抓斗闭合，使污物进入斗内；闭合到位后由系统内设置的限位保护装置自动断开液压系统电路；再按“抓斗提升”按钮将其提出塔顶；开动门机大车运行机构至卸污地点，再打开抓斗卸污。

清污机的“压污”工作方式主要针对处于深水层的污物。由于压污方式是利用清污机将污物下压到拦污栅底槛以下的泄洪排沙洞口附近，再利用水流将污物吸入洞中排至下游的方法，因此压污工作也只有在排沙洞泄洪拉沙的情况下才能进行。压污的操作过程较为简单，先下放抓斗至检修平台以下，再打开抓斗到最大开度，一直将抓斗下放到底，直至将污物压到排沙洞口。故在压污过程中一般抓斗是一直开着的。但也可能出现例外，

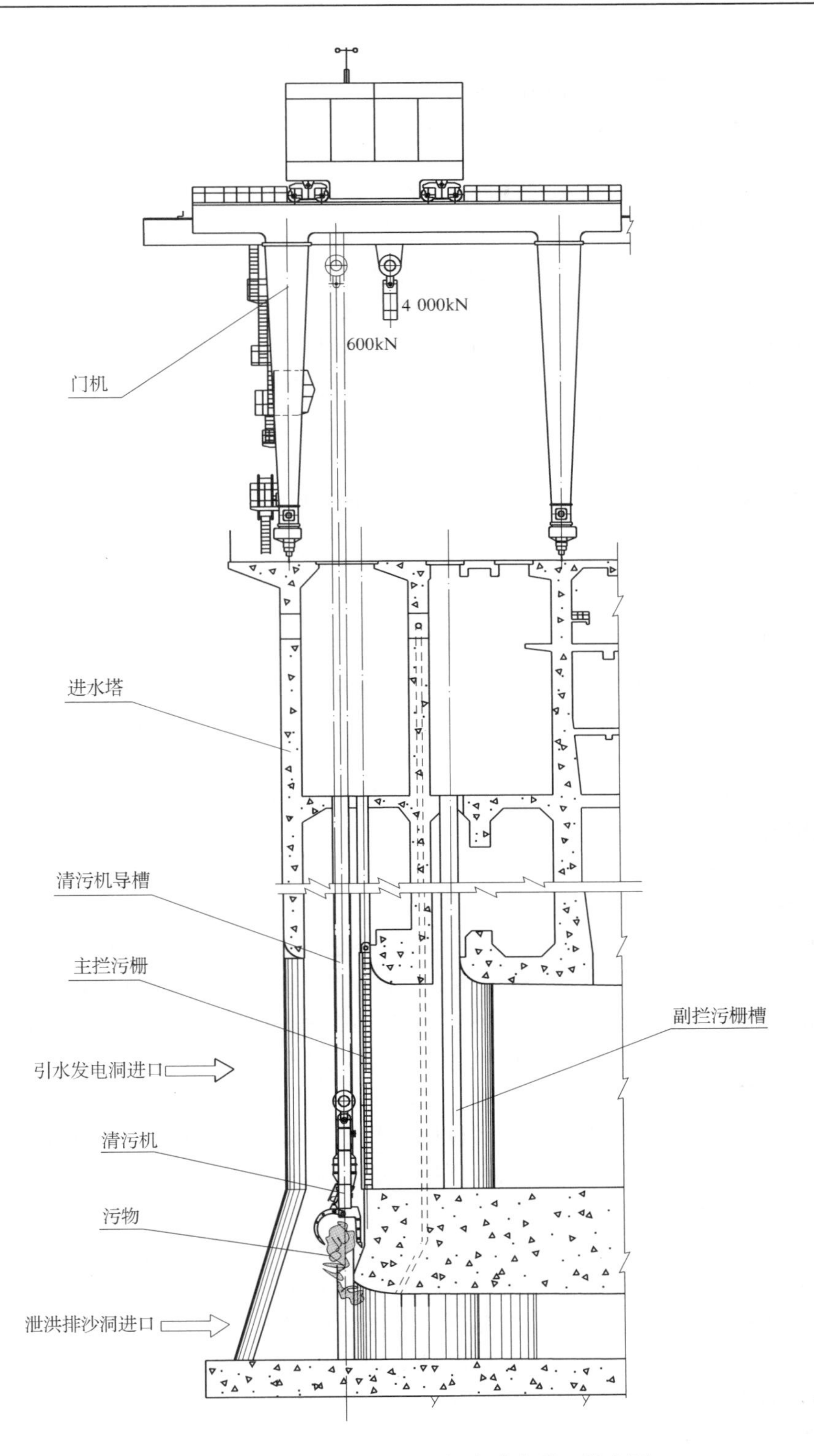


**图 20-6-2　清污机、门机和拦污栅在发电进口的布置**

那就是在压污过程中可能出现污物过分堆积而压不下去的情况，这时必须将抓斗闭合，实施分段抓污提出坝面，直至能再次顺利下压为止。

清污机的压污功能是与进行“水力清污”相联系的，压污的目的是为了进行“水力清污”。显然这种清污方式有不少优点。首先压污过程全部是在水下进行，减少了出入坝面需先闭合抓斗和进行对位的繁琐环节，且在正常压污情况下，整个压污过程无须将抓斗闭合，因此压污过程十分简捷，清污生产率相对较高；其次是由于污物被水流带走，减轻了人工运污的工作量，也减少了污物对塔面的污染，使工作环境得到改善。因此，对位于深水区的污物，应尽量采用清污机的“压污”功能，以最大限度地利用水力进行清污。

然而电站进口的水位是经常变化的。在水位比较高的情况下，若一味要求将污物都下压到拦污栅底，则不仅历时较长，而且还需要较大的下压力，反而会影响正常的清污工作。反之，若水位较低，即使是处于浅表层中的污物，只要能压下去，则应尽量采取“压污”方式进行清污。此外，排沙洞的运用方式也决定着清污机的运用方式。因此，在实际使用中是采用“压污”还是采用“抓污”，还应视具体情况而定。

## 四、清污机的安全保护

### （一）位置保护

清污机是靠塔顶门机小车的副钩操作的，并靠自重沿拦污栅前建筑物的导槽上下移动。为控制清污机的中间位置和上、下极限位置，在门机小车副钩的起升机构上分别设置了高度传感器和主令控制器。高度传感器配有电子数字显示屏，可动态显示清污机的位置高度。主令控制器控制清污机的某些特殊位置。主令控制器和高度传感器可作为清污机位置的双重保护。当清污机到达预定的位置时，高度传感器（主令控制器）可自动切断起升机构的电路使清污机停止升降。

### （二）负荷保护

在清污机的升降机构上还装有负荷保护装置。这种负荷保护装置同时具有“超载”和“欠载”两种保护功能。设置“欠载”保护功能主要是防止清污机在压污过程中出现随着受压污物越积越多且越来越密实而导致压不下去的现象。这会导致钢丝绳出现“松绳”而造成钢丝绳从滑轮槽或卷筒绳槽中脱出。增加负荷“欠载”保护功能后，一旦出现“欠载”，负荷限制器的压力传感器立即切断升降机构的电路，并向司机室发出标示“欠载”的声光报警信号。

### （三）液压系统保护

对液压系统的保护主要是对清污机抓斗开度极限及系统最大压力进行控制。抓斗的开闭极限实际上是由油缸活塞伸缩行程控制的。对油缸行程的限位，一般是通过附加装设的行程开关或在油路系统中装设限压阀通过限压来达到限位的目的。但由于清污机的油缸工作在水下（最大水深约 100m），要装设能在水下工作的行程开关则需进行专门研制。采用油路系统的安全阀通过限压达到限位的方法不适用于本清污机的抓斗，因为油路的限压并不仅仅局限在清污机抓斗开合的极限位置上，而是在抓斗开合的任意位置上都有可能出现较大压力（如在抓斗闭合过程中遇到大的劲性污物），因此这种方法在这种场合只能起限压作用，并不能由此判定抓斗是否已到了开度极限位置。为使塔顶门机司机室里的操作人员能判定清污机抓斗在水下的开合状态，我们在液压系统的电器控制回路中设置了时间继电器和压力继电器，用时间继电器来控制抓斗的开度极限，用压力继电器来控制抓斗任意开度时油路系统出现的过载。相应地,在司机室内设有与时间继电器和压力继电器相对应的信号指示。这样,操作人员就能了解水下抓斗的开合状态。另外,在泵站的密封罩内还设有漏水监视装置,当泵站发生漏水时,司机室也有相应的信号指示。

### 五、运行情况

到目前为止,小浪底电站已运行3年多,其间排沙洞多次参与了泄洪、排沙。清污系统一直运行良好,特别是在水库蓄水初期,拦污栅前污物较多,清污设备发挥了重要作用,保证了拦污栅和水轮机组的安全运行,创造了良好的经济效益和社会效益。实践证明,小浪底电站进口的清污设备将机械清污与水力清污有机结合了起来,为深层污物的清理提供了简捷、高效、省时、省力的有效途径。与传统的清污方法相比,清污的效率大大提高。新清污方式及其清污设备的研制与应用,为黄河上的高水头电站的污物治理工作积累了有益的经验。但迄今为止,水电站的清污问题在国内外一直是一个没有得到彻底解决的问题,因为一些柔性污物常常缠绕到拦污栅条上,即使采用人工清理都十分费劲,这是目前任何一种清污机都无法解决的。尽管为该工程设计的清污机具有抓、压、割、梳理等多种功能,但它也不是万能的。对一些较大的硬性污物,如从山上冲下来的树木,则不能全靠清污机械来打捞,而应首先考虑在上游进行监测,实施拦截或疏导。否则,一旦这些巨大的硬性污物靠近拦污栅,在水流的作用下,可能会将拦污栅或者清污机撞坏。为此,在小浪底工程的坝前还设置了清污船,并在发电进口设置了两道拦污栅槽和备用拦污栅,作为电站进口的辅助清污措施。

## 第七节　自动抓梁

### 一、概述

小浪底工程共有9套液压式自动抓梁。其中8套为单吊点抓梁,由4 000kN进水塔门机操作,最大工作水深近90m;1套为双吊点抓梁,由电站尾闸室2×2 500kN台车式启闭机操作,最大工作水深约10m。小浪底工程是目前国内集中采用液压抓梁较多的工程。

在门机操作的8套自动抓梁中,由门机4 000kN主起升小车操作的抓梁有6套:发电洞主拦污栅液压自动抓梁,发电洞副拦污栅液压自动抓梁,1号明流洞事故检修闸门液压自动抓梁,2号、3号明流洞事故检修闸门液压自动抓梁,孔板洞事故检修闸门液压自动抓梁,排沙洞事故检修闸门液压自动抓梁。由门机400kN水平反滚轮小车操作的抓梁有2套:灌溉洞拦污栅液压自动抓梁和灌溉洞事故检修门液压自动抓梁。前6套抓梁为1号、2号门机所共有,其中的任意一套抓梁可根据需要悬挂在任意一台门机上,而后2套抓梁只能悬挂在位置靠近灌溉塔的2号门机上。

由于闸门止水的布置位置不同,这些抓梁有两种不同的工作条件。孔板洞检修闸门和电站尾水管检修闸门的止水布置在闸门迎水面,因而这些闸门的自动抓梁受水流、污物和泥沙影响较小,甚至可以实现在无水条件下进行穿轴动作,其工作条件和安全性相对较好。而明流洞、排沙洞和灌溉洞检修闸门的止水布置在闸门背水面,操作这类闸门的抓梁常需在水下进行穿、脱轴，可能会受到水中污物的阻塞以及门前泥沙淤积的影响，而操作拦污栅的抓梁还可能受到水流的扰动，因而这些抓梁对安全可靠性的要求更高，除布置上要采取一些措施(如闸门吊耳布置在泥沙最大淤积高程以上)外，抓梁上还需要设置精准和完善的信号监控装置。

2 台门机最多可以同时悬挂 3 台抓梁，其余由门机操作的抓梁存放在相应的闸门槽内，并锁定在进水塔顶层以下，以保持塔面的整洁和美观。

## 二、主要技术参数

小浪底工程的液压自动抓梁主要技术参数见表 20-7-1。

**表 20-7-1　小浪底工程液压自动抓梁主要技术参数**

| 抓梁主要技术项目 | | 抓梁操作对象 | | | | | | | | |
|---|---|---|---|---|---|---|---|---|---|---|
| | | 发电洞 | | 明流洞事故检修门 | | 孔板洞事故检修门 | 排沙洞事故检修门 | 灌溉洞 | | 电站尾水管检修门 |
| | | 主栅 | 副栅 | 1号 | 2号、3号 | | | 拦污栅 | 事故检修门 | |
| 启闭容量(kN) | | 4 000 | 4 000 | 4 000 | 4 000 | 4 000 | 4 000 | 400 | 400 | 2×2 500 |
| 吊点距(m) | | 单吊点 | 单吊点 | 单吊点 | 单吊点 | 单吊点 | 单吊点 | 单吊点 | 单吊点 | 6.5 |
| 穿轴行程(mm) | | 640 | 610 | 550 | 550 | 550 | 550 | 395 | 395 | 530 |
| 穿轴时间(s) | | 30 | 28 | 17 | 25 | 17 | 25 | 12 | 12 | 34 |
| 脱轴时间(s) | | 21 | 20 | 10 | 18 | 10 | 18 | 7 | 7 | 20 |
| 齿轮泵 | 型号 | WBZ－25 | WBZ－25 | WBZ－25 | WBZ－25 | WBZ－25 | WBZ－25 | WBZ－25 | WBZ－25 | WBZ－25 |
| | 工作压力(MPa) | 2.5 | 2.5 | 2.5 | 2.5 | 2.5 | 2.5 | 2.5 | 2.5 | 2.5 |
| | 流量(L/min) | 25 | 25 | 25 | 25 | 25 | 25 | 25 | 25 | 25 |
| 电动机 | 型号 | Y90－4 | Y90－4 | Y90－4 | Y90－4 | Y90－4 | Y90－4 | Y90－4 | Y90－4 | Y90－4 |
| | 功率(kW) | 1.5 | 1.5 | 1.5 | 1.5 | 1.5 | 1.5 | 1.5 | 1.5 | 1.5 |
| | 转速(r/min) | 1 450 | 1 450 | 1 450 | 1 450 | 1 450 | 1 450 | 1 450 | 1 450 | 1 450 |
| 尺寸 | 宽(mm) | 4 160 | 5 180 | 6 540 | 10 100 | 6 080 | 5 280 | 3 872 | 4 280 | 12 280 |
| | 高(mm) | 4 140 | 4 170 | 4 342 | 4 160 | 4 250 | 4 310 | 3 120 | 3 057 | 4 980 |
| 重量(kg) | | 9 947 | 10 590 | 11 470 | 13 410 | 11 570 | 10 900 | 3 918 | 4 530 | 14 110 |

## 三、设备组成及工作原理

液压自动抓梁主要由抓梁体、泵站系统、液压穿轴装置、定位装置、导向滚轮装置、信号装置以及电缆防水接线盒和防水密封插头等部件组成(见图 20-7-1)。双吊点液压抓梁比单吊点抓梁多一套穿轴装置，抓梁的液压系统原理见图 20-7-2。

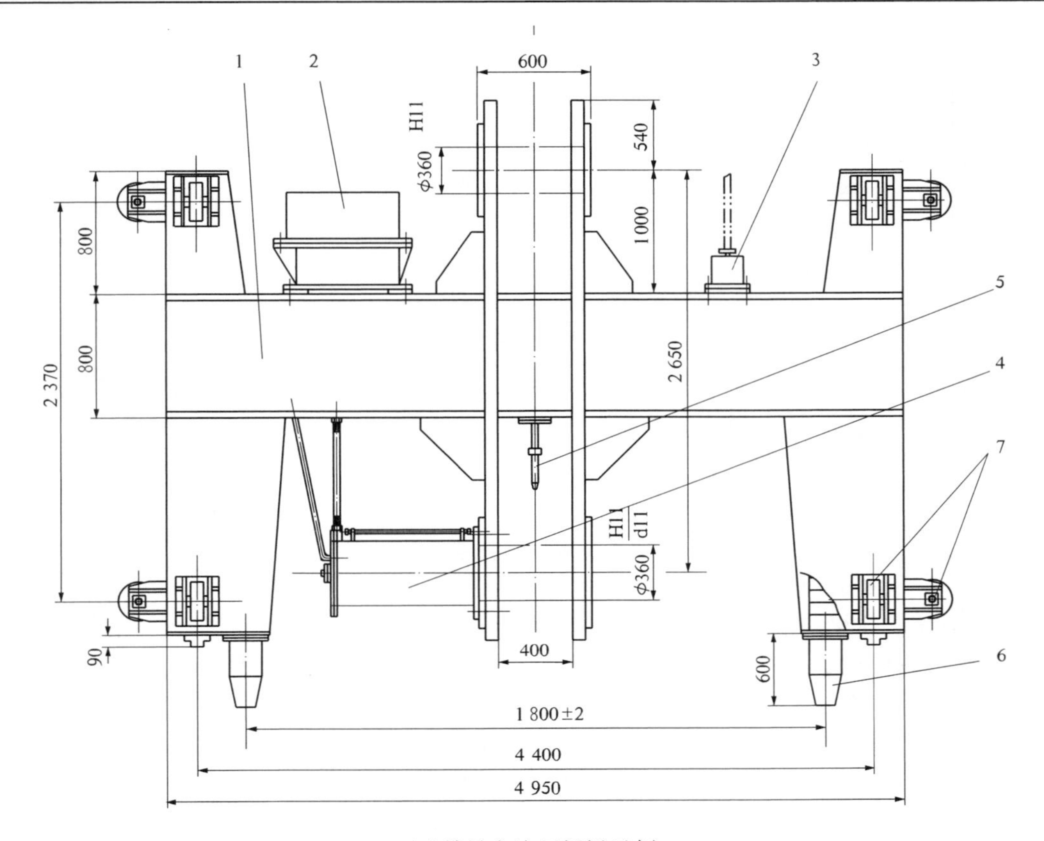


(a)单吊点液压抓梁示例

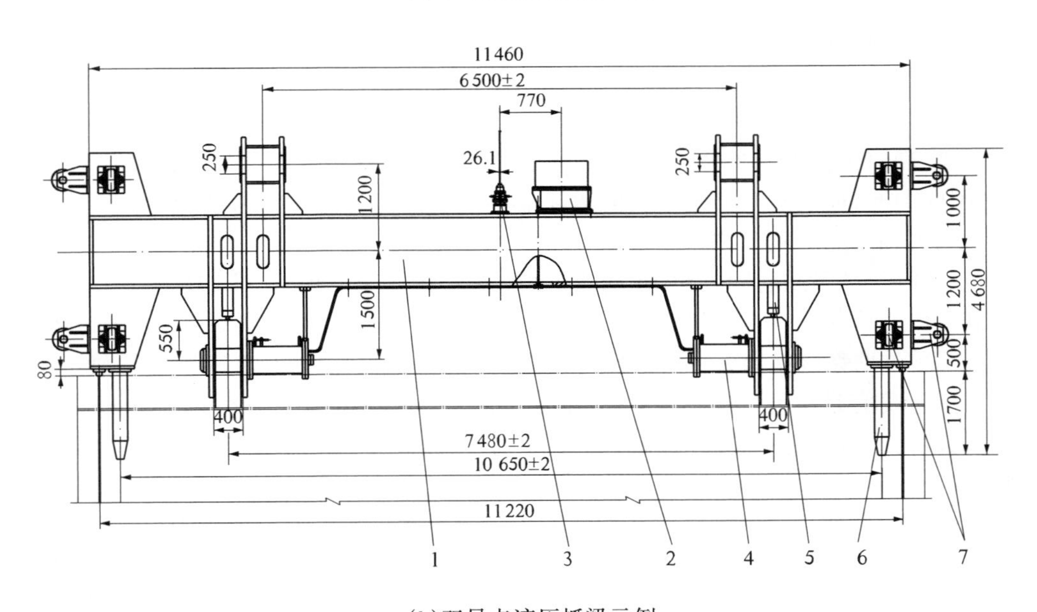


(b)双吊点液压抓梁示例

**图 20-7-1　液压抓梁的构成**　(单位:mm)

1—抓梁体;2—泵组;3—密封插头与接线盒;4—液压穿轴装置;5—对位信号装置;6—定位销;7—导向装置

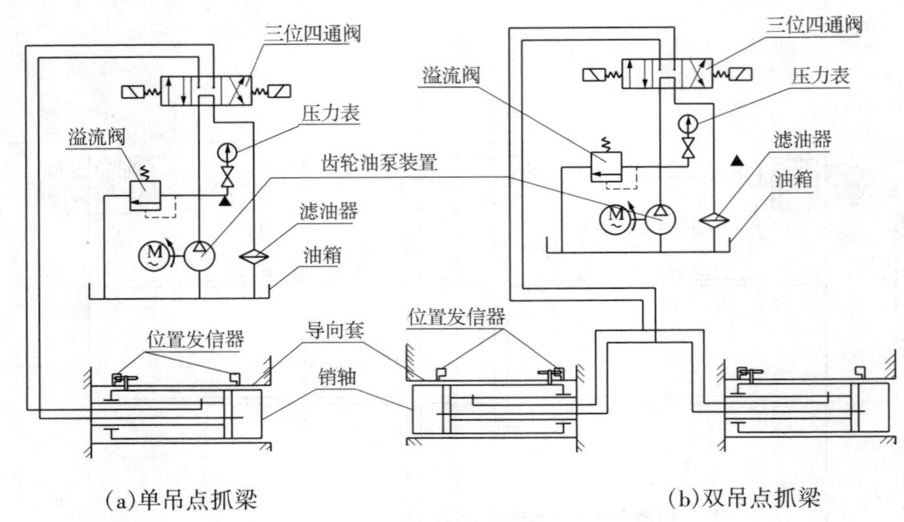


**图 20-7-2 抓梁液压系统原理**

液压抓梁的工作原理如下：

(1)对位。抓梁对位是指抓梁销轴中心与闸门吊耳孔中心对准的过程。抓梁对位是由设在抓梁两侧底板上的定位销和设在下吊耳上方的对位信号装置来完成的。对位信号装置能将信号发送到操作室,直观显示出销轴位置。

当抓梁下降接近闸门时,定位销首先进入闸门上的定位孔,固定住抓梁的前后左右位置。然后随着抓梁的进一步下放,对位信号装置的铁芯头部与闸门吊耳顶板接触,并将铁芯上推,对位信号装置的感应器中产生感应电流。当抓梁继续下降使铁芯全部进入感应器中时,感应电流达到量程的最小值。这时抓梁正好落在闸门上,抓梁上的液压穿轴装置的中心也正好对准闸门吊耳孔的中心。同时设在起升机构上的高度传感器动作,起升机构断电停机。对位过程完成,可以进行穿轴动作。

这种对位方式由定位销、对位信号装置以及高度指示器三个环节共同进行约束,因此一般不会出现对位错误。另外,通过荷载限制器也能对是否准确对位辅助加以判断:当抓梁坐在闸门上时,荷载限制器的显示值达到最小值。如此时对位信号装置也同时达到最小位置,则可判定已准确对位。

(2)穿轴。按“泵站起动按钮”起动油泵组,液压油经三位四通电磁阀中位泄荷口回至油箱,电动机空载起动。至电机运行平稳后,再按下“穿轴”按钮,三位四通换向阀动作,阀芯换位,穿轴油路系统接通,液压油经三位四通阀进入销轴无杆腔,销轴前移穿轴。穿轴到位后,位置发信器发出信号。按下“停止”按钮,电动机停止运转,三位四通换向阀复位,油路系统锁死。由于电磁阀的滑阀机能为 M 型,因而油路系统闭锁后,销轴不会在水压作用下自动回退。

(3)脱轴。按“泵站起动按钮”起动油泵组,液压油经三位四通电磁阀中位泄荷口回至油箱,电动机空载起动。至电机运行平稳后,再按下“脱轴”按钮,三位四通换向阀动作,阀芯换位至另一位置,脱轴油路系统接通,液压油经三位四通阀进入销轴有杆腔,销轴后撤脱轴。脱轴到位后,位置发信器发出信号。按下“停止”按钮,电动机停止运转,三位四通换向阀复位,油路系统锁死。

## 四、泵站系统及液压穿轴装置设计

### (一)销轴的工作阻力

销轴的工作阻力可按式(20-7-1)计算：

$$P_z = P_s + P_h + P_a + P_m + P_f \tag{20-7-1}$$

式中　$P_s$——销轴的轴向水压差，$P_s = h \times \gamma \times \Delta F$（$h$ 为作用水头，$\gamma$ 为水的比重，$\Delta F$ 为销轴两端面积差）；

$P_h$——回油阻力，直接回入油箱时 $P_h \approx 0$；

$P_a$——穿脱轴启、制动时的惯性力，一般较小，可忽略不计；

$P_m$——销轴密封摩擦阻力，采用 O 形密封圈时，$P_m \approx 0.3P_t = 0.3P_0A$（$P_t$ 为销轴推力，$P_0$ 为销轴最大工作压力，一般不小于 2MPa，$A$ 为销轴内腔横断面面积）；

$P_f$——销轴自重摩擦阻力，$P_f \approx G \cdot \mu$（$G$ 为销轴自重，$\mu$ 为滑动摩擦系数，水对销轴的浮力忽略不计）。

一般来讲，根据上式计算的阻力数值较小，考虑到水下穿轴可能会发生不可预测的复杂情况，销轴具有的推力应比计算的工作阻力大 2～5 倍。

### (二)油泵、电机选择

(1)油泵选择。销轴的工作压力一般应为所选油泵额定压力 $P$ 的 80%左右，以便留有充分的裕度抵偿油缸密封摩擦阻力以及油压管道、液压元件的各项压力损失。油泵的额定工作压力 $P$ 可按式(20-7-2)计算：

$$P = (1.1 \sim 1.3)P_0 \tag{20-7-2}$$

式中　$P_0$——销轴内液压油的计算最大工作压力。

(2)流量计算。可按式(20-7-3)计算：

$$Q = \frac{\pi}{4} \cdot D_{内}^2 \cdot V \cdot 10^{-3} / \eta_v \tag{20-7-3}$$

式中　$D_{内}$——销轴内径；

$V$——销轴穿轴速度；

$\eta_v$——油缸的容积效率。

脱轴时的工作压力及流量小于穿轴时的工作压力及流量，以穿轴时为控制流量。一般来说，计算的额定压力及流量都很小。因此，选用构造简单、价格便宜、工作可靠的齿轮泵即可满足要求，一般选用电机、油泵等组合成一体的齿轮泵组。小浪底工程的液压抓梁采用的是 WBZ－25 型齿轮泵组，其主要参数见表 20-7-1。

### (三)液压穿轴装置

抓梁的液压穿轴装置主要由销轴、活塞杆、导向套筒、端盖等部件组成。液压穿轴装置通过螺栓固定在抓梁下吊板上。液压穿轴装置相当于一个小型油缸，只不过移动伸缩的不是活塞杆，而是油缸的缸体。液压穿轴装置的活塞杆是固定在抓梁体上的。液压油不是通过缸体(销轴)进入活塞的两侧腔，而是通过装在活塞杆固定端部的两个二通铰接头进入活塞杆内部油路,再分别进入活塞的两侧腔。销轴和活塞杆之间的密封采用O形密封圈。销轴通过设置在穿轴装置上的穿、脱信号装置进行限位。销轴行程到位时,信号装置能发出相应信号,并传送到操作台直观显示出来。

液压穿轴装置的销轴直接承受启闭荷载,强度和刚度要有足够的裕度,以避免产生较大的变形而影响穿脱轴的正常工作。以门机主钩抓梁为例,销轴必须满足4 000kN启闭容量的强度要求。同时,由于销轴为空心轴且销轴与导向套间为动配合关系,因此要求销轴受力后绝不能产生永久变形和局部挤压破坏。另一方面销轴的直径还要与闸门吊耳孔相协调,当对销轴直径尺寸有限制时,应适当调整销轴的材料。启闭容量4 000kN的抓梁销轴的外径为360mm,内径为150mm,材料为45钢,承受的液压工作压力为2.0MPa。

导向套的内表面、销轴外表面及活塞杆表面要求整体镀铬,先镀乳白铬再镀硬铬,镀层总厚度为0.08mm。活塞杆内的油路、油管组装前必须彻底清洗干净,不得留有任何杂物。

## 五、抓梁体

抓梁体的主要作用除在上面设置吊耳、穿轴装置和支撑油泵组外,还有出入闸槽导向作用,一般设计成工字形,以方便在梁体两端的竖梁上设置正、反和侧向支撑。小浪底工程的液压抓梁启闭容量较大,故梁体统一采用了箱形梁结构。

抓梁体应按在水中浮力最小的结构型式设计,尽量避免封闭的舱室结构,以最大限度地减小抓梁在水中被扰动的程度,方便抓梁下沉和与闸门的定位和对位。小浪底工程的抓梁体上都设有排气孔和漏水孔。对开口向上的凹槽开有排水口以防存水。

抓梁体的端部竖梁中可放置配重块,以便调整抓梁在自由悬吊状态下的静平衡状态。配重块放在端部竖梁的底部,以降低抓梁的质量重心。配重块既要固定牢靠又要可以调整位置。

尾水检修闸门的抓梁为双吊点抓梁,上下吊耳的吊距不同,因此抓梁承受弯曲应力和剪应力的共同作用,应计算梁体的强度和刚度,并应按可能出现的最大荷载(如抓梁一端被卡阻)对梁体进行强度校核。

## 六、定位销

抓梁的定位销应成对设置,其长度应满足:当闸门吊耳顶面尚未进入抓梁下吊耳之间之前,定位销的圆柱段已进入闸门的定位孔中。定位销的大小头直径差值宜控制在60~80mm,锥角为10°~20°。定位销和定位孔的配合表面应采取防腐措施,以防生锈后影响孔与销的配合。考虑到黄河泥沙较大,对定位孔还要求能够自行漏沙、排沙。

## 七、防水密封试验

全部抓梁的总电缆密封插座、带密封罩的泵组及各分支电缆的密封部位均进行了防水密封试验。试验压力不小于抓梁工作水压力的两倍,保压时间不少于30min。小浪底工程的9套抓梁工作水压力各不相同,但采用了统一的密封形式,密封试验压力也统一按最大工作水深100m的两倍取值。

## 八、总电缆密封插座

小浪底工程的抓梁数量较多，最大的工作水深近百米，且门机主钩操作的6套抓梁在使用中需经常拔插接头才能互相更换。因此，抓梁的动力电缆、信号电缆在水下的防水密封要求较高，这是抓梁能否可靠工作的关键所在。为此，小浪底工程的9套液压抓梁的总电缆密封插座全部采用了新型防水耐压密封插头和插座。这种产品是一种更新换代产品，工作环境温度-40℃～+85℃，耐电压2 000V，绝缘电阻不小于500MΩ，可在400m深的水下长期工作；其插针和插孔表面镀金，动力插接的工作电流不小于20A，信号插接的工作电流可达10A，插头最多为16针，插接寿命不少于500次。采用这种产品后，抓梁的工作安全和可靠性得到提高。

## 九、总电缆

抓梁的动力电缆和各条信号电缆汇集到接线盒后，通过总电缆与起升机构的电缆卷筒连接。总电缆为多芯电缆，既要能保证信号电缆与动力电缆之间互不干扰、信号能正常传输，又要有一定的机械强度，以抵抗自重等机械力的作用，还要能反复弯曲以适应卷绕。单吊点抓梁采用12芯，双吊点抓梁采用16芯。这种电缆无标准系列可选，需要与电缆生产厂家技术协商，特殊订货。小浪底工程的抓梁采用的是上海电缆厂的产品。

## 十、安全保护

抓梁的结构、零部件强度保护由启闭机的荷载限制器承担，抓梁的液压系统靠油路系统内设置的安全阀(溢流阀)来实现。抓梁还设有防漏水密封监测保护。漏水检测保护靠在监测点设置一组接点实现，一般设置在总电缆密封插座内和油泵站的密封罩内的较低位置。当这些部位有渗水时，水体会集中到最低位置，接点就被水体联通，这一路的指示灯就会点亮，或发声器报警。壳体内部积水深度以不威胁电气元件的安全工作而定，一般不大于5mm。

液压抓梁的设计目前国内尚无统一的标准。小浪底工程液压抓梁的设计既有对其他工程同类产品设计经验的借鉴，也有针对工程的具体条件所采取的措施。从这些抓梁目前的运行情况来看还是比较好的，其安全性和可靠性均达到了预期的设计目标，到目前为止还没有发生提门挂不上钩、闭门脱不掉钩的情况。但根据对以往工程抓梁运行情况的调查，约60%以上的故障是由于抓梁防水密封失效造成的，而这其中又有一部分原因是拔、接电缆插头造成的。因此，从设计的角度来讲，一方面要选用防水性能较高的电缆插座新产品，提高密封效果和延长插座的使用寿命；另一方面应在工程总体布置阶段，在不影响工程正常功能的前提下，尽量减少不同尺寸的孔口的数量，以减少抓梁种类和更换抓梁、拔接电缆插头的次数，提高抓梁的工作可靠性。

## 十一、移动式抓梁检修支架

### (一)组成及工作原理

液压抓梁不宜平放，即使在抓梁检修时也应保持立式放置状态，以便于操作人员对抓梁进行维护和检修。为此,专门设置了一组抓梁检修支架。这种检修支架自身不带动力,移动时靠人力推动。支架带有轮子和可伸缩的支脚,平时存放在库房内,使用时再移动到检修场所(见图 20-7-3),利用进水塔门机将抓梁的两端分别架置在支架上,通过抓梁上原有的定位销和支承垫块以及抓梁支架上的定位孔将抓梁和支架固定在一起。因此,这种抓梁检修支架为成对配置。

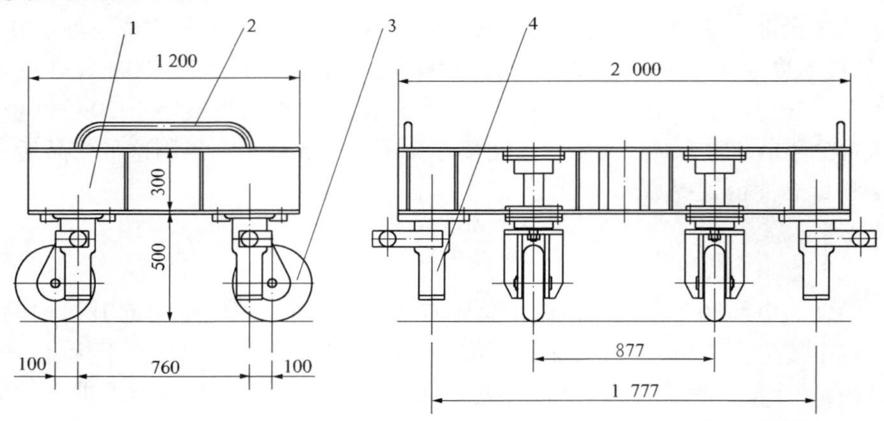


**图 20-7-3 移动式抓梁检修支架** (单位:mm)

1—机架;2—把手;3—走轮;4—支脚

每个支架上设有 4 个可以上下伸缩的支脚。在支架移动时,这些支脚悬在空中,处于回缩的状态。当放置抓梁时,应先将移动支架的全部支脚下放,并调平支架的平面,然后再将抓梁放上。此时,支架的所有轮子是悬空的。

检修支架只用于放置和固定抓梁,其本身并不带升降平台,检修抓梁所用的升降平台需另外配置。目前,这类升降平台种类很多,并且已成系列化产品。小浪底工程推荐的是移动式液压升降平台。

抓梁检修小车应在厂内做负荷试验,荷载为 160kN(1.1 倍的最大抓梁自重),机架的最大变形按不超过支承跨度的 1/1 000 控制。

小浪底工程是国内第一座设置移动式抓梁检修支架的水电站,这也是汲取了以往电站运行管理的实践经验而添置的一项新设备。

**(二)设计特点**

1.抓梁与支架的固定

抓梁与支架的固定,一种方法是在抓梁的四角用环链连接固定,这种方案虽然可行,但操作过程繁琐,使用不方便;另一种方法是在检修小车上设置定位孔,利用抓梁的定位销和支承垫块与检修小车连成一体。由于 8 套液压自动抓梁共有两种规格的定位装置,且差别较大,因此在检修小车的机架上设置了 2 套定位孔,其中内径为 202mm 的定位孔用来定位发电洞主、副拦污栅及 1～3 号明流洞检修闸门、孔板洞检修闸门和排沙洞事故检修闸门等 6 套液压自动抓梁;内径为 102mm 的定位孔用于灌溉洞拦污栅和检修闸门自动抓梁的定位。此种定位方法连接简单、稳定可靠。

需要注意的是,应复核抓梁和支架定位元件的强度,并按可能出现的最大风压作用于核算元件产生的荷载进行考虑，以保证抓梁在这些载荷作用下定位元件不被破坏。支架定位孔的套管还应具有一定的长度，以保持抓梁和支架成为稳固的整体而不出现晃动或倾覆。

2.行走轮

抓梁检修支架的行走轮设计为万向轮，以便在移动中能够灵活转弯。橡胶轮的行走旋转中心与转弯旋转中心有 100mm 的偏移，这样可使抓梁支架转弯时用力较小，拐弯较灵活。

3.旋转副

为减小移动抓梁支架所需的推力，行走轮的旋转部件全部采用了滚动轴承。在橡胶轮的水平轴上，采用了 60108 型带防尘盖单列向心球轴承。在橡胶轮的竖直轴上设置了两套滚动轴承，上端采用了 9039412E 型单列向心球面滚子轴承，下端采用了 80216 型带防尘盖单列向心球轴承。这样，只需 1 ~ 2 人即可推动支架行走。

4.支脚

抓梁支架的 4 个支脚采用了 4 个螺旋千斤顶，通过人力操纵千斤顶的手柄控制支脚的伸缩。每个支脚的伸缩均须单独操纵，以适应地面的坑洼不平，调整支架台面的水平度。

抓梁检修支架不仅适用于进水塔上的 8 套抓梁，也可将其移至电站尾闸室，检修尾水管检修闸门的双吊点自动抓梁。